PT・OTビジュアルテキスト

義肢・装具学

異常とその対応がわかる動画付き

監修
高田治実

編集
豊田　輝
石垣栄司

第2版

謹告

本書に記載されている診断法・治療法に関しては，発行時点における最新の情報に基づき，正確を期するよう，著者ならびに出版社はそれぞれ最善の努力を払っております．しかし，医学，医療の進歩により，記載された内容が正確かつ完全ではなくなる場合もございます．

したがって，実際の診断法・治療法で，熟知していない，あるいは汎用されていない新薬をはじめとする医薬品の使用，検査の実施および判読にあたっては，まず医薬品添付文書や機器および試薬の説明書で確認され，また診療技術に関しては十分考慮されたうえで，常に細心の注意を払われるようお願いいたします．

本書記載の診断法・治療法・医薬品・検査法・疾患への適応などが，その後の医学研究ならびに医療の進歩により本書発行後に変更された場合，その診断法・治療法・医薬品・検査法・疾患への適応などによる不測の事故に対して，著者ならびに出版社はその責を負いかねますのでご了承ください．

第2版の序

筆者は，昭和50年に日本国有鉄道病院（現：JR東京総合病院）へ就職してから約30年間，日本における義肢・装具に関する最先端で義肢・装具学および臨床技術の発展に努めてきた．その後の15年間は，PT養成校の教員として学生に対して義肢・装具学を教授するとともに臨床の現場において義肢・装具装着トレーニングの指導を行ってきた．それらの経験から，義肢装具士の国家資格が誕生して以来，PT・OTと学生の義肢・装具に対する興味が著しく低下し，義肢・装具装着トレーニングを実施する技術も顕著に低下している現状を実感し，憂慮している．一方，養成校の急増により「義肢・装具学」に精通し質の高い内容を教授できる教師の数が不足してきている．また第1版発行当時に出版されていた「義肢・装具学」の教科書は，イメージがつかみにくく臨床現場を想像しにくいうえに，本を読まない学生が理解するには難しい内容のものが多かった．

そこで，PT・OTをめざす多くの学生に対する教育の質を担保し，義肢・装具に興味をもたせることができる授業を行えるような教科書として本書が企画され，5年前に第1版が出版された．その後，学生にとってさらに理解しやすくイメージできるもの，動画教材や練習問題のさらなる充実を求める要望が多数寄せられたため，第2版を発刊することとなった．第2版の特徴は以下の通りである．

①豊富な実物のカラー写真とイラストといった第1版のよい点はそのままに，動画の数を増加（第1版：54本→第2版：114本）することによって，「目で見てさらにわかる」ようにし，「臨床実習および臨床現場」でより役立つように改善した
②箇条書きの簡潔な文章で理解しやすい
③イメージをつかむための動画を，紙面に掲載した二次元バーコードを読み込むことですぐに見られるようにした
④教科書として採用した養成校の教員には，採用特典として，図表を画像化したデータを講義用に提供する
⑤学んだことを復習するための穴埋め問題，および国試対策のための選択式問題を，各項について採用特典として用意した

また，各項は，
①義肢・装具の名称がわかる
②義肢・装具の機能と特徴がわかる
③義肢・装具の適応がわかる
④義肢・装具のチェックアウトができる
⑤義肢の評価・プログラムの設定ができる
⑥義肢のアライメント調整ができる

などの到達目標をもって編集されている．加えて「学習のポイント」を各項のはじめに記載し，理解しやすいように構成していることも特徴の1つである．そのため，「義肢・装具学」を専門としている教師でなくとも学生に興味をもたせることができ，質の高い授業を行うために利用できる教科書となっている．

第2版では，義肢・装具装着者でよくみられる「異常歩行とその対応」「ADL」「装着手順」「構造と機能」などの動画を大幅に増やした．これらの動画は学生が実際のイメージをつかむのに非常に有益である．臨床現場で働いているPT・OTが適合やアライメント調整を含む義肢・装具装着トレーニングを施行する臨床スキルを向上させるためにも有効な本である．ぜひ，現役のPT・OTの方々にもご活用いただきたい．

2023年1月

高田治実

PT・OTビジュアルテキスト

義肢・装具学

第2版

目次概略

第Ⅰ章 義肢学

第Ⅱ章 装具学

PT・OT ビジュアルテキスト

義肢・装具学 第2版

異常とその対応がわかる動画付き

contents

正誤表・更新情報

本書発行後に変更，更新，追加された情報や，訂正箇所のある場合は，下記のページ中ほどの「正誤表・更新情報」からご確認いただけます．

https://www.yodosha.co.jp/yodobook/book/9784758102636/

本書関連情報のメール通知サービス

メール通知サービスにご登録いただいた方には，本書に関する下記情報をメールにてお知らせいたしますので，ご登録ください．

・本書発行後の更新情報や修正情報（正誤表情報）
・本書の改訂情報
・本書に関連した書籍やコンテンツ，セミナー等に関する情報

※ご登録には羊土社会員のログイン/新規登録が必要です

ご登録はこちらから

執筆者一覧

※所属は執筆時のもの

監　修

高田治実　一般社団法人日本リハビリ科学研究所

編　集

豊田　輝　帝京科学大学医療科学部東京理学療法学科
石垣栄司　日本リハビリテーション専門学校教務部

執　筆（掲載順）

高田治実　一般社団法人日本リハビリ科学研究所
新妻　晶　リハビリテーションクリエーターズ株式会社
岡安　健　東京医科歯科大学病院リハビリテーション部
柊　幸伸　福岡国際医療福祉大学医療学部理学療法学科
石垣栄司　日本リハビリテーション専門学校教務部
豊田　輝　帝京科学大学医療科学部東京理学療法学科
梅澤慎吾　公益財団法人鉄道弘済会義肢装具サポートセンター
岩下航大　公益財団法人鉄道弘済会義肢装具サポートセンター
寺村誠治　JR東京総合病院リハビリテーション科
永橋　愛　JR東京総合病院リハビリテーション科
宮城新吾　JR仙台病院リハビリテーション科
阿部早苗　JR東京総合病院リハビリテーション科
川井伸夫　元・長野保健医療大学保健科学部リハビリテーション学科
内藤貴司　東京衛生学園専門学校リハビリテーション学科
糸数昌史　国際医療福祉大学保健医療学部理学療法学科
吉葉　崇　JR東京総合病院リハビリテーション科
小林　薫　国際医療福祉大学保健医療学部理学療法学科

ストリーミング動画のご案内

- 本書では，義肢・装具を装着した方の通常歩行，異常歩行とその対応，ADL，義肢・装具の装着手順や構造と機能などがよくわかるストリーミング動画をご用意いたしました．
- 動画は本書中の 動画① というアイコンのあるところに対応しており，アイコン近くの**QRコード**を読み込むことによって，お手持ちの端末でご覧いただけます（一度に集中いたしますとサーバに負荷がかかる恐れがございますため，講義などでご使用の際はスライドで上映するなどご注意ください）．

※視聴には羊土社会員へのご登録が必要です．
※QRコードのご利用には「QRコードリーダー」が必要となります．お手数ですが，各端末に対応したアプリケーションをご用意ください．
※QRコードはデンソーウェーブの登録商標です．

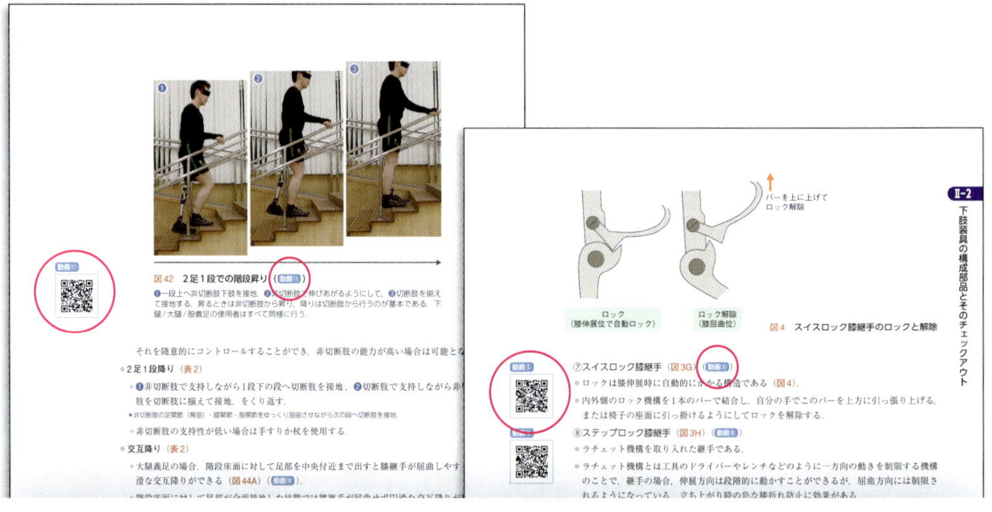

※上記の紙面はイメージです．

- また，羊土社ホームページの**本書特典ページ**（下記参照）からも動画をご覧いただけます．

1. **羊土社ホームページ**（www.yodosha.co.jp/）にアクセス（URL入力または「羊土社」で検索）
2. 羊土社ホームページのトップページ右上の **書籍・雑誌付録特典**（スマートフォンの場合は**付録特典**）をクリック
3. **コード入力欄**に下記をご入力ください
   コード：**eua** - **buoj** - **dilp** ※すべて半角アルファベット小文字
4. 本書特典ページへのリンクが表示されます
   ※ 羊土社会員へのご登録が必要です．2回目以降のご利用の際はコード入力は不要です
   ※ 羊土社会員の詳細につきましては，羊土社ホームページをご覧ください
   ※ 付録特典サービスは，予告なく休止または中止することがございます．本サービスの提供情報は羊土社HPをご参照ください

第Ⅰ章

義肢学

第Ⅰ章 義肢学

1 義肢学総論

学習のポイント

- わが国における四肢切断の疫学と原因を学ぶ
- 切断の部位と手技，義肢の分類を学ぶ

1 義肢とは

動画②

- 病気や事故などで四肢の一部を欠損（切断）した場合に手足の機能や形態を代償するために使用される**人工の手足**である．
- 上肢に使用されるものを「**義手**」（図1），下肢に使用されるものを「**義足**」（図2）という（動画①②）．
- 近年，義肢の機能は飛躍的に向上しており，切断者の日常生活活動（ADL）や生活の質（QOL）を高めるための有効な手段として注目されている．

2 わが国の四肢切断の疫学（数値データは2006年時のもの）

近年，わが国においては急速な高齢化が進んでいることは周知の事実である．切断時平均年齢において**高齢切断者**の占める割合も増加傾向にある．このような高齢切断者においては切断原因が外傷性によるものから糖尿病（DM）・閉塞性動脈硬化症（ASO）などの**末梢循環障害**によるものへと変化していることが特徴的である．切断者に関する疫学調査は少なく，本項では澤村ら，林らの疫学調査[1)2)]を引用して述べる．

1）切断者数と男女比

- 年間の全切断者数は人口10万人あたり6.2人
- そのうち，上肢切断者数は4.6人，下肢切断者数は1.6人
- 男：女＝4：1

2）切断時の年齢

- 外傷による若年切断者は減少，末梢循環障害による高齢切断者が増加傾向にある．

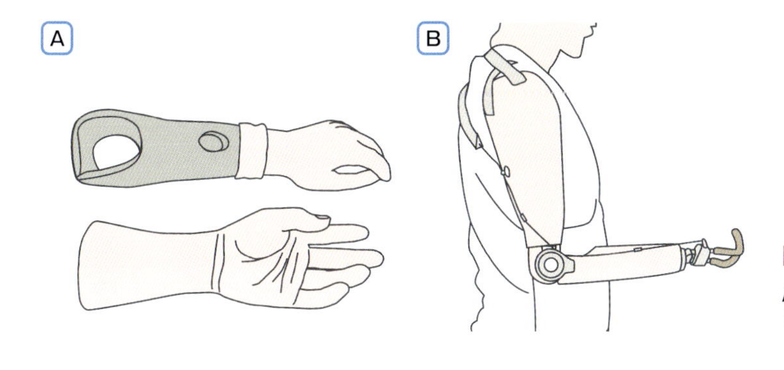

図1　義手

A）前腕義手，B）上腕義手
（第Ⅰ章15参照）．

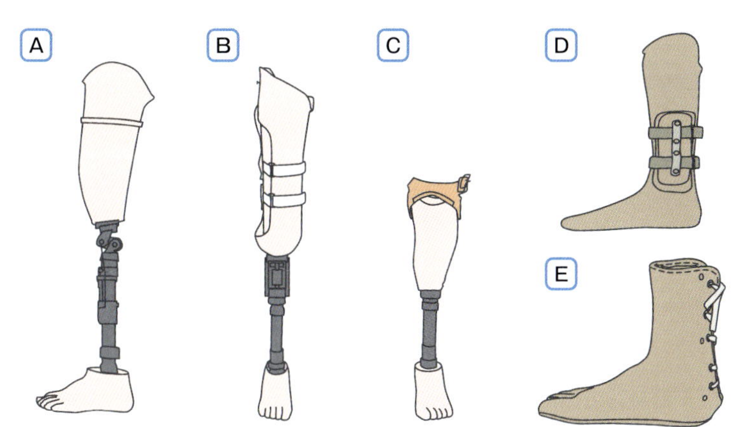

図2　義足

A）大腿義足，B）膝義足，C）下腿義足，D）サイム義足，E）足部義足
（第Ⅰ章3，4，6，7，9参照）．

- 平均年齢は上昇しており，特に60～70歳代，80歳以上の高齢切断者の割合が増加している傾向にある．

3）切断部位（図3，4）

- 一肢切断は全切断者の94％．うち一側上肢切断72％，一側下肢切断28％．
- 二肢切断者は5.8％．うち両上肢切断68％，両下肢切断26％，上下肢切断5％．
- 上肢切断では指切断が82％を占める．
- 下肢切断では下腿切断が49.6％，大腿切断36.7％と合わせて86.3％を占める．
- 続いてサイム・足部切断，膝関節離断，股関節離断，片側骨盤切断の順に割合が減少していく．
- 「切断」とは，四肢の長管骨を骨切りし，長管骨と軟部組織の損傷を伴う方法で切断端と末梢部を切離することである．
- 「離断」は長管骨の骨切りを行わず，関節面を境にして軟部組織の損傷のみで切断端と末梢部を切離することである．

＊「切断」「離断」の解剖学的な定義は上記の通りであるが，臨床では関節面に近い長管骨で切断した場合にも機能的に「離断」として扱うことがある．例えば，腋窩から近位部（0～30％）での上腕切断では，その残存機能が低いことより上腕義手の適応となりにくく，肩義手の適応となることが多い（図3）．また肘関節よりわずかに近位部（90～100％）での上腕切断は機能的に肘関節離断として扱うこともある．股関節から近位の大腿骨切断（小転子より近位部の切断）においても，股関節離断用の股義足が適応となることが多い（図4）．

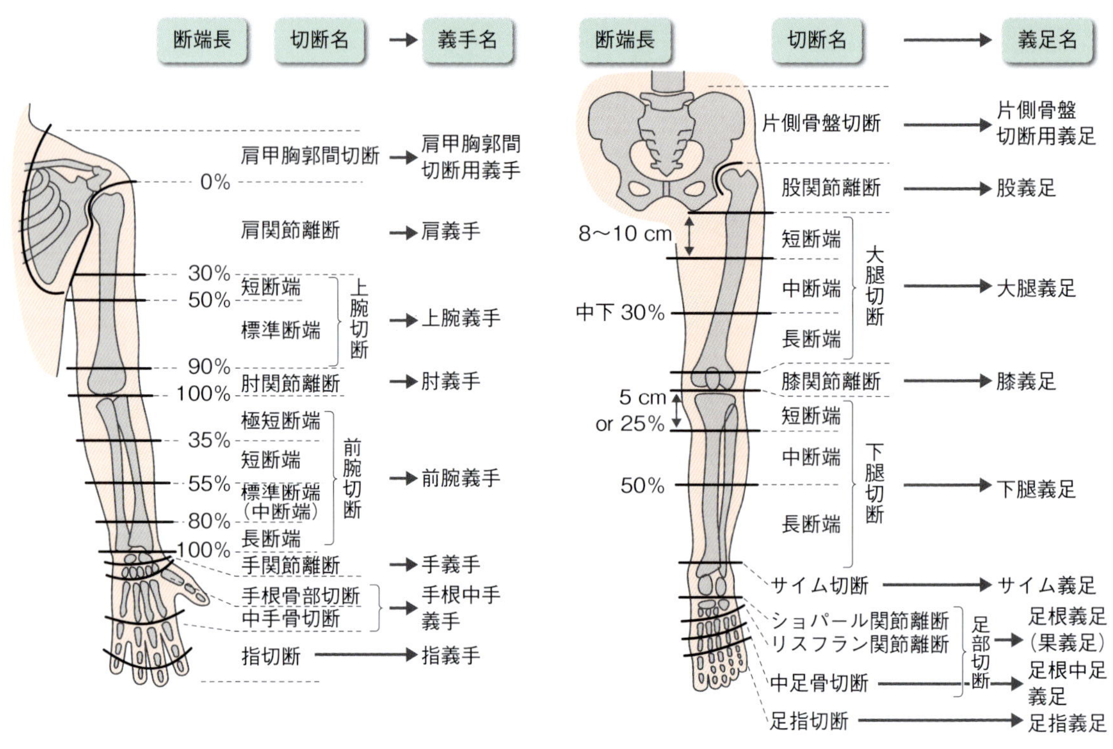

図3　上肢切断の部位別名称と義手名

図4　下肢切断の部位別名称と義足名

- また，骨切りを伴わない離断は，骨端線を維持することで骨の成長障害を防ぐことから，小児の切断者へ採用されることが多い．

4）切断原因

❶ 上肢切断の場合

労働災害，**交通災害**などの外傷が大半を占める．近年，労働の機械化により，都市部ではプレス事故などの労働災害が多く，農村部では耕作機器での労働災害が多い傾向にある．

❷ 下肢切断の場合

1968〜1997年の30年間における大規模調査においては，労働や交通災害などの外傷が34％，**末梢循環障害**が37％を占める．しかし，近年は外傷による切断が減少し，末梢循環障害による切断が著しく増加している（この理由については後述）．特に調査終盤1993〜1997年の5年間においては末梢循環障害が下肢切断全体の65％を占めるまでに至っている．加えて，末梢循環障害を起こす疾患のなかでも**閉塞性動脈硬化症**と**糖尿病**が切断原因の中心を構成していることも特徴的である．

3 下肢切断の原因となる疾患

- 前述したように，近年，わが国の切断者は高齢化が進んでいる．これは生活様式の欧米化や医療技術の進歩によることが考えられる．
- 切断原因として末梢循環障害が注目されている．
- 末梢循環障害による切断は下肢切断が多く，実際の臨床場面においても下肢切断者の理学療法を行うことが多いことが予想される．このため，本項では下肢切断を中心に述べることとする．

1）末梢循環障害

- 欧米においては生活管理の不徹底により，糖尿病や高コレステロール血症などによって末梢循環障害を起こし，下肢切断を余儀なくされる切断者が増加している．
- わが国においても生活の欧米化が進み，このような傾向が著明にみられている．

1 閉塞性動脈硬化症（ASO）

- 血管の経年変化により血管壁が肥厚・増殖し，脂質やカルシウムなどが沈着して弾力性を失うことにより，血管の狭窄，血栓の形成，閉塞をきたす疾患．
- 原因：脂質糖代謝異常・ビタミン欠乏・高血圧・ストレス・遺伝・喫煙．
- 継続的な歩行時に下肢の疼痛が出現し歩行困難になるが，休息をとると疼痛改善して歩行が可能となることをくり返す「間欠性跛行」が特徴としてあげられる．
- 動脈閉塞による血流低下が四肢末梢の壊死を引き起こすため，切断に至る可能性がある．

2 閉塞性血栓性血管炎（バージャー病）

- 動脈の炎症に起因して下肢血流が低下．結果的に壊疽を起こす．
- 20～40歳代の若年層に多く，間欠性跛行・足指の継続的潰瘍・冷感・異常知覚・足指のチアノーゼが症状として現れる．
- 四肢の両側性に出現することが多いとされる．
- 原因：明らかな原因は不明だが喫煙と関連があるといわれている．近年では歯周病との関連も指摘されている．

3 糖尿病（DM）

- さまざまな原因で膵臓からのインスリン分泌能が低下，枯渇することや，インスリン分泌能が保たれているにもかかわらず，インスリン抵抗性を示すために**血液中の血糖値が持続的に高値となる疾患**．
- 診断にはHbA1C（ヘモグロビンエーワンシー）の値が用いられる．
- HbA1Cの値が8.0％以上の状態が長期に継続すると血糖コントロール不良とされ，神経障害，網膜症，腎症の3大合併症を引き起こす．
- 糖尿病患者は白血球の機能不全により，基礎的な免疫力が低下する．
- 糖質が神経細胞内や末梢血管内に蓄積して，末梢血管にアテローム変性が生じる．それが血流低下を引き起こし，靴擦れやひび割れなどの無痛性足部創傷や潰瘍の治癒が遅延するために壊死となるリスクが高くなる．

- 糖尿病により血糖コントロール不良状態が継続し，切断端の血流低下を認める場合，義足装着による創傷の出現に注意する必要がある．

2）悪性腫瘍

- 下肢に発症した骨肉腫，軟骨肉腫，巨細胞肉腫，線維肉腫，ユーイング肉腫などの悪性腫瘍の切除に伴って下肢切断が必要なことがある．
- 下肢に転移したがんを切除する際にも切断を必要とすることがある．
- 近年は広範囲な腫瘍摘出術が主流であり，切断術は減少傾向である（放射線や抗がん剤による治療効果・人工関節の進歩による）．

3）外傷および後遺症

- 交通事故，災害事故などによる開放性の複雑骨折，骨髄炎，皮膚欠損，神経損傷の場合に切断を必要とすることがある．
- 近年は医療経済や患者のQOLの観点から患肢温存が主流．しかし，壊疽や敗血症を起こした場合は切断術が適応となる．

4）その他

- 骨髄炎，化膿性関節炎，骨関節結核による著明な骨関節破壊．
- ガス壊疽，菌感染による壊疽．
- 脊椎披裂，脊髄損傷，脊髄性小児麻痺などによる四肢変形，重篤な潰瘍形成．
- 先天性奇形（先天性四肢欠損など）．
- 著明な脚長差．

4 切断高位による分類

- 切断部位による分類や測定基本部位は国際標準規格（ISO）にて決定されており，国内において上肢は図3，下肢は図4のような名称を使用することが義務づけられている．

5 切断手術

1）切断部位の選択

- 上肢，下肢ともに切断部位の選択は患者の性別や年齢，切断原因疾患，身体能力，能力回復に対する意欲などが基本事項として考慮される．
- 上記の基本事項に加えて患者の生活様式に影響されるADL，家庭内役割，就業の有無など，多岐にわたる項目を考慮することも重要である．
- これらの背景が考慮された切断端は「長さ」，「形状」，により，義肢装着による価値の大小が異なる．

- しかし近年は上肢，下肢ともにできるだけ長く断端を残す傾向にある．これは，義肢適合理論や義肢部品の進化などにより，いかなる断端に対しても義肢適合が可能となっていることが要因である．

1 価値の大きさによる切断部位の分類

①上肢切断部位

- **価値が大**：上腕切断（短断端，中断端），前腕切断（中断端），手関節離断
- **価値が小**：肩関節離断，上腕切断（長断端，肘関節周囲），手関節離断（手根骨），手指

②下肢切断部位

- **価値が大**：骨盤半切，股離断，大腿切断（中断端），下腿中間部までの下腿切断，サイム切断，中足骨切断
- **価値が小**：大腿切断（長断端），膝関節離断，下腿切断（長断端），ショパール関節離断，リスフラン関節離断

2 原因疾患による切断部位の選択

- 末梢循環障害における切断部位の選択は表1に，悪性腫瘍における切断部位の選択は表2にまとめた．

2）切断手技の原則

1 皮膚の処理

①上肢

- 基本的に前後の皮膚弁は等長．
- 橈骨下端，上腕骨前下端（ソケット荷重部）には瘢痕組織をつくらないように縫合する．

②下肢

- 大腿切断では魚口状皮膚弁（図5）を用い，手術瘢痕組織がやや後方へ位置するようにする．これは義足装着下での歩行の際に，術創部への過度な荷重負荷を避けるためである．

表1　末梢循環障害における切断部位選択

	適応	禁忌または注意
大腿切断	・下腿部の壊疽が広範囲 ・急性な大腿動脈の閉塞	
膝離断	・下腿の血行が不良だが，大腿の血行は良好	・前方皮膚弁よりも内外皮膚弁を用いる
下腿切断	・壊疽が足関節上方におよぶ ・MP（中足趾節間）関節を超えて壊死し，健常部との境界線が不明瞭 ・足趾が感染し，敗血症の恐れがある場合	・下腿中央部で筋の変色あり
サイム切断	・壊疽が足趾にあり，中足骨切断が不良 ・全身状態が不良で下腿切断が危険な場合	・女性の切断者の場合
中足骨切断	・壊疽が2趾以内に限局 ・壊死がMP関節より遠位	・皮膚切開部まで壊死が存在し，血行不良が懸念される場合
足趾切断	・壊死がMP関節より遠位	・母趾・小趾の場合は中足骨頭下で切断

表2　悪性腫瘍における切断部位選択

	発生部位	切断部位
上肢	手根骨	前腕中間部
	前腕遠位	肘関節付近
	肘関節付近	上腕中間部
	上腕遠位	肩関節（肩離断含む）
	肩関節周囲	肩甲骨離断
下肢	中足部付近	下腿中間部
	下腿遠位	膝関節付近
	膝関節付近	大腿中間部
	大腿遠位部	大腿中間部・股関節（股離断含む）
	股関節周囲	骨盤（半裁含む）

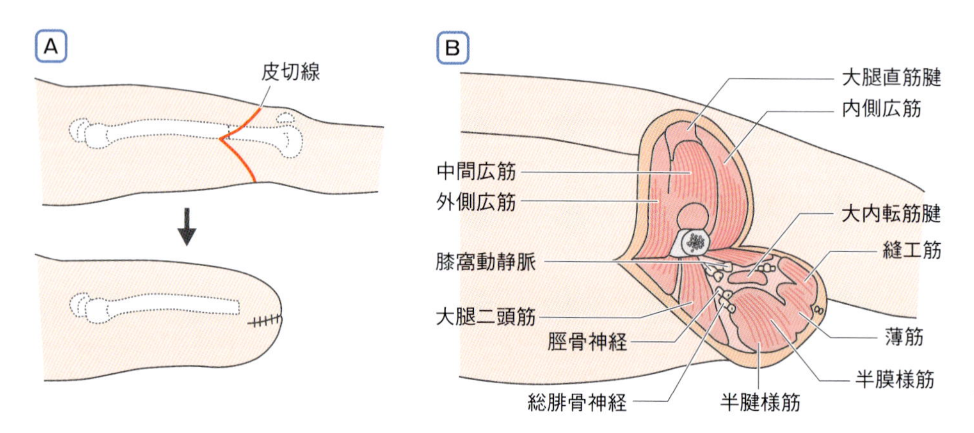

図5　魚口状皮膚弁を用いた切開（fish mouth flap）

A）前方と後方の皮弁を同じ大きさにして皮弁同士を合わせるようにして縫合する．文献3をもとに作成．
B）魚口状切開時に確認される大腿部コンパートメント．文献3，4をもとに作成．

- 下腿切断において末梢循環障害を認める場合には長後方皮膚弁（図6）を用いる．これは下腿において，筋肉など軟部組織の豊富な後方組織を残すことで，血流が得られ，より良好な創部治癒が期待できるためである．また，術創部自体が前方に位置するため，義足装着時の過度な過重負荷が避けられる利点もある．

2 血管の処理

- いかなる血管に対しても完全に止血を行う．特に大血管は二重結紮を行う．
- 手術中は排血用のドレーンを留置し，持続吸引を行う．

3 神経の処理

- 神経腫予防のために神経を引っぱってから鋭利なメスで切断する．

4 骨の処理

- 骨切断後，骨ヤスリで骨端部を丸く形成する．
- 義足での荷重を考慮して骨膜で切断部を覆う方法もとられる．

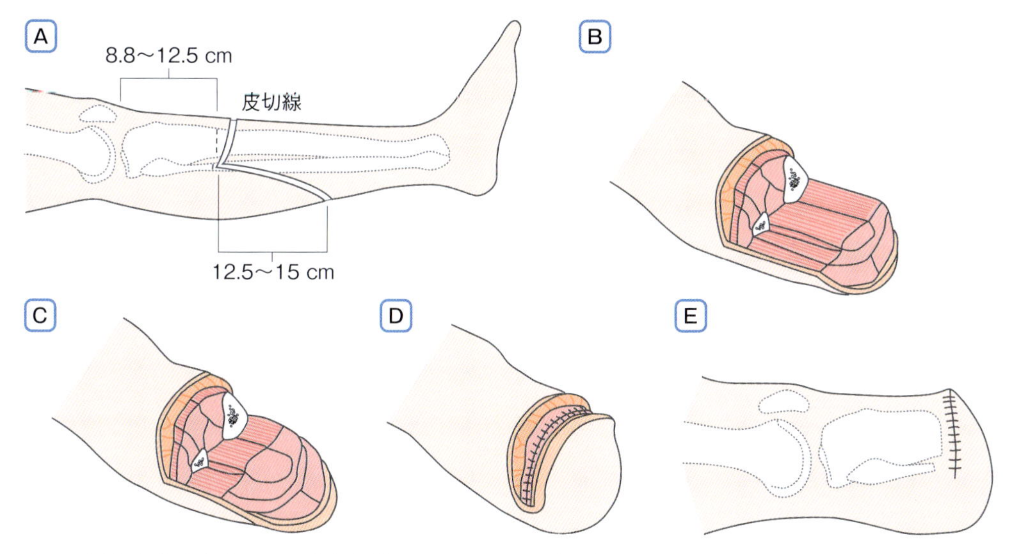

図6　**長後方皮膚弁を用いた切開（long posterior flap）**

A）前方が短く，後方が長い皮弁を設ける．B）下腿遠位部を分離．C）後方皮弁の残存筋を形成して筋弁を作製する．D）作製した筋弁を前方組織に縫合．E）皮膚を閉鎖．文献3をもとに作成．

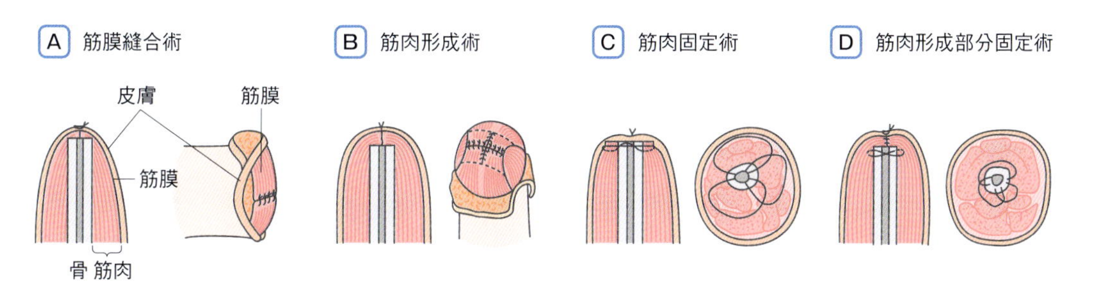

図7　**断端における筋肉の縫合法**

文献5より引用．

5 筋肉の処理

①筋膜縫合術（myofascial suture）（図7A）

- 上肢切断，下肢切断ともに近年までよく採用されていた処理法．
- 筋膜同士を縫合する方法だが，筋肉の固定性が不良で，筋萎縮が起こりやすいことが問題点である．

②筋肉形成術（myoplasty）（図7B）

- 拮抗筋同士を縫合する方法であり，適切な筋緊張が得られるため良好な体液循環状態が保たれることが利点である．
- 例えば，大腿切断においては外転筋と内転筋を縫合することにより，頻発する外転拘縮（切断端が屈曲・外転・外旋位をとり，このような肢位で可動域制限が起こること）を予防する効果があるとされる．

③筋肉固定術（myodesis）（図7C）

- 筋肉を骨端部に開けた孔へ縫合する方法.
- 筋肉を強固に固定することができるため，筋萎縮が少ないことが利点である.
- 末梢部の軟部組織に壊死や瘢痕組織の形成が認められた場合，義足装着時に疼痛を誘発することがある点に注意しなければならない.

④筋肉形成部分固定術（図7D）

- 内層筋のみを骨に固定し，外層筋は拮抗筋同士と縫合する方法.
- 筋肉固定術の欠点を補うために現在では本法を選択することが多い.

6 義肢分類

1）処方時期による分類

1 仮義足

- 治療の一環として，断端形成のためのケアやソケットの適合，各パーツの角度，傾きなどのアライメント調整を行うための義足である.
- 仮義足は切断術直後にADL能力の向上や歩行能力の向上を目的として，練習を行うために製作される.
- 仮義足の製作時期は装着方法により異なる.

①在来式装着法

- ▸切断端が十分に成熟してから義肢製作を行い，装着する方法.
- ▸義肢装着までに術後4～6週間程度の期間を要する.
- ▸切断端周径の変化が少なく，義足ソケットの適合修正頻度が減少するという利点がある. また，末梢循環障害が原因の切断者に採用された場合は，術創部の安定的な治癒がなされている可能性が高くなるため，感染などの合併症が低下する可能性がある.

②早期義肢装着法

- ▸切断端は未成熟であるが，術創部が癒合した段階で義肢製作を行い，装着する方法.
- ▸創部癒合遅延がなければ術後2週間程度から装着可能.
- ▸近年，シリコンライナーの普及により，術創部の保護が容易になっていることから，早期義肢装着法が広く採用されている. また，早期からの義足装着により断端成熟も促進されるため，本義肢製作までの期間が短縮する利点がある.

③術直後義肢装着法

- ▸切断端の創部縫合直後，手術室内で切断端に対してリジットドレッシングを施行し，ギプスソケットに義肢部を組み上げて義肢を完成する方式（参照）.

参照
リジットドレッシングは第Ⅰ章13 2参照

- ▸術後離床した段階で立位練習も可能であり，装着時期が最も早い方法である.
- ▸術直後から立位，歩行が可能となるため，高齢切断者においては廃用症候群予防の効果が得られる. 一方，リジットドレッシングの弊害として，断端の傷形成や浮腫状態の確認など，断端管理が難しいとされているため，採用される施設が限られる面もある.

- 仮義足の製作には医療保険制度での療養費給付が認められており，術後に一度はこの制度を利用した義肢の処方ができる．

2 本義足

- 仮義肢の装着により断端成熟がなされた後に製作されるのが本義肢である．障害者総合支援法による補装具支給サービスが適用される．下腿義足を例として，義肢製作過程を図8に示す．
- 本義肢の部品は切断者の使用目的と身体的条件に適したものを選択し，切断者の生活環境に合わせて長時間の使用に耐えうるだけの耐久性を有していることが必要である．
- 切断者の希望があれば外観も考慮する．

2）機能面からの分類

1 装飾用義肢

- 外観を重視して軽量化と手ざわりのよさを目的とした義肢．
- 主に義手に用いられる．

2 作業用義肢

- 外観は重視しておらず，農耕，林業，機械，工業などの重作業に向くような形式の義肢．
- 義手では手先具（図9）を差し替えて使用．
- 義足ではドリンガー式足部（図10）が用いられる．

3 能動義肢

- 義肢をコントロールする力源を切断者自身に依存するものと外部（電気など）に依存するものがある．

3）義肢の構造による分類

1 殻構造義肢

- 義肢自体が筒状の「殻」で構成されており，この殻にかかる外力を支持する．
- 筒状の殻の形が手足の外観を再現している構造をもつ義肢である．
- 現在，製作されることは多くはないが，下腿義足においては切断者の希望により殻構造のものが製作されることがある．

2 骨格構造義肢

- 人体の骨格のように手足の中心軸部に義肢の継手や支持部（幹部）があり，その外側に身体の形状のコスメティックフォーム類を被せたものである．
- 現在ではさまざまな企業からシステム化された構成部品（モジュラー）が発売されており，おのおののパーツに互換性が高く，切断者の身体機能や生活環境に合わせた義肢製作や適合が可能となったため急速に普及した．
- 近年，高機能の継手類が新規開発され，飛躍的に義足の機能向上がなされた．

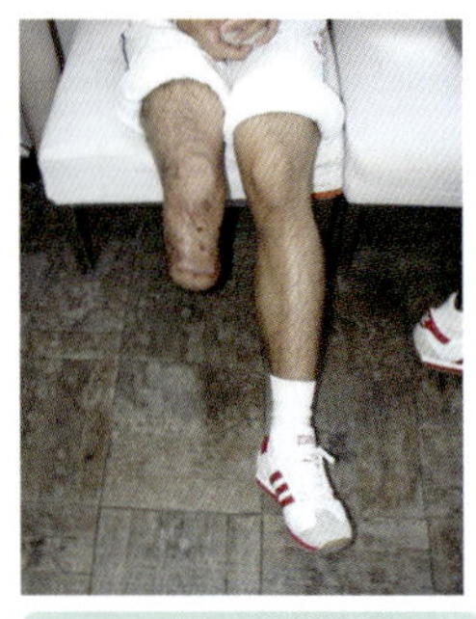

❶医師・義肢装具士・理学療法士などで検討（医師より処方）

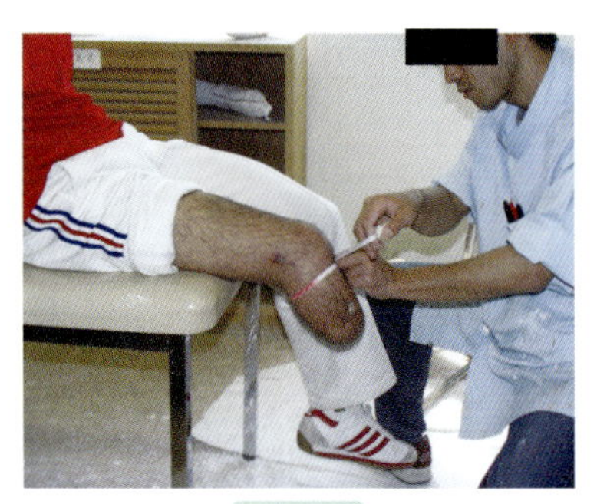

❷採寸

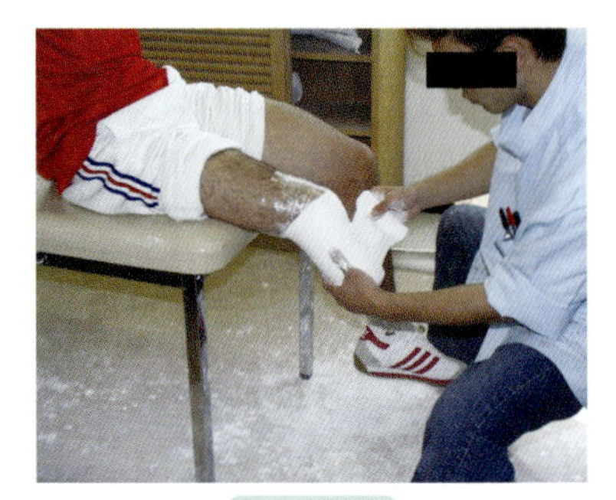

❸型取り

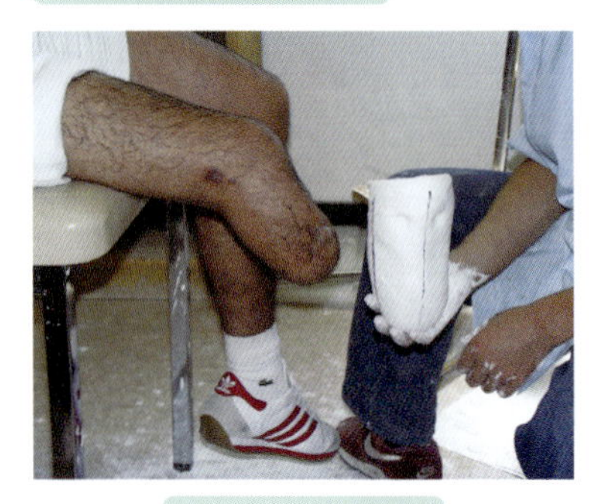

❹陰性モデル完成

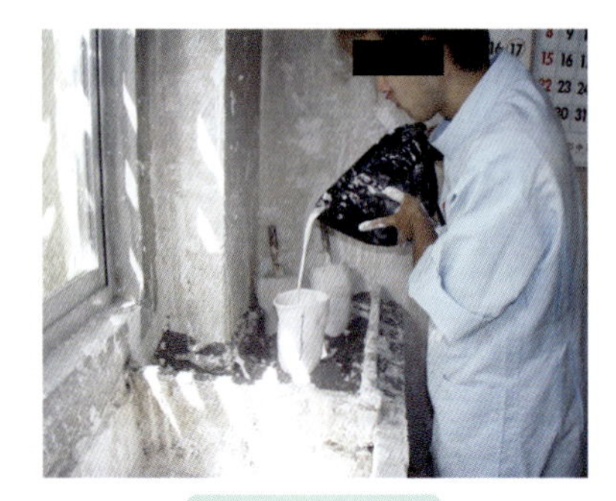

❺ギプス泥注入

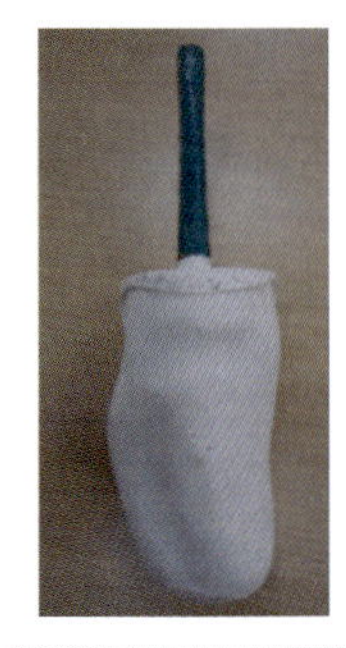

❻陽性モデル製作

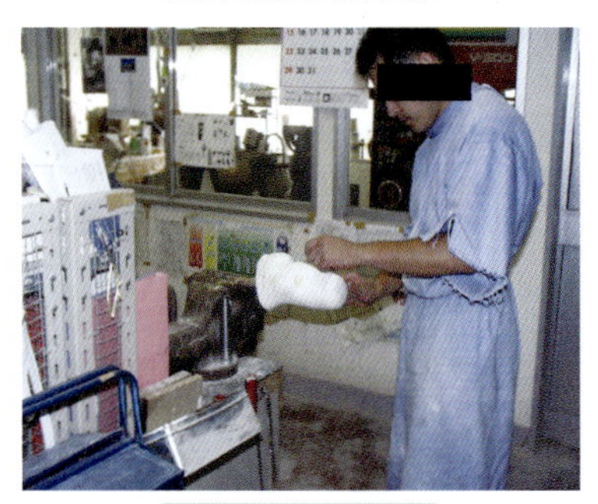

❼陽性モデル修正

❽陽性モデル完成

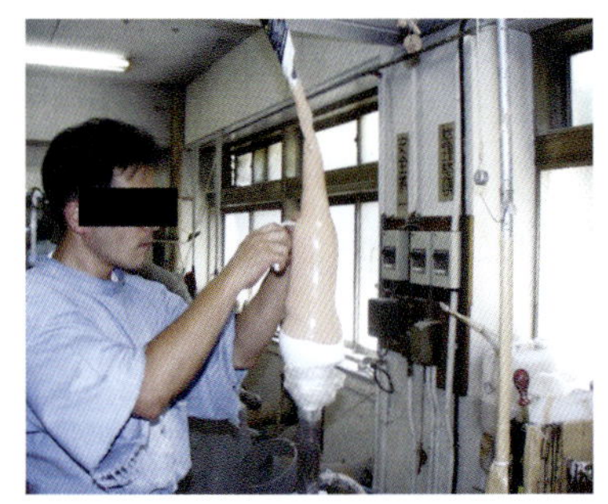

❾合成樹脂ソケット製作

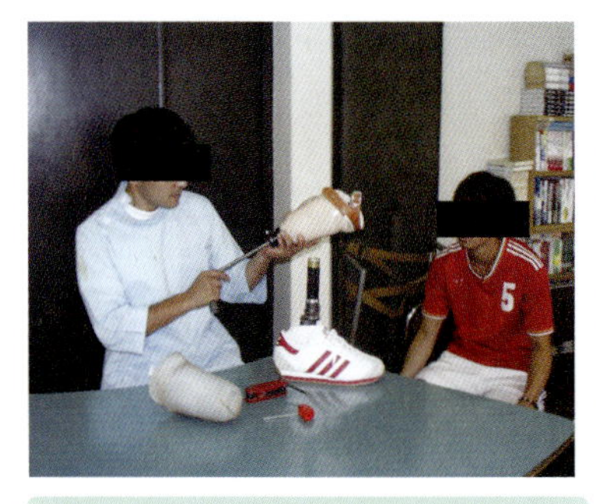

❿ソケット完成（ベンチアライメント）

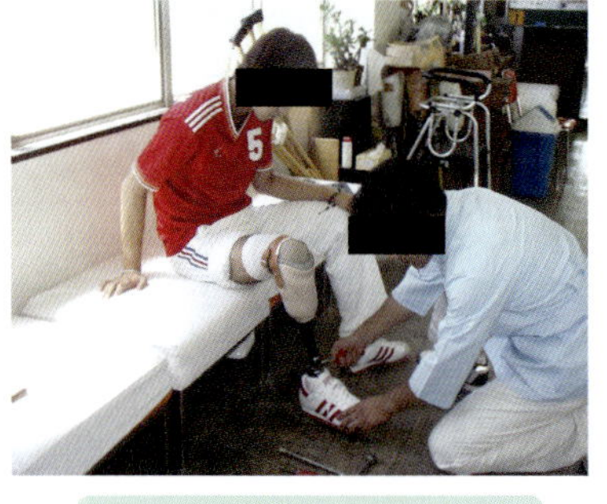

⓫スタティックアライメント

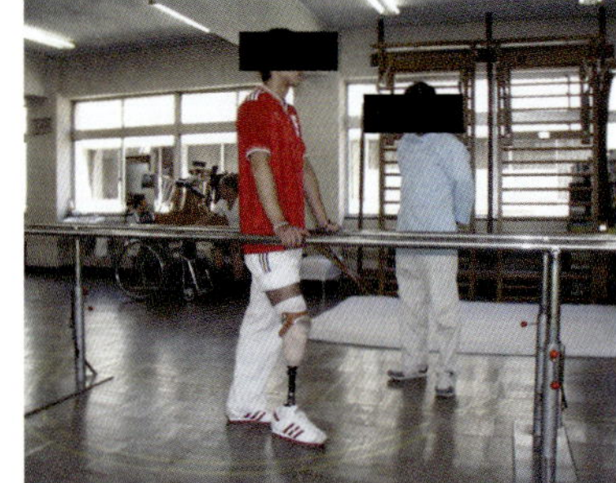

⓬ダイナミックアライメント

図8　義肢製作過程（下腿義足の場合）

陰性モデル：断端に石膏を含ませたギプス包帯を巻く．これが短時間で固まるため，断端から取り外す．この石膏で形づくられた「ギプスソケット」のことを「陰性モデル」という．陽性モデル：「陰性モデル」に泥状の石膏を流し込み固まらせる．固まった後に「陰性モデル」を壊すと石膏で形づくられた断端が再現される．これを「陽性モデル」という．
❿ベンチアライメント完了後に行う⓫スタティックアライメントは，義肢を実際に装着し，静止姿勢の状態で身体全体および切断端と義肢の位置関係を調整している．静止座位と静止立位でアライメントの確認を行う必要がある．

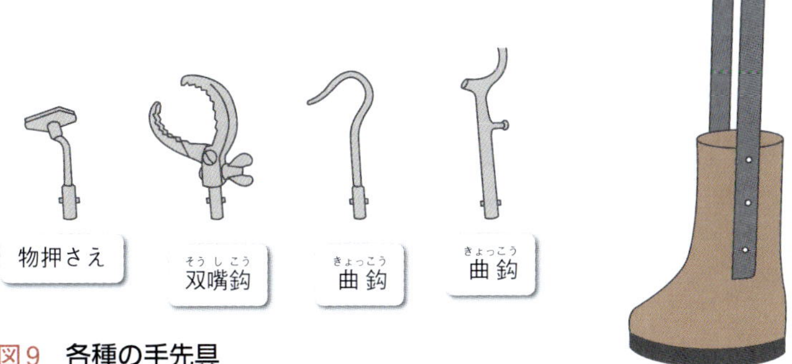

図9　各種の手先具

図10　ドリンガー式足部

文献

1）「切断と義肢」（澤村誠志／著），医歯薬出版，2007
2）林 義孝，他：下肢切断者に関する疫学的研究．義装会誌，15：163-170, 1999
3）田中洋平，田中清和：下腿切断と大腿切断における皮膚・筋肉の処理．総合リハ，47：49-56，2019
4）Kalapatapu V：Techniques for lower extremity amputation.（Post TW/ed），Waltham（MA），2017
5）「義肢装具のチェックポイント 第8版」（日本整形外科学会，日本リハビリテーション医学会／監），医学書院，2014

第I章 義肢学

2 下肢切断の理学療法評価

学習のポイント

- 下肢切断における理学療法評価の目的を学ぶ
- 下肢切断の評価方法（項目）を学ぶ

1 理学療法評価について

- 下肢切断者が義足装着後に発揮できる身体能力は，義足機能と切断者の残存身体機能のコラボレーションと義足装着下での運動療法の成果により決定する（図1）.
- 切断者に対する**理学療法評価**の目的は表1に示した通りで，他の整形外科疾患や脳血管疾患などの患者の評価と大きな差異はない.
- 評価過程には，一般的な**基礎情報・医学的情報・理学療法検査・社会的情報**の入手（表2），そこから考えられる**問題点の抽出**，それに伴う**治療計画の立案・実施**，**再評価**など（図2）がある.

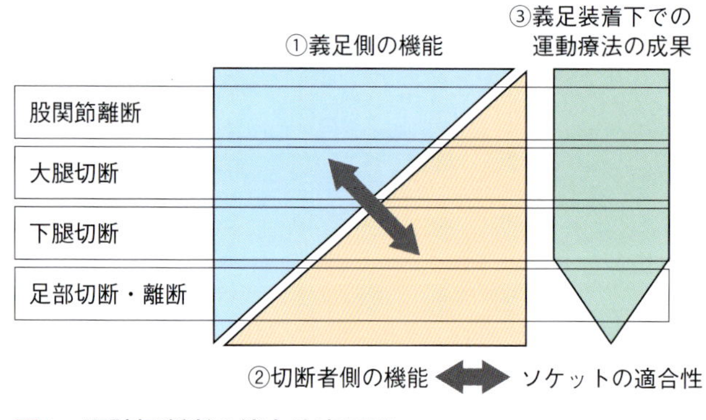

図1 下肢切断者の能力決定因子

下肢切断者の義足装着下における能力は，①義足機能，②切断者の残存機能，③義足装着下での運動療法の成果により決定される．つまり，足部切断・離断の場合には，義足の機能性が低くとも切断者の残存機能（断端機能）が非常に高いため自立歩行が可能となる．一方，下腿切断，大腿切断，股関節離断と切断高位が高くなるにつれて，切断者の残存機能が低くなるためそれを補う義足機能が必要となる．文献1をもとに作成.

表1 下肢切断者に対する理学療法評価の目的

①全体像を把握する
②心理状態を把握する
③社会的背景を把握する
④身体機能を把握する
⑤義足装着の必要性について把握する
⑥身体機能と義足機能のマッチングに必要な要素を把握する
⑦義足装着時・非装着時における問題点を把握する
⑧切断者と理学療法士が共通の目標を設定する根拠とする
⑨理学療法プログラム実施における危険性を把握する
⑩信頼関係の構築

表2　一般的な理学療法評価の項目

区分	項目	内容
基礎情報	氏名	
	年齢	
	性別	
	現住所	
	保険の種類	医療保険・介護保険
	身体障害者手帳	有無と等級
	入院年月日	
	病室	
医学的情報	診断名	
	合併症	
	現病歴	
	既往歴	
	手術歴	
	切断高位および術式	切断術（断端形成術）情報
	投薬状況	内服や点滴による薬物投与の情報
	生化学検査	栄養状態，炎症所見，肝・腎機能
	注意事項	アレルギー情報
	他部門情報	医師・看護師・作業療法士・言語聴覚士・義肢装具士・医療ソーシャルワーカー・ケアマネジャーなどのもつ情報
理学療法検査	処方内容	理学療法処方内容
	主訴	患者の主な訴え
	希望，ニーズ	患者の希望や獲得したい能力
	検査測定	バイタルサイン，形態測定，断端評価，筋力評価，関節可動域評価，感覚検査，疼痛評価など
	動作分析	義足あり・なしでの起居動作，歩行
	義足評価	ソケット・継手の評価，フィッティング評価，アライメント評価
社会的情報	入院前の生活歴	生活リズム，日常生活活動（ADL）の自立度
	趣味	
	家屋環境	自宅内環境，自宅内生活動作の動線，自宅周辺環境
	家族構成	配偶者の有無，同居家族の有無
	キーパーソン	経済的キーパーソン，心理的キーパーソン
	キーパーソンのニーズ	家族のニーズ
	経済状況	義足製作にあたり経済的負担があるため，おおまかな把握が必要
	職業歴	
	職務内容	職務特性による動作情報
	職場環境	職場内および周辺環境
	通勤方法	自宅から職場までの通勤手段
	会社側のニーズ	復職に必要な条件

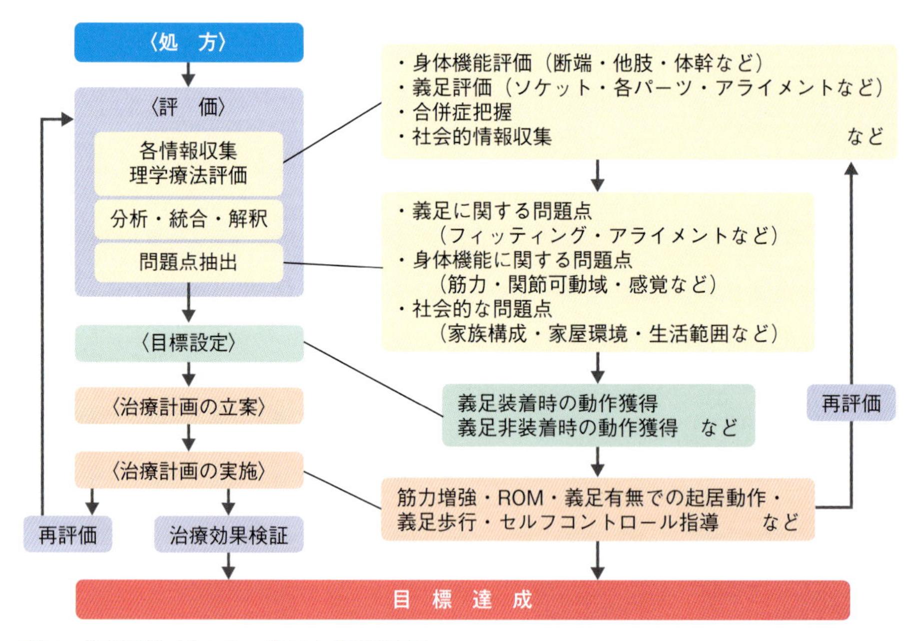

図2　切断者に対する一般的な評価過程

- 下肢切断者に対する理学療法評価にあたり，特有な事項として理解しておくべきことをあげる．
  - 切断者は，身体の一部を失ったという外見的な喪失感もあるため非常に大きな心理的ダメージを負っていることが多い．
  - 障害受容がなされるまでの心理的サポート手段として専門職（臨床心理士など）の協力を得ることや，切断者で義足生活をしている方との対話機会を設けること，その他，切断者の日常生活活動（ADL）などを紹介した映像を見せることなどが有効な場合もある．
  - 理学療法士は，切断者の“希望”を“目標”に替えて，新たな動作能力の獲得や社会復帰のために**“われわれにはできるサポートがある”という姿勢を常に示す**ことが重要である．
  - 下肢切断者に対する理学療法には，ソケットと断端のフィッティングや義足アライメント調整などの「即時的効果が期待できるもの」と，筋力強化や関節可動域，動作学習などの「ある一定期間の介入の後，効果が期待できるもの」がある．
  - 理学療法がもたらす即時的効果は，他の疾患にはない切断者特有の治療効果であり，だからこそ理学療法士のスキルが下肢切断者の義足装着後の身体能力発揮に反映される．
- 以下では，理学療法評価（表2）の検査測定について解説する．

2 形態測定（非切断側）

1）身長測定

- 片側下肢切断者で立位が可能である場合には，身長計を用いて立位で測定する．
- 片側下肢切断者で立位が困難である場合には，背臥位（仰臥位）にさせメジャーで測定する．

- 両側下肢切断者では，指極（両上肢を水平伸展させたときの両中指先端間の幅）を用いて測定（代用）する．

2）体重測定

- 片側下肢切断者で立位が可能である場合には，体重計を用いて立位で計測する．
- 片側や両側下肢切断者で立位が困難である場合には，車椅子座位のまま計測できる特殊な体重計を用いて計測する．
- 実測した体重は欠損肢の重量が含まれていないため，BMI（body mass index）を算出する場合には，「実測値＋欠損肢の重量」を計算上の体重とする．なお，**欠損肢の重量予測**には，さまざまな指標※1がある．

※1　欠損肢の重量予測について
頭部7％，胴体43％，上肢6.5％（上腕3.5％，前腕2.3％，掌・手指0.8％），下肢18.5％（大腿11.6％，下腿5.3％，足部1.8％）で換算する[2)]．

3）下肢長測定

- 片側下肢切断者では，非切断肢の下肢長を測定することで義足長が決定する．
- 一般的な下肢長測定の場合は，臍果長・棘果長・転子果長などを測定するが，下肢切断者における下肢長は義足長と比較する関係からランドマークが異なる．大腿切断者の場合では坐骨結節，下腿切断者の場合では膝蓋腱中央（mid patella tendon：MPT）をランドマークとするほか，果部ではなく足底（床面）から測定することが多い（図3）．

4）周径測定

- 周径測定の目的は，切断肢側と比較，測定肢（非切断肢）の筋萎縮や浮腫の状態を把握，義足のフォームカバー（コスメティックカバー）を製作する際の指標とすることである．

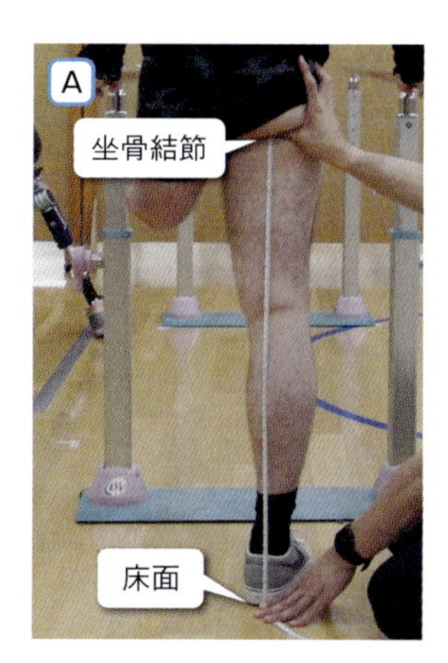

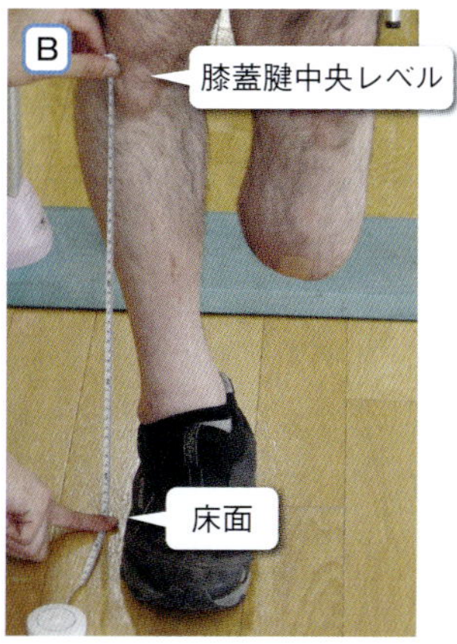

図3　非切断肢側の下肢長測定
A）大腿切断の場合．B）下腿切断の場合．膝蓋腱中央：MPT（mid patella tendon）．

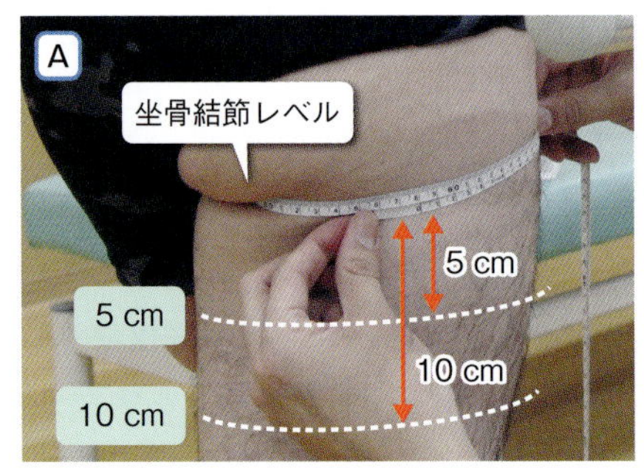

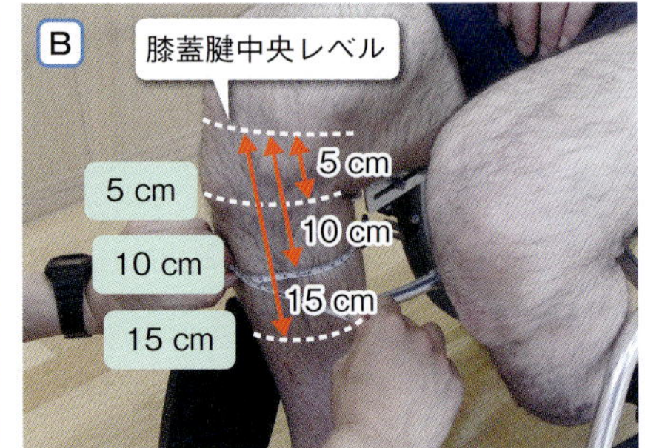

図4　非切断肢側の周径測定

A）大腿部（坐骨結節レベルから等間隔）．B）下腿部（膝蓋腱中央レベルから等間隔）．

- 大腿切断の場合は坐骨結節（図4A），下腿切断の場合は膝蓋腱中央（図4B）から，遠位へ等間隔で測定する．
- 切断肢側周径との比較が目的となるため一般的な大腿・下腿周径測定方法とは異なる．
- 等距離の基準は，断端長により周径が3点以上とれるように設定する．
- 原則，周径測定は立位で行う（下腿切断の場合には座位でも可）．
- 立位バランスが不良な場合には，平行棒などの上肢支持による安全性を確保する．
- 両側下肢切断者の場合には，臥位や座位などで実施する．

3 断端評価

- 義足と切断者をつなぐ部分がそれぞれ“**ソケット**”と“**断端**”となる．
- それぞれの機能を最大限に活かすためには，ソケットと断端の“**適合**”が最良であることが条件となる．
- 断端評価は，ソケットとの最適な適合のために実施する．

1）断端形状および創部（縫合部）の観察

- 切断術後早期では炎症症状（腫脹）が著明である．
- 切断術で筋縫合不全がある場合，筋収縮によるポンプ作用が不十分となり断端末に**浮腫**を起こす（図5）．
- 切断原因および切断術式や切断高位の違いにより，断端の軟部組織の量や形状は異なる（図6）．大腿切断の断端は軟部組織が占める割合が高く，下腿切断は骨の占める割合が高い．
- 成熟した大腿・下腿切断の断端末端は，円錐形に近くなる．
- 関節可動域練習などの際に断端への不適切なストレスを避けるため，創治癒状況や創部周囲の皮膚の伸張性を把握する．
- 抜糸・抜鉤前の創部は，理学療法の現場においては直視下に観察できないことが多い．その際には，医師の創処置時に同席して観察する，もしくは医師・看護師から創部における情報を得ることが必要となる．

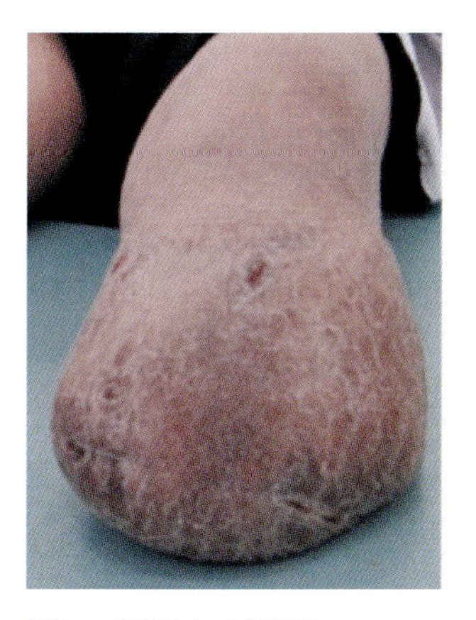

図5　**断端末の浮腫**

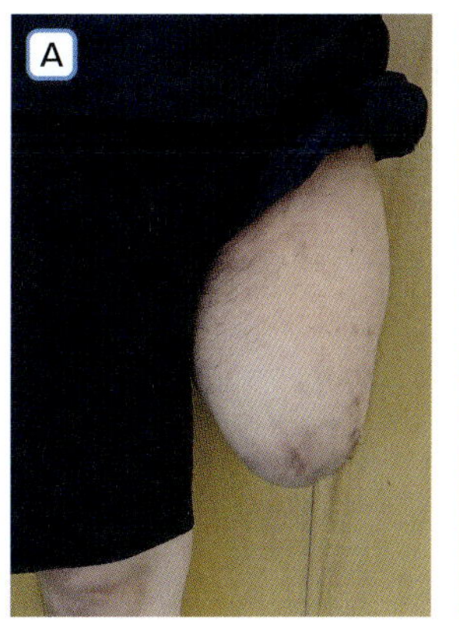

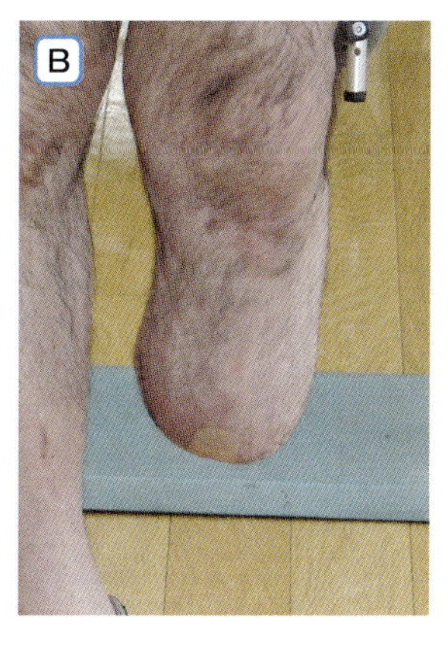

図6　**切断高位別の断端**

A）大腿切断．B）下腿切断．

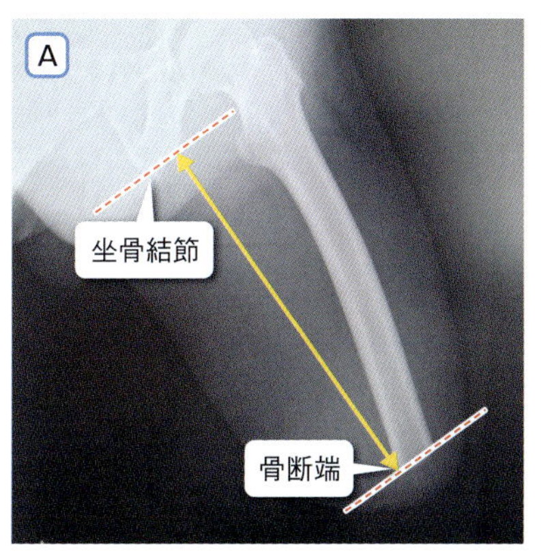

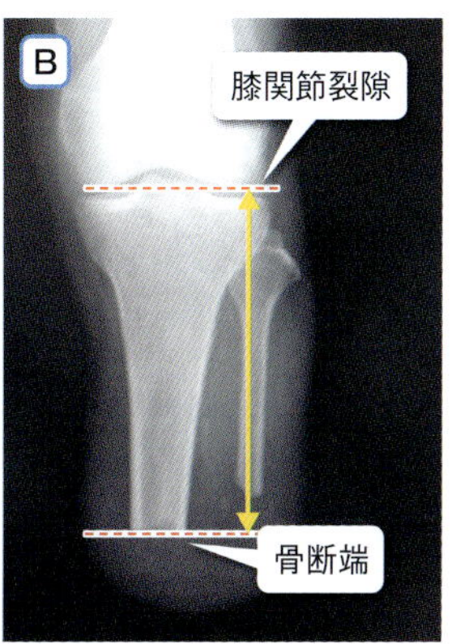

図7　**機能的断端長**

A）大腿切断．B）下腿切断．大腿切断の場合は坐骨結節から骨断端，下腿切断の場合は膝関節裂隙から骨断端まで距離を測定する．ただし，単純X線画像上での測定時には，画像の拡大率に注意が必要である．

2）断端長測定

❶ 目的

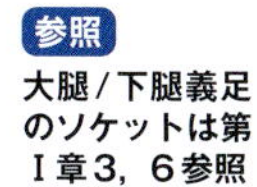

参照
大腿/下腿義足のソケットは第Ⅰ章3，6参照

- ソケット（参照）の深さと比較する．
- 義足長，継手，ターンテーブルなどの部品選択に活かす．
- 断端が梃子（てこ）として機能する長さ（**機能的断端長**※2）を把握する（図7）．

※2　機能的断端長とは

義足装着下での切断肢側の力源となる実質的な長さのこと．断端のX線写真を用いて骨断端までの長さを測定する（図7）．

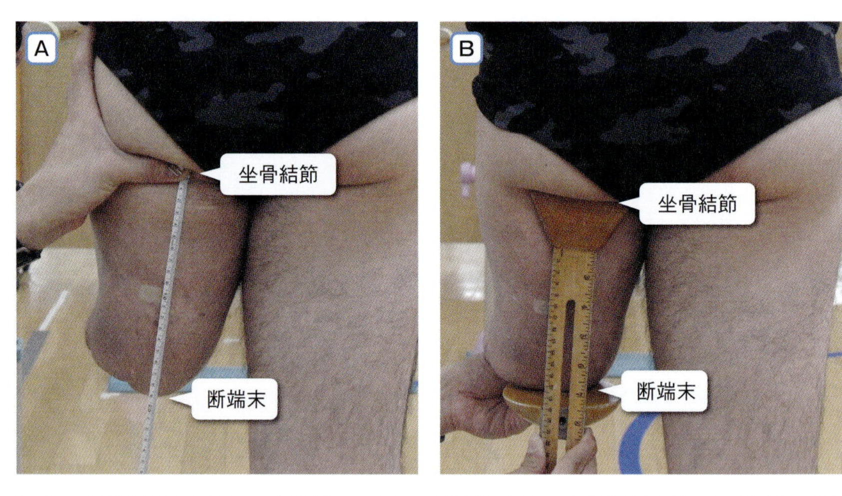

図8　**大腿断端長のテープメジャーによる測定（A），断端測定器による測定（B）**

2 測定方法

①大腿切断

- 測定肢位は立位とする（両側切断者や立位保持不能者は腹臥位で測定する）.
- 大腿を軽度内転させて，**坐骨結節から断端末**までの距離を測定する（図8）.
- 断端長は股関節を軽度内転させて測定する.
- 坐骨結節側をテープメジャーあるいは断端測定器の「0」として，いつも正確に同じ部位に当てる.
- 坐骨結節は下方から上方へ母指を押し上げて触察する.
- 断端末の軟部組織は強く押し上げない.
- 腹臥位での測定では，断端末の軟部組織を軽く押し上げて測定する（重力による軟部組織の下垂がないため）.

②下腿切断

- 測定肢位は立位または座位とする（座位保持不能者は臥位で測定）.
- **膝蓋腱中央から断端末**まで，あるいは膝関節裂隙から断端末までの距離を測定する2つの方法がある（図9）.
- 臨床では，膝蓋腱中央からの測定方法を選択することが多い．その理由は，ソケット上で膝関節裂隙をランドマークできないためである（同じランドマーク間の比較となることが重要）.
- 膝蓋腱中央のランドマークは，大腿四頭筋を弛緩させた状態で検査者の指による押圧で最も深く押し込める位置とする.
- 断端末の軟部組織は強く押し上げない.
- 臥位での測定では，断端末の軟部組織を軽く押し上げて測定する（重力による軟部組織の下垂がないため）.

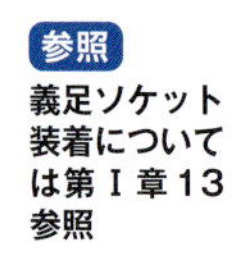
参照 義足ソケット装着については第Ⅰ章13参照

③断端長とソケットの深さの比較における留意点

- 通常，義足ソケット装着（参照）は断端袋やシリコーンライナーを装着したうえで行うの

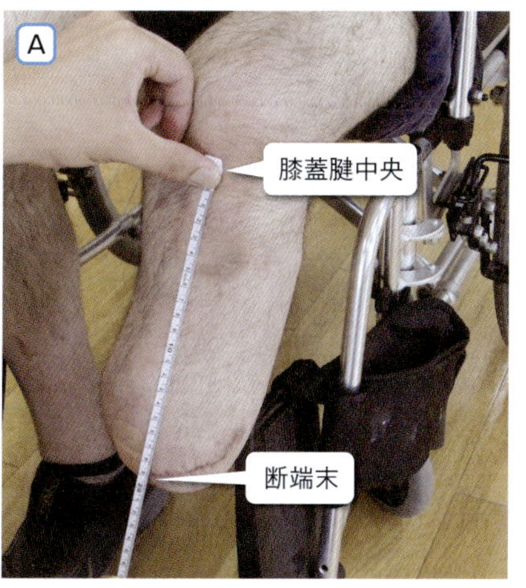

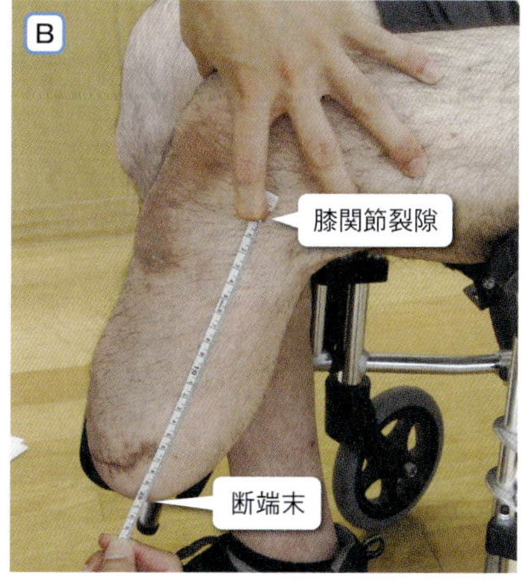

図9　下腿断端長のテープメジャーによる測定

A）膝蓋腱中央から断端末．B）膝関節裂隙から断端末．

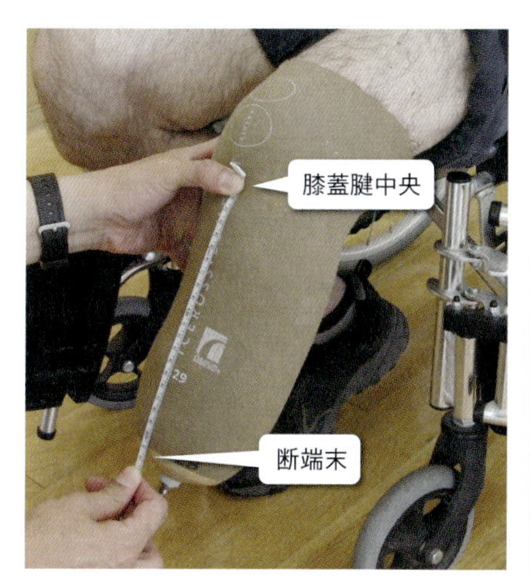

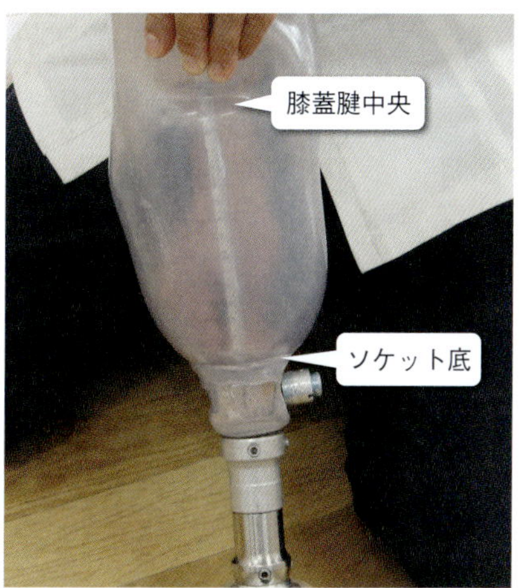

図10　シリコーンライナー装着下での断端長測定とソケットの深さ測定

で，義足ソケット装着条件に応じた断端長測定が必要となる（図10）．

3）断端前後径測定

1 目的

参照 大腿/下腿義足のソケットは第Ⅰ章3，6参照

- ソケット（参照）の前後径と比較する．

2 測定方法

①大腿切断における断端最小前後径（四辺形ソケットの場合）

- 硬い座面に両側坐骨結節に均等な圧をかけ股関節が約90°屈曲した座位姿勢をとる．この際，片側坐骨結節に過剰に加圧された姿勢や仙骨部支持による座位姿勢とならないように注意する（図11）．
- 両側股関節を軽度外転させる（物差しを大腿内側部に当てられる程度）．

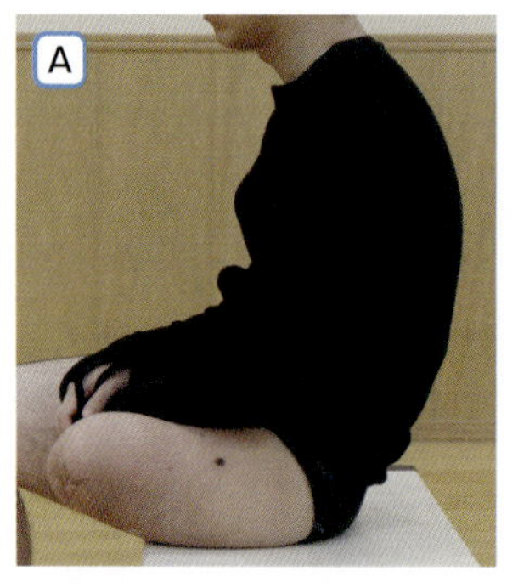

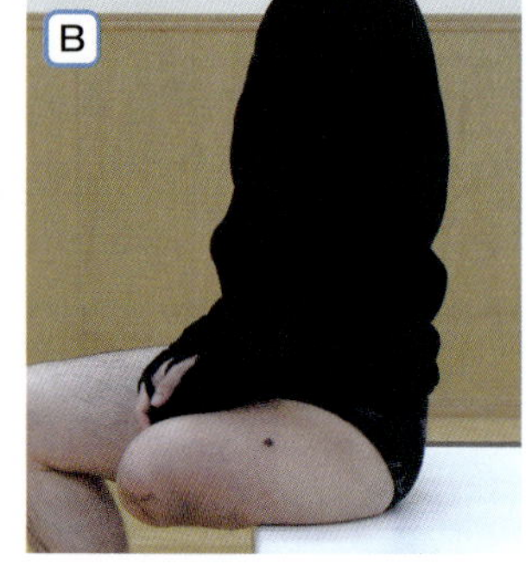

図11　断端前後径測定時の座位姿勢

A）不適切な姿勢．B）良好な姿勢．

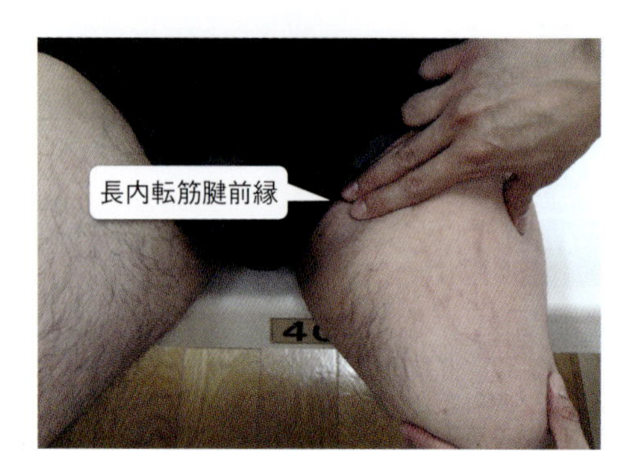

図12　断端前後径測定時の長内転筋腱前縁の触察

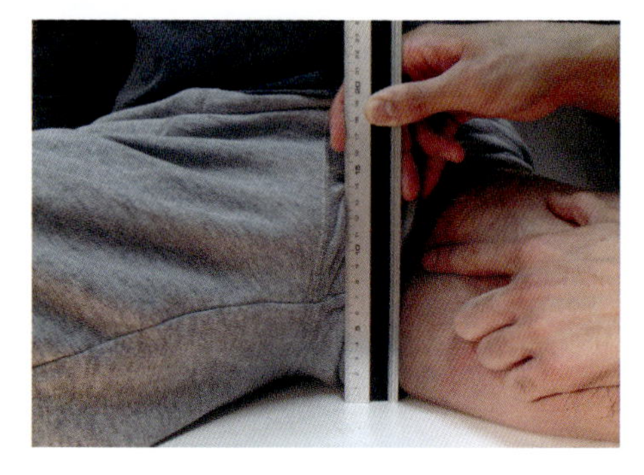

図13　物差しによる坐骨結節レベルの断端前後径測定

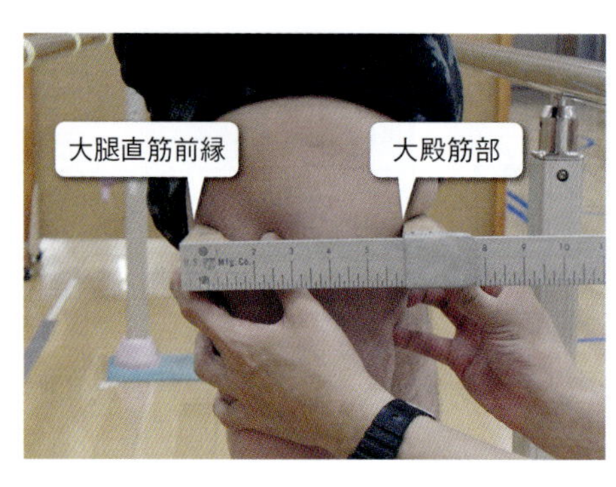

図14　断端測定器による坐骨結節レベルの最大前後径測定

- 坐骨結節レベル（坐骨結節と同じ高さ）の長内転筋腱前縁を触察する（大腿部を3等分した内側1/3の筋間溝のすぐ内側に触れる腱を確認する）（図12）．
- **坐骨結節レベルの長内転筋腱前縁から座面**までの直線距離を物差しで測定する（図13）．

②大腿切断における断端最大前後径（四辺形ソケットの場合）

- 測定肢位は立位とする（両側切断者や立位保持不能者は測定側を上部とした側臥位で測定する）．
- **坐骨結節レベルにおいて大殿筋部から大腿直筋前縁**の距離を断端測定器を使用して軽く押圧した状態で測定する（図14）．断端測定器は床面に平行とする．
- 断端測定器の大殿筋部は殿部の膨隆最大部ではなく，坐骨結節レベルの大腿後面に当てる．
- このとき切断者には，大殿筋と大腿四頭筋を同時に等尺性収縮（筋の長さが変わらない筋収縮のこと）させる．

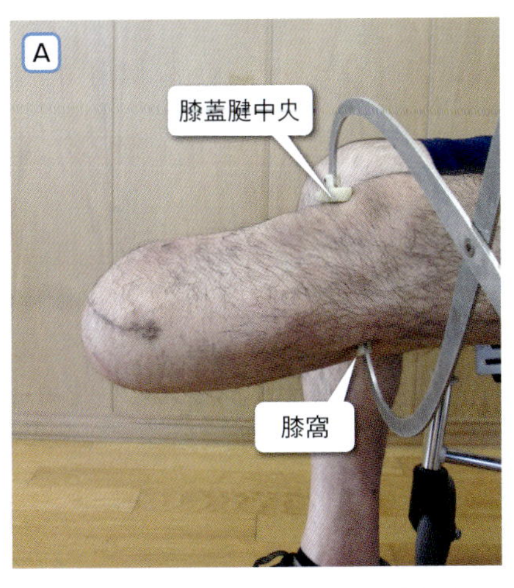

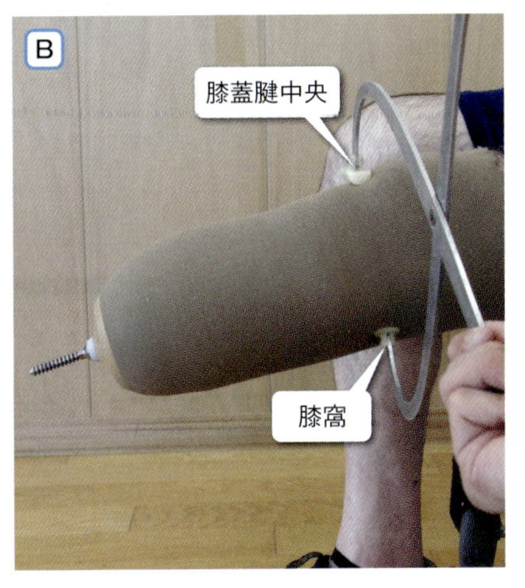

図15 断端測定器による膝蓋腱中央レベルにおける前後径測定
A）断端での測定．B）シリコーンライナー装着下での測定．

③下腿切断

- 測定肢位は座位とする．
- **膝蓋腱中央から膝窩**までの距離を断端測定器で測定する（図15）．

4）断端内外径測定

1 目的

- ソケット（参照）の内外径と比較する．

参照
大腿/下腿義足のソケットは第I章3，6参照

2 測定方法

①大腿切断

- 測定肢位は立位とする（両側切断者や立位保持不能者は測定側を上部とした側臥位で測定する）．
- **坐骨結節レベルで大腿内側面から大腿外側面**までの距離を断端測定器で測定する（図16）．断端測定器を大腿長軸に直角に当てる．断端測定器を強く押し込まないように注意する．

②下腿切断

- 測定肢位は座位とする．

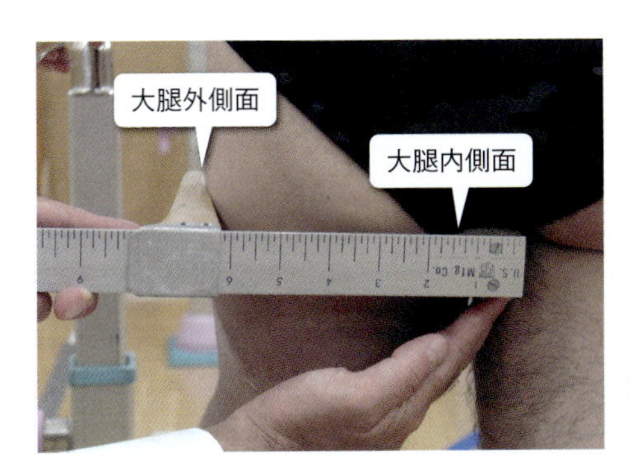

図16 断端測定器による坐骨結節レベルの内外径測定

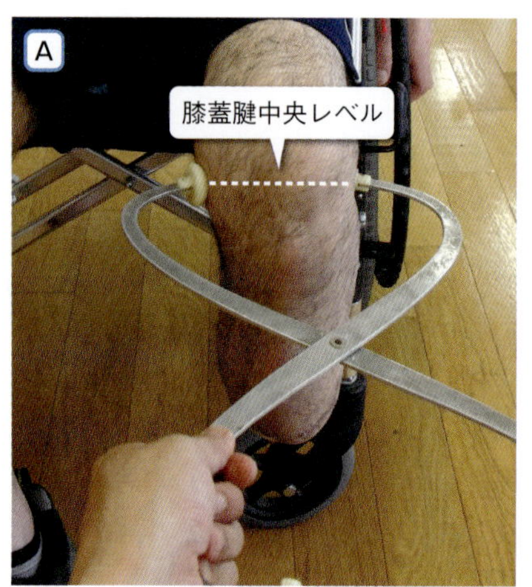

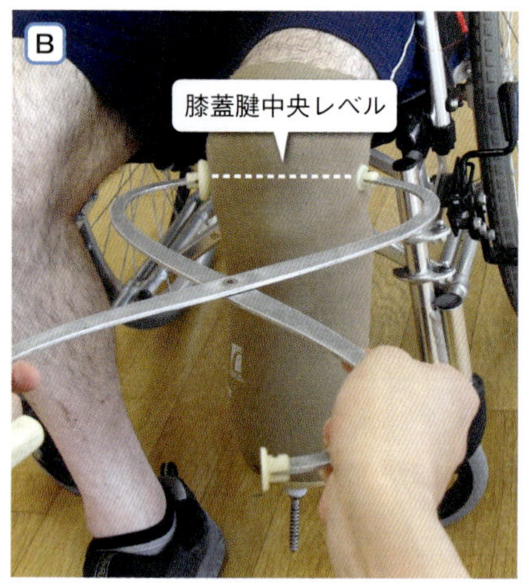

図17　断端測定器による膝蓋腱中央レベルにおける内外径測定

A）断端での測定．B）シリコーンライナー装着下での測定．

- **膝蓋腱中央レベルでの内外側**の距離を断端測定器で測定する（図17）．

5）断端周径測定

1 目的

参照
大腿/下腿義足のソケットは第Ⅰ章3，6参照

- ソケット（参照）内周径と比較する．
- 断端成熟評価*における1つの指標とする．

＊断端の成熟は以下のような基準にもとづき判定する．①朝夕で特定部位の断端周径を測定し，その日内変動が10 mm以内であること，②その値が1週間程度同一の値を示すこと，③日内変動が非切断肢側と同程度であること，④ソケット装着時間が生活で必要な時間（およそ8～10時間）を満たしていること．⑤義足装着下で，日常生活において必要とする量の歩行を行っていること．

2 測定方法

①大腿切断

- 測定肢位は立位とする（両側切断者や立位保持不能者は臥位で測定する）．
- 測定レベルは，**坐骨結節レベル，坐骨結節レベルから遠位5 cm・10 cm・15 cmと等間隔レベル**で測定する（図18）．断端長によって等間隔は変更する．短断端であっても最低3点以上は測定できるようにする．この測定間隔はソケット内周径においても同レベルで測定する．

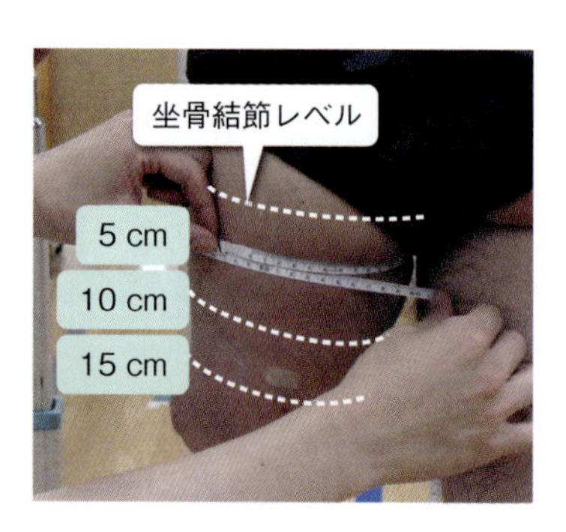

図18　大腿切断者の周径測定

- 切断者の同意が得られるなら，測定レベルを直接皮膚へマーキングする（同意が得られない場合には，サージカルテープなどを大腿骨に平行に貼付し，サージカルテープへマーキングする）．
- 安静時，圧迫時，収縮時の3種類の周径を測定する．
  - **安静時周径**は，通常の周径測定同様にテープメジャーを一度皮膚の皺が生じない範囲で絞り込み，その後は軟部組織の弾性力でメジャーが押し戻されたときの値（スタティック値）*を読み取る．
  - **圧迫時周径**は，安静時測定方法の圧迫よりも強く圧迫したときの値（コンプレッション値）*を読み取る．安静時周径との比較により軟部組織の軟らかさがわかる．
  - **収縮時周径**は，切断者には股関節伸展方向に力を入れてもらい，断端に等尺性収縮を起こさせたときの値（コントラクション値）*を読み取る．

＊スタティック値－コンプレッション値＝断端軟部組織の柔軟性
　この値が大きい→軟らかい断端，この値が小さい→硬い断端
＊コントラクション値＝ソケット内径値の参考値となる

②下腿切断

- 測定肢位は座位とする．
- 測定レベルは，**膝蓋腱中央レベル**，**膝蓋腱中央レベルから遠位5 cm・10 cm・15 cmと等間隔レベル**で測定する（図19）．断端長によって等間隔は変更する．短断端であっても最低3点以上は測定できるようにする．この測定間隔はソケット内周径においても同レベルで測定する．
- 測定レベルのマーキング，3種類の周径測定については，前述の大腿切断と同様である．

3 断端周径の変動について

- 一般的に健康成人の大腿部は一日に5～10 mm変動している．
- 表3で示したような要因により断端周径も変動する．

4 シリコーンライナーのサイズ決定方法

- 大腿・下腿用ともに断端末から近位4 cmレベルの周径値より1～2 cm減算したサイズとする．
- 切断直後は周径変動が大きいため，周径変動が安定するまでの間はレンタル対応とすることも多い（施設に備え置きのシリコーンライナーがない場合）．

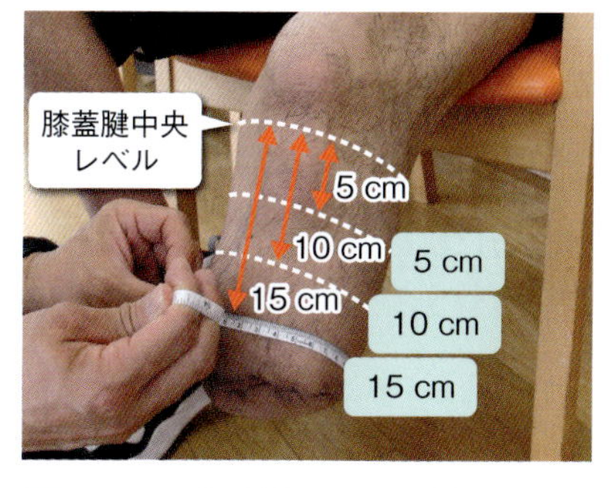

図19　下腿切断者の周径測定

表3　断端周径が変動する要因

要因	周径が大きい	周径が小さい
入浴	後	前
気温	高	低
圧迫	前	後
血液透析	前	後
ソケット装着	前	後
運動	前	後
時間帯	午後	午前
体重	増	減

4 筋力評価

1）非切断肢，体幹の筋力評価

❶ 目的

- 義足装着の有無を問わず切断者の**起居動作能力**の評価指標とする．
- 特に，両側切断者や股関節離断者においては，起居動作において上肢帯や体幹筋の筋力が必要となるため筋力評価は重要な指標となる．

❷ 測定方法

- 各筋力評価としては，**徒手筋力検査**（manual muscle test：MMT）[3] にて測定する．
- 徒手筋力計を用いた評価方法の方が，MMTよりも定量性・経時性の観点では優れる．
- 粗大筋力評価としては，握力，片脚立位時間，スクワット回数，ホッピング回数などがある．

2）断端の筋力評価

❶ 目的

- 切断高位の直上（最近位）関節を動かす力，大腿切断者の場合は膝継手の随意的制御力の指標とする．

❷ 測定方法

- MMTにて測定する．

①切断肢におけるMMTの留意点

- 切断肢は梃子（てこ）の長さが短くなっているため，抵抗部位がMMTで定められた位置よりも近位となる．
- 切断肢は切断された部位の下肢質量が減少している．
- 上記2点より，実際よりも強い筋力と判定する可能性があるため注意が必要である．
- 切断によって失った下肢質量が大きい者の場合には，切断者の筋力を過剰に評価しないためにも判定はMMT4までとした方がよい．

②義足装着下でのMMTに準じた測定（片側切断の場合）（図20）

- 義足を装着させる．
- 義足装着下で断端に疼痛がないこと，ソケットと断端にピストン運動などの適合不良を認めないことを確認する．
- 切断肢側のMMTを義足装着下において定められた基準通りに実施する．梃子の長さと下肢重量の一部補正がなされているが，完全な下肢重量の補正には至っていない．
- 筋力に応じて抵抗部を決定する（ソケット遠位端・下腿パイロン遠位端）．
- 義足側が急激に落下することがあるため非切断肢の上に枕を置く，もしくは，検査者がいつでも義足を支えられる準備をしておくなどの対応も行う．

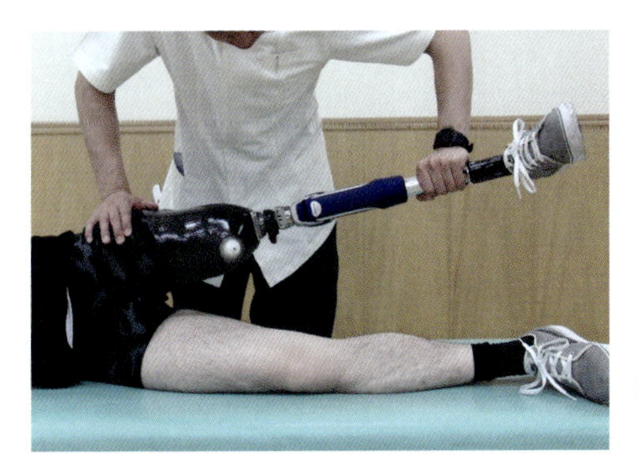

図20　義足装着下でのMMTに準じた測定（片側切断の場合）

③徒手筋力計を使用しての測定手順

- MMTで定められた基準通り（姿勢，固定，抵抗部位）に実施する．
- 徒手筋力計を断端に当てるとき，断端部に疼痛が出現することがあるため，注意が必要である．
- 徒手筋力計で測定した結果（N）に抵抗部位までの梃子の長さ（m）を乗算し，これを切断された部位の質量を換算した体重（kg）で除算することでNm/kgとすることができる．
- この測定は下肢重量が完全に補正されていない検査であることを忘れてはならない．

5 関節可動域（ROM）測定

日本整形外科学会と日本リハビリテーション医学会が定めた方法に準じて測定する．

1 目的

- **非切断肢側**※3**・体幹の関節可動域**は，動作能力における制限の有無やその程度を把握するために測定する．
- **切断肢側の関節可動域**は，切断後生じやすい拘縮の有無の把握，それに伴うソケット設定角度決定のために測定する．

※3　非切断肢側の拘縮
閉塞性動脈硬化症（ASO）や糖尿病（DM）の場合には，痛みにより不良姿勢や不動をとりやすいため非切断肢にも拘縮を起こすことがある．

2 大腿切断における関節可動域測定上の注意点

- 大腿切断の場合，股関節屈曲，外転，外旋の拘縮を生じやすく，股関節伸展，内転，内旋の関節可動域測定は重要である．
- 切断により遠位のランドマークが欠損しているため，移動軸を見誤る可能性がある．

①股関節伸展

- 大腿切断者の腹臥位姿勢は，骨盤前傾・股関節屈曲位となっていることが多い（図21A）ため，骨盤の前傾の代償を，腹部下に枕を挿入して防止する（図21B）．

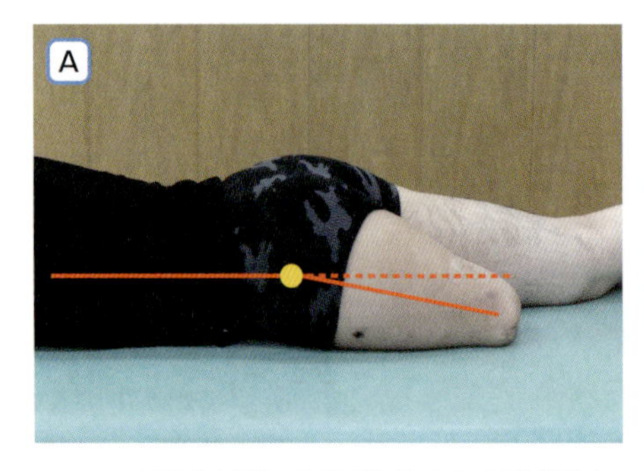

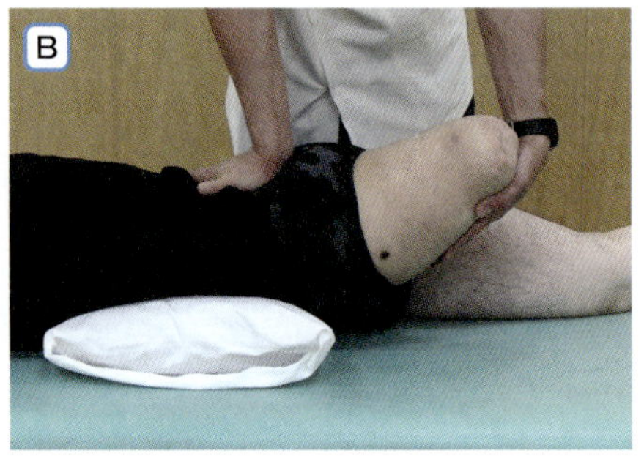

図21　切断肢側の股関節伸展可動域測定における留意点①

A）骨盤前傾・股関節屈曲位の腹臥位姿勢．B）骨盤前傾の防止策（腹部下に枕を挿入）．

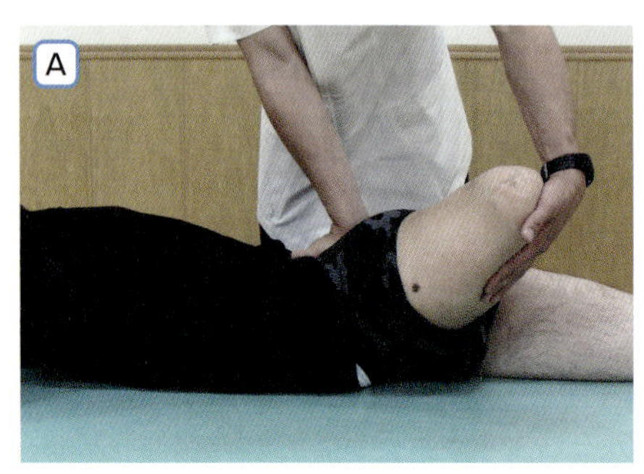

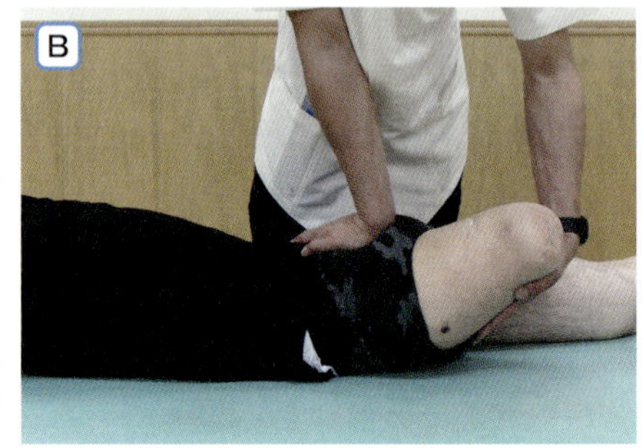

図22　切断肢側の股関節伸展可動域測定における留意点②

A）測定肢側への体幹回旋，股関節外転，外旋の代償動作．B）非切断肢側に頸部を回旋し測定者は切断側の上前腸骨棘がベッド面から離れないように骨盤をしっかりと固定する．

- 測定肢側への体幹回旋，股関節外転，外旋の代償動作を図22のように防止する．
- 大腿骨外顆が欠損（遠位のランドマークが欠損）していることにより，移動軸となる大腿骨（大転子と大腿骨外顆の中心を結ぶ線）を見誤る可能性があるため注意が必要である．
- 筋短縮テスト（トーマステスト）を行い，股関節伸展可動域制限の有無を確認する（図23）．

②股関節外転・内転

- 両側上前腸骨棘を確実に触診する．
- 切断により側弯が生じている場合や骨盤が水平位にない場合などがある．
- 移動軸の遠位ランドマークである膝蓋骨が欠損していることにより，移動軸となる大腿中央線を見誤る可能性があるため注意が必要である（図24）．

③股関節外旋・内旋

- 移動軸のランドマークである膝蓋骨および足関節内外果が欠損しているため，移動軸となる下腿中央線を設定することができない（日本整形外科学会と日本リハビリテーション医学会が定めた方法により測定することはできない）．
- 角度による測定が不可であるため運動範囲を距離で評価する方法がある（上前腸骨棘から大転子間の距離で判定する）．
- 大転子が前方にあれば内旋傾向，後方にあれば外旋傾向と判断する．

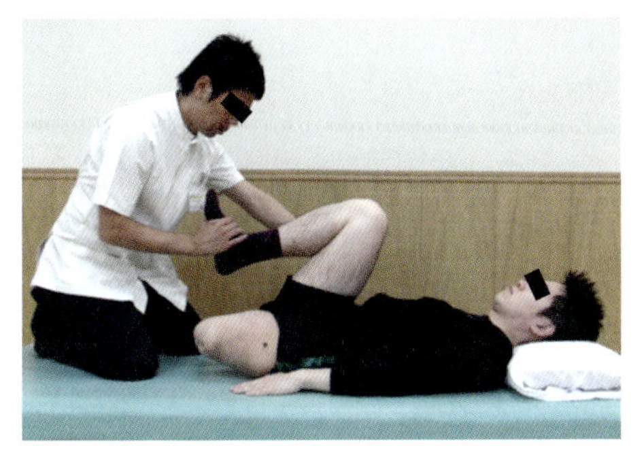

図23　筋短縮テスト（トーマステスト）

切断肢側の腸腰筋が短縮している場合，非切断肢側股関節を屈曲させた際，切断肢側股関節が屈曲する．この場合，トーマステスト陽性と判断する．ただし，大腿切断の場合（特に短断端）には，下肢の重量が小さいため，腸腰筋の短縮がない場合でも陽性となることがあるので注意が必要．

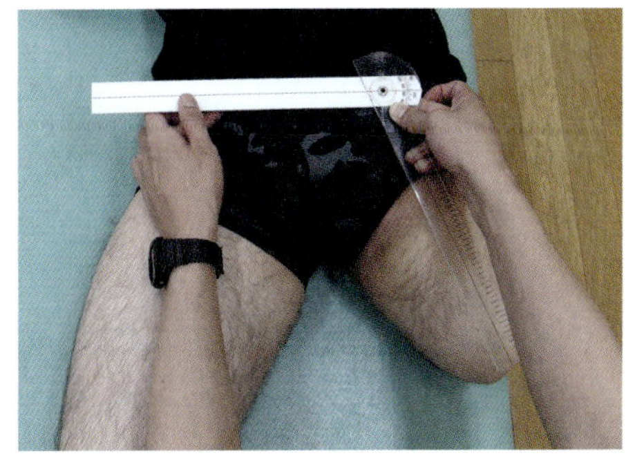

図24　切断肢側の股関節外転可動域測定

基本軸は，左右の上前腸骨棘を結ぶ線への垂線であり，移動軸は大腿中央線である．大腿切断の場合，膝蓋骨（遠位ランドマーク）が欠損しているため大腿中央線を見誤る可能性があるほか，股関節外旋位とならないよう大転子の左右位置の確認を忘れてはならない．

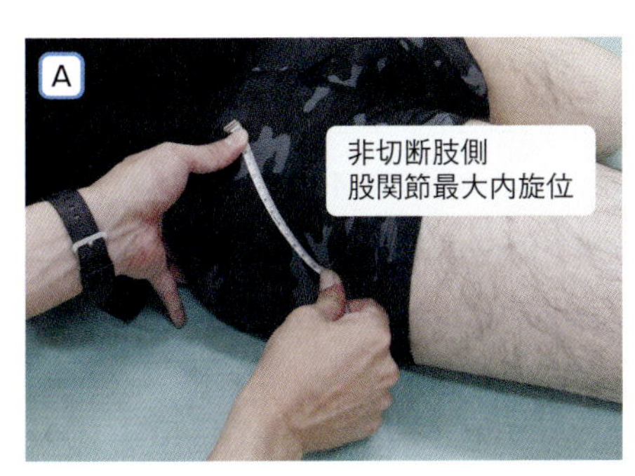

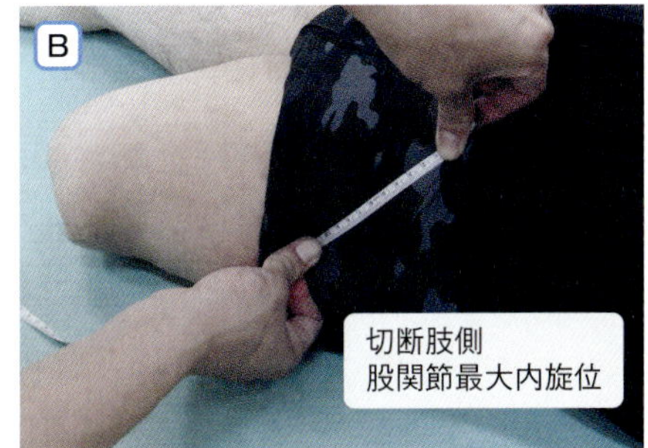

図25　大腿切断における股関節内旋可動域測定

角度による測定は困難であるため，大転子の位置を目安に内旋の可動性を確認する．つまり，非切断肢側の角度および距離を参考指標として比較し，切断肢側の内旋角度を予測する．

④大腿切断における股関節内旋可動性測定手順（図25）

- 非切断肢側股関節内旋を上記，通常の測定基準通り測定する（日本整形外科学会と日本リハビリテーション医学会選定の方法にしたがい測定）．
- 非切断肢側の中間位（股関節内外旋0°）における**上前腸骨棘から大転子間**の距離を測定する．
- 非切断肢側の最大内旋位における**上前腸骨棘から大転子間**の距離を測定する（図25A）．
- 切断側股関節最大内旋位における**上前腸骨棘から大転子間**の距離を測定する（図25B）．
- 判定は，距離から推測した角度の予測（限定した角度は不明）である．非切断肢側の距離（中間位，最大内旋位の距離）と切断肢側の距離を比較して股関節内旋運動の程度を予測する．

3 下腿切断における測定上の注意点

- 下腿切断の場合，膝関節屈曲の拘縮を生じやすく，膝関節伸展の関節可動域測定は重要である．
- 断端長によって腓骨頭や腓骨外果が欠損（ランドマークが欠損）していることにより，移動軸となる腓骨（腓骨頭と腓骨外果を結ぶ線）を見誤る可能性があるため注意が必要である．

6 感覚検査

- 切断者にとって重要情報となるのが表在感覚と深部感覚である.
- **表在感覚**（触覚，痛覚，温度覚）は，傷ができたときに自覚できるか（早期発見できるか）の評価として重要である.
- **深部感覚**（位置覚，運動覚，振動覚）は，義足の位置の認知や操作に必要な感覚である.
- 表在感覚，深部感覚ともに一般的な方法に準じて検査する*.

* 特に，糖尿病性神経障害を呈している場合には，深部感覚が障害されている可能性があるため検査は重要である．また，非切断肢側の足部検査も重要である.

7 疼痛評価

切断者にみられる疼痛は以下の3つに分けられる．疼痛評価は，**一般的な疼痛評価（疼痛程度・種類・性状・期間）**に準じて行う.

1）断端痛（stump pain）

- **手術部（創部）の疼痛**：切断術による疼痛．疼痛部位が術創部付近である.
- **循環障害による疼痛**：断端部のうっ血や浮腫による疼痛.
- **神経腫による疼痛**：切断された末梢神経の切断端が結節状に過剰再生したものによる疼痛.
- ソケットとの過剰な**摩擦や圧迫による疼痛**：発赤，表皮剥離などを伴う疼痛.
- **炎症（毛嚢炎）による疼痛**：毛穴にニキビのような所見を伴う疼痛.

2）幻肢痛（phantom pain）

❶ 幻肢（phantom limb）

- **"幻肢"**とは，切断・離断された四肢が現存するような感覚のことである．幻肢が起きる要因の詳細は不明である.
- 考えられる要因は，末梢説（断端部の癒着・瘢痕・神経腫）と中枢神経説（大脳皮質に記憶された身体感覚）がある.
- "幻肢" には個人差が多いが，大塚は，**実大型（Ⅰ型）**，**遊離型（Ⅱ型）**，**断端密着型（Ⅲ型）**，**痕跡型（Ⅳ型）**，**断端嵌入型（Ⅴ型）**の5つに分類している（図26）.
- 幻肢の大きさは非切断肢とほぼ同様であることが多く，変化することは少ない.
- 幻肢の持続時間は平均6カ月から2年とされるが，症例によっては数十年持続する場合もある.
- 下肢よりも上肢に強く認められる.
- 6歳以下の小児切断では出現しないとされている.
- 天候に左右され，末梢部ほど強く表れる.
- 義足装着下での運動感覚に影響することがある.

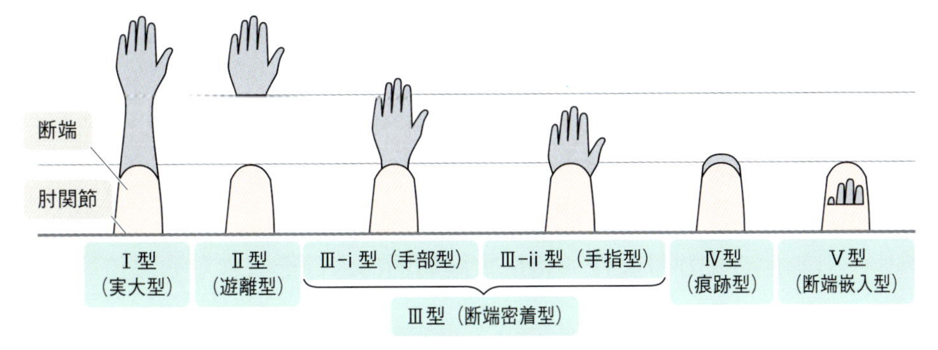

図26　**幻肢の型（大塚による分類）**

図の灰色の部分に幻肢があり，幻肢痛を感じる．

❷ 幻肢痛

- "幻肢" の部分に疼痛を感じることを "**幻肢痛**" という．
- 幻肢痛の原因も幻肢の発生と同様に明らかになっていない．
- 幻肢痛の発生により夜間の不眠や義足装着困難となることがある．
- 幻肢痛が著明な場合には，切断肢側の知覚過敏，発汗異常，自律神経機能異常を認めることがある．

3）その他の疼痛

- 大腿切断や股関節離断者などにおいては，義足装着により**腰痛**を訴えることがある．
- 外傷性切断では，他の骨折部位などに疼痛を訴えることがある．

8 パッチテスト（皮膚感応テスト）

1）目的

- 義足装着に伴う**接触性皮膚炎防止**のために実施する．

2）パッチテスト（皮膚感応テスト）実施の手順

- 本テスト実施にあたり，その目的や方法について主治医および病棟の許可を得る．
- 今後，直接皮膚に接触する可能性のある素材（プラスチック樹脂，断端袋，シリコーンライナー，絆創膏など）を1 cm程度の円形にカット（縁は面取り）する．
- カットした素材を断端とは異なる皮膚部位（腹部や大腿内側，もしくは非切断肢側の断端にあたる皮膚）に48時間程度貼付する（貼付した配列を**カルテに記載**しておく）．
- 48時間経過したら貼付したものを外し，接触性皮膚炎の状況を確認する．

9 起居動作能力評価（義足未装着）

切断者は，日常生活において入浴時や就寝時間帯などは義足を装着していないため,「義足なし」による起居動作能力も重要となる．以下，切断者の起居動作能力評価のなかでも特に留意する点について解説する．

1）起き上がり動作（特に大腿切断およびそれよりも高位切断者）[4)]

- 切断肢は下肢の重量がないため断端（切断肢側股関節）が屈曲してしまい動作制限となる．
- この現象は，短断端の大腿切断者や軟らかいベッド上ではより顕著に認められる．
- 直線的な**起き上がり動作**を実施するためには，上肢および体幹筋力が相当必要になる．
- 上肢および体幹筋にあまり頼らない起き上がり動作方法（体幹の回旋を伴う起き上がり動作）をとることが多い．
- 起き上がり動作能力に影響するものとして，**断端長**，**上肢筋力**，**体幹筋力**，**動作実施環境**などの因子がある．

2）四つ這い動作（三つ這い動作）および，いざり動作

- 切断高位が下腿以下の切断者は，**四つ這い移動**が可能となる．
- 特に，両側切断者にとっては，義足未装着時の重要な移動手段となる．
- 切断高位が大腿以上の片側切断者は膝関節を失っているため，**三つ這い移動**となる．
- 三つ這い移動は，上肢および体幹筋の筋力が低下していると動作困難となる．
- 低活動者にとって**“いざり動作”**（座った状態のまま手足を使って自力で移動する方法）は，転倒する危険性がないため義足未装着時の重要な移動手段となる．
- 糖尿病性神経障害を呈する切断者などの痛みを感じにくい状況の者については，“四つ這い（三つ這い）動作”および“いざり動作”を実施した前後には，断端や非切断肢側足部の傷のチェックを忘れてはならない（断端等が床面と強く擦れるため）．

3）プッシュアップ動作

- 両側下肢切断者は，義足未装着時（入浴動作やトイレ動作）において**プッシュアップ能力**により動作可否が決定する．
- プッシュアップ能力が低い者の場合，いざり動作時に殿部が床面と強く擦れるため殿部に擦過傷などをつくる可能性があり，プッシュアップ能力の向上は重要である．

4）床や椅子からの立ち上がり（片側下肢切断者）

- 日本の生活様式を考慮すると，義足未装着時に床や椅子からの立ち上がり動作は必要となる．
- 非切断肢側と切断肢側の下肢重量が異なるため，**立ち上がり動作**時や立位保持時にバランスを崩しやすい．
- バランスを崩した際，咄嗟に切断肢側で体重を支持しようとする反応を認める場合がある．この場合には，当然であるが，切断肢側で体重支持できないため転倒に至る可能性が高い．
- 立ち上がり動作には，非切断肢側下肢筋力や立位バランス能力が求められる．

- 低活動者の場合には，体幹を非切断肢側へ回旋し，座面もしくは肘掛を上肢でプッシュアップしながら立ち上がる.
- 椅子へ腰掛ける場合，前述の立ち上がり動作を逆順で実施することで安全が確保されやすい.

5）ホッピング（片側下肢切断者）

- 義足未装着時に最も効率がよい移動手段（短時間に長距離移動が可能な移動手段）が“**ホッピング**”である.
- “ホッピング”とは，非切断肢側下肢でジャンプをくり返して移動する方法である.
- 非切断肢側下肢筋力が十分にないと，この動作は困難である.
- 支持基底面が非切断肢側下肢のみとなるため転倒しやすく注意が必要である.
- フローリング素材の床面で非切断肢側下肢に靴下を履いてこの動作を行うと，滑りやすいため注意が必要である.
- バランスを崩した際，前述したように咄嗟に切断肢側で体重を支持しようとする反応を認める場合があるため注意が必要である.

文献

1）豊田 輝：足部切断・離断者に対する理学療法．理学療法，32：334-342，2015
2）「The A.S.P.E.N. nutrition support practice manual」（American Society for Parenteral and Enteral Nutrition），American Society for Parenteral and Enteral Nutrition，1998
3）「新・徒手筋力検査法 原著第10版」（Dale Avers，Marybeth Brown 他／著，津山直一，中村耕三／訳），協同医書出版，2014
4）石垣栄司：切断者の基本動作の評価からプログラムを立案する―大腿切断者を例に―．理学療法ジャーナル，47：60-166，2013

参考図書

・「理学療法評価学 改訂第6版」（松澤 正，江口勝彦／著），金原出版，2022

第I章 義肢学

3 大腿義足ソケットの種類と適合評価

学習のポイント

- 大腿切断の特徴について学ぶ
- 代表的な大腿義足ソケットの種類と特徴・構造を学ぶ
- 大腿義足ソケットの懸垂方法を学ぶ
- 大腿義足ソケットの評価方法を学ぶ

1 大腿切断の特徴

- 大腿切断は，股関節の機能は保たれているが，膝関節の機能を喪失する．円滑な歩行を獲得するためには，立脚期での膝安定と遊脚期での円滑な膝屈伸が可能な義足が求められる．
- 大腿骨は周囲を多くの軟部組織で包まれているため，力を正確に義足へ伝えるには，ソケットの適合が非常に重要となる．

2 大腿義足について

- 基本構成は**ソケット**，**懸垂装置**，**大腿部**，**膝継手**，**下腿部**，**足継手**，**足部**である（図1）．その他，各種アダプター，カップリング，ターンテーブル，ショックアブソーバー，フォームカバーなどで構成される．
- 大腿義足ソケットは大腿の断端と義足をつなぐものであり，以下のことが求められる．
  - 体重を支持できる
  - 懸垂がよい
  - 疼痛がない
  - 装着感がよい
  - 義足を制御しやすい
  - 感覚の伝達がよい
  - 発汗が少ない

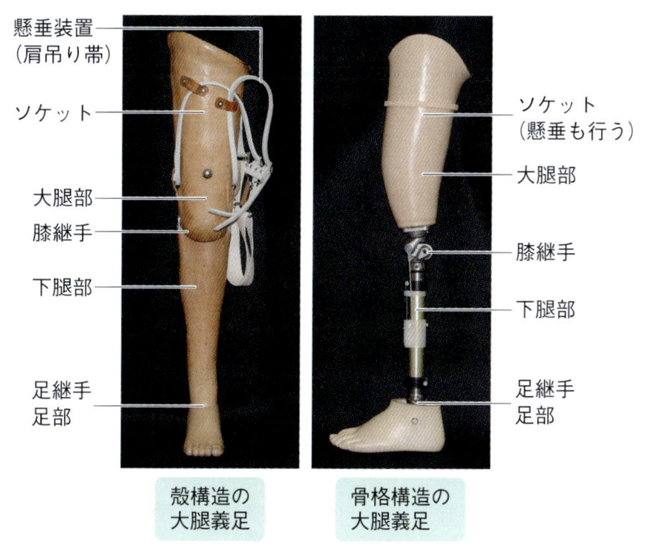

図1　**大腿義足の基本構成**

3 ソケットの種類

- 大腿義足ソケットには大きく分けて**差し込み式ソケット**と**吸着式ソケット**がある．また，それぞれいくつかのタイプに分けられる（表1）．

1）差し込み式ソケット

- 従来式は上部ソケット形状が**円形**であったが，現在は**四辺形**が主流である（図2）．
- 従来式ソケット末端は底が抜けている形状（open end）であったが，現在は**全面接触式**（total contact）が主流となっている．
- 断端とソケットの間には余裕があるため装着には断端袋を用い，懸垂は**肩吊り帯**，**腰ベルト**などを用いる．
- 断端がソケット内に落ち込みやすく，会陰部の疼痛や，内転筋ロール（参照）を発生しやすい．

参照
内転筋ロールは第I章5図18参照

- 差し込み式ソケットの大腿義足では原則膝継手は固定式を用いるため，義足の長さを非切断肢より1.5〜2.0 cm短くする．
- 虚弱高齢者や，差し込み式ソケットに慣れている方に処方．

2）吸着式ソケット

- 現在一般的に用いられている．
- ソケット内周径を断端より小さくし，ソケット自体に懸垂能をもたせているため懸垂装置は不要．
- ソケット末梢に弁付きの**バルブ**を取り付け，**布（断端誘導帯）**を用いて断端をソケット内に引き込む．
- かつては断端末とソケット底の間に隙間（open end）が生じるタイプであったが，陰圧に

表1　大腿義足ソケットの比較

	差し込み式ソケット		吸着式ソケット		
形状	円形（従来型）	四辺形（全面接触式）	四辺形（全面接触式）	坐骨収納型	MAS
懸垂方法	肩吊り帯 腰ベルト	肩吊り帯 腰ベルト	ソケット自体 （シレジアバンド） （ライナー）	ソケット自体 （シレジアバンド） （ライナー）	ソケット自体 （シレジアバンド） （ライナー）
体重支持	坐骨＋ソケット側壁	坐骨結節＋大殿筋中心	坐骨結節＋大殿筋＋ソケット接触面	ソケット接触面全体	坐骨結節＋ソケット接触面
膝継手	固定	固定	遊動（固定）	遊動（固定）	遊動（固定）
義足長	非切断肢より1.5〜2.0 cm短く	非切断肢より1.5〜2.0 cm短く	原則非切断肢と同じ	原則非切断肢と同じ	原則非切断肢と同じ
装着方法	断端袋を使用	断端袋を使用	断端誘導帯を使用して引き込む，ライナー	断端誘導帯を使用して引き込む，ライナー	断端誘導帯を使用して引き込む，ライナー
適応	現在はほぼ使用されていない	断端誘導帯，ライナー使用困難な虚弱高齢者	坐骨支持が可能な切断者に広く適応	広く適応	坐骨支持が可能な切断者に広く適応
利点	・断端袋により断端周径変動に対応 ・通気性がよい	・断端袋により断端周径変動に対応 ・通気性がよい	・ソケット自体での懸垂 ・義足が軽く感じる ・ピストン運動なし ・義足の操作性よい ・断端の循環良好 ・疲労少ない	・ソケット自体での懸垂 ・義足が軽く感じる ・ピストン運動なし ・義足の操作性よい ・断端の循環良好 ・疲労少ない ・会陰部の疼痛少ない ・側方の安定性がよい ・大腿骨が正常に近いアライメント（立位感覚良好）	・ソケット自体での懸垂 ・義足が軽く感じる ・ピストン運動なし ・義足の操作性よい ・断端の循環良好 ・疲労少ない ・会陰部の疼痛少ない ・座位快適 ・股関節屈曲角度大きい
欠点	・懸垂装置必要 ・ピストン運動大きい ・義足を重く感じる ・義足の操作性悪い ・ソケットの解剖学的適合なし ・会陰部の疼痛 ・内転筋ロールを発生しやすい	・懸垂装置必要 ・ピストン運動大きい ・義足を重く感じる ・義足の操作性悪い ・会陰部の疼痛 ・内転筋ロールを発生しやすい	・周径変動への対応難しい ・通気性悪い ・ソケット内での大腿骨外転による側方への不安定 ・坐骨への体重負荷が大きい	・周径変動への対応難しい ・通気性悪い ・製作が難しい	・周径変動への対応難しい ・製作が難しい ・坐骨への体重負荷が大きい

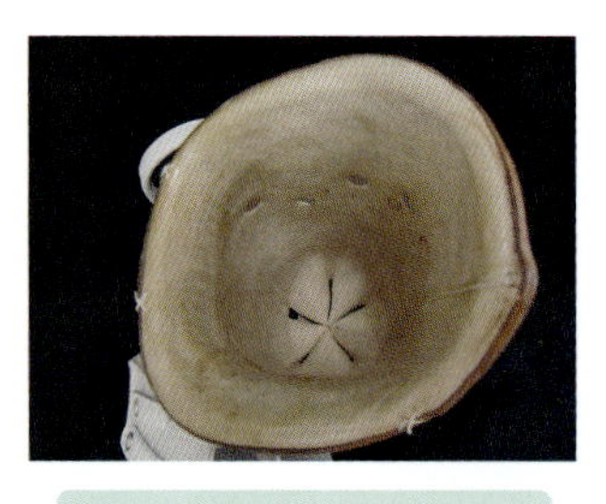

円形（従来型，open end）

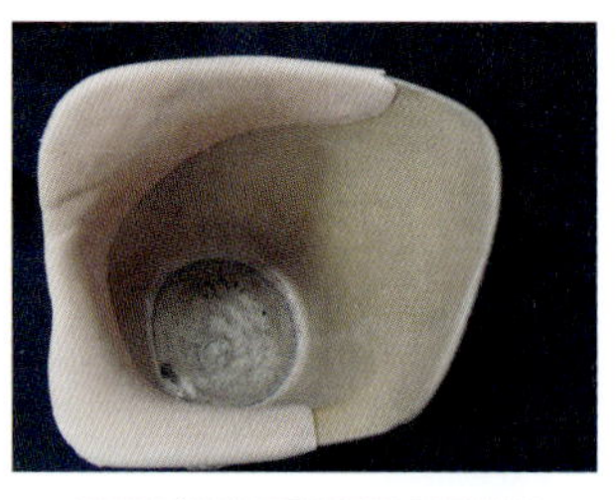

四辺形（total contact）

図2　差し込み式ソケットの種類

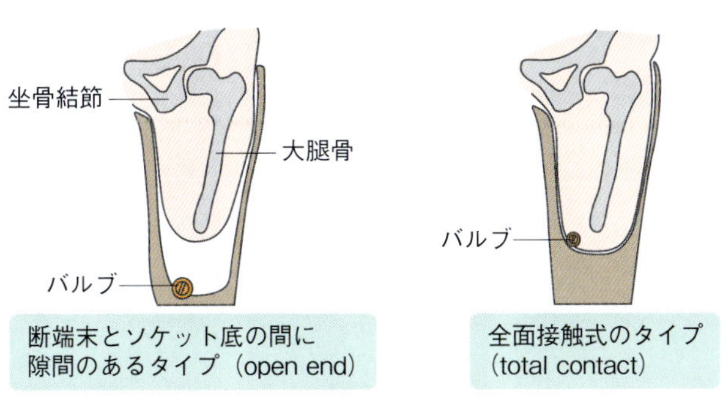

図3　吸着式ソケットの種類
文献1より引用.

表2　ソケットと断端のコンプレッション値（単位：cm）

断端長 ＼ 周径の測定部位	7.5～12.5（上1/3）			15.0～17.5（中1/3）			20.0～22.5（下1/3）			25.0～35.0（断端支持）		
	軟	中	硬	軟	中	硬	軟	中	硬	軟	中	硬
坐骨結節レベル	4.7	3.0	3.0	3.2	3.0	2.8	3.0	2.8	2.5	2.5	2.1	1.8
2.5	3.0	2.8	2.8									
5.0	2.8	2.5	2.5	2.5	2.2	1.9	2.2	1.8	1.5	1.8	1.5	1.2
7.5	2.5	2.2	1.9									
10.0	2.2	1.9	1.2	1.5	1.2	1.0	1.5	1.2	1.0	1.5	1.2	1.0
12.5	1.9	1.5	1.0									
15.0				1.2	1.0	0.6	1.0	0.6	0.6	1.0	0.6	0.3
20.0							0.8	0.6	0.3	0.8	0.6	0.3
25.0										0.6	0.3	0.3
30.0										0.6	0.3	0.3
35.0										0.3	0.3	0.3

断端長・軟部組織（筋）の状態により値を変える．硬い（発達）場合に小さく，やわらかい（未発達）場合は大きくなる．文献2より引用.

より断端末梢がうっ血するなどの問題があり，現在は全面接触式（total contact）※1になっている（図3）.

- 断端周径とソケット内周径の差を**コンプレッション値**（compression value）※2とよび，断端長や筋の発達度合いにより変化させる必要がある（表2）.

※1　全面接触式ソケット（吸着式）とは
利点は，①断端の単位面積当たりの負荷が少なく装着感が向上する（軽く感じる），②坐骨結節に荷重が集中することなく分散する，③力の伝達がよい（操作性の向上），④歩行時に断端末付近に圧がかかることでポンプ作用が働き，循環促進が行われる（早期の断端成熟）などである.

※2　コンプレッション値とは
コンプレッション値は断端が長ければ長いほど，硬ければ硬い（発達）ほど，遠位にいくほど値を小さくできる.

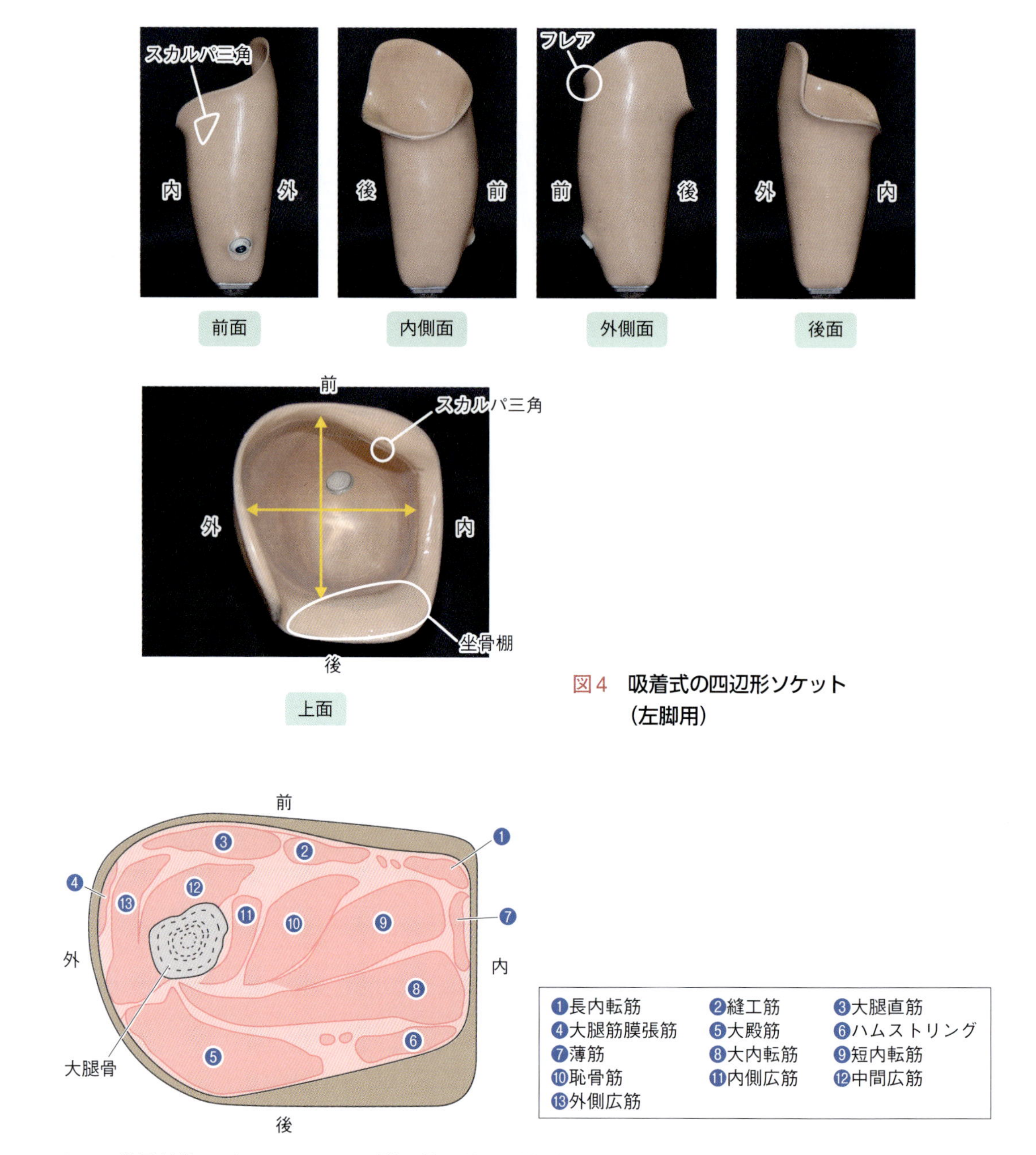

図4　吸着式の四辺形ソケット（左脚用）

図5　坐骨結節レベルのソケット形状と筋の位置（左脚）

文献3より引用.

❶ 四辺形ソケット（quadrilateral total contact socket）（図4）

- 前後内外それぞれの壁に機能と解剖学的適合（図5）をもたせたソケットである.
- 筋の機能を邪魔しないための**溝（チャネル）**をもち，筋の発達度により形状を変化させる（図6）.
- 後壁上部の坐骨結節と大殿筋を主とした体重支持で，荷重時に坐骨結節がソケット内に滑り落ちないよう，前壁のスカルパ三角を圧迫し安定させる.
- 前後径（A-P）が狭く，内外径（M-L）が広い（図4）.

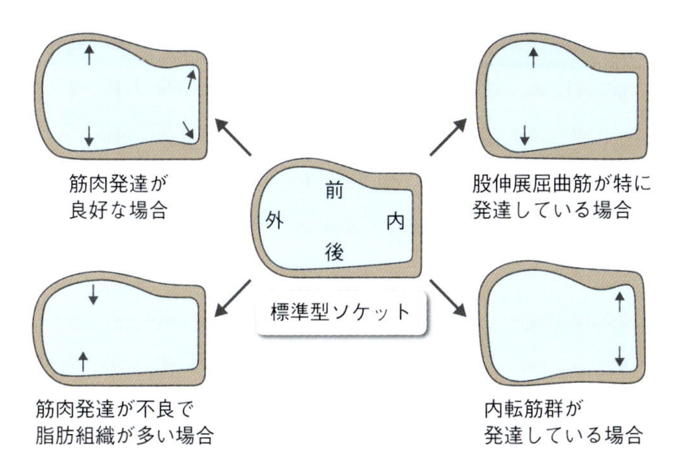

図6 筋の発達度とソケット形状の変化（左脚）

文献2より引用.

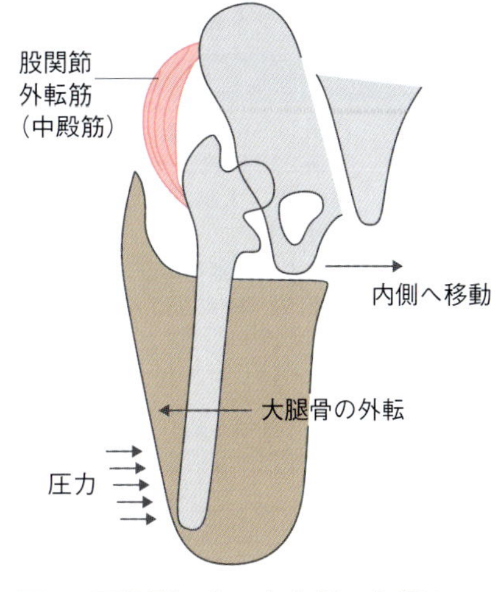

図7 四辺形ソケットを用いた際の大腿骨外転（左脚）

断端の皮下脂肪組織が非常に多い場合や外壁の支持が不適切な場合は，中殿筋の収縮により大腿骨が外転する.

- 内外径が広く，立脚期で股関節外転筋が働きソケット内で大腿骨が外転しやすいという欠点がある（図7）.
- 四辺形ソケット各壁の特徴・役割・形状を以下に示す．詳細は表3を参照.

前壁

- **解剖学的特徴**：内側1/3の部分と外側2/3の部分に分けられる.
- **役割**：全体としては骨盤前傾の防止．内側1/3ではスカルパ三角の押しによる坐骨結節の後壁上面への支持，外側2/3では筋群の運動.
- **形状**：長内転筋と大腿直筋チャネルを有し，スカルパ三角の押しをつくる．高さは外側で坐骨棚より6.0 cm高くする.

内壁

- **解剖学的特徴**：内転筋群が接する.
- **役割**：体重の支持に対する役割はほとんどなく，断端の内転位保持に関与する.
- **形状**：前後径は断端最小前後径マイナス1.0～1.2 cm，高さは坐骨棚と同じとし，進行方向と平行とする.

外壁

- **解剖学的特徴**：大殿筋，外側広筋，大腿筋膜張筋が接する.
- **役割**：断端の内転位保持と骨盤の安定に関与する.
- **形状**：外壁後方に大殿筋チャネルを有し，高さは坐骨棚より6.0 cm高くする.

後壁

- **解剖学的特徴**：大殿筋，ハムストリングス腱，坐骨結節が接する.
- **役割**：坐骨結節，大殿筋による体重支持と初期屈曲角設定による股関節伸展筋群の効率向上.

表3　四辺形ソケット各壁の特徴・役割・形状の詳細

	前壁	内壁	外壁	後壁
解剖学的特徴	・内側1/3に長内転筋腱，外側2/3に縫工筋，大腿直筋，大腿筋膜張筋が接する ・内側1/3の部分には，長内転筋・縫工筋・鼡径靱帯に囲まれたスカルパ三角の押しがある	・長内転筋，大（短）内転筋，薄筋，ハムストリングス腱が接する	・大殿筋，外側広筋，大腿筋膜張筋（股関節外転筋は直接ソケットと接する点は非常に少ない）が接する	・大殿筋，ハムストリングス腱，坐骨結節が接し，体重負荷に重要な役割をもつ
役割	・骨盤の前傾を防ぐ ・内側1/3：スカルパ三角の押しにより坐骨結節を後壁上面に支持させる（前後径の長さ・輪郭が重要） ・外側2/3：股関節屈曲運動を阻害しないこと（これらの筋機能を考慮に入れ大腿直筋チャネルを有す）	・体重の支持に対する役割はほとんどない ・断端を内転位に保持し，歩行時の内外側への安定性に大きな機能をもつ（内壁上部と外壁末梢部とで断端を内転位に保持する） ・すべての内転筋群を収納して内転筋ロールを防止する	・立脚期で断端を内転位に保持し，外転筋群の効率をよくする ・断端外側との適合により，骨盤を安定させる（適合が不十分な場合，異常歩行が出る）	・坐骨結節，大殿筋による体重支持 ・初期屈曲角設定による股関節伸展筋群の効率をよくする（膝継手安定性の向上）
形状	・前壁内側に長内転筋チャネルを作る（長内転筋腱の発達度合いに合わせる） ・スカルパ三角隆起は内壁より外2.0～2.5 cmが最も後方へ隆起する ・外側2/3に大腿直筋チャネルを作る（大腿直筋の発達と大転子の位置により変化：大腿直筋が大もしくは大転子が前方なら深く，大腿直筋が小もしくは大転子が後方なら浅く，平均1.5 cm） ・高さ：外側で坐骨棚より6.0 cm高く，内側に向かい鼡径部に沿って低くする（股関節屈曲を制限しない，短断端はやや高くする） ・スカルパ三角の押し，大腿直筋チャネルは筋の走行に一致させる ・上部はフレアを付ける	・前後の長さは，坐骨結節中央から長内転筋腱までの長さマイナス1.0～1.2 cm ・高さ：坐骨棚の高さと同じ（屈曲拘縮がある場合は若干低く，内転筋ロールを形成している場合はやや高くする） ・方向：進行方向と平行 ・厚さ：1.0 cm以内（0.7～0.9 cm） ・上縁から10 cmは床面に垂直な平面，下部は断端に合わせた形状 ・上部はフレアを付ける	・外壁後方に大殿筋チャネルを作る（深さ：大殿筋大で深く，大殿筋小で浅く） ・高さ：坐骨棚より6.0 cm高く（短断端ではより高く） ・坐骨棚より上部は，内方へ弯曲させ切断肢側に密着させる ・坐骨棚より下部は大腿骨に沿わせる形状にする ・大腿骨骨端が外壁に当たる場合は，その部位を外側へ軽度突出させる	・上面は水平 ・坐骨結節の位置：内壁後部より1.0～1.2 cm後方（人により違う） ・内壁と後壁のなす角度：大殿筋硬い→10～12°，大殿筋軟らかい→5～7°，中間→8～9° ・全体的に扁平な面とするが，ハムストリングスの緊張が著明な場合はチャネルをつくる ・初期屈曲角：屈曲拘縮プラス5°

▸**形状**：上面は水平とし，内壁と後壁のなす角度は大殿筋の状態により変化させる．初期屈曲角は拘縮プラス5°とする．

❷ 坐骨収納型ソケット（ischial-ramal containment socket：IRCソケット）

● 前述のように四辺形ソケットでは前後径（A-P）より内外径（M-L）が大きい構造のため，

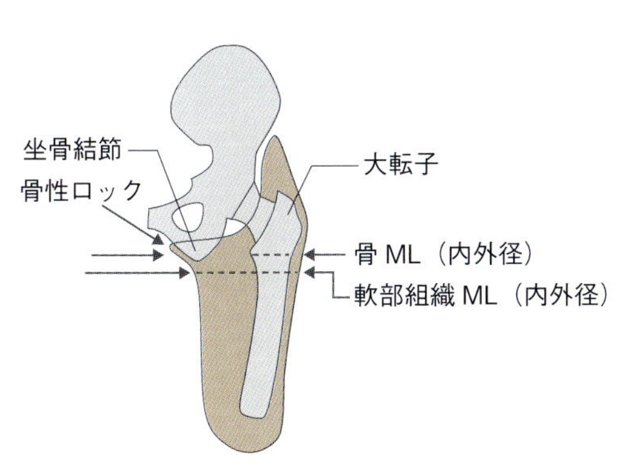

図8　坐骨収納型（IRC）ソケットの骨性ロック（右脚）

骨MLは，坐骨結節内側から大転子直下の外側との距離を示す．

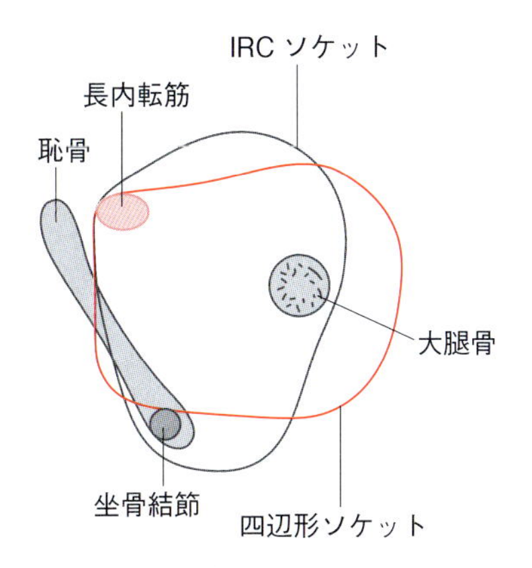

図9　四辺形ソケットとIRCソケットの形状比較（右脚）

文献3より引用．

大腿骨が外転することによる側方への安定性などに問題があった．

- その問題を改善するために生まれたのが坐骨収納型（IRC）ソケットである（図8）．
- 四辺形ソケットに比べIRCソケットは前後径（A-P）が広く，内外径（M-L）が狭い（図9）．
- IRCソケットには，CAT-CAM，NSNA（normal shape-normal alignment），NarrowM-Lなどがあるが，最近はIRCソケットの発展形として，ソケットの前壁・後壁が低くえぐられたマルロアナトミカルソケット（MASソケット，Marlo anatomical socket）も製作されるようになってきた．

①一般的なIRCソケット（図10）

- 図8のように大転子の上下部で大腿骨を支え，大腿骨の内転角を正常近くのアライメントに保ち，坐骨結節と坐骨枝の一部をソケット内に収納する（骨性ロック※3）．
- ソケットの外壁を大腿骨に沿わせ，特に大腿骨の遠位部に内転する力を働かせることにより大腿骨を内転位に保つ．
- 歩行時の側方への安定性が良好．
- 体重は坐骨結節のみでなく，断端全体で支持する．
- 会陰部の疼痛が少ない．
- ピストン運動※4がない．
- 義足のコントロールが良好．

※3　骨性ロックとは

坐骨結節が内側にずれないように坐骨結節と坐骨枝の一部を収納し，坐骨結節内側から大転子直下の外側との距離（骨ML）をソケットに忠実に再現することにより大腿骨と骨盤を固定すること．

※4　ピストン運動

「ピストン運動」は，ソケットの懸垂力が不十分なときに生じる．これは，立脚期には断端がソケット底に沈みこみ，遊脚期には断端がソケットから抜ける方向へと上下する動きのことである．このピストン運動は「ない」ことが理想である．

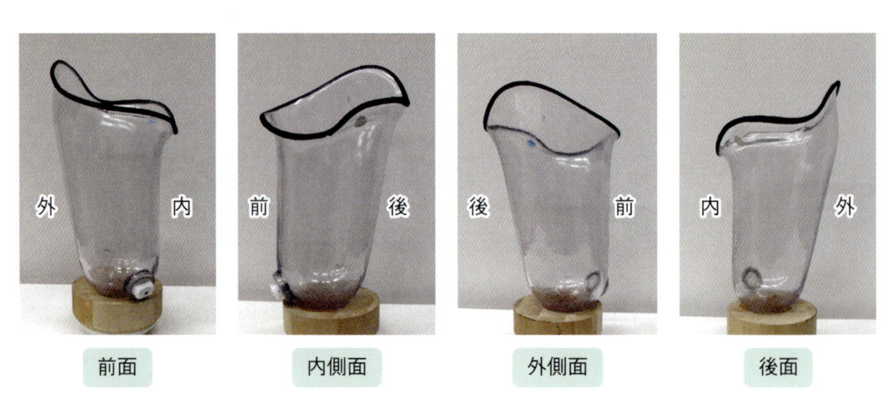

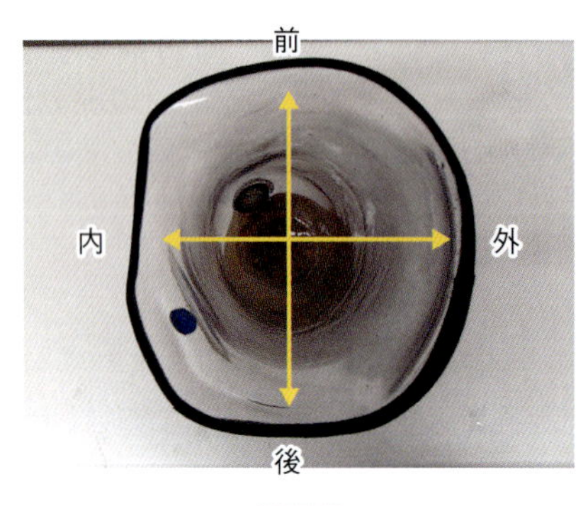

図10　IRCソケット（右脚用）

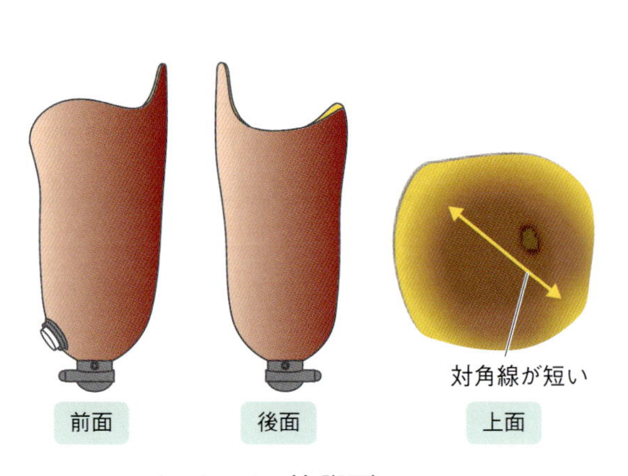

図11　MASソケット（左脚用）

図12　MASソケットでの股関節屈曲

②IRCソケットの一種MASソケット（図11）

- MASソケットは前壁が低くえぐられているため，股関節屈曲時に大きな角度が確保できる（図12）.
- また，後壁も低くU字にえぐられているため座位時に殿部と座面の間に邪魔なものがなくなり快適に座位がとれる.
- 上面からみると，MASソケットは四辺形ソケット，一般的なIRCソケットどちらとも違う形状をとっており，坐骨接触面から対面への対角線が短くなっている.

4 大腿吸着式ソケット適合上の愁訴と原因

- 大腿吸着式ソケット装着時・歩行時に適合不良があると**愁訴**が現れ，異常歩行の原因にもなる．
- 主な愁訴とその原因を表4に示す．

表4 大腿吸着式ソケット適合上の愁訴と原因

前壁	**①長内転筋部がきつい** 長内転筋チャネルが狭い，ソケット前後径が狭いまたは広すぎて坐骨結節が前方に滑り落ちていることで前方に圧迫がかかっている． **②スカルパ三角部の強い圧迫** ソケットスカルパ三角部の押しが強すぎる，ソケット前後径が狭い． **③ソケット上部での軟部組織のはみ出し** ソケットに断端が十分入っていない，前壁が低すぎる． **④座位での腹部への突き上げ** 前壁が高すぎる，フレアが不十分．
内壁	**①会陰部・恥骨の突き上げ** 内壁が高い，ソケット前後径が広すぎて坐骨結節が前方に滑り落ちている，腰椎前弯が強い，屈曲拘縮が強い． **②内転筋ロールへの圧迫** 内壁が低すぎて内転筋ロールを収納できていない，内壁の形状が不適切．
外壁	**①大腿骨外側末端部の疼痛** 外壁の適合不良で大腿骨がソケット内で外転している，ソケット内外径が広すぎる，骨端部に対する適合不良（レリーフをつける）． **②大転子部の疼痛** 大転子部のソケット形状が不適切，ソケット内外径が狭すぎる．
後壁	**①坐骨結節部の疼痛または不快感** ソケット前後径が広すぎて坐骨結節が前方に滑り落ちていることで坐骨支持を失う，大殿筋チャネルが大きすぎて坐骨結節にかかる負荷が大きくなる，ソケット後壁で外側が低すぎて坐骨結節にかかる負荷が大きくなる，後壁が厚すぎて座位で圧迫する． **②大殿筋部の疼痛または不快感** ソケット前後径が狭い，大殿筋チャネルが小さすぎる，ソケット後壁で内側が低すぎて大殿筋にかかる負荷が大きくなる，後壁が厚すぎて座位で圧迫する． **③ハムストリングスの圧迫感** 前後径が狭すぎる，ハムストリングス部のレリーフが不十分，ソケットが小さすぎる，後壁上部の丸みが少ない，後壁が厚すぎて座位で圧迫する．

5 大腿義足の懸垂装置

1）ソケット自体による懸垂

- 吸着式ソケットでは，ソケット内周径を断端より小さくし，ソケット自体に懸垂能をもたせる．

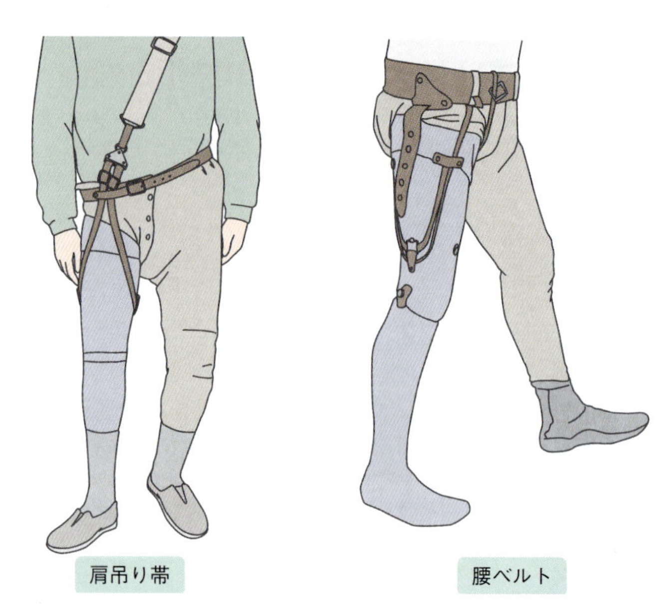

図13　肩吊り帯と腰ベルト
文献1と2をもとに作成.

2）肩吊り帯と腰ベルト（図13）

- 差し込み式ソケットで主に用いられるが，短断端の吸着式ソケット例でも用いる場合がある.
- 問題点として①身体の動きを妨げる，②ピストン運動が起こるなどがある.

3）シレジアバンド（図14）

- 布や革製で，非切断側の腸骨稜と大転子の間を通り，ソケットを保持する.
- 大腿吸着式ソケットの懸垂補助装置として短断端などの懸垂力が不十分な場合に使用される.
- 型は3種類（標準型・前方取り付け位置が1カ所のもの・ウエストベルト付き）ある.
- シレジアバンドの目的は，以下の通り.
  - 懸垂の補助として.
  - 遊脚期の内転筋，つま先離れ期の屈筋の活動を補助し，歩行時の義足側の安定性を高める.
  - 座位時にソケットが抜けるのを防ぐ.

4）ライナーによる懸垂（図15）

- 下腿義足で用いることが多いが，大腿義足でもシリコーンなどの素材でできたライナーを用いて懸垂を行う場合がある.
- ライナーは，ピンロックアタッチメント，スリーブなどで固定される.

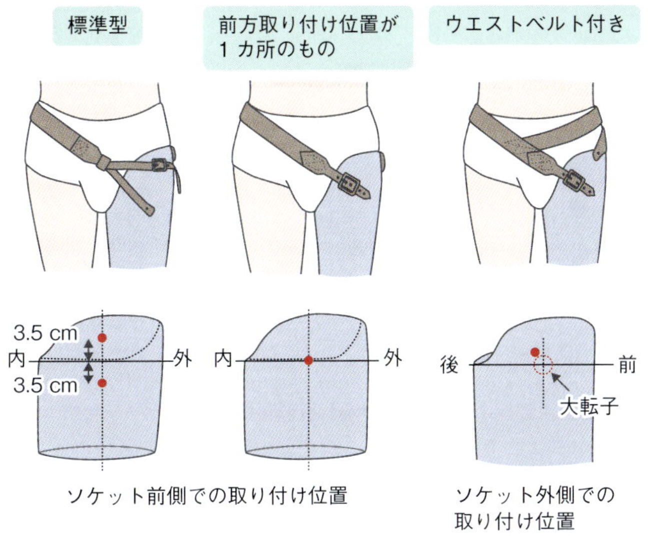

図14　シレジアバンドの種類と取り付け位置
文献2より引用.

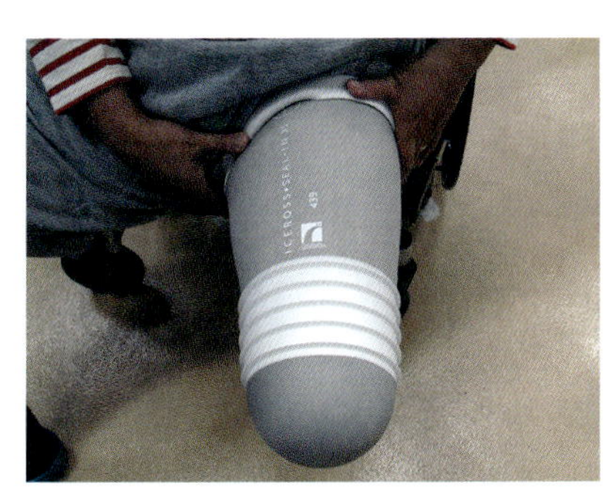
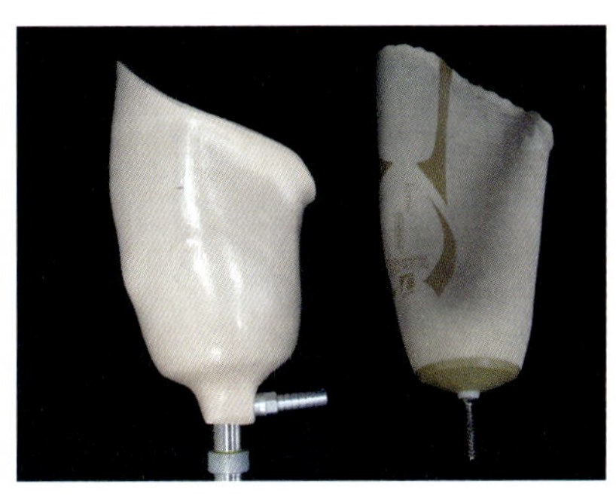
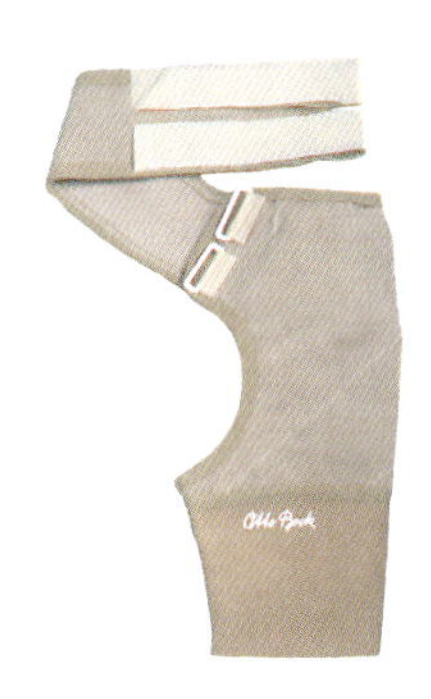

図15　ライナーによる懸垂

6 ソケットの評価（図16）

- 四辺形ソケットを例にあげ，ソケット評価について説明する．
- 測定はメジャーもしくは専用の器具を使用する．

1）ソケット前後径

参照
断端の最小前後径計測の方法は第I章2参照

- ソケットの最小前後径と最大前後径を測定し，断端の最小前後径と比較する（図16，参照）．
  - ソケット最小前後径：❶（図17A）
  - 断端の最小前後径：❶＋❼
  - ソケット最大前後径：❸＋❽（図17B）

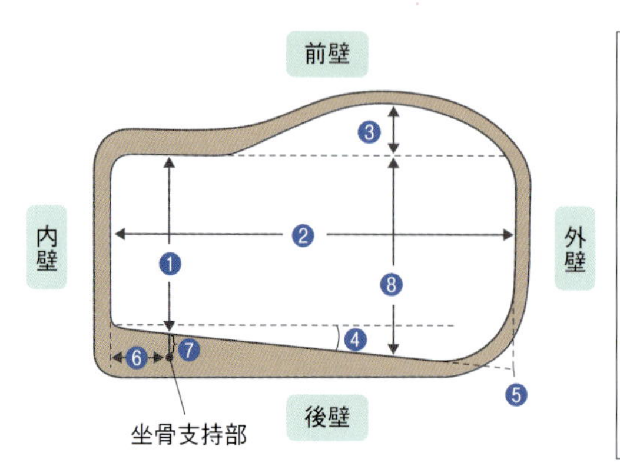

①：ソケットの最小前後径
①+⑦：長内転筋腱前部から坐骨結節中央まで
②：ソケット内外径＝ $\frac{\text{坐骨結節レベルの断端の周径}}{3}-0.5\ \text{cm}$
③：大腿直筋チャネルの深さ（大腿直筋の発達程度および大転子の位置により変わる）
③+⑧：ソケットの最大前後径
④：後壁の傾斜角度（断端筋肉発達程度による）
⑤：後外側部の深さ（大殿筋の発達程度と大転子の位置による）
⑥：坐骨結節の内壁内側からの位置
⑦：坐骨結節の後壁前側からの位置

図16　四辺形ソケットと断端の比較（右脚用）
文献2をもとに作成．

2）ソケット内外径（②）（図17C）

- 坐骨結節の位置の断端周径の3分の1から，5 mm引くと，おおよそのソケット内外径になる．

3）ソケットの深さ（図17D）

参照
断端長計測は第Ⅰ章2参照

- 断端長と比較する（参照）．
- メジャーでの測定方法における留意点は以下の通り．
  - 断端長とソケットの深さは，直線距離で測定する．
  - 断端長測定ではソケットの深さ測定に比べ厳密な直線距離の測定とならないことから誤差が生じる可能性がある．
  - 臨床では，この方法の測定誤差を小さくする別法として，断端長測定では断端後面を，ソケット深さ測定ではソケット後壁にメジャーを沿わせて測定する方法がある．

4）ソケット内周径

- 断端周径とコンプレッション値の確認．
- 測定レベルは，坐骨結節レベル，坐骨結節レベルから遠位5 cm・10 cm・15 cmと等間隔で測定する（断端長によって間隔は変更する．短断端であっても最低3点以上は測定できるようにする）．その他，この測定間隔は断端周径においても同レベルで測定する．
- 各レベルにおいてメジャー（図17E），専用器具を用いて測定するが，測定が難しい場合はテープを各レベルの測定部位に貼り付け（図17F），剥がしたテープの長さをメジャーで測定（図17G）してもよい．

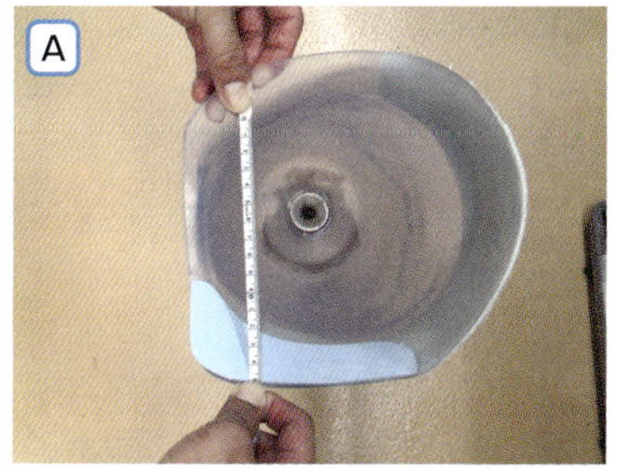

最小前後径

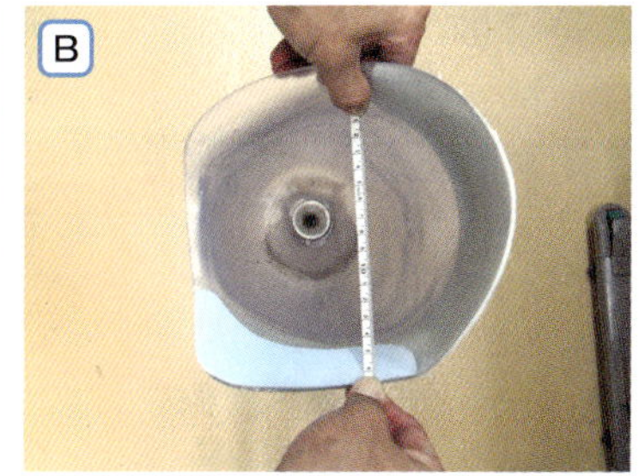

最大前後径

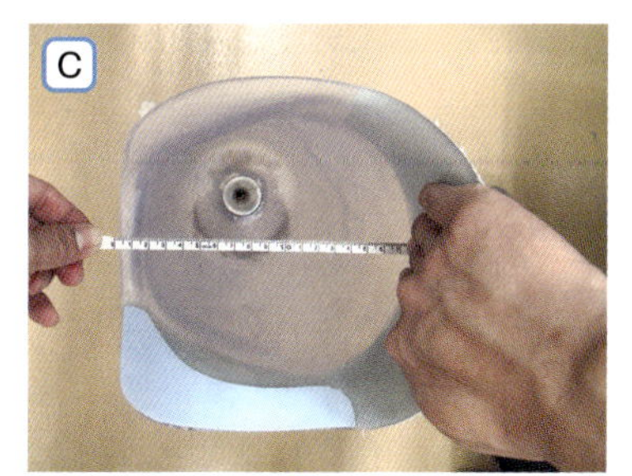

内外径

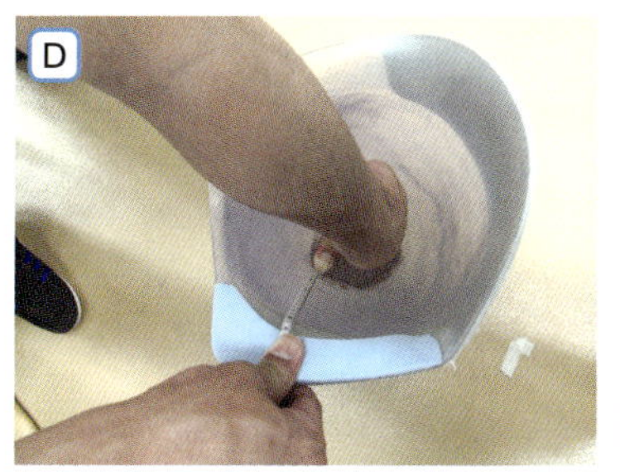

ソケットの深さ

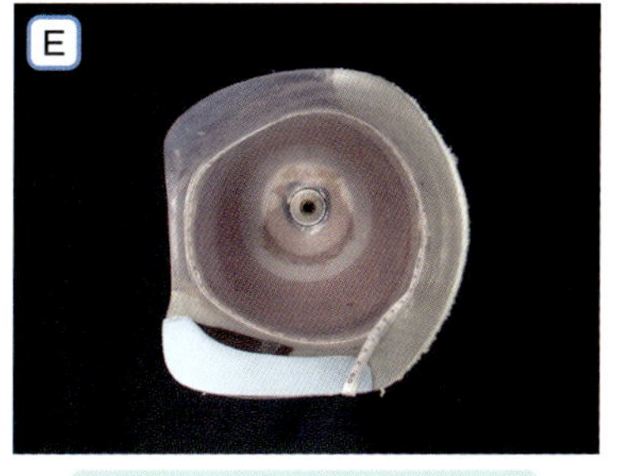

ソケット内周径（メジャー）

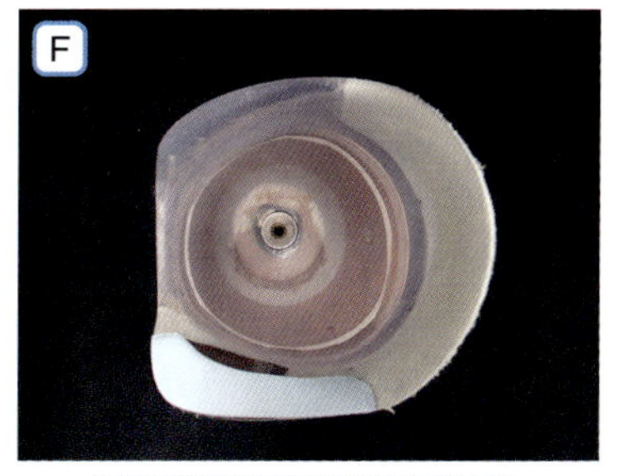

ソケット内周径（テープ）

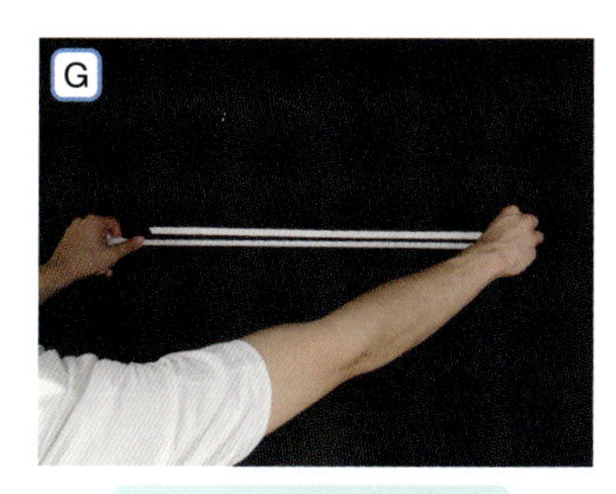

テープをメジャーで測定

図17　ソケット評価（測定方法）

文献

1）「義肢装具学 第4版」（川村次郎，他/編），医学書院，2009
2）「切断と義肢 第2版」（澤村誠志/著），医歯薬出版，2016
3）「義肢装具のチェックポイント 第8版」（日本整形外科学会，日本リハビリテーション医学会/監），医学書院，2014

参考図書

- 「義肢装具学テキスト 改訂第3版（シンプル理学療法学シリーズ）」（細田多穂/監，磯崎弘司，他/編），南江堂，2017
- 「理学療法テキスト 義肢学 第2版（15レクチャーシリーズ）」（石川 朗/総編集，永冨史子/責任編集），中山書店，2022
- 「Q&Aフローチャートによる 下肢切断の理学療法 第4版」（細田多穂/監，原 和彦，他/編），医歯薬出版，2018
- 「義肢学 第3版」（日本義肢装具学会/監，澤村誠志，他/編），医歯薬出版，2015
- 石垣栄司：切断者の基本動作の評価からプログラムを立案する―大腿切断者を例に―．理学療法ジャーナル，47：160-166, 2013

第I章 義肢学

4 膝義足ソケットの種類と適合評価

学習のポイント

- 膝離断の特徴について学ぶ
- 代表的な膝義足ソケットの種類と特徴・構造を学ぶ
- 膝義足ソケットの評価方法を学ぶ
- 膝義足に適した膝継手の条件について学ぶ

1 膝離断の特徴

- 膝離断とは，膝関節から下腿を切り離した状態である．

1）膝離断の利点

- 断端末端部（大腿骨顆部）での体重負荷が可能であること（図1）．
- 断端長が長いため梃子（てこ）の作用により股関節伸展筋力が期待できること．
- **断端末端部膨隆**により義足の懸垂が得やすく（図2），かつ義足側股関節回旋運動を防止できること．
- 小児では，骨端線（骨の成長する部位）が温存できるため大腿骨の成長障害が起きないこと．

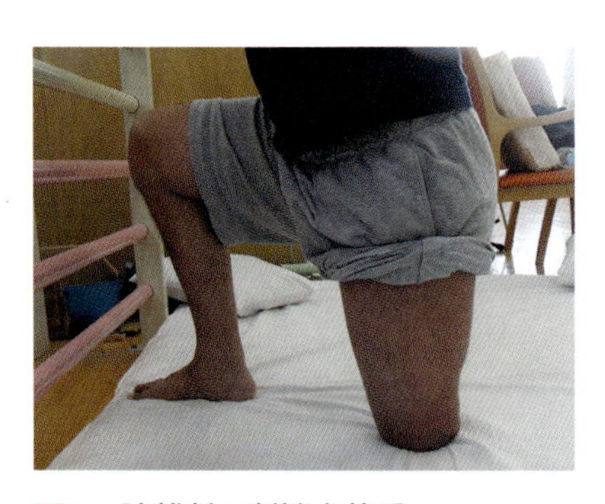

図1　膝離断の断端末荷重

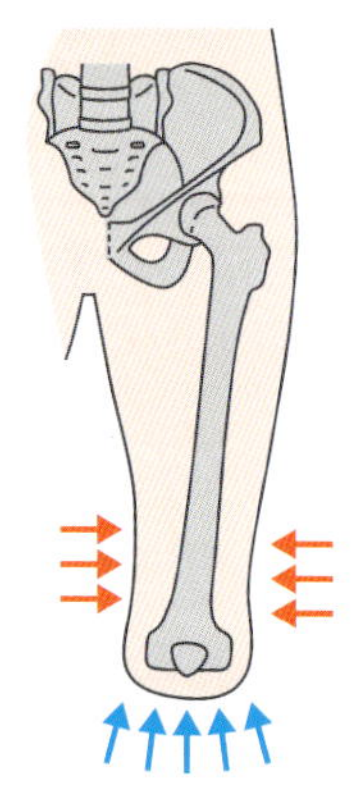

図2　膝離断の断端形状

大腿骨顆部上の両側矢印（→）はソケットの懸垂力として働く力を示す．断端末の上方向矢印（→）はソケット装着・未装着を問わず，断端末荷重時の断端に加わる力を示す．文献1より引用．

2）膝離断の欠点

- **断端末端部膨隆**のため（大腿骨顆部周径の断端内外径が大きいため）外観が優れないこと．
- 義足脱着時に断端末端部膨隆がソケット内の大腿骨骨幹部付近（幅の狭い部分）を通過することができないため，ソケットに開窓部や切れ込みを設けるなどの工夫が必要となる場合があること．
- 膝継手位置が大腿骨顆部よりも下方になるため，単軸膝継手は使用できないこと．

2 膝義足について

- 基本構成は**第Ⅰ章3**で紹介した大腿義足に準じる．
- 膝義足ソケットは膝断端と義足をつなぐものである．
- 膝継手は膝関節として機能する．

3 膝義足ソケットの特徴と種類

1）膝義足ソケットに求められること

- 断端末荷重を利用したソケットであること．
- 断端末端部（大腿骨顆部）の膨隆を考慮した脱着しやすいソケットであること．
- 適合感を考慮したソケットであること（全面接触であること）．

2）膝義足ソケットの種類

❶ 在来式ソケット（conventional type）（図3）

- 断端末端部（大腿骨顆部）膨隆をソケット内に入れやすくするため，ソケット前面が開いており紐の締め具合で調整できる．
- 主な体重支持部（荷重部）は断端末である．
- 懸垂は，ソケット前面の紐による締め具合および大腿骨顆部とソケット壁との摩擦力で行う（ピストン運動が著明）．
- **単軸膝ヒンジ継手**がソケット内外側に設置されているため，ソケット内外径が大きくなり外観に問題がある．
- 単軸膝ヒンジ継手設置にあたり筋金が内外側に必要となるため，膝屈伸動作時に衣服を挟み込む場合がある．また，筋金がよく破損する．

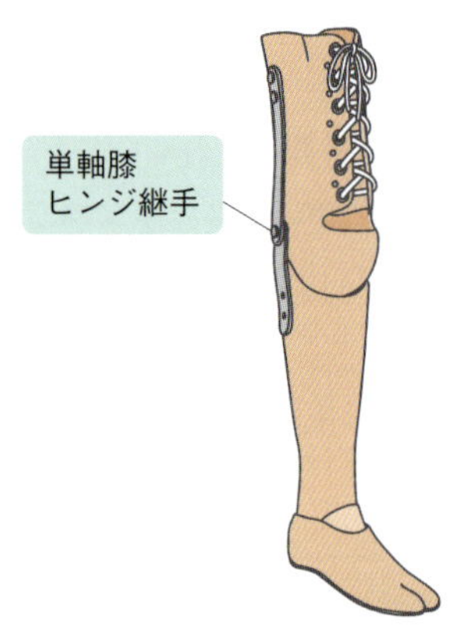

図3　在来式ソケットの膝義足（左脚用）

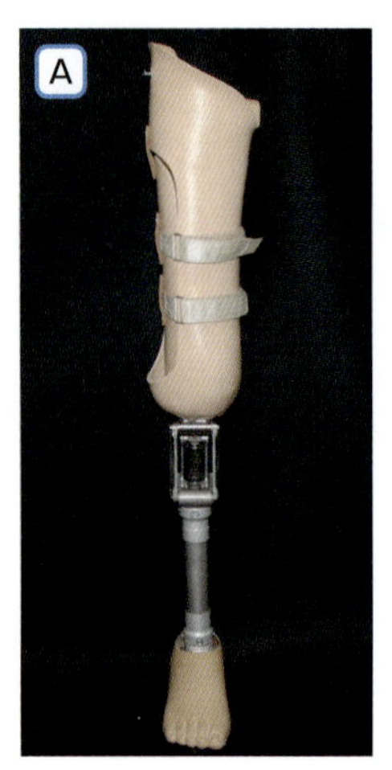

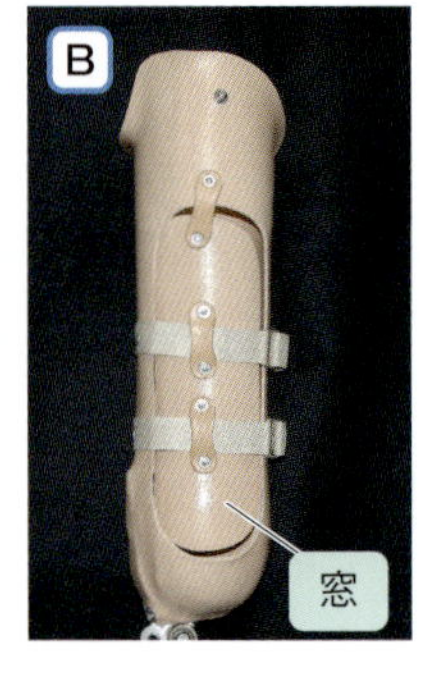

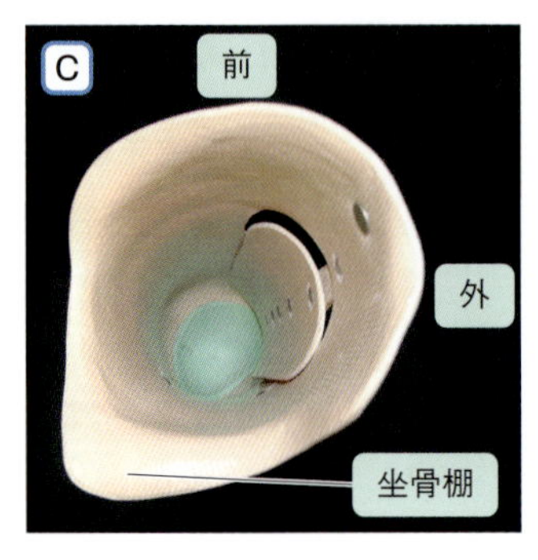

図4　有窓式ソケットの膝義足（右脚用）

A）前額面，B）矢状面外側，C）水平面．この義足の例では断端末に全荷重することができないため坐骨棚を設けるほか，断端末にウレタン製クッションを敷いている．

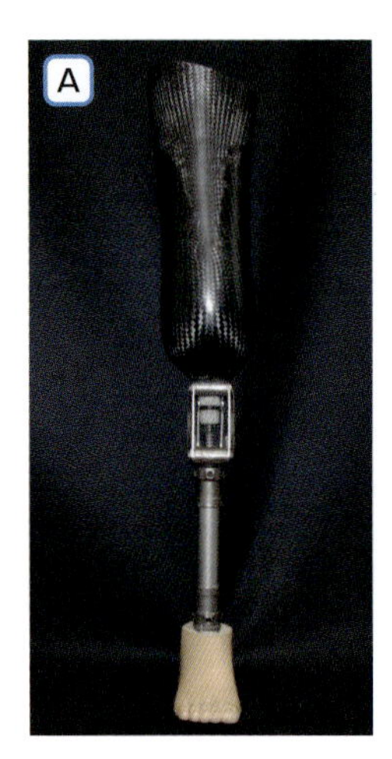

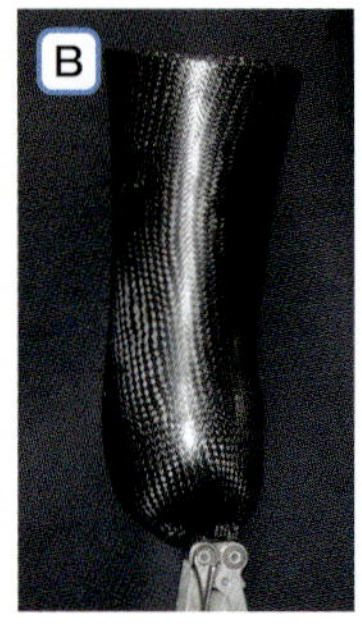

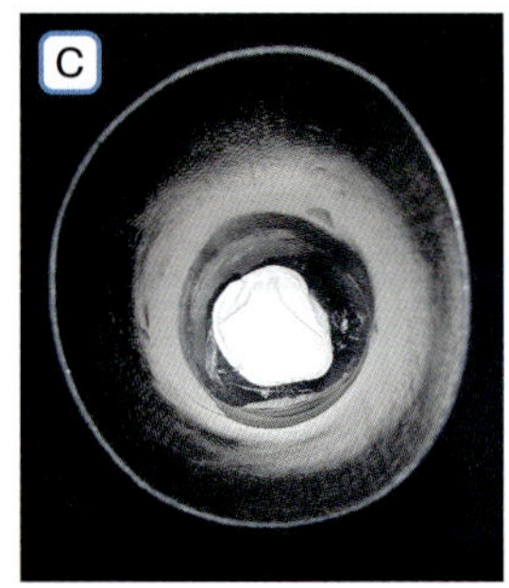

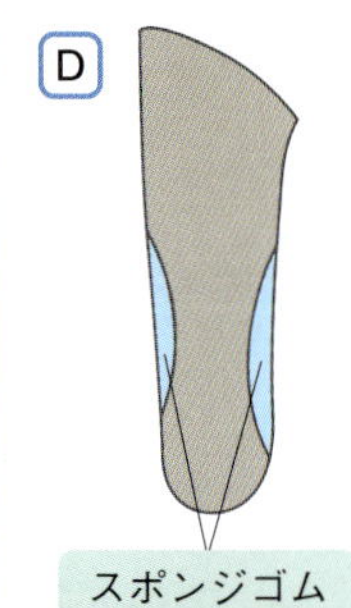

図5　全面接触型の二重ソケット義足（右脚用）

A）外ソケット前額面．外ソケットは硬い合成樹脂ソケット，B）矢状面内側，C）水平面，D）内層軟ソケット骨幹部の細い部分にスポンジゴムを貼ることで，全面接触する．

2 有窓式ソケット（図4）

- 断端末端部（大腿骨顆部）膨隆をソケット内に入れやすくするために「**窓**」がある（装着方法からみた利点・装着感からみた欠点あり）．
- 「窓」は，断端脱着動作時には開け，断端挿入後には付属ベルトで締める．
- 主な体重支持部は断端末であるが，断端末荷重が不十分な場合には坐骨支持機能をソケット後壁にもたせるため坐骨棚を設置することがある．
- 主な懸垂は大腿骨顆部とソケット壁との摩擦力で行う（断端全体のソケット壁との摩擦力も一部懸垂力となる）．

3 二重ソケット（全面接触型）（図5）

- **ソフトライナーによる内層軟ソケット**と**合成樹脂による外層硬ソケット**の二重ソケットである．
- 内層軟ソケットの断端末端部（大腿骨顆部）膨隆より近位部の内外径が狭くなった骨幹部に**スポンジゴム**を貼ることで，断端がソケット壁と全面接触し装着感に優れている．
- 主な体重支持部は断端末である．

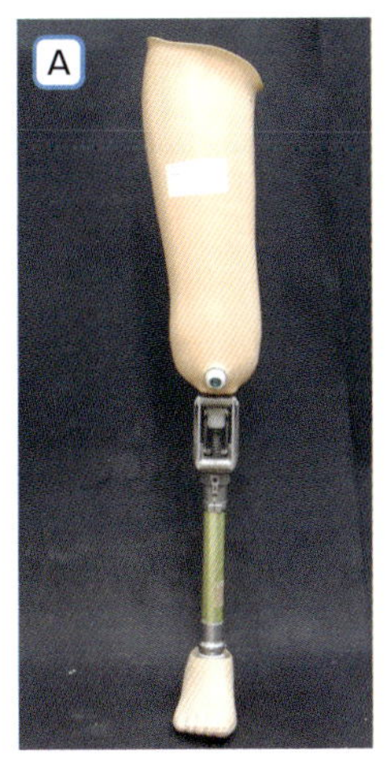

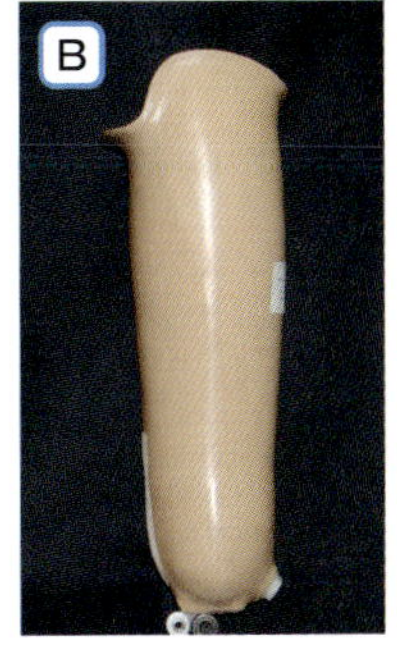

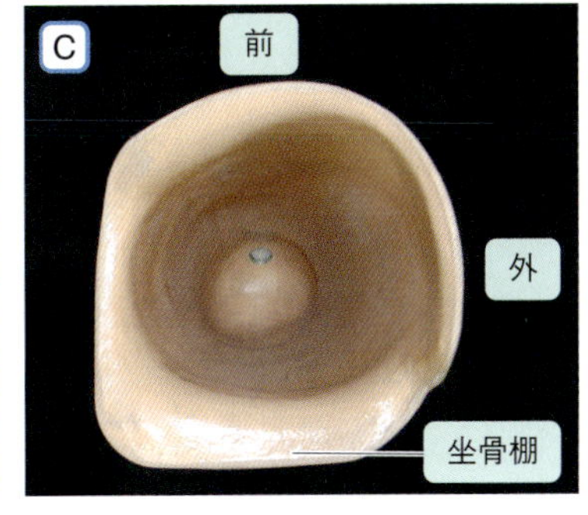

図6　全面接触型の吸着式四辺形ソケットの義足（右脚用）
A）前額面，B）矢状面内側，C）水平面.

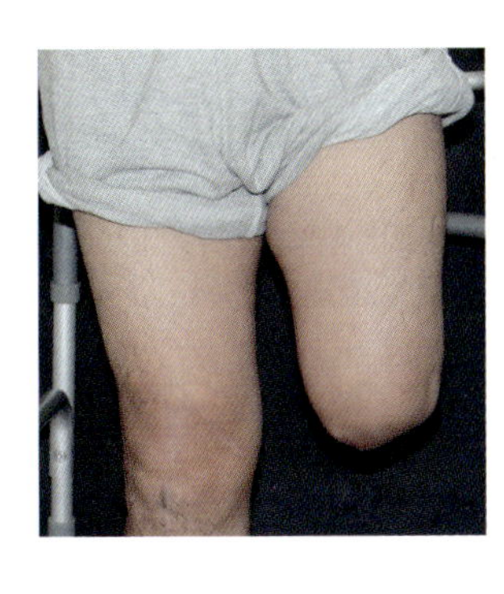

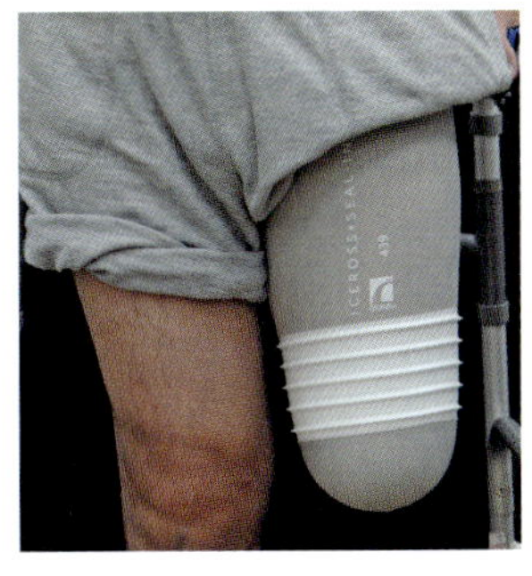

図7　大腿切断長断端用のアイスロスをインターフェイスとして使用している症例
大腿骨顆上部に軟部組織が多い症例には，大腿切断長断端用のアイスロスが使用可能となる場合がある．この症例は膝離断術施行（膝蓋骨切除）.

- 主な懸垂は大腿骨顆部とソケット壁との摩擦力で行う（断端全体のソケット壁との摩擦力も一部懸垂力となる）.

4 吸着式四辺形ソケット（全面接触型）（図6）

- 断端がソケット壁と全面接触し装着感に優れている.
- 坐骨結節部レベルの形状は，大腿義足の四辺形ソケット（参照）と同様のチャネルおよび坐骨棚をもつ.
- 主な体重支持部は**坐骨棚**および**大殿筋部**である.
- 断端末荷重が不十分な症例にはよい適応となる.
- 主な懸垂は大腿骨顆部とソケット壁との摩擦力で行う（断端全体のソケット壁との摩擦力も一部懸垂力となる）.

参照
大腿義足の四辺形ソケットは第Ⅰ章3 3 参照.

5 その他インターフェイスの活用

- 有窓式や全面接触型の二重ソケットなどで，懸垂装置として大腿切断長断端用のアイスロスをインターフェイスとして活用する場合もある（図7）.

3）膝継手の特徴と選定（参照）

参照
膝継手は第Ⅰ章12参照

- 膝継手は，軸機構の違いで単軸膝継手と多軸膝継手に，また制御機構の違いで遊脚期制御膝継手と立脚期制御膝継手に分類される.
- 膝継手軸の位置は，膝関節の生理的な運動軸に近づけて取り付ける必要がある（図8）.

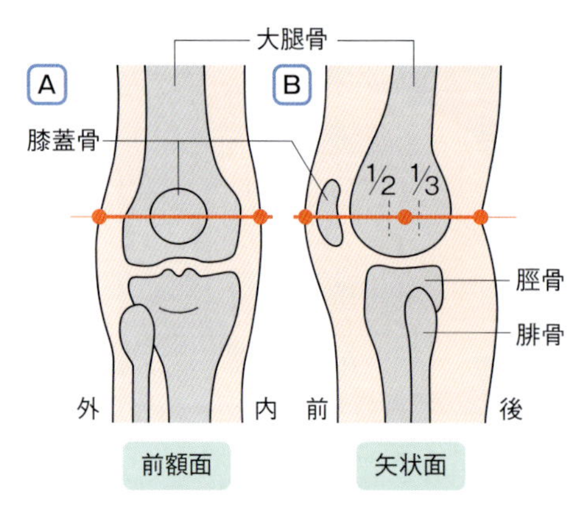

図8　**膝関節の生理的な運動軸と膝継手軸の位置**

A）前額面，B）矢状面．膝継手は大腿骨顆部の最も幅の大きいところで，前後径の中央と後方1/3との間，軸は床面に平行で進行方向と直交する位置に合わせる．
文献2より引用．

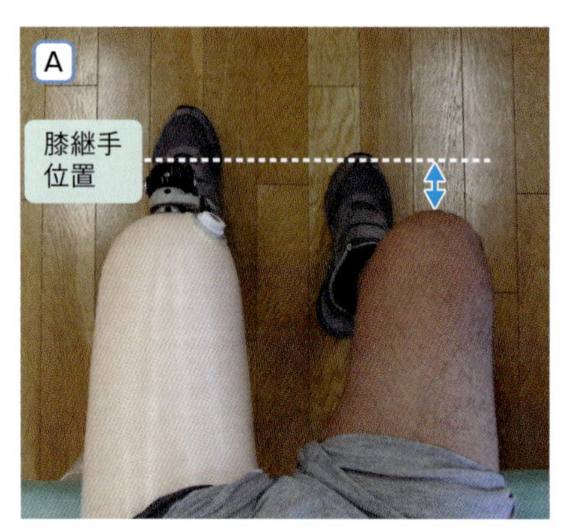

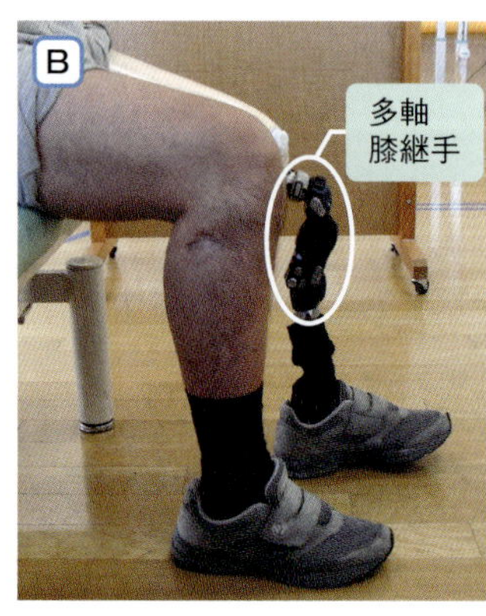

図9　**膝義足の座位姿勢**

ソケット底部に膝継手を設置するため義足側大腿長が長くなる．この条件で下肢長を等しくするため義足側下腿長が低くなる．このことによる問題を補うため膝継手は多軸が用いられる．

- このため在来式ソケットの膝義足では，大腿骨顆部の最も幅の広いレベルのソケット内外側に筋金をもつ単軸膝ヒンジ継手が用いられてきた．
- 在来式ソケットの膝義足以外では，膝継手はソケット直下に設置され膝継手の回転中心が膝関節裂隙レベルよりも下方となるため，単軸膝継手は選択されない〔多軸膝継手（図9B）を選択する〕．
- 昨今では，膝義足でも選択可能な遊脚期・立脚期制御機構をもつ**多軸膝継手**が開発されている．
- 多軸膝継手軸の瞬間回転中心は，膝継手完全伸展から屈曲していく際には上方から下方へ移動する．
- 以上より，多軸膝継手は見た目の膝継手位置よりも上方に回転軸を想定できるため膝義足にはよい適応となる．
- 一方，座位時の非切断肢側膝関節と義足側膝継手位置がずれているため，膝の高さが異なる（図9）．

4 ソケット評価

- 有窓式ソケットおよび吸着式四辺形膝義足ソケット（全面接触型）におけるソケット評価は，大腿義足四辺形ソケット評価（参照）に準じて行う．
- 二重ソケット（全面接触型）は，坐骨結節レベルの形状が大腿義足四辺形ソケットとは異なり坐骨支持式ではない．そのため，大腿義足四辺形ソケットに準じた評価としては，ソケットの深さと断端長，ソケット内径と断端周径のみとなる．

参照
大腿義足ソケット評価は第Ⅰ章3 6 参照

文献

1）「義肢装具学 第4版」（川村次郎，他／編），医学書院，2009

2）渡辺秀夫：装具．「標準リハビリテーション医学 第3版」（上田 敏／監，伊藤利之，他／編），医学書院，2012

第Ⅰ章 義肢学

5 大腿義足・膝義足アライメント

学習のポイント

- 大腿義足・膝義足におけるベンチアライメント設定を学習する
- 大腿義足・膝義足におけるスタティックアライメント設定を学習する
- 大腿義足・膝義足におけるダイナミックアライメント設定を学習する

1 大腿義足・膝義足アライメントについて

- アライメントとは，「**ソケット・継手・足部の位置関係**」のことである．
- 切断者の**残存機能**を最大限に活かすために，身体機能評価が可能な理学療法士がアライメント調整することは重要な**治療手段**となりうる．
- アライメントは切断者の断端長や機能および能力に応じて随時，変更する（図1）．
- 義足アライメントは，**ベンチアライメント**（bench alignment），**スタティックアライメント**（static alignment），**ダイナミックアライメント**（dynamic alignment）の3工程を経て調整する※1（図1）．
- アライメント調整の前にソケット適合を確認し，ソケット適合に問題がないことを確認したうえでアライメント調整を行う．
- 本項では，代表的な大腿義足アライメントとして「標準断端における四辺形ソケット」，「単軸膝継手」を使用した場合を紹介する*．

  ＊多軸膝継手の場合は，各メーカー推奨アライメント参照（**第Ⅰ章12**図9参照）．
- 膝義足アライメントは，坐骨支持型ソケットの場合は大腿義足アライメントに準ずるが，断端末荷重を主とするソケットの膝義足では矢状面におけるアライメントが異なる（詳細は後述の図22I参照）．

※1　義足アライメント調整のポイント

義足アライメント調整で特筆すべき点は，①即時的な治療効果が確認できること，②治療効果が得られなかった場合には再度別の原因について検討できること，③それでも効果が得られなかった場合には初期設定に戻して再度，検討できることである．換言すると，理学療法士の適切なアライメント調整がそのまま切断者の能力に反映される．

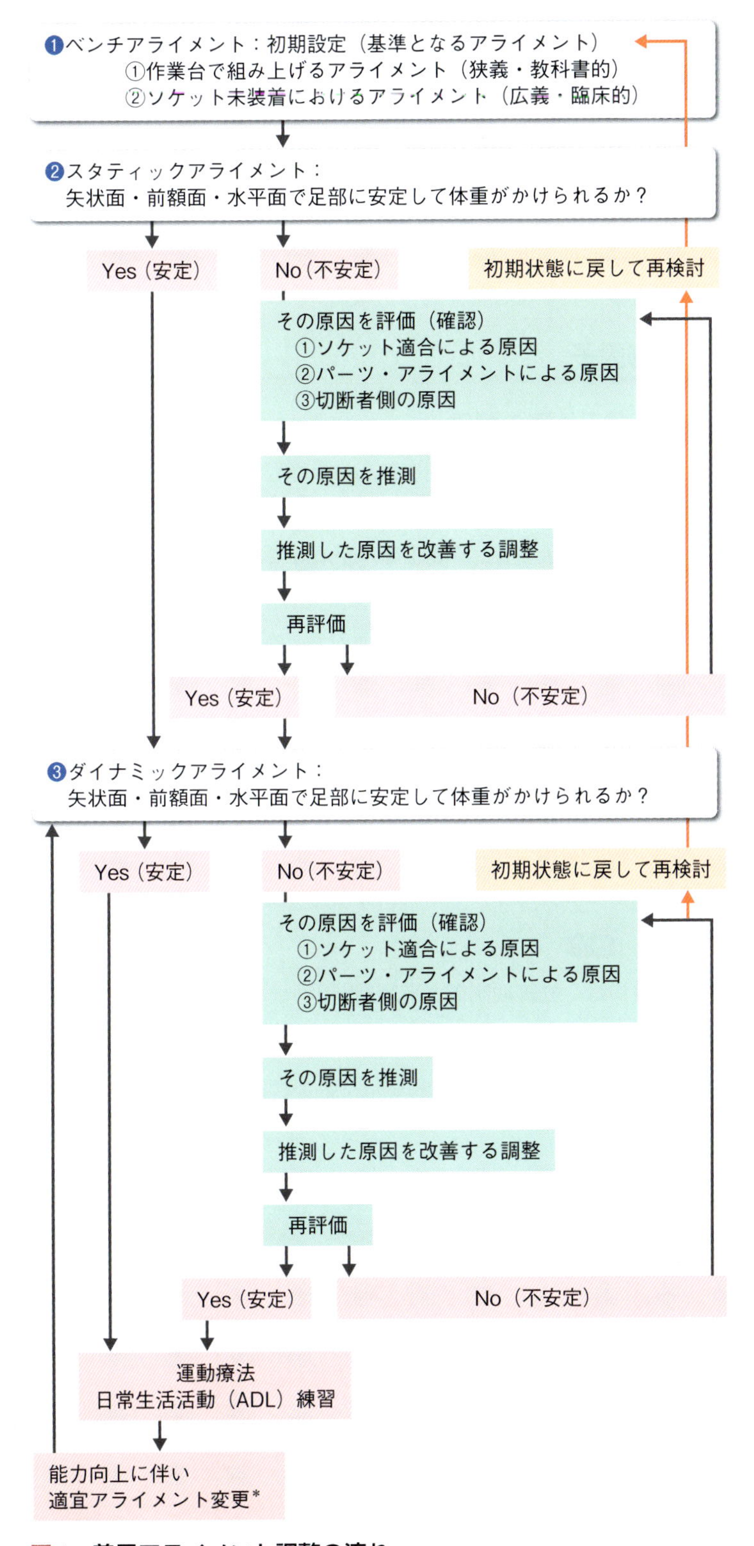

図1　義足アライメント調整の流れ

＊参照 アライメント変更は第Ⅰ章12参照.

2 大腿義足・膝義足歩行に影響を与える因子

- 膝継手の安定性に関連のある因子を以下に示す（図2）.

1）随意制御因子

- **切断肢側股関節伸展筋力**が強いほど随意制御力は高い.
- **機能的断端長**が長いほど随意制御力は高い.

2）不随意制御因子

1 TKA線と膝継手位置の関係

- TKA線とは，**大転子**（trochanter major：T），**膝継手**（prosthetic knee joint：K），**足継手**（prosthetic ankle joint：A）を結ぶ線である（図2）.
- TとAを結んだ線よりK（膝継手軸）が前方にあると不安定となり（膝折れしやすく），後方にあると安定性が高くなる（膝が曲がりにくくなる）.
- 随意制御力が期待できない短断端や筋力低下が著明な者の場合には，このTKA線よりも膝継手位置を後方に設置させ（図3左），膝継手の安定性を高める.
- 長断端や筋力が発達した者の場合には，このTKA線よりも膝継手位置を前方に設置させ（図3右），切断肢側遊脚期に膝継手が曲がりやすくする（この場合，主な立脚期制御力は，切断者自身の股関節伸展筋力となる）.

2 ソケット初期屈曲角（参照）

参照 ソケット初期屈曲角の設定は本項3参照

- これを設定することにより切断肢側股関節伸展筋力を発揮しやすくなる.

3 膝継手機構（参照）

参照 膝継手の調整は第Ⅰ章12参照

- 膝継手機構には，**立脚期制御**と**遊脚期制御**がある.

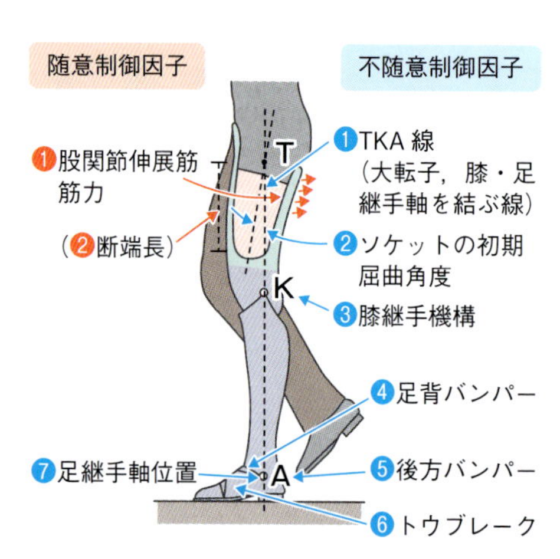

図2 膝継手の安定性に関連のある因子
文献1をもとに作成.

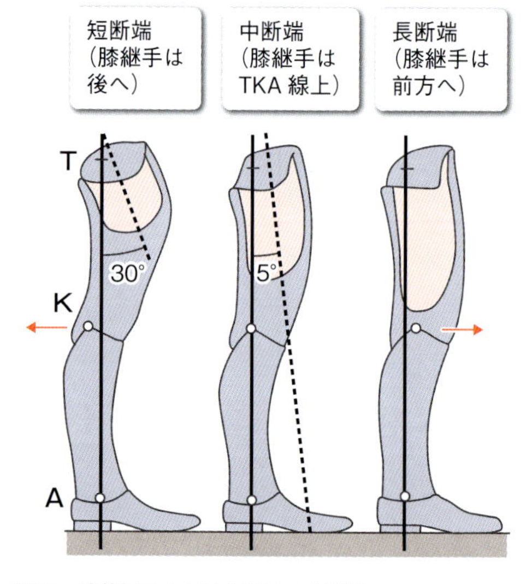

図3 断端長とTKA線との関係
文献1をもとに作成.

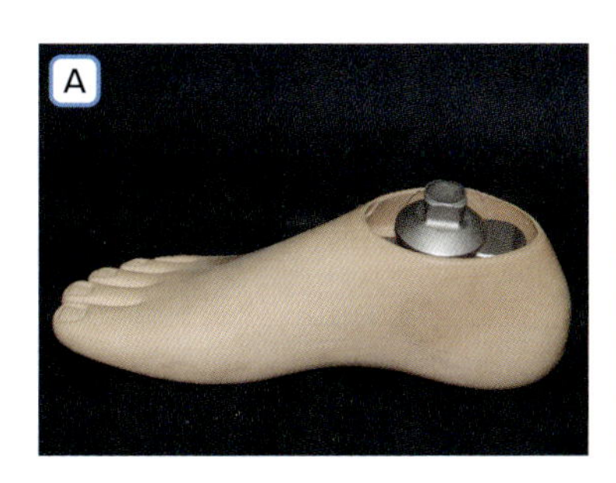

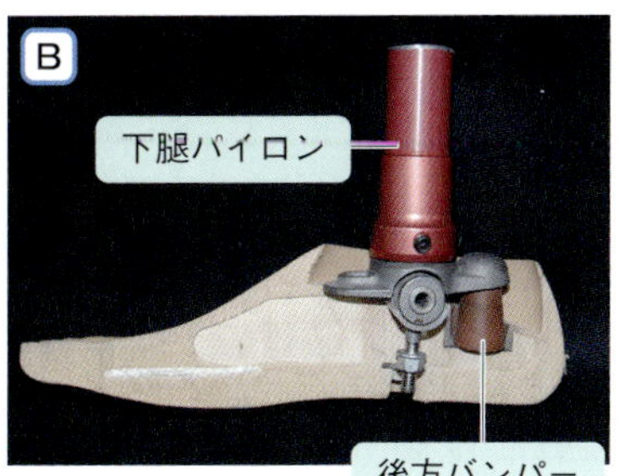

図4　**単軸足部**

A）外観，B）単軸足部の内部構造（矢状面で切断）．この単軸足部は前方バンパーのないタイプである．前方バンパーをもつものは足継手のすぐ前にある．

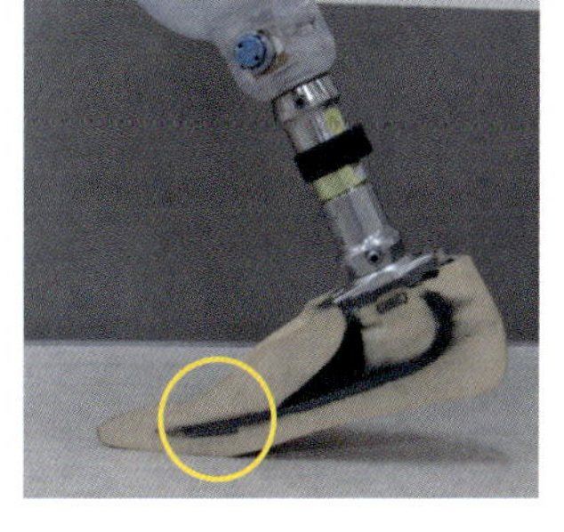

図5　**トウブレーク**

義足中足趾節間（MP）関節にあたる部分がしなることで立脚期後期の踏み返し動作を補っている．矢状面で切断したモデルでみると前足部がしなっていることがよくわかる．

4 足継手前方バンパー（足背バンパー）

- 立脚終期から前遊脚期にかけての前方への体重移動に伴い，下腿パイロンは前傾する方向に力を受ける．
- この際，足継手前方にバンパーのあるタイプの足部では，**前方バンパー**が軟らか過ぎると下腿パイロンは前傾しやすくなるため，結果として膝は不安定となる（膝折れしやすくなる）．
- 前方バンパーが硬すぎる場合，立脚終期から前遊脚期にかけて下腿パイロンが前傾しにくいため膝継手の安定性は増すことになるが，非切断肢側の歩幅が小さくなる．

5 足継手後方バンパー（踵バンパー）（図4）

- 初期接地で踵接地した際，荷重により後方バンパーは圧縮される（単軸足部は底屈する）．
- この際，**後方バンパー**が硬すぎると足継手の底屈が制限され下腿パイロンが前傾する力が働くため，膝継手は不安定となる（膝折れしやすくなる）．
- 後方バンパーが軟らかすぎると踵接地時に下腿パイロンは後傾しやすくなるため，結果として膝は反張傾向となる．

6 トウブレーク

- **トウブレーク**とは，歩行時の立脚期後期の踏み返しを円滑に行うために重要な義足中足趾節間（MP）関節のしなる部位のことである（図5）．
- トウブレークが近位に位置し過ぎると膝継手は膝折れしやすくなる（足部が小さ過ぎる）．
- トウブレークが遠位に位置し過ぎると膝継手は膝折れしにくくなる（足部が大きすぎる）．

3 ベンチアライメント設定

- **ベンチアライメント**とは，作業台の上でソケット，膝継手，足部などの位置関係や軸位を設定し組み立てる工程※2のことである．
- ここではベンチアライメントにおける前額面，矢状面，水平面の設定基準を示す．

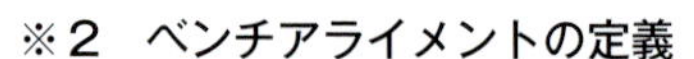

※2　ベンチアライメントの定義
通常，ソケット採型・ソケット製作後，義肢装具士が作業台の上で義足を組み上げる工程をさす．理学療法士が実際に対応するのは義足装着下でのスタティック/ダイナミックアライメントの設定からになるが，切断者が義足を装着する前に行う義足アライメントを臨床では広義的に「ベンチアライメント」と表現していることが多い．

1）義足足部に靴を装着させる（大腿義足・膝義足）

- 達成したい歩行の状態により靴装着の有無は変わる．すなわち，義足歩行範囲が屋内に限定する者の場合には，靴の装着はなしでもよい．
- 屋外歩行や屋外での立位動作が求められる者は必ず靴を装着させる．
- ここで装着させる靴は，今後の日常生活活動（ADL）において最も使用率の高いものとする．
- 特に低活動者の場合には，踵の高さがない靴を選択する（靴の有無によるアライメントの差をなくすため）．

2）足部が安定している状態をつくる（大腿義足・膝義足）

- 靴底（足底）面がベンチ（作業台）上に安定するように設置する．
- **前額面・矢状面**：下腿パイロンを作業台に対して**垂直に設置**する（図6）．

3）膝継手を取り付ける（大腿義足・膝義足）（図7）

- 2）で取り付けた下腿パイロンに膝継手を取り付ける．
- **前額面・矢状面**：作業台に対して**水平に設置**する．
- **水平面**：進行方向に対して**膝継手軸が直角になるように設置**する．
- 前額面で膝継手が作業台（床面）に対して水平でない場合（パイロンが外倒れしている場合）には，図8のようにアライメント調整する．

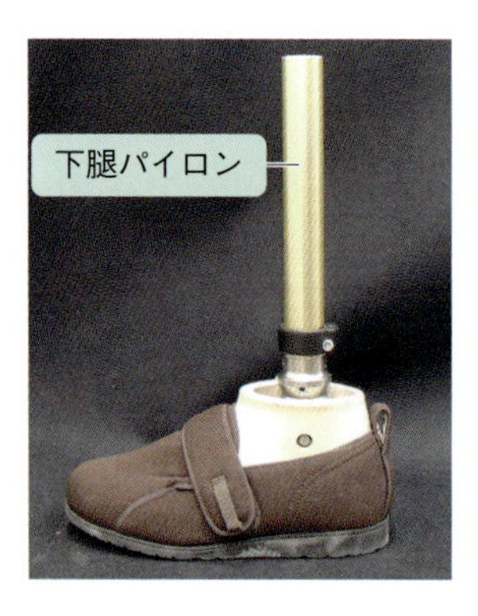

図6　足部が安定している状態をつくる
目安として矢状面・前額面ともに床面に対して下腿パイロンが垂直に立つ状態とする．

4) スライドパーツ・ターンテーブルを取り付ける（図9）

大腿義足

- **3)** で取り付けた膝継手の直上に**スライドパーツ**（カップリング）や**ターンテーブル**※3などのアライメント調整装置を取り付ける.
- **前額面・矢状面**：各パーツ上面を床面に対して水平に設置する.

※3 ターンテーブルとは
ロックを解除すると膝継手以下を360°回旋させることができる. 360°回旋してもとの位置に戻ると再びロックがかかる. これにより, 靴・靴下の着脱, あぐら, 横座り, トイレ動作などに役立つ（動画①）.

膝義足

- 膝義足の場合には, 断端長が長いため膝継手位置の関係上, ソケットの直下に各種パーツは取り付けることができない.

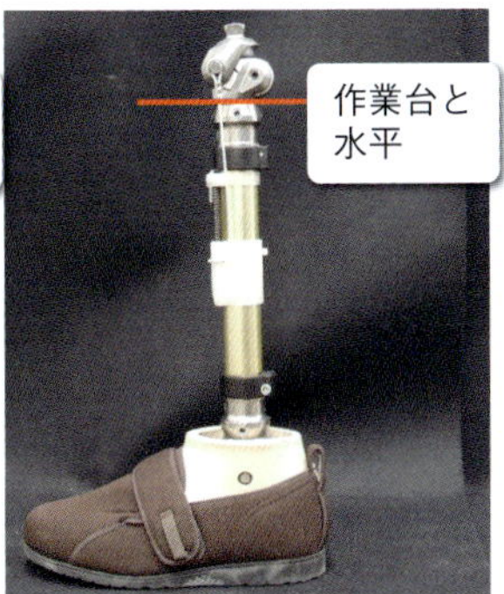

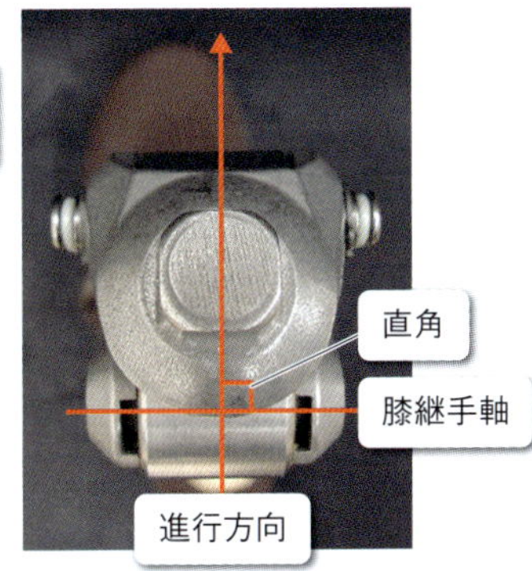

図7 膝継手の設置
膝継手は作業台と水平で進行方向に対して直交するように設置する.

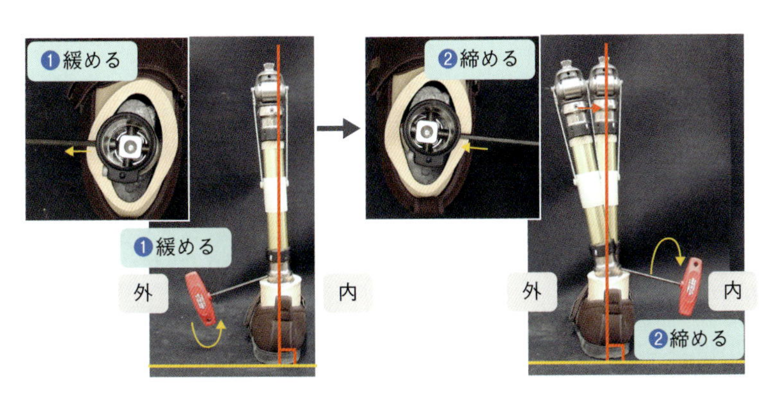

図8 義足下腿部のパイロンが外倒れしている場合のアライメント調整方法
黄線が床面で赤線が床面に垂直な基準線. 図のようにパイロンが外倒れしている場合, パイロン外側を緩め, 内側を締める.

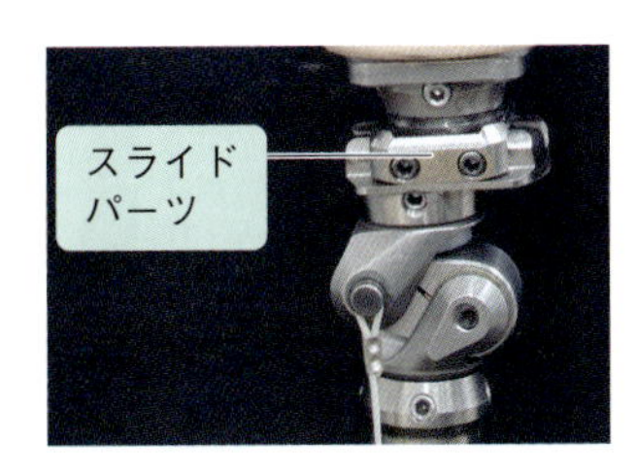

図9 各種パーツの取り付け（スライドパーツの例）

5）前額面からみてソケット初期内転角を付ける（大腿義足・膝義足）（図10）

- ソケットを**内転位**に設置して，切断肢側股関節を内転位とする．このように初期内転角を設定する理由は2つある．
  - 健常者静止立位時に大腿骨が男性9～11°，女性で11～13°内転位に位置しており，さらに立脚中期では大腿骨は静止立位時よりも4°内転するとされている．ソケットを内転位に設置すると切断者においても立位姿勢や歩行時の立脚中期の安定性が確保される．
  - 「stretch shortening cycle」※4を利用して大きな股関節外転筋力を得るため．切断肢側股関節外転筋力が低下している場合，切断肢側片脚立位時にトレンデレンブルク徴候（Trendelenburg's sign*）やデュシェンヌ徴候（Duchenne's sign）*がみられることがある．これらは，義足歩行において前方への推進力を妨げる要因となる．

* Trendelenburg's sign：切断肢側片脚立位時に骨盤が遊脚側へ傾くこと．
* Duchenne's sign：切断肢側片脚立位時に頭部と体幹が立脚側に傾くこと．

※4 「stretch shortening cycle」とは
「強く速く伸張された筋（腱）がその弾性エネルギーと筋内の受容器である筋紡錘の伸張反射作用により，直後に強く早く短縮される機能」とされている（文献2より引用）．これは，高く跳び上がろうとする直前に膝関節を曲げ（大腿四頭筋を伸張），足関節を背屈位（下腿三頭筋を伸張）とすることからもわかる．

6）矢状面からみてソケット初期屈曲角を付ける（大腿義足・膝義足）（図11）

- ソケットを**屈曲位**に設置して，切断肢側股関節を屈曲位とする．このように初期屈曲角を設定する理由は2つある．
  - 過度な腰椎前弯予防のため．
  - 「stretch shortening cycle」※4を利用して大きな股関節伸展筋力を得るため．立脚期に膝折れしないように膝継手を随意的にコントロール（伸展）させるための因子として，①切断肢側股関節伸展筋力，②断端長があげられる．詳細は，継手の項を参照（参照）．

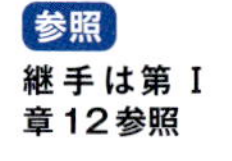
参照
継手は第Ⅰ章12参照

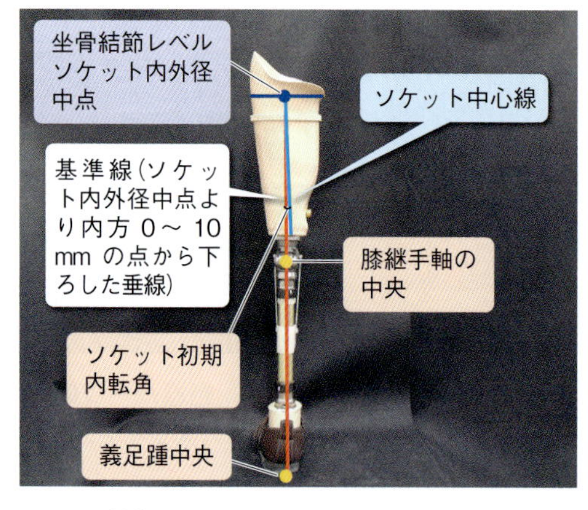

図10 前額面のベンチアライメント
ソケット初期内転角とは前額面において基準線とソケット中心線のなす角のこと．

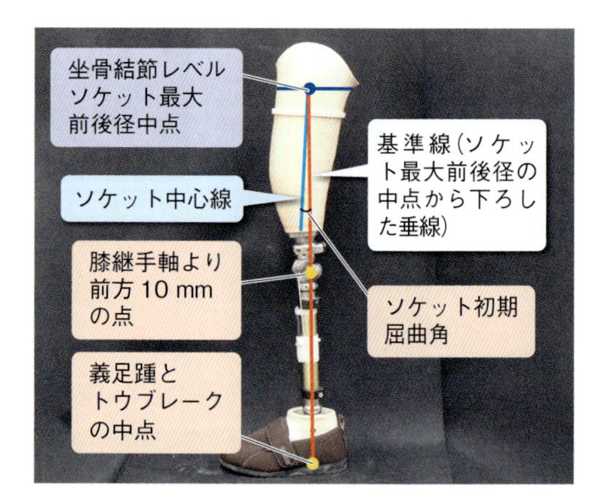

図11 矢状面のベンチアライメント
ソケット初期屈曲角とは矢状面において基準線とソケット中心線のなす角のこと．

▸断端長によって角度は変化させる（断端が短いほど大きく設定する）.

● 屈曲拘縮がある場合には，拘縮角度に＋5°加えた角度とする.

7）ソケット・膝継手・足部の位置関係を調節する（大腿義足・膝義足）

1 前額面（図10）

● ソケット内外径中心より10 mm内側の点から降ろした基準線（垂線）は，膝継手軸の中心を通り，踵中心に落ちる.

● ソケット後壁坐骨棚（坐骨支持部），膝継手，足底は床面と水平である.

2 矢状面（図11）

● ソケット最大前後径の中心点より降ろした基準線（垂線）は，膝継手軸の10 mm前方を通り，足部踵とトウブレーク（toe break）間の中心に落ちる.

● 2 2）で述べたが，中・長断端や膝離断のように十分な随意制御（股関節伸展筋力）により膝継手制御能力が高い者の場合，荷重線よりも膝継手の位置を5～10 mm前方に設定する（遊脚期で膝継手を曲げやすいアライメント設定）.

● 短断端のように十分な随意制御（股関節伸展筋力）が期待できない者の場合，荷重線よりも膝継手の位置を0～10 mm後方に設定する（立脚期で膝継手が安定するアライメント設定）.

● ソケット初期屈曲角度を増やしたいが，基準線が膝継手の後方を通過している場合のアライメント調整方法を図12に示す.

3 水平面（図13）

● 進行方向を示すソケット内壁上縁が膝継手軸，足継手軸，トウブレークと直角で，足部の進行方向と平行である.

● 足先角（トウアングル）：片側切断の場合，非切断肢側に揃える．両側の場合，約15°とする.

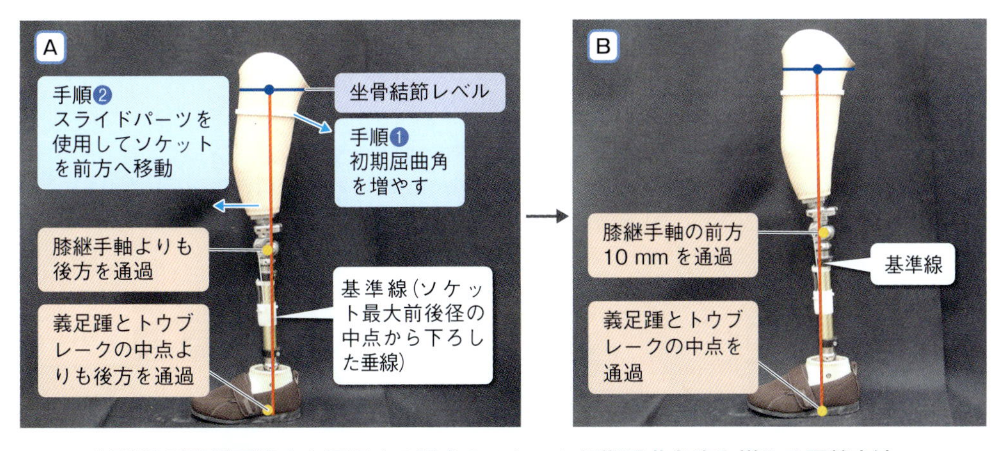

図12　基準線が膝継手後方を通過する場合のソケット初期屈曲角度を増やす調整方法

Aの状態のものをBの状態へアライメント調整する．手順❶：ソケット初期屈曲角度を必要な角度まで増やす．手順❷：スライドパーツでソケットを基準線が膝継手軸の前方10 mmの点を通り，義足踵とトウブレークの中点を通る位置まで前方移動させる.

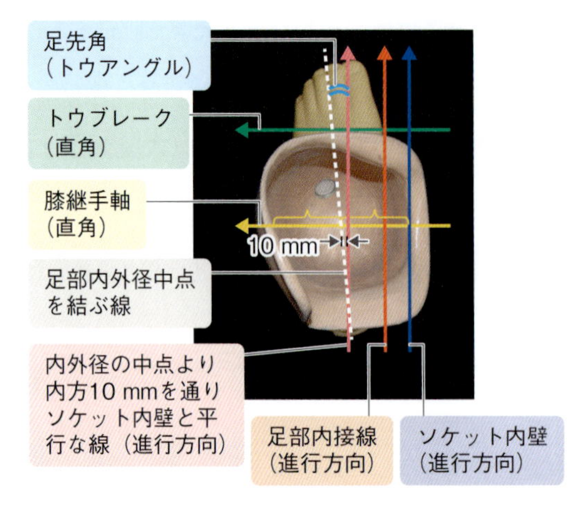

図13　水平面のベンチアライメント

4 スタティックアライメント設定

- **スタティックアライメント**とは，ベンチアライメントで設定した義足を**切断者に装着**させて，静止立位による姿勢観察からアライメント調整する工程のことである．
- ここではスタティックアライメントにおける適合チェックと姿勢観察の基準を示す．
- なお，チェックした結果，アライメント調整の必要があった場合，スタティックアライメント上で異常を修正する．ベンチアライメントに戻って調整を行うより，スタティックアライメントで異常姿勢をなくすように調整する．

1）ソケットの適合状態を確認する〔大腿義足・膝義足（吸着式四辺形ソケットの場合）〕

- ソケット装着後，以下の点について適合状態を確認する．
  - 長内転筋腱が前壁と内壁間のチャネル位置に収まっているか（図14）．
  - 内壁の進行方向が膝継手の進行方向と平行か（図15）．
  - 坐骨結節が坐骨棚（坐骨支持部）の適切な位置に乗っているか（図16）．
  - ソケット上縁が軟部組織にくい込んでいないか（図17）．
  - ソケット上縁付近の皮膚に過度な緊張はないか（図17）．
  - 内転筋群がソケット内壁内に適切に収まっているか（図18）．

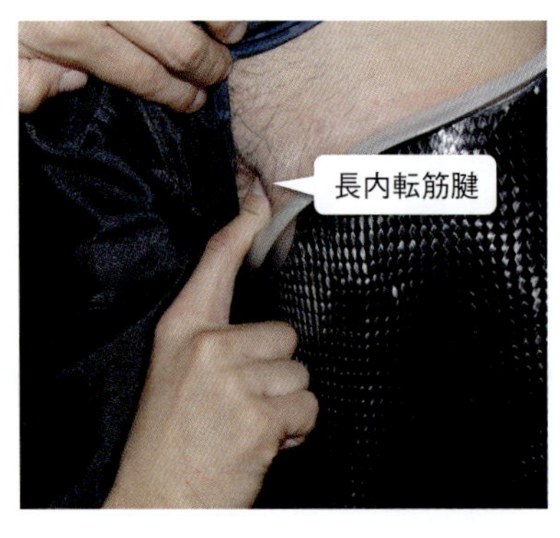

図14　長内転筋チャネル部の確認

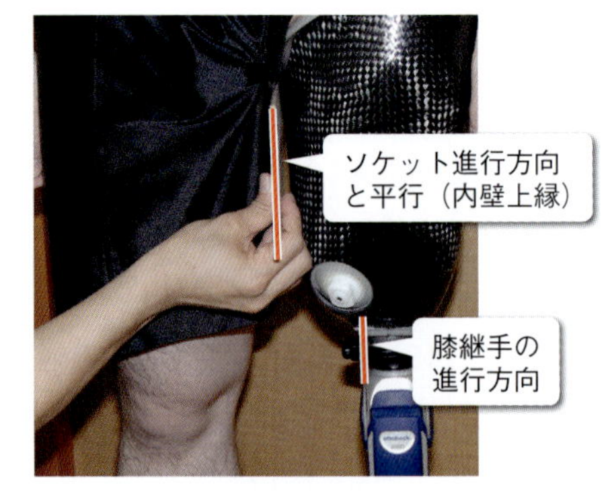

図15　ソケット進行方向の確認

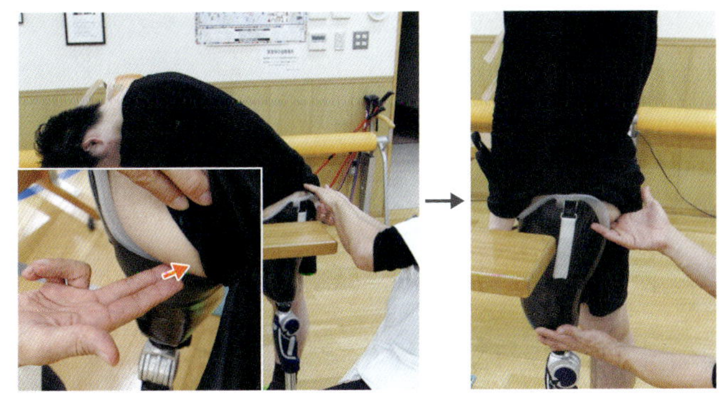

図16　坐骨結節位置の確認

評価手順：①切断者が体幹を前屈する．②坐骨棚直上で坐骨結節部を触擦する．③切断者が体幹を伸展して安静立位になる（左右均等な荷重）．検査者の手指が「指腹部側の坐骨結節と指背部側の坐骨棚」によりしっかりと挟まれた状態であれば適切と判定する．手指に少し痛みを感じる程度が適切．あまりに強い痛みを感じる場合には，ソケットの深さが深すぎることが考えられる．

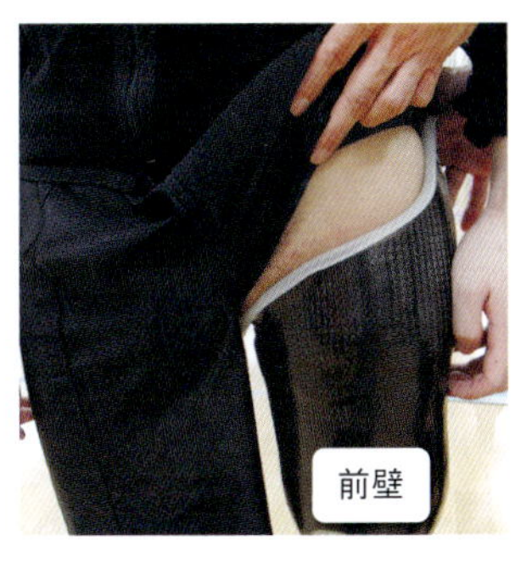

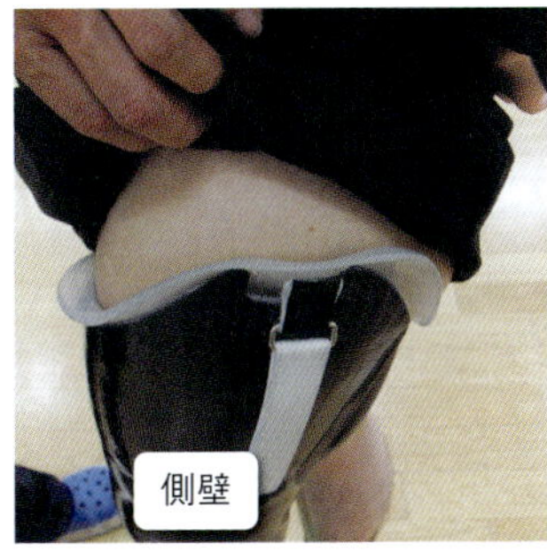

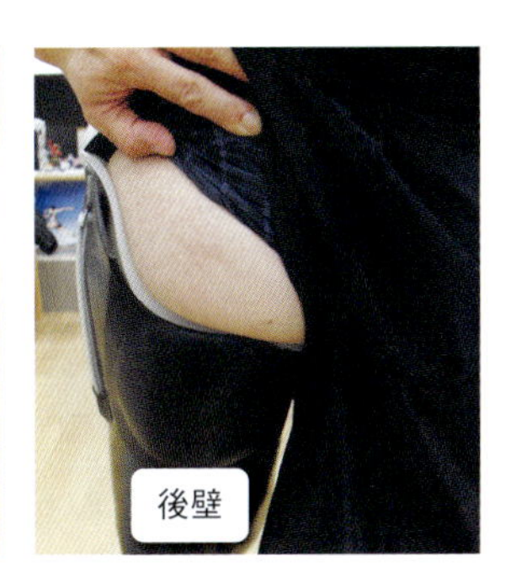

図17　ソケット上縁部の確認

写真は違和感や疼痛がない適切な状態である．

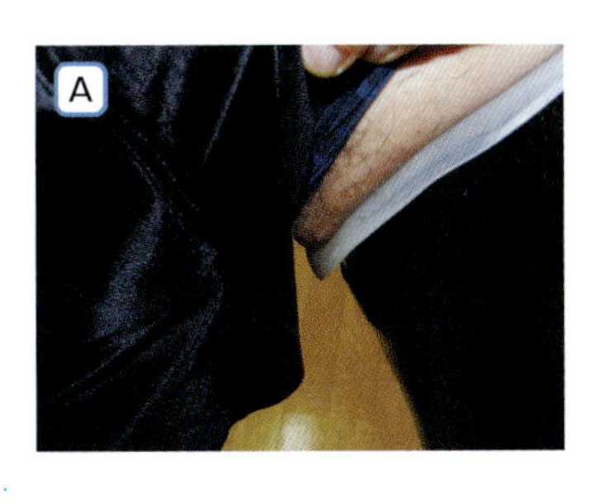

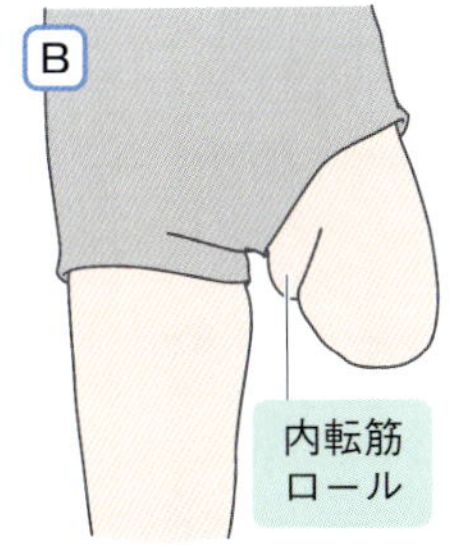

図18　ソケット内壁部の確認

A）適切な状態．B）内転筋ロール．内転筋ロールとは，切断肢側大腿内転筋群がソケットからはみ出して圧迫され胼胝（たこ）が形成された状態のことである．ソケット内壁部への断端の引き込みが不十分な場合，ソケット内壁上縁と恥骨との間に軟部組織が挟まれた状態となる．この状態で長時間装着していると，内転筋ロールが生じる．ソケット装着での荷重時に胼胝形成された軟部組織がソケット内壁上縁と恥骨枝とに挟み込まれ耐え難い疼痛を生じるため，義足への荷重が不十分となってしまう．

- ソケット底部に隙間がないか（バルブ孔から覗いて断端とソケットに不必要な隙間がないか）．バルブ孔から5 mm程度の軟部組織の膨隆が確認できるか（過多過小ともに不適切）（図19）．
- 断端に疼痛はないか．
- 立位で荷重時と非荷重時で空気漏れはないか．

2）静止立位で義足長を確認する（大腿義足・膝義足）（図20）

- 両側踵部が10 cm程度の歩隔をとらせ，両側下肢に均等な荷重をさせる（図20A）．
- 視線は前方とし，足元を見るような姿勢にならないよう注意が必要である．
- 義足長は**腸骨稜の上縁**もしくは**上前腸骨棘**をランドマークにして左右を比較する（図20B，C）．
- 脚長差が認められた場合には同じ長さに調整するが，大腿長，下腿長のどちらを調整するかは膝継手位置を考慮して決定する．
- 骨盤骨折などにより上前腸骨棘が左右平行な位置にない場合には，**臍果長**や**坐骨結節**から床面など他の肢長をもって比較する．

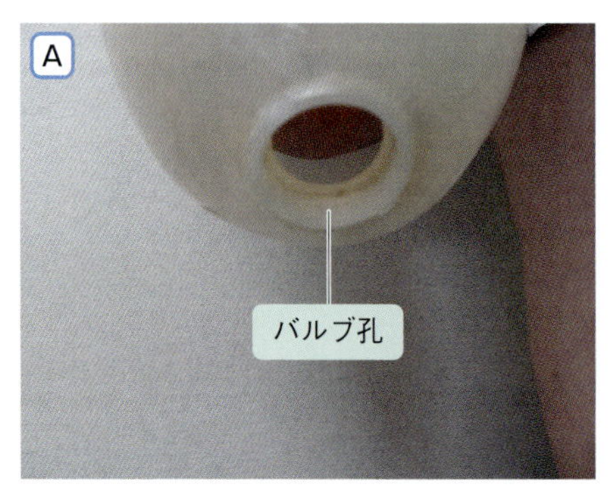

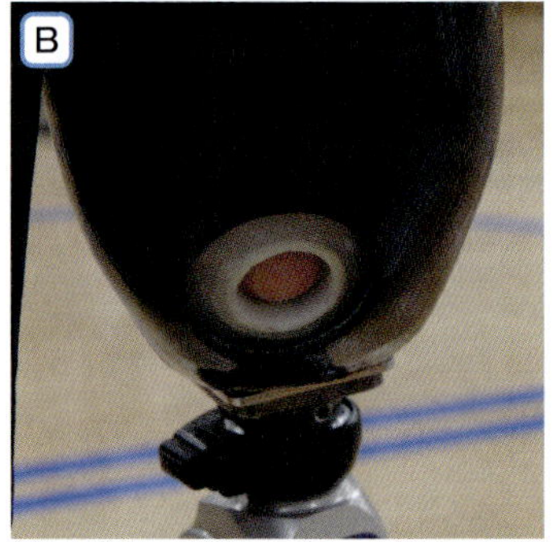

図19　ソケット底部まで断端が挿入されているかの確認
A）ソケット底に隙間あり．B）適切な軟部組織の膨隆．

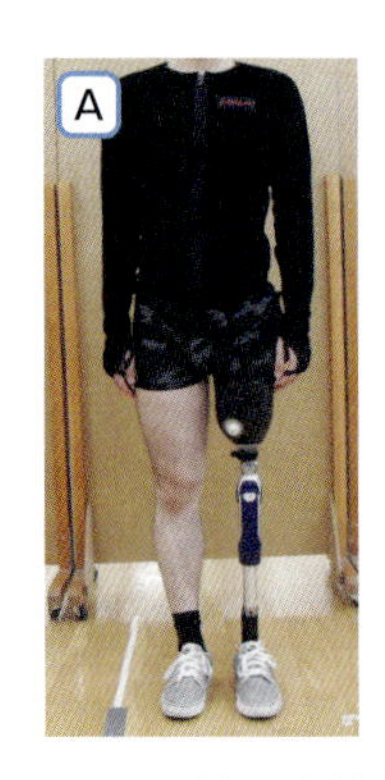

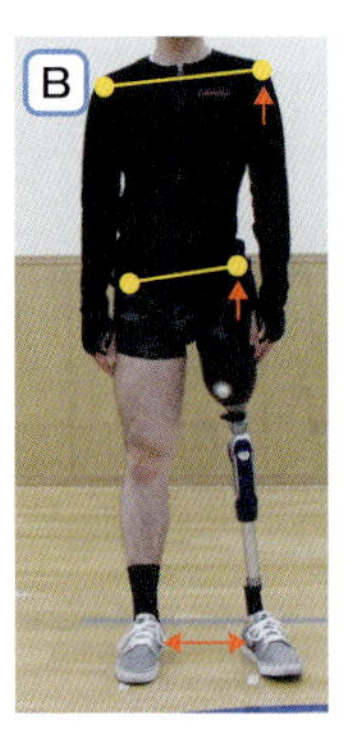

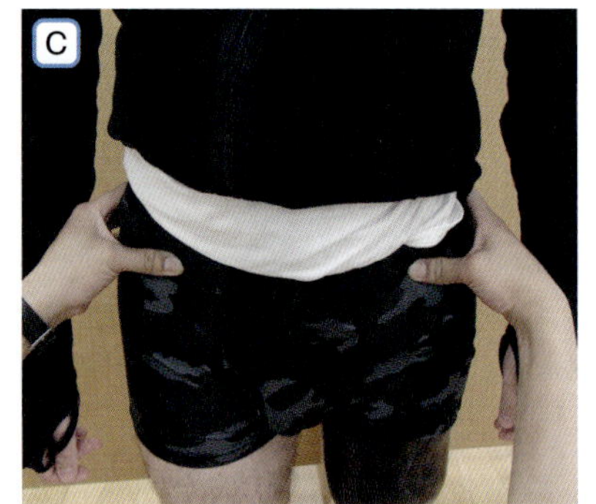

図20　静止立位での義足長の確認
A）脚長差なし．B）義足長が長い．C）上前腸骨棘の触り方．義足長が長い場合，非切断肢側のつま先で伸び上がりながら歩行する場合がある．これは，義足側の遊脚期初期に義足足部がつまずくのを避けるため，非切断肢側でつま先立ちを行い義足側のトウクリアランス（つま先と床面との隙間）を保つ異常歩行である．

3）後方バンパー（踵バンパー）の硬さを確認する（大腿義足・膝義足）

- 単軸足部の場合，義足を1歩前に出させ体重をかけさせる．足底部が床につく，もしくは床から1 cm以内の間隔であれば硬さは適切と判断する．
- SACH足部（参照）の場合，踵部へ全体重をかけさせる．その際，SACH足踵部が靴の中に1 cm程度沈み込めば硬さは適切と判断する．
- 足部の踵が硬すぎると膝継手は不安定になる（膝折れ感が出現する）．

参照
SACH足部は第Ⅰ章12参照

4）前額面における立位姿勢観察（大腿義足・膝義足）

❶外側への不安定感

- **現象①**：下腿支柱が垂直に立っているが，外側へ倒れそうな感じがする（図21A）．
  観察面：前額面
  主な観察部位：ソケットと足部の位置関係
  パーツ・アライメントの原因：ソケット以下を内側に設定し過ぎている
  対処：ソケット以下を外側へ移動する（ソケットを内側へ移動する）
- **現象②**：下腿支柱が外側へ倒れ，足底内側が浮き上がっている（図21B）．
  観察面：前額面
  主な観察部位：ソケット，外側へ倒れたパイロン，足部の内側
  パーツ・アライメントの原因：ソケットの初期内転角が不足している
  対処：ソケット初期内転角を増やす

❷内側への不安定感

- **現象①**：下腿支柱が垂直に立っているが，内側へ倒れそうな感じがする（図21C）．
  観察面：前額面
  主な観察部位：ソケットと足部の位置関係
  パーツ・アライメントの原因：ソケット以下を外側に設定し過ぎている
  対処：ソケット以下を内側へ移動する（ソケットを外側へ移動する）
- **現象②**：下腿支柱が内側へ倒れ，足底外側が浮き上がっている（図21D）．
  観察面：前額面
  主な観察部位：ソケット，内側へ倒れたパイロン，足部の内側

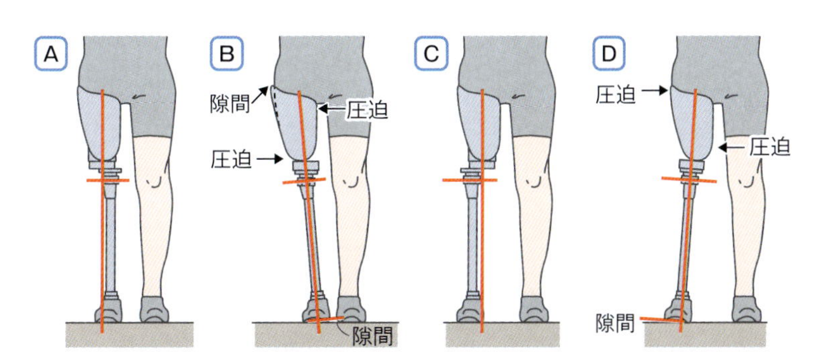

図21　**前額面における立位姿勢観察**
A）B）外側への不安定感．C）D）内側への不安定感．文献3をもとに作成．

パーツ・アライメントの原因：ソケットの初期内転角が過大である

対処：ソケット初期内転角を減らす

5）矢状面における立位姿勢観察

大腿義足

❶膝折れ感（義足足部位置の違いにより膝折れ感以外にさまざまな現象が生じる）

- **現象①**：両足部を揃えた立位での膝折れ感と過度の腰椎前弯（図22A）.

  観察面：矢状面

  主な観察部位：両側の足部位置，腰背部

  パーツ・アライメントの原因：ソケット初期屈曲角の不足

  対処：ソケット初期屈曲角を増やす

- **現象②**：義足側足部が若干前方に位置している状態での膝折れ感と膝継手の屈曲（図22B）. 両側足部を揃えた位置では過度な腰椎前弯が出現するため，切断者は義足を前に出すこと（切断肢側股関節を屈曲させること）により過度な腰椎前弯が出現するのを回避している．図22Bは，切断肢側股関節屈曲角度（ソケット初期屈曲角度）

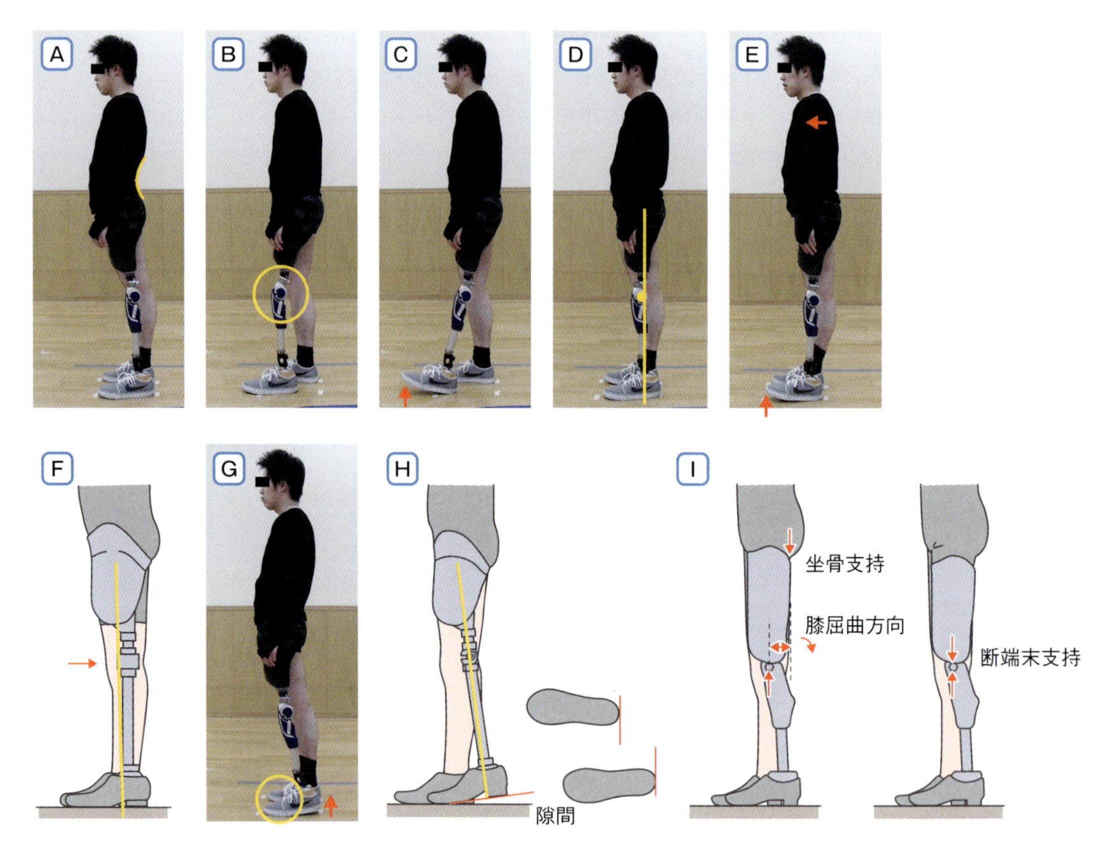

図22　矢状面における立位姿勢観察

A）過度の腰椎前弯．B）義足足部が全面接地した状態での膝継手の軽度屈曲．C）完全伸展した膝継手と義足つま先の浮き上がり．D）ソケットが後方に位置し過ぎている．E）義足足部が背屈し過ぎている．F）膝継手が後方へ押される感じがする．G）義足足部が底屈し過ぎている．H）義足側踵が浮いている．I）坐骨支持型（左）ならびに断端末支持型（右）．膝義足のスタティックアライメント．文献4をもとに作成．詳細は本文参照．

が小さいため膝継手が軽度屈曲した状態となる．

観察面：矢状面

主な観察部位：両側の足部位置，膝継手

パーツ・アライメントの原因：ソケット初期屈曲角の不足

対処：ソケット初期屈曲角を増やす

- **現象③**：義足側足部が明らかに前方に位置している状態での膝折れ感と義足前足部の浮き上がり（図22C）．両側足部を揃えた位置では過度な腰椎前弯が出現するため，切断者は義足を前に出すこと（切断肢側股関節を屈曲させること）により過度な腰椎前弯が出現するのを回避している．図22Cは，切断肢側股関節を大きく屈曲させ，膝継手は完全伸展位で義足つま先が浮いている．

観察面：矢状面

主な観察部位：両側の足部位置，義足つま先，膝継手

パーツ・アライメントの原因：ソケット初期屈曲角の不足

対処：ソケット初期屈曲角を増やす

- **現象④**：両足部を揃えた立位での膝折れ感で過度な腰椎前弯なし（図22D）．荷重線よりも膝軸が前方に位置するため膝折れ感がある．

観察面：矢状面

主な観察部位：両側の足部位置，ソケット・膝継手・義足足部の位置関係

パーツ・アライメントの原因：ソケットが後方に位置し過ぎている※5

対処：ソケットを前方へ移動する

※5　ソケットが後方に位置し過ぎているときのダイナミックアライメント
この場合は，膝継手が荷重線よりも前方に位置するようになっているため，膝折れの危険性が高まる．そのため，切断者は初期接地後，確実に随意制御である股関節伸展筋を働かせて膝継手の安定性を確認しながら歩行している（後述の表を参照）．

- **現象⑤**：両足部を揃えた立位での膝折れ感と義足つま先の浮き上がり（図22E）．切断者は膝折れ感を回避するため踵だけに荷重した状態で義足つま先を浮き上げた立位姿勢をとる．このとき，体幹が前方に押されるような感じがする．

観察面：矢状面

主な観察部位：両側の足部位置，義足つま先，体幹

パーツ・アライメントの原因：義足足部が背屈位過ぎる，もしくは靴の踵が足部の差高（つま先と踵との高さの差）より高い

対処：義足足部の背屈角度を減らす，踵の低い靴に変更する

❷膝継手の過度な安定

- **現象①**：両足部を揃えた立位で膝継手が後方へ押される感じがする（図22F）．

観察面：矢状面

主な観察部位：両側の足部位置，ソケット・膝継手・義足足部の位置関係

パーツ・アライメントの原因：ソケットが前方に位置し過ぎている

対処：ソケットを後方へ移動する

- **現象②**：膝継手が後方へ押され，義足踵部が浮き上がっており，切断者は義足が長いと感

じている（図22G）．義足踵部の浮き上がり前足部だけで支えている．

観察面：矢状面

主な観察部位：義足足部（前足部と踵部）

パーツ・アライメントの原因：義足足部が底屈位過ぎる※6，靴の踵が足部の差高より低い

対処：義足足部の底屈角度を減らす，踵の高い靴に変更する

※6　義足足部が底屈位過ぎるときのダイナミックアライメント

義足足部が底屈位過ぎる場合のスタティックアライメントは図22Gのようになる．この場合は，義足立脚後期で下腿パイロンが前傾できないため非切断肢側の歩幅が小さくなる（後述の表を参照）．

❸その他

- **現象**：義足足部が非切断肢側より後方に位置し義足側踵が浮いている（図22H）．

  観察面：矢状面

  主な観察部位：義足足部（踵部）

  パーツ・アライメントの原因：ソケット初期屈曲角の過大

  対処：ソケット初期屈曲角を減らす

膝義足

- 坐骨支持型ソケットの膝義足は，矢状面上のアライメントも大腿義足に準ずる．
- 主な荷重部が断端末である膝義足では，荷重線が坐骨支持よりも前方に位置するため基準線を膝継手軸に近づけても膝の安定性は確保される（図22I）．
- 吸着式以外のソケットの場合にはピストン運動を確認する．
- 確認方法は，本人に足踏みをさせソケット内での断端上下動の有無を問う主観的な方法と，理学療法士による視覚的な方法（ソケット壁上縁部に目印をつけ，足踏み動作時にソケット上縁部と目印との距離を観察する方法）がある．

＊大腿義足・膝義足ともに立位姿勢観察のほか，椅子へのしゃがみ込み動作や体幹の前屈動作を行い，ソケット前壁の高さを確認する．MASソケット（参照）ではこれらの動作が行いやすい．

6）ソケットを取り外した断端皮膚の確認（大腿義足・膝義足）

- 皮膚色の変化によりソケット内の適合状態を予測することができるため，必ず確認する．
- ソケット適合に問題なければソケット装着前の皮膚と変化はない．
- **過度な圧迫**があった部位の皮膚は「**赤色（発赤）**」となる．
- **隙間**などがあった部位では**浮腫**や**うっ血状態**により「赤紫色（図23）」となる[5]．
- 合わせて対側の足部に靴ずれなどによる発赤※7などの有無も運動療法前後で確認することを忘れてはならない．

※7　靴擦れの原因と対処について

靴擦れの要因としては，①足部と靴のサイズ違い，②靴が基本的な構造を有していない，③足部変形があるなどがあげられる．靴擦れの対処は，自己判断による絆創膏などの処置ではなく，すみやかに主治医へ報告し処置をお願いする．

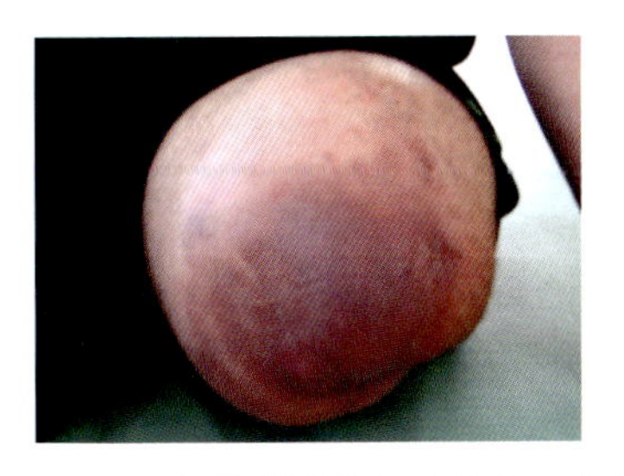

図23　ソケット装着不良によるうっ血状態

吸着式四辺形ソケット装着下でソケット底と断端末との間に隙間があると生じる．ソケット内が陰圧となった際に断端末が下方へ引っ張られることで毛細血管が微小出血を起こした状態．

5 ダイナミックアライメント設定

- **ダイナミックアライメント**とは，スタティックアライメントで設定した義足を装着して実際に義足歩行を行わせアライメント調整する工程である．
- 評価者は，歩行周期ごとに観察し，異常歩行がみられた場合はその原因について推測し，ソケット適合，各パーツのアライメント，切断者側の原因に分け，それぞれに対処する．
- 最初にソケット適合が良好かを確認したうえで，パーツ・アライメントの原因について対処する．
- ソケット調整，アライメント調整では，即時的な治療効果（図1も参照）が確認できる．
- アライメント調整後の再評価において改善が確認できなかった場合は，調整前の状態に戻す．そのため，調整する前の状能がわかるようにマジックなどで目印をあらかじめつけておく．

動画②

- 大腿義足・膝義足のダイナミックアライメントにおける観察手順およびその調整方法例について表に示す．
- 異常歩行をみつけるための比較対象として，大腿切断者の通常歩行（ソケット適合良好，至適アライメント設定）を動画（動画②）で示す．
- ダイナミックアライメント調整に熟練した理学療法士の観察点を図24に示す．

表　大腿義足ダイナミックアライメントにおける異常歩行の観察部位と対処方法（88ページへつづく）

歩行周期（観察肢：切断肢側）	異常歩行	異常歩行の説明	治療者の観察面	治療者の観察部位	観察部位の動き（赤矢印）	義足側の原因と対処方法	
						ソケット適合の原因	対処方法
初期接地 荷重応答期	歩幅の不同（切断肢側の歩幅が小さい）	切断肢側が遊脚期に前に出にくい	矢状面	両足部（歩幅）			
	歩幅の不同（非切断肢側の歩幅が小さい）	非切断肢側が遊脚期に前に出にくい	矢状面	両足部（歩幅）			
	フットスラップ	義足踵接地直後に義足足部が急激な底屈を起こす（義足足部の床へのたたきつけ）	矢状面	切断側・非切断側足部			
	足部の回旋	義足足部踵接地後に踵を支点として足部が回旋（外旋）する	前額面	切断側・非切断側足部			
	膝継手の不安定	義足側立脚中期にかけての膝折れまたは膝折れ感	矢状面	膝継手			
	過度の腰椎前弯	義足側の立脚中期にかけて（義足側への荷重量が増えるにつれて）生理的な腰椎前弯が過度に増強する	矢状面	腰部		ソケット後壁の適合不良	坐骨棚での坐骨支持を確実なものとする（坐骨棚を床面に平行にするなど）
立脚中期 立脚終期						ソケット最小前後径が大き過ぎる	ソケット最小前後径を小さくする
						吸着式ソケットの場合，断端の前面がソケット内に引き込み過ぎている	ソケット再装着（前面皮膚の余裕をもたせて装着させる）
	体幹の側屈	義足側立脚中期にかけて体幹が義足側へ側屈する	前額面	切断側肩関節周囲		ソケット内壁上縁の高さが高すぎる	ソケット上縁の高さを低くする
						ソケット内壁上縁の輪郭が不良（フレア不足）	ソケット上縁の輪郭を整える（フレアを大きくする）
						ソケット外壁の高さ不足	ソケット外壁の高さを高くする
前遊脚期 遊脚初期 （つづく）	内側ホイップ	前遊脚期から遊脚初期にかけて義足踵が内側へ移動し膝継手が外旋する	前額面（後方）	義足足部・膝継手		ソケットがきつすぎて（緩すぎて）ソケット内で断端が回旋している	ソケット内で断端が回旋しないような良好な適合を確保する

義足側の原因と対処方法		切断者側の原因と対処方法	
パーツ・アライメントの原因	対処方法	原因	対処方法
ソケット初期屈曲角が過大	ソケット初期屈曲角を減らす	切断肢側の股関節屈曲拘縮が著明な場合，屈曲方向の可動範囲が小さくなる．切断肢側遊脚期の振り出しが小さくなるため切断肢側の歩幅が小さくなる 非切断肢側の股関節屈曲拘縮が著明な場合，非切断肢側立脚終期の股関節伸展に制限が生じるため，切断肢側の歩幅が小さくなる	股関節伸展関節可動域練習
下腿部に対してソケットが前方に位置過ぎている	ソケットを後方へスライドさせる		
ソケット初期屈曲角が不足	ソケット初期屈曲角を増やす	義足側の立脚期に膝折れなどの不安や疼痛があるため立脚時間が短い	随意制御（股関節伸展筋群）を使用した立脚期膝継手制御練習
下腿部に対してソケットが後方に位置し過ぎている	ソケットを前方へスライドさせる		
義足足部が底屈位過ぎる（動画③）	義足足部を背屈位方向へ調整する	動画③	動画④
後方バンパーが軟らかすぎる	後方バンパーを硬くする		
義足足部，後方バンパーが硬すぎる	義足足部交換，後方バンパーを軟らかくする		
トウアウト（足部の外旋角度）が強過ぎる	トウアウトを減らす		
ソケット初期屈曲角の不足	ソケット初期屈曲角を増やす	股関節伸展筋群の著明な筋力低下	股関節伸展筋力増強練習
下腿部に対してソケットが後方に位置し過ぎている（動画④）	ソケットを前方へスライドさせる	立脚期随意制御（股関節伸展筋群収縮）のタイミングが遅れている	初期接地のタイミングで随意制御（股関節伸展筋群を収縮させる）練習および立脚中期までの股関節伸展筋群の収縮持続練習
義足足部が背屈位過ぎる	義足足部を底屈位方向へ調整する		
後方バンパーが硬すぎる	後方バンパーを軟らかくする（義足足部を交換）		
ソケット初期屈曲角の不足（動画⑤）	ソケット初期屈曲角を増やす	股関節屈曲拘縮	股関節伸展関節可動域練習
動画⑤	動画⑥	股関節伸展筋群の著明な筋力低下（骨盤の前傾により重心位置を前方へ移動させることで膝継手の安定性を確保するため）	股関節伸展筋力増強練習
		腹筋群の著明な筋力低下	腹筋群筋力増強練習
義足が非切断肢側よりも短すぎる	義足を長くする（非切断肢側に合わせる）	初期の荷重練習が不足して不適切な習慣が身についてしまったもの	立脚期で骨盤を水平に保つ練習
ソケット初期内転角が不足している（ソケット内転角の不足により切断者自身が義足足部を外側へ振り出し，歩隔を広げた接地となる．結果，切断者は立脚中期に体幹を義足側へ側屈することでバランスをとる場合がある）	ソケット初期内転角を増やす	股関節外転拘縮	股関節内転可動域練習
ソケット内転角が過大（ソケット内転角の過大によりソケットに対して足部が外側に位置するアウトセットとなる．結果，切断者は外転歩行を行うことになり，立脚中期に義足側へ側屈することでバランスをとる場合がある）	ソケット内転角を減らす	股関節外転筋群の著明な筋力低下	股関節外転筋力増強練習
進行方向（ソケット内壁）に対して膝継手が外旋し過ぎている	進行方向（ソケット内壁）に対して膝継手を内旋させる	不適切な習慣（切断側を外向きに振り出す）	適切な歩行練習（進行方向へ真直ぐに振り出させる）
進行方向に対してソケットが内旋位に設置されている（動画⑥）	ソケットを外旋させる（膝継手や足部の進行方向に合わせる）		
進行方向（ソケット内壁）に対して足部（トウブレーク）が外向きになり過ぎている（トウアウトが大き過ぎる）	進行方向（ソケット内壁）に対して足部（トウブレーク）を内向きにする（トウアウトを減らす）		

表　大腿義足ダイナミックアライメントにおける異常歩行の観察部位と対処方法（86ページからのつづき）

歩行周期（観察肢：切断肢側）	異常歩行	異常歩行の説明	治療者の観察面	治療者の観察部位	観察部位の動き（赤矢印）	義足側の原因と対処方法	
						ソケット適合の原因	対処方法
前遊脚期 遊脚初期（つづき）	外側ホイップ	前遊脚期から遊脚初期にかけて義足踵が外側へ移動し膝継手が内旋する	前額面（後方）	義足足部・膝継手		ソケットがきつすぎて（緩すぎて）ソケット内で断端が回旋している	ソケット内で断端が回旋しないような良好な適合を確保する
	蹴り上げの不同	遊脚初期にかけて膝継手が屈曲するが，非切断肢側遊脚初期の踵部の位置よりも義足足部がより高く上がる	矢状面	両足部			
	非切断肢側の伸び上がり	切断肢側遊脚期に非切断肢側でつま先立ちして伸び上がる	矢状面	非切断肢側の足部		ソケット懸垂力が不十分（肩・腰ベルト・シレジアバンドが緩い，ソケット吸着力が弱い）	適切な懸垂力を確保する（肩・腰ベルト・シレジアバンドを強く締める，吸着式の場合には，空気の出入りを防ぐ）
遊脚初期 遊脚中期	分回し歩行	切断肢側遊脚期に外側に円を描くように振り出し，踏み切り位置の延長線上に初期接地する	前額面	義足足部		ソケット懸垂力が不十分（肩・腰ベルト・シレジアバンドが緩い，ソケット吸着力が弱い）	適切な懸垂力を確保する（肩・腰ベルト・シレジアバンドを強く締める，吸着式の場合には，空気の出入りを防ぐ）
遊脚終期	ターミナルインパクト（膝のインパクト）	切断肢側遊脚終期に膝継手が完全伸展したときに強い衝撃がある	矢状面	膝継手			
全歩行周期	外転歩行	全歩行周期を通じて切断肢側が外転位のまま歩行する	前額面	義足足部		ソケット内壁の高さが高すぎる	ソケット内壁の高さを低くする
						ソケット外壁が低すぎる，外壁の適合不良	ソケット外壁を高くする，適合調整
						ソケット懸垂力が不十分（肩・腰ベルト・シレジアバンドが緩い，ソケット吸着力が弱い）	適切な懸垂力を確保する（肩・腰ベルト・シレジアバンドを強く締める，吸着式の場合には，空気の出入りを防ぐ）

義足側の原因と対処方法		切断者側の原因と対処方法	
パーツ・アライメントの原因	対処方法	原因	対処方法
進行方向（ソケット内壁）に対して膝継手が内旋し過ぎている	進行方向（ソケット内壁）に対して膝継手を外旋させる	不適切な習慣（切断側を内向きに振り出す）	適切な歩行練習（進行方向へ真直ぐに振り出させる）
進行方向に対してソケットが外旋位に設置されている（動画⑦）	ソケットを内旋させる（膝継手や足部の進行方向に合わせる）		
進行方向（ソケット内壁）に対して足部（トウブレーク）が内向きになり過ぎている（トウイン）	進行方向（ソケット内壁）に対して足部（トウブレーク）を外向きにする（トウアウトをつける）		
膝継手の摩擦や屈曲抵抗が弱すぎる（動画⑧）	膝継手摩擦（屈曲）抵抗を強くする	踵接地期の膝折れに対する恐怖心から膝継手伸展を強く意識するため切断側股関節屈曲を素早く，強く振りすぎる	義足振り出しに必要な股関節屈曲力の習得（歩行練習）
膝継手伸展補助バンドが弱すぎる	膝継手伸展補助バンドを強くする		
義足が長すぎる（動画⑨）	義足を短くする（非切断肢側に合わせる）	不適切な習慣（非切断側で伸び上がりながら義足側を振り出す）	適切な歩行練習（非切断側の伸び上がりをさせないで義足側を振り出させる）
膝継手摩擦（屈曲）抵抗が強すぎる（遊脚初期に膝継手が屈曲し難くなるため）	膝継手摩擦（屈曲）抵抗を弱くする		
膝継手摩擦（屈曲）抵抗が弱すぎる（蹴り上げの不同による下腿部が前方へ振り出されるまでのタイミングを待つため）	膝継手摩擦（屈曲）抵抗を強くする		
膝継手伸展補助バンドが強すぎる	膝継手伸展補助バンドを弱くする		
膝継手が反張膝傾向にある	荷重線を後方へ移動させる（足部を背屈させる，ソケット初期屈曲角を増やす，ソケット立ち位置を後方へスライドさせるなど）		
義足が長すぎる（動画⑩）	義足を短くする（非切断肢側に合わせる）	不適切な習慣（遊脚初期のつまずきに対する恐怖心）	適切な義足振り出し方向の習得（義足側立脚後期に前足部までしっかりと荷重させ，遊脚初期には進行方向へ振り出して膝継手を屈曲させる歩行練習）
膝継手摩擦（屈曲）抵抗が強すぎる（遊脚初期に膝継手が屈曲しにくくなるため）	膝継手摩擦（屈曲）抵抗を弱くする		
膝継手伸展補助バンドが強すぎる	膝継手伸展補助バンドを弱くする		
膝継手が反張膝傾向にある	荷重線を後方へ移動させる（足部を背屈させる，ソケット初期屈曲角を増やす，ソケット立ち位置を後方へスライドさせるなど）		
膝継手の摩擦（屈曲）抵抗が弱すぎる（蹴り上げの不同が出現した後，その反動で下腿部が伸展されて出現する）	膝継手の摩擦（屈曲）抵抗を強くする	踵接地期の膝折れに対する恐怖心から膝継手伸展を強く意識するため切断側股関節屈曲を強く振りすぎる	義足振り出しに必要な股関節屈曲力の習得（歩行練習）
膝伸展補助バンドが強すぎる（動画⑪）	膝伸展補助バンドを弱くする		
義足が長すぎる	義足を短くする（非切断肢側に合わせる）	不適切な習慣（遊脚初期のつまずきに対する恐怖心から義足側を外転させて振り出す）	適切な義足振り出し方向の習得（歩行練習）
膝継手の摩擦（屈曲）抵抗が強すぎる	膝継手摩擦（屈曲）抵抗を弱くする	不適切な習慣（立脚中期の体幹側屈を隠すため義足側を外転させて振り出し歩隔を広げる）	適切な義足振り出し方向の習得（歩行練習）
膝継手が反張膝傾向にある	荷重線を後方へ移動させる（足部を背屈させる，ソケット初期屈曲角を増やす，ソケット立ち位置を後方へスライドさせるなど）		
ソケット初期内転角が大き過ぎる（動画⑫）	ソケット初期内転角を小さくする		
ソケットに対して下腿部を外側に設定し過ぎている	下腿部を内側へ平行移動する		

動画⑦ 動画⑧ 動画⑨

動画⑩ 動画⑪ 動画⑫

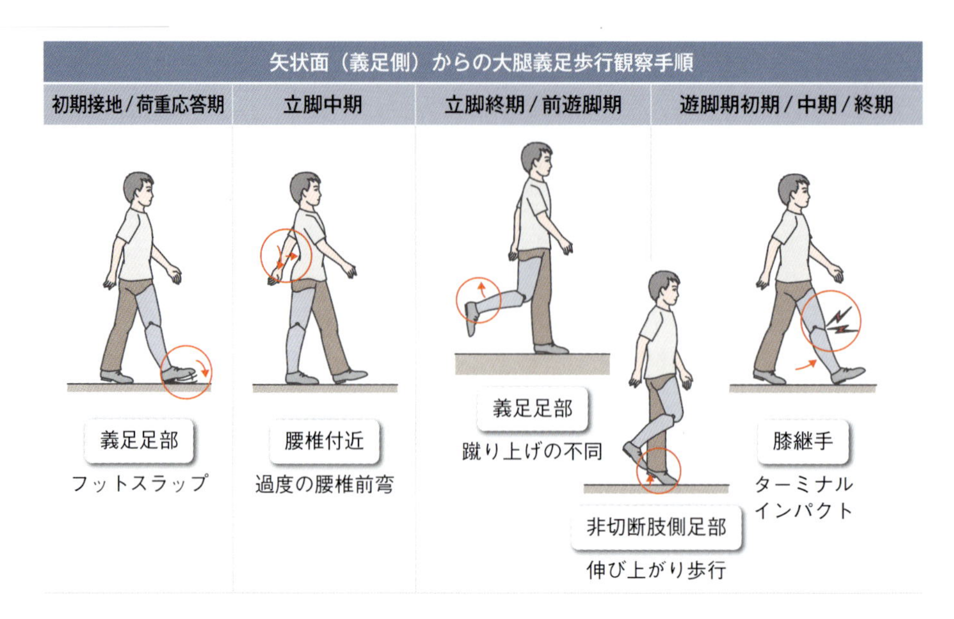

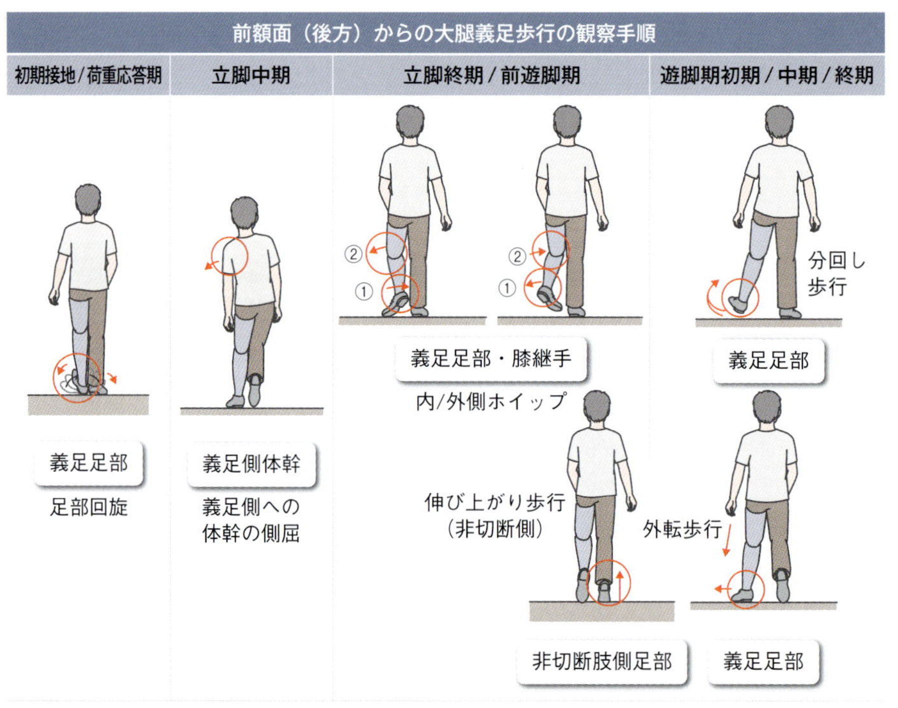

図24　大腿義足歩行における熟練者の観察点

熟練した理学療法士が大腿義足歩行分析を行う際に歩行周期ごとにどの部位を主に観察していたかをアイマークレコーダ（眼球運動計測装置）により計測し，視線軌跡および停留点（0.1秒以上）を定量解析した結果をとりまとめた．○：観察部位，⟶：観察部位の動き，①②：観察順．文献6より引用．

文献

1）「切断と義肢」（澤村誠志／著），医歯薬出版，2007

2）「運動療法学―障害別アプローチの理論と実際 第2版」（市橋則明／編），文光堂，2014

3）「義肢装具のチェックポイント 第8版」（日本整形外科学会，日本リハビリテーション医学会／監），医学書院，2014

4）「義肢装具学テキスト 改訂第2版（シンプル理学療法学シリーズ）」（細田多穂／監，磯崎弘司，他／編），南江堂，2013

5）米分智子，他：下肢切断患者の断端ケア．日本義肢装具学会誌，29：137-146，2013

6）豊田 輝，他：義足歩行評価における熟練者と初心者の観察方法の違いについて～モバイル型アイマークレコーダによる検討～．理学療法学，39：1040，2012

参考図書

・「運動療法学―障害別アプローチの理論と実際 第2版」（市橋則明／編），文光堂，2014

6 下腿義足ソケットの種類と適合評価

学習のポイント

- 下腿切断の特徴について学ぶ
- 代表的な下腿義足ソケットの種類と特徴・構造を学ぶ
- 下腿義足ソケット評価方法を学ぶ

1 下腿切断の特徴

- 下腿切断とは，膝関節より遠位での**脛骨ならびに腓骨の切断**である.
- **膝関節機能が完全に残存**するという利点がある.
- 足関節機能は完全に失われる.

2 下腿義足について

- 下腿義足ソケットの変遷は，「差し込み式ソケット（open end socket，大腿コルセット，単軸ヒンジ膝継手からなる義足）」からはじまった.
- 1959年に「米国海軍式ソフトソケット（navy soft socket：close end socket，大腿コルセット，単軸ヒンジ膝継手からなる義足）」が開発された（ソケット底部が断端末と接触している「close end socket」への変更により浮腫が軽減）.
- 一方，大腿コルセットによる不十分な懸垂と単軸ヒンジ膝継手による膝関節運動軸との不一致による断端のピストン運動は著明であった.
- これらを改善する目的で「PTB式ソケット（patella tendon bearing cuff suspention type）」が米国カリフォルニア大学Biomechanic Laboratoryで開発された.
- また，PTB式ソケットの欠点を補う目的で，PTS式（prothèse tibiale supracondylien：フランスFAJALにより発表）およびKBM式（kondylen betting münster typ-steckdose：ドイツミュンスター大学KUHNとHEPPにより発表）ソケットが開発された.

3 下腿義足ソケットの種類と特徴

1）在来式（差し込み式）ソケット〔conventional（plug）type socket〕

1 在来式ソケットの特徴

- 現在，在来式ソケット使用者が再製作する場合を除いて新規製作されることはほとんどない．
- 義足の構成は，**大腿コルセット**，**膝継手**，殻構造の差し込み式ソケット，足部である（図1）．
- ソケット底が開放されているopen end socketと，閉じているclose end socketがある（図2）．
- 断端末とソケットの適合は，**断端袋**によって調整する．
- 断端袋は，断端周径を増やす全体的な容積調整目的に使用する．
- 膝継手は，膝関節の解剖学的な位置と異なるため膝関節機能を制限している．
- 大腿コルセットを締め付けることにより大腿部に筋萎縮，断端に血流障害がみられることがある．

2 ソケットの形状

- 円錐状で断端末ほど細くなる．
- 水平面のソケット形状は円形に近い（図2A）．

3 体重支持

- **大腿コルセット**および**ソケット内壁**と断端との摩擦により体重を支持する．
- open end socketでは，断端末での体重支持は期待できない．
- close end socketでは，一部断端末での体重支持機能をもつ．

4 懸垂機能

- 切断肢の大腿部を**大腿コルセット**で締め付けることにより懸垂機能をもたせる．

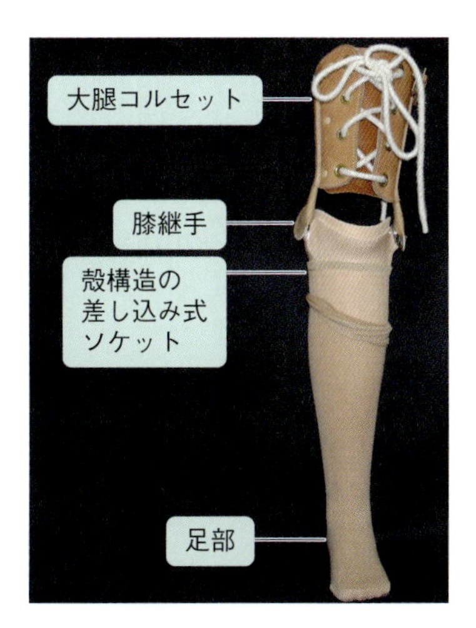

図1　在来式（差し込み式）ソケットの下腿義足の構成（左脚用）

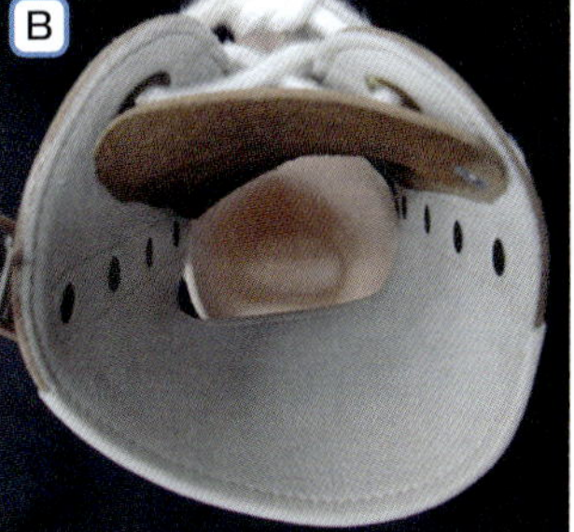

図2　水平面からみた在来式（差し込み式）ソケットの下腿義足
写真手前は大腿コルセット，奥側が差し込み式ソケット．A）open end socket．B）close end socket．

- 懸垂力の調整は，大腿コルセットの締め具合で行うが，**ピストン運動**は著明である．

2）PTB式ソケット（patella tendon bearing cuff suspention type socket）

1 在来式ソケットからPTB式ソケットへの変遷

- 米国海軍にて在来式ソケットの下腿義足がopen end socketからclose end socket（navy soft socket）に変更．これにより断端末の浮腫のコントロールに大きな進歩がみられた．
- 一方，navy soft socketには以下の欠点がある．
  - 大腿コルセットを締め付けることによる大腿部の筋萎縮，断端の血流障害は改善なし．
  - 膝継手位置が解剖学的な膝関節位置と異なることによる歩行時などの膝関節機能の制限も改善なし．
  - ソケットの体重支持や懸垂機能も改善がないため著明なピストン運動は残存．
- これらのnavy soft socketの欠点を改善するものとして米国カリフォルニア大学でPTB式ソケットが開発された．

2 PTB式ソケットの特徴

- 現在も多くの症例に対して処方されている．
- 義足の構成は，**膝カフ**，硬性ソケット（外ソケット），軟性ソケット（内ソケット），パイロン，足部である（図3，4）．
- 在来式ソケットと比較したPTB式ソケットの利点を表1に示す．

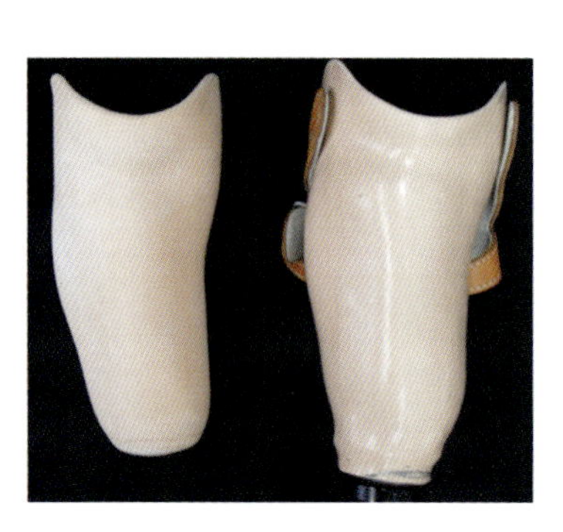

図3 硬性ソケット（右）と軟性ソケット（左）

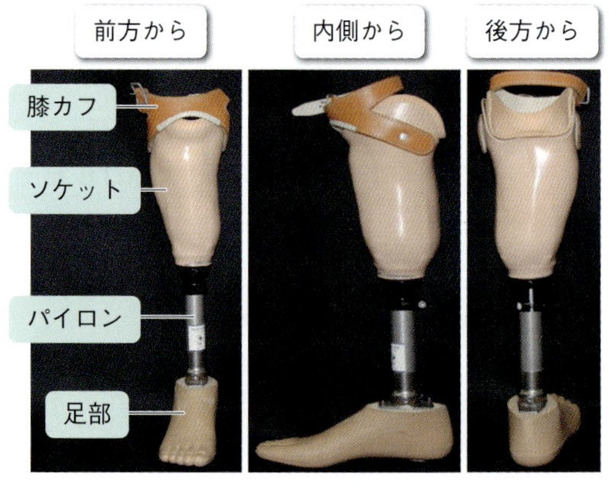

図4 PTB式ソケットの下腿義足の構成（右脚用）

表1 在来式ソケットと比較したPTB式ソケットの利点

①装着感がよい（全面接触のため）
②循環障害が少ない（全面接触のため）
③義足が軽く感じる（適合感がよくピストン運動が少ないため）
④遊脚期で適切な膝関節の屈曲が可能である
⑤立脚初期の衝撃をよく吸収する
⑥立脚中期での体重負荷面積が広い
⑦立脚後期で遊脚期への移り変わりがすみやかである

- 断端は，ソケットと全面接触（total contact）している．
- 断端の解剖学的特徴（骨隆起部※1と筋組織部）を考慮して**荷重部（加圧部）**と**免荷部（除圧部）**に分けて体重を支持する（図5）．
- 義足製作過程で**陽性モデルを修正**する（加圧部を削り，除圧部を盛る）ことにより明確な圧の差をつける（参照）．

参照
義足製作過程は第Ⅰ章1参照

- 断端末とソケットとの適合は，**断端袋**と**貼物**※2によって調整する（図6，7）．
- 膝蓋腱中央（mid patella tendon：MPT）レベルに**支持バー**を設けて主に**膝蓋腱部**で体重を支持する（図8A）．

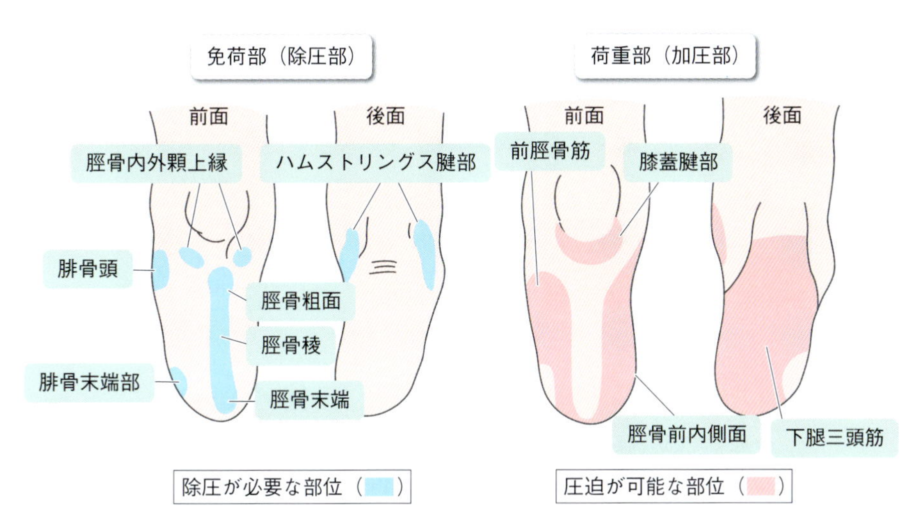

図5　PTB式ソケットにおける荷重部と免荷部（加圧部と除圧部）

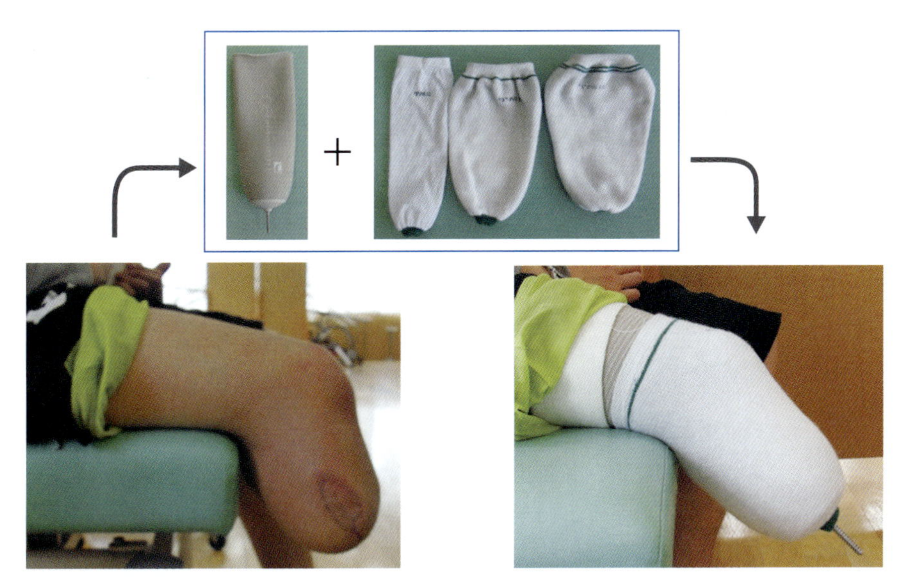

図6　断端袋による調整

ソケット製作時よりも断端周径が小さくなったためシリコーンライナーに加え，断端袋を3枚重ねてソケットを装着する症例．全体的な容積調整には断端袋を使用する．

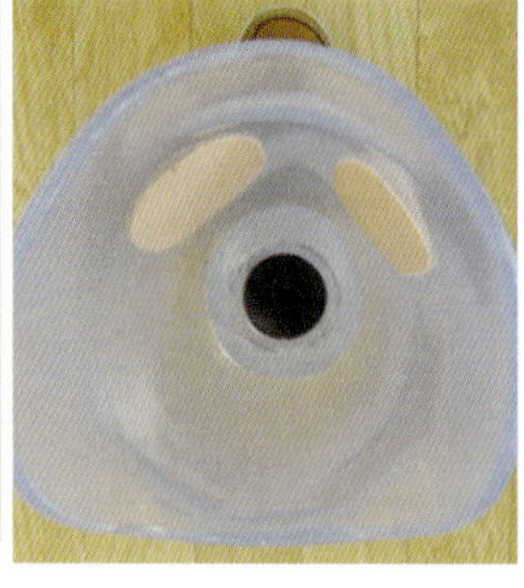

図7　PTB式ソケット内の貼物調整

脛骨粗面，脛骨稜，脛骨下端の接触圧を除圧するために加圧部である脛骨前内側面および前脛骨筋部にPEライトで作製した貼物を貼付している．

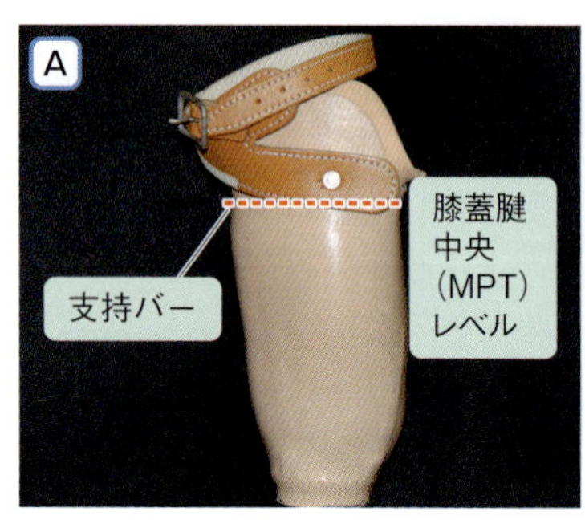

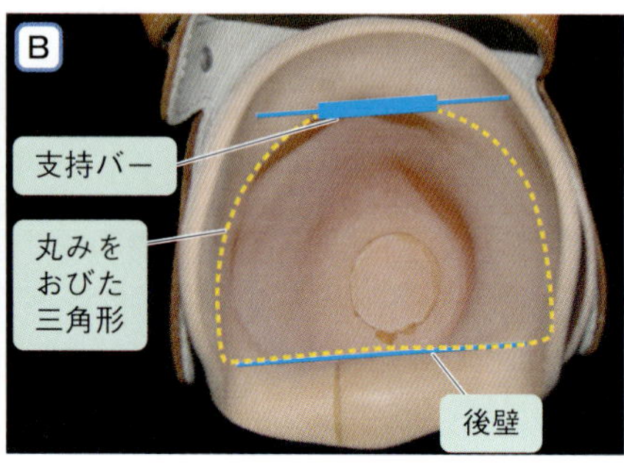

図8　PTB式ソケットの形状と支持バー

A）矢状面，B）水平面．

- PTB式ソケットに自己懸垂機能はないため**膝カフ**を使用する．
- 膝カフは，膝関節の過伸展防止機能をもつ反面，膝蓋骨上縁部に圧迫感を与える．
- PTB式ソケットは短断端には不向きである．

※1　骨隆起部

骨隆起部は圧が高くなると疼痛が発生しやすいため免荷部（除圧部）とする．骨でも隆起がなく面積が広い部分や筋腹部は荷重部（加圧部）とする．

※2　貼物

貼物（PEライト素材など）は，部分的な除圧目的に除圧したい部位の上下左右（ソケット内）に貼る．

3 ソケットの形状

- 断端を採型して使用者に合わせたソケットを製作する．
- 水平面のソケット形状は“**丸みをおびた三角形**”である（図8B）．
- 支持バーと後壁は平行である（図8B）．
- 前壁上縁は膝蓋骨中央レベルである（図9）．
- 側壁上縁は大腿骨顆部の中点付近の高さである（図10）．
- 後壁内外側はハムストリングス腱を圧迫せず，**膝関節の屈曲**を妨げないチャネルをもつ（図11）．
- 後壁中央部（膝窩部）上縁は**膝関節の屈曲**を妨げない高さである（図11）．

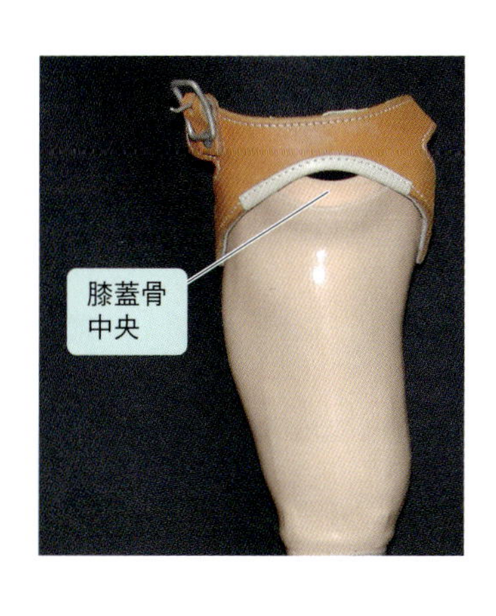

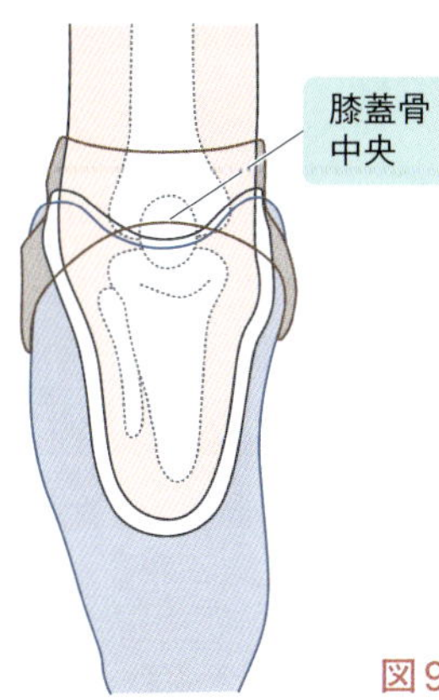

図9　PTB式ソケット前壁上縁の高さ

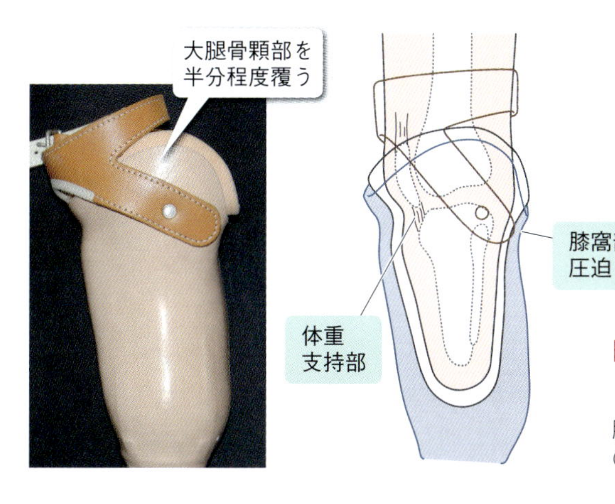

図10　PTB式ソケット側壁上縁の高さと膝蓋腱部での体重支持

膝蓋腱での体重支持を確実なものとするため，そのカウンターとして対側の膝窩部を圧迫している．

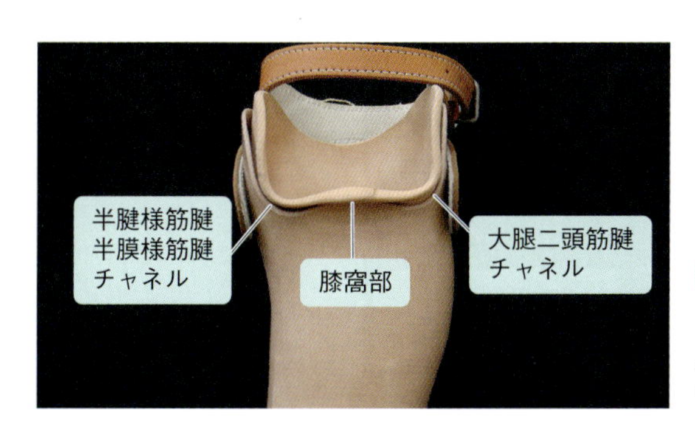

図11　PTB式ソケット後壁上縁の高さとハムストリングス腱のチャネル

半腱様筋腱，半膜様筋腱，大腿二頭筋腱をまとめてハムストリングス腱という．

4 体重支持

- 主に**膝蓋腱部**で体重を支持する（図10）．
- **初期屈曲角**をつけることで膝蓋腱部での支持を確実なものとする（参照）．
- 荷重部は，膝蓋腱部，前脛骨筋筋腹部，脛骨前内側面，下腿三頭筋である（図5右）．
- 免荷部は，脛骨内外顆上縁，脛骨粗面，腓骨頭，脛骨稜，腓骨末端部，脛骨末端部，ハムストリングス腱部である（図5左）．

参照
初期屈曲角の設定は第I章8参照

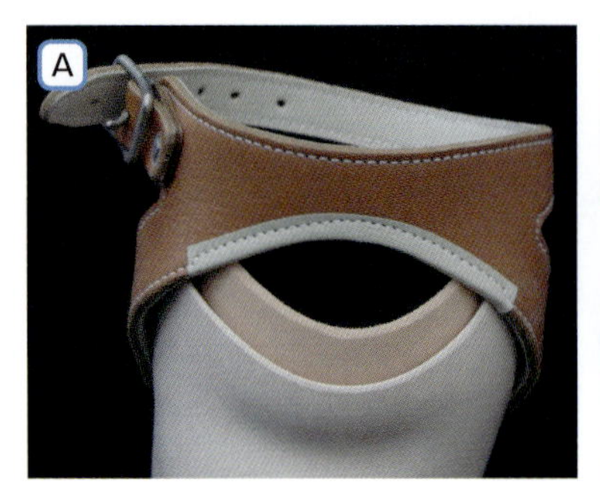

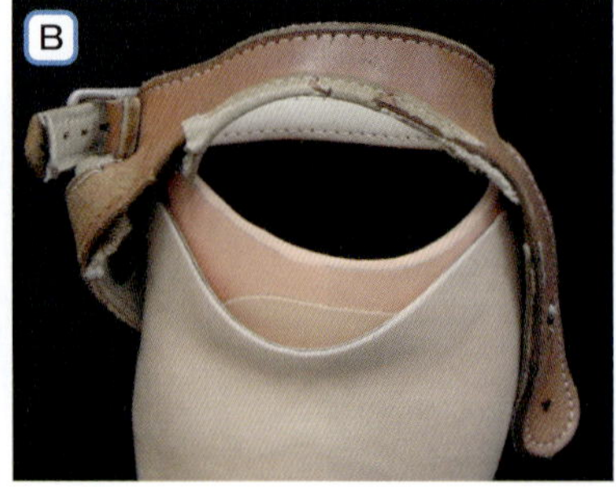

図12　膝カフの長期間使用による劣化

A）新品．B）長期間使用品．

図13　ピストン運動

A）荷重時．B）非荷重時．

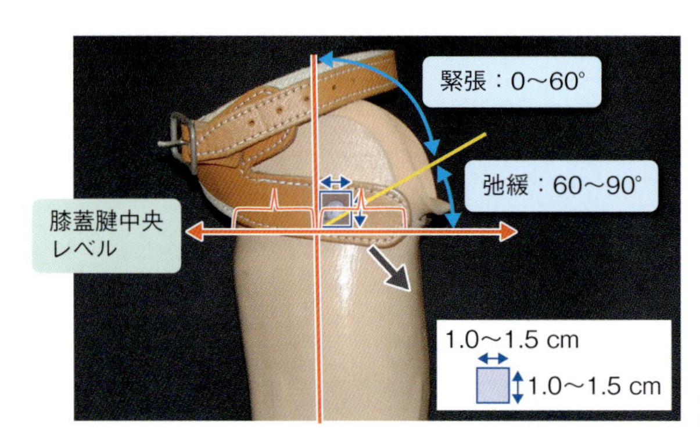

図14　膝カフの取り付け位置

5 懸垂機能

- 切断肢の**膝カフ**の締め具合で懸垂力の調整を行う．
- 膝カフは合成革製品であるため，長期間使用により劣化する（図12）．劣化により**ピストン運動**（図13）は出現しやすくなる（参照）．

参照
ピストン運動は第Ⅰ章3も参照

6 膝カフの取り付け位置

- 膝蓋腱中央レベルで前壁支持バーと後壁中央との中間点より上方および後方へ1.0～1.5 cmの正方形内（図14）
- 膝カフは，膝関節屈曲角0°～60°で緊張，60°以上で弛緩するようにする．

3) PTS式ソケット (prothèse tibiale supracondylien)

1 PTS式ソケットの特徴

- PTB式ソケットの改良型ソケットである.
- 義足の構成は，硬性ソケット（外ソケット），軟性ソケット（内ソケット），パイロン，足部である（図15）.
- 断端は，ソケットと全面接触（total contact）している.
- 解剖学的特徴（骨隆起部と筋組織部）を考慮して**荷重部（加圧部）**と**免荷部（除圧部）**に分けて体重を支持するが，その圧差はPTB式ソケットほどつけない.
- PTB式ソケットと同様，断端末とソケットの適合は，**断端袋**と**貼物**によって調整する.
- PTB式ソケットと同様，**支持バー**を設けて主に膝蓋腱部で体重を支持する（図16A）.
- ソケットが自己懸垂機能をもつため通常，膝カフ※3は不要である.
- ソケット前壁は**膝関節の過伸展防止機能**をもつ.
- **正座や横座りが可能**である．これは，膝関節を深屈曲することで断端からソケットが脱げるためである.
- ソケット前壁が膝蓋骨を覆っているため端座位時に前壁が衣服を突き上げるため外観がよくない.
- 歩行時や階段昇降時にソケット上縁部に衣服を挟み込むことがある.
- 自転車や高い階段などの膝の深屈曲を必要とする動作時に断端がソケットから脱げる恐れがある.

※3 PTS式ソケットの膝カフについて
膝関節屈曲角度が大きくなるとソケットから断端が抜けることがある．この抜けを防ぐために症例によっては膝カフをつけることがある.

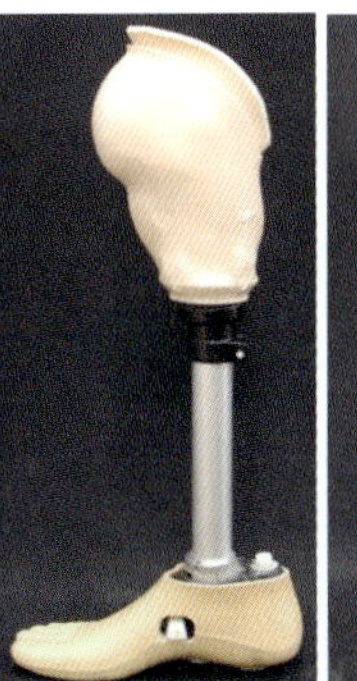

図15 PTS式ソケットの下腿義足の構成（右脚用）

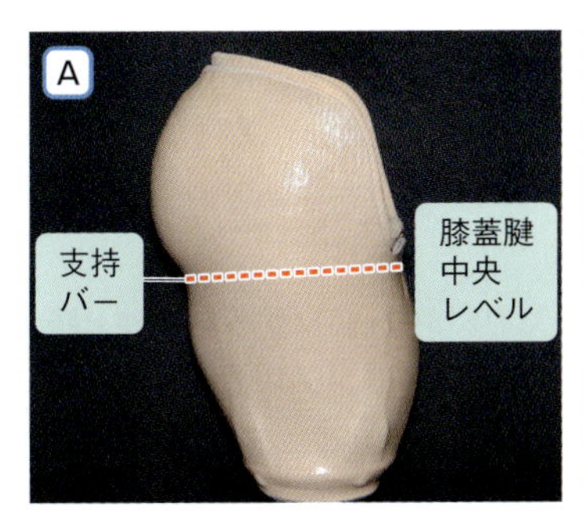

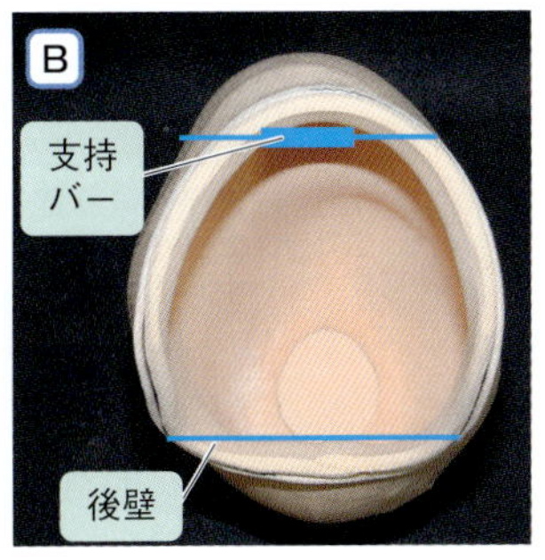

図16 PTS式ソケットの形状と支持バー
A）矢状面．B）水平面.

2 ソケットの形状

- 断端を採型して使用者に合わせたソケットを製作する.
- 水平面のソケット形状は“**丸みをおびた三角形**”である（図16B）.
- 前壁上縁は膝蓋骨上縁レベルである（図17）.
- 側壁上縁は大腿骨顆部をすべて覆う高さである（図18）.
- PTB式ソケットと同様，後壁の内外側と中央部（膝窩部）上縁は**膝関節の屈曲**を妨げない高さである（図19）.
- 前壁と後壁の押しにより膝関節過伸展防止機能をもつ（図18）.

3 体重支持

- 体重支持についてはPTB式ソケットと同様なので，2)-4を参照されたい.

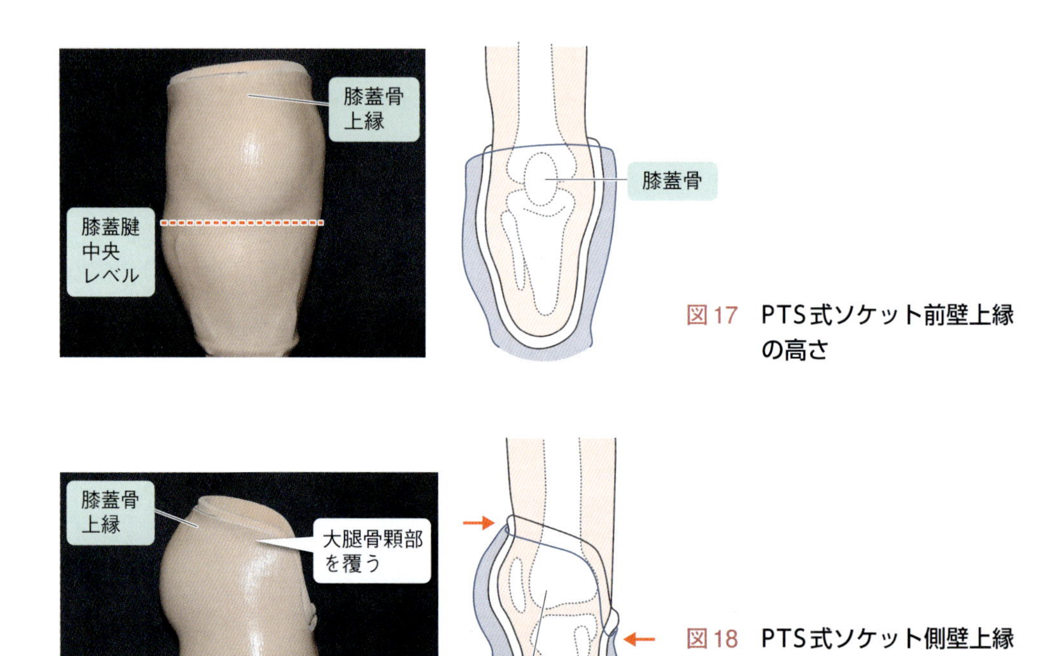

図17　**PTS式ソケット前壁上縁の高さ**

図18　**PTS式ソケット側壁上縁の高さと前壁，後壁による膝関節過伸展防止機能**

ソケット前壁上縁と後壁上縁による圧迫（→）により膝関節過伸展を防止している.

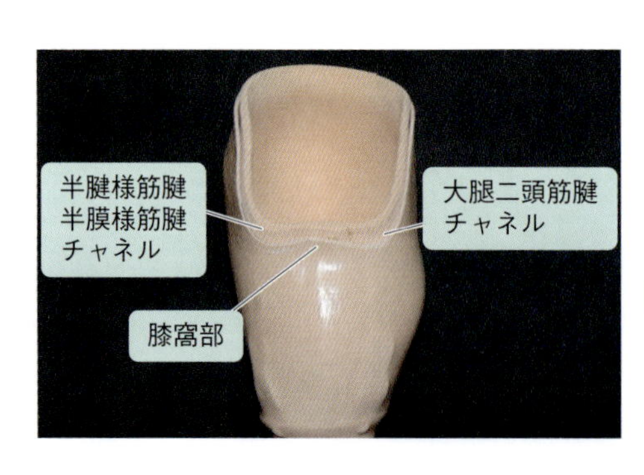

図19　**PTS式ソケット後壁上縁の高さとハムストリングス腱のチャネル**

半腱様筋腱，半膜様筋腱，大腿二頭筋腱をまとめてハムストリングス腱という.

4 懸垂機能

- 前壁（膝蓋骨）と側壁（大腿骨内外顆）の形状を利用したソケットによる自己懸垂機能をもつ.

4）KBM式ソケット (kondylen betting münster typ-steckdose)

1 KBM式ソケットの特徴

- PTB式ソケットの改良型ソケットである.
- 義足の構成は，硬性ソケット（外ソケット），軟性ソケット（内ソケット），パイロン，足部である（図20）.
- 断端は，ソケットと全面接触（total contact）している.
- 解剖学的特徴（骨隆起部と筋組織部）を考慮して**荷重部（加圧部）**と**免荷部（除圧部）**に分けて体重を支持するが，その圧差はPTB式ソケットほどつけない.
- PTB式ソケットと同様，断端末とソケットの適合は，**断端袋**と**貼物**によって調整する.
- PTB/PTS式ソケットと同様，**支持バー**を設けて主に膝蓋腱部で体重を支持する（図21A）.
- ソケットが自己懸垂機能をもつため通常，膝カフ[※3]は不要である.
- ソケット脱着時，大腿骨顆部と内側翼との衝突を回避するため内側翼の取り外しが可能なタイプや装着後に大腿骨内側顆部に楔を差し込むタイプがある.
- 内側翼の取り外しができないものは，ソケット内壁と大腿骨内顆の間に**楔**（wedge）を挿入して懸垂力を高める.

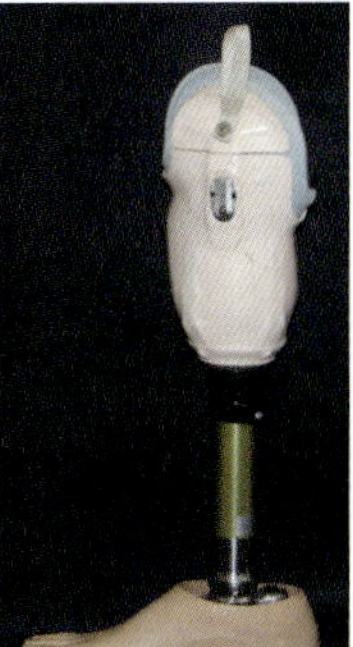

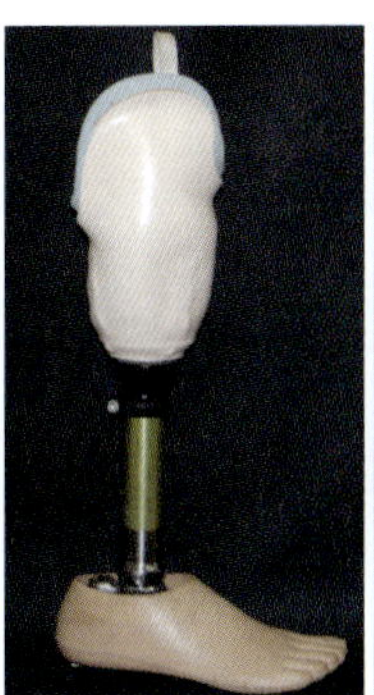

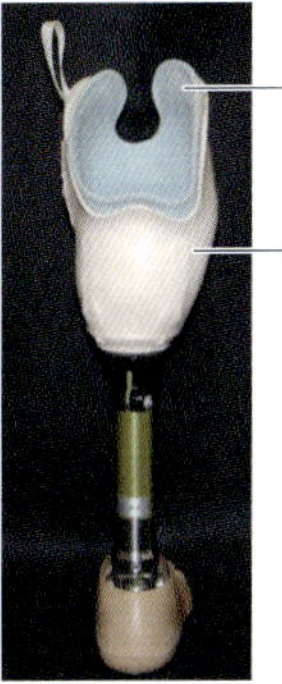

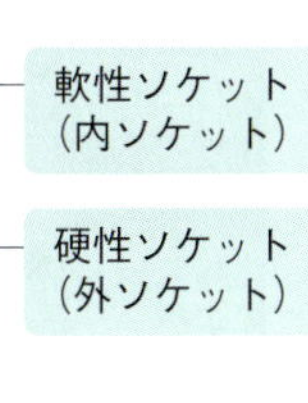

図20　KBM式ソケットの下腿義足の構成（右脚用）

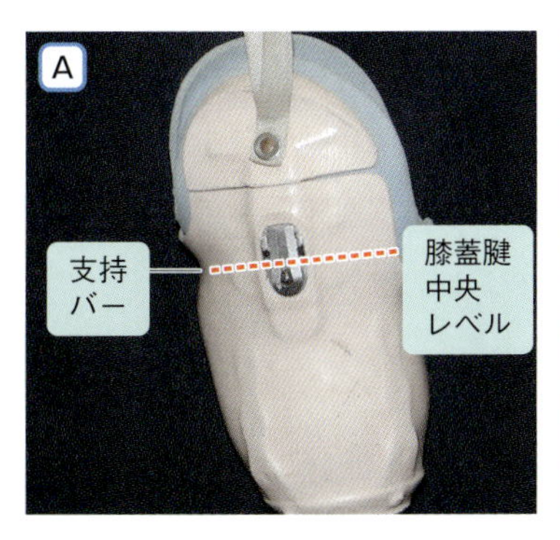

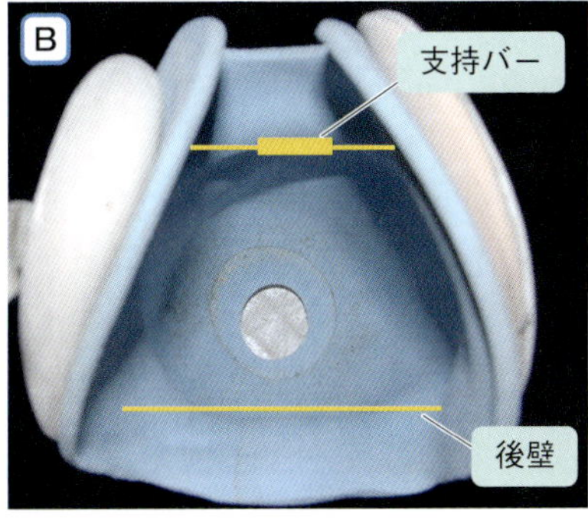

図21　KBM式ソケットの形状と支持バー

A）矢状面．B）水平面．

- PTB式ソケットよりもピストン運動が少ない.
- 端座位時の膝蓋骨周辺の外観がよい.
- 膝関節の内外側への安定性に優れている.
- PTS式ソケットでみられる衣服の挟み込みがない.
- 膝関節過伸展防止機能をもたない.
- PTS式ソケットと同様, 膝関節深屈曲位で断端がソケットから脱げそうになる.
- 膝関節屈伸動作をくり返すことで大腿骨顆部とソケット間に不快感が起きやすい.
- 楔の形状不良によっては大腿骨顆部の過剰な圧迫による疼痛あり.

2 ソケットの形状

- 断端を採型して使用者に合わせたソケットを製作する.
- 水平面のソケット形状は“**丸みをおびた三角形**”である (図21B).
- 前壁上縁は膝蓋骨下縁レベルである (図22).
- 側壁上縁は大腿骨顆部をすべて覆う高さである (図23).
- PTB式ソケットと同様, 後壁の内外側と中央部 (膝窩部) 上縁は**膝関節の屈曲**を妨げない高さである (図24).

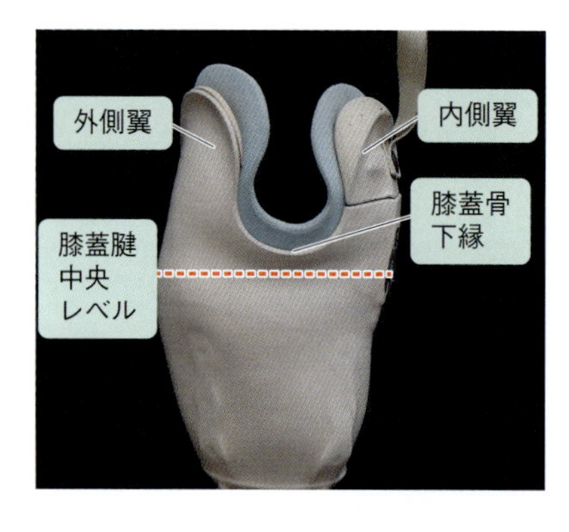

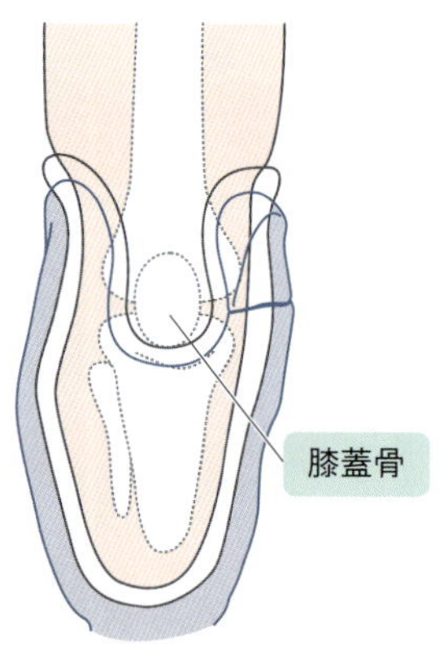

図22 KBM式ソケット前壁上縁の高さ

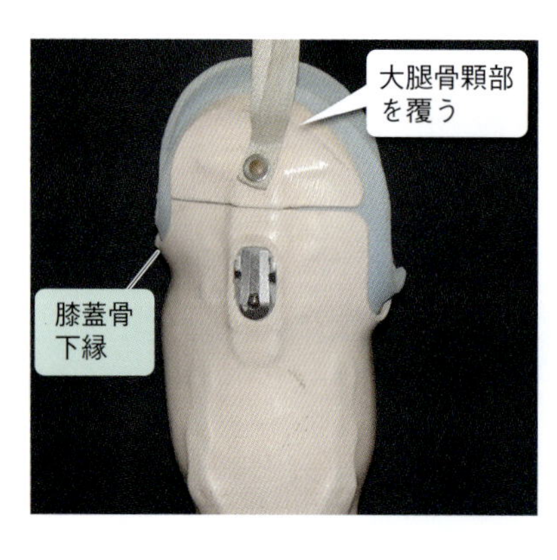

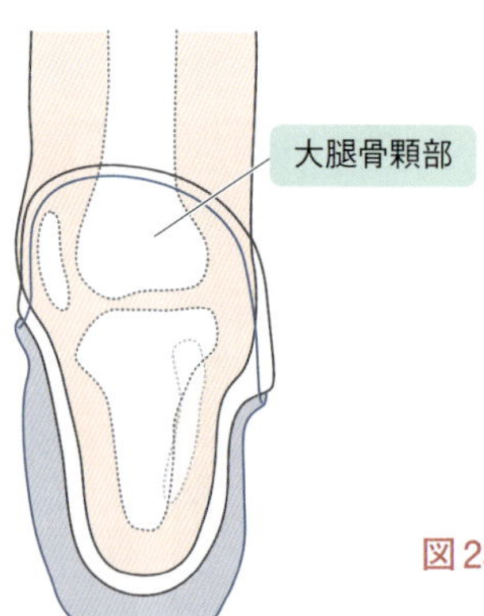

図23 KBM式ソケット側壁上縁の高さ

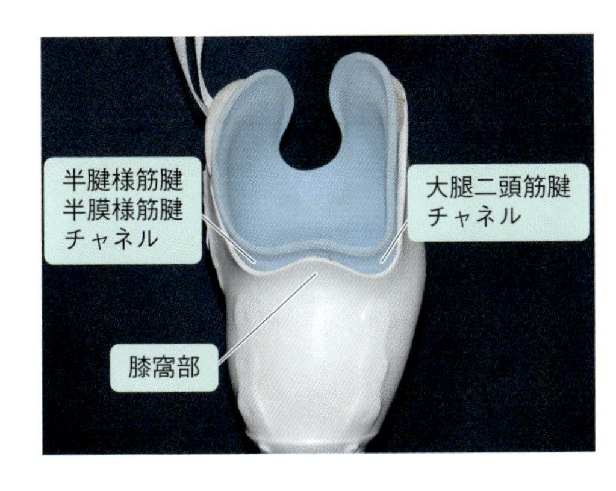

図24　KBM式ソケット後壁上縁の高さとハムストリングス腱のチャネル

半腱様筋腱，半膜様筋腱，大腿二頭筋腱をまとめてハムストリングス腱という．

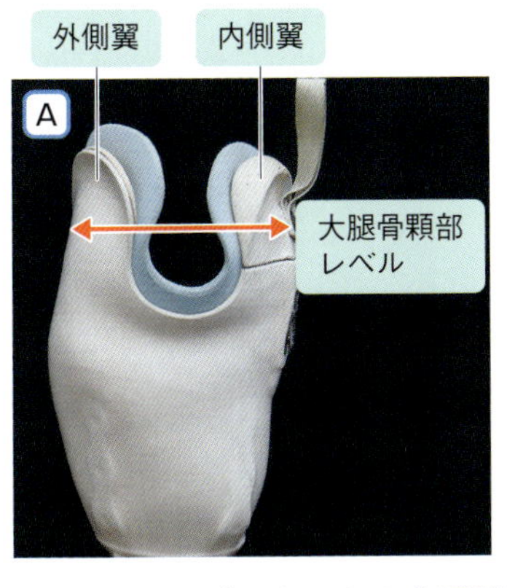

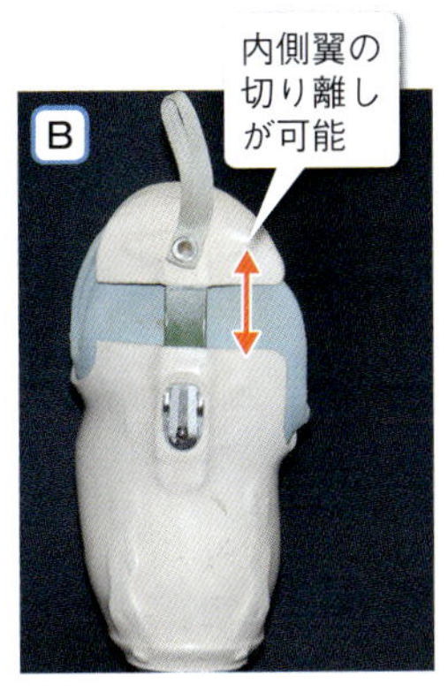

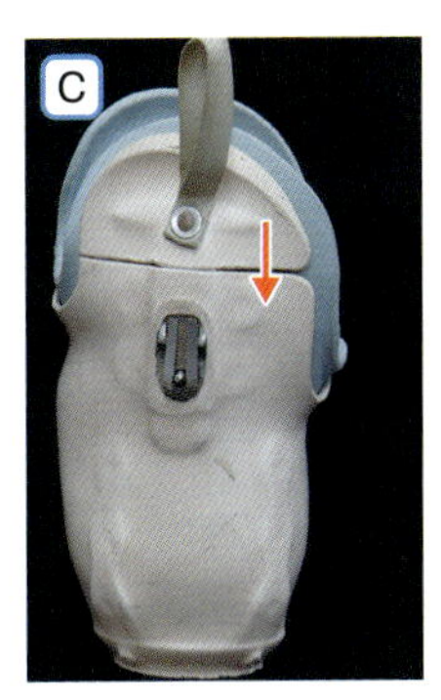

図25　KBM式ソケットの自己懸垂機能

A）KBM式ソケットの前面．B）脱着時の内側翼を切り離した状態．C）装着後の内側翼を付けた状態．懸垂は大腿骨顆部を覆う両翼により行う．また，この懸垂機能を確実なものとするため，ソケット上縁内外翼の形状は大腿骨顆部の形状に厳密な適合性をもって製作される（両翼の近位部内外径が狭い）．そのため，脱着時には図のように内側翼を切り離すタイプや装着後に内側顆部に差し込む楔をもつタイプなど，懸垂と装着の両面を活かす工夫がなされている．

3 体重支持

- 体重支持についてはPTB式ソケットと同様なので，2)-4を参照されたい．

4 懸垂機能

- 側壁による自己懸垂機能をもつ（図25）．

5）TSB式ソケット (total surface bearing type socket)

1 TSB式ソケットの特徴

- PTB式ソケットの加圧部，除圧部という概念とは異なるソケットであり，断端全表面でソケットと接触し（全面接触），断端全体で体重を支持する．
- 陽性モデルでの削りや盛りの修正はほとんど行わない．
- 義足の構成は，硬性ソケット（外ソケット），**シリコーンライナー**（断端に装着する），パイロン，足部である（図26）．

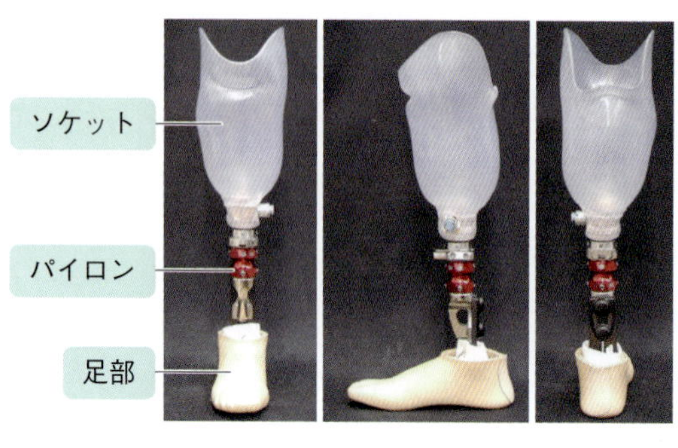

図26　**TSB式ソケット下腿義足の構成**

写真は，通常のTSB式ソケットよりも前壁が高くなっている．臨床では純粋なTSB式ではなく，支持バーを設けPTB式ソケットの要素である膝蓋腱支持機能を併せもつソケットをTSB類似型ソケットとして製作することも多い．

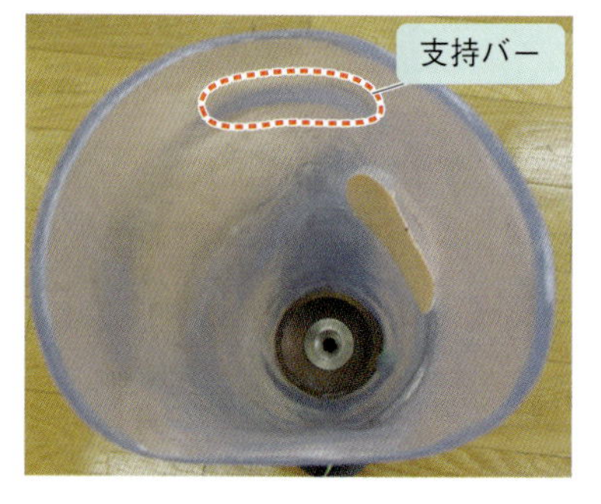

図27　**水平面からみたソケットの形状**

TSB式ソケットは原則的には支持バーをもたないが，写真のソケットは支持バーを付けることで膝蓋腱支持機能をもつ．

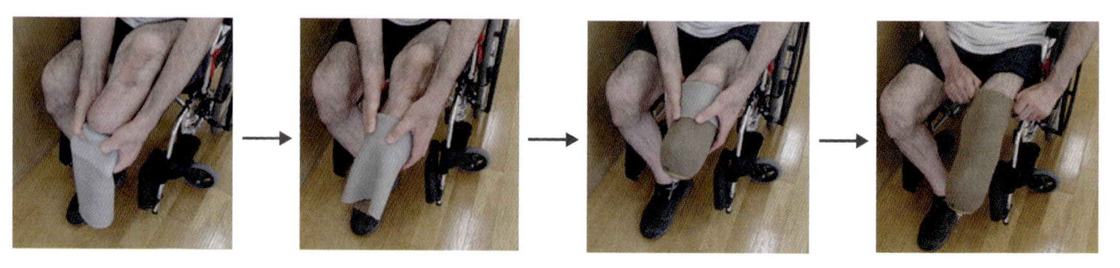

図28　**シリコーンライナー装着方法（ロールオン装着）**

- 断端はシリコーンライナーにより保護されている．シリコーンライナー装着により浮腫の軽減につながる．
- PTB/PTS/KBM式ソケットと同様，断端末とソケットの適合は，**断端袋**と**貼物**によって調整する．
- **支持バー**は不要である（図27）※4．
- 膝窩部の圧迫感や窮屈感が少ない※5．
- ソケット装着は容易である〔シリコーンライナーをロールオン装着（図28）にて装着後，外ソケットへ差し込む動作で装着完了〕※6．
- 衝撃緩和作用と密着性があるが，皮膚を引っ張りすぎることがある．
- 極短断端には不向きである．
- 通常のシリコーンライナーで良好な適合が得られない歪な（円筒状ではない）断端には工夫が必要である※7．
- シリコーン素材に対する接触性皮膚炎を呈する症例には不向きである．
- シリコーンライナー内の通気性は非常に悪く，発汗量が多くなる．
- シリコーンライナー内に溜まった汗をアルコールで拭き取るなどの対策が必要である．

※4　支持バーと初期屈典角は不要

断端全体で体重を支持しているため，膝蓋腱部を支持バーに乗せる必要がない．

※5　TSB式ソケットの装着感

膝蓋腱部を支持バーに乗せる必要がないためソケット膝蓋腱レベルの前後径を狭くする必要がなく圧迫感がない．

※6　TSB式ソケットの装着時の注意

膝カフなどがなくシリコーンライナーを装着したら外ソケットへ差し込むのみで装着できるため装着動作は容易であるとされる．しかし，**ピン・ロックアタッチメント**（図29）を外ソケットの孔に差し込むためには孔に対して真っ直ぐに差し込む必要があり，臨床的には装着練習が必要な場合もある．

※7　断端とシリコーンライナーの不適合

シリコーンライナーと断端との間に隙間が生じると適切な懸垂が得られない（ソケットと断端の間にピストン運動や回旋運動が生じる）．歪な断端の場合には，断端の凹んだ部分のシリコーンライナーの厚みを増すなどの工夫が必要となる（参照）．

参照
下腿義足の不適合の症例は第Ⅰ章14症例2参照

2 ソケットの形状（原則）

- 断端を採型して，使用者に合わせたソケットを製作する．
- 水平面のソケット形状は“丸みをおびた三角形”である（図27）．
- 水平面のソケット形状※8は膝蓋腱部に支持バー※9がない（図26，27）．
- 前壁上縁は，膝蓋骨下縁レベルである（図30）．
- 側壁上縁は，大腿骨顆部付近である（短断端：高め，長断端：低め）（図31）．
- PTB式ソケットと同様，後壁の内外側と中央部（膝窩部）上縁は**膝関節の屈曲**を妨げない高さである（図32）．

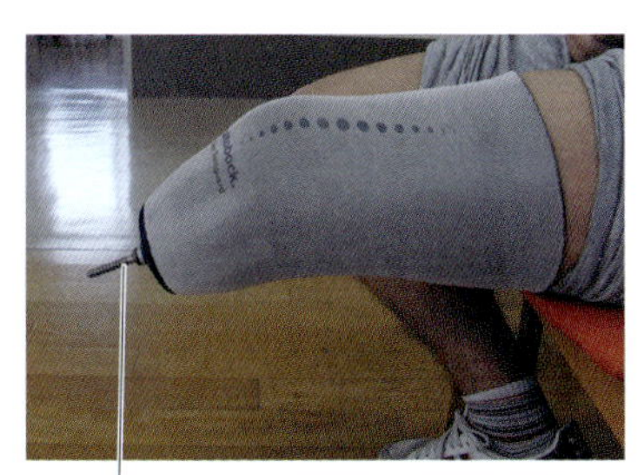

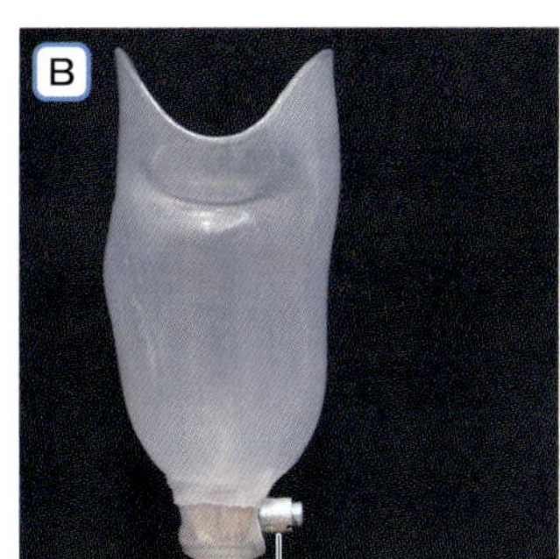

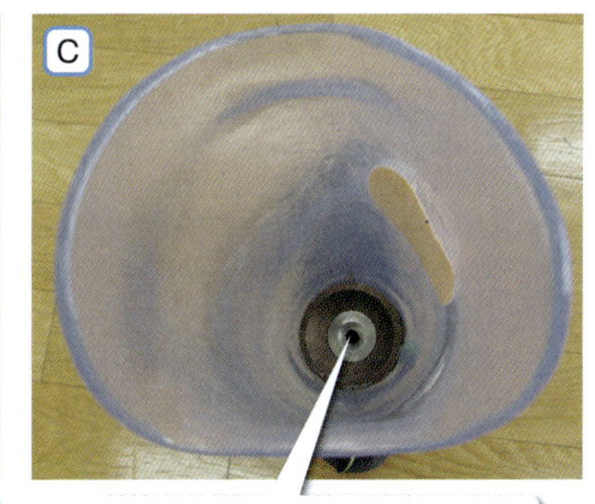

図29　ピン・ロック式の懸垂装置

シリコーンライナーの先にピン・ロックアタッチメントがついている（A）．このピン・ロックアタッチメントをライナーロックアダプタ（B）内の孔（C）に真っ直ぐに差し込むとロックされ懸垂機能をもつ．斜めに孔に差し込まれると正常にロックされず，断端がソケット底まで入りきらない状態で止まってしまう．また，装着を補助するものとして，ピン・ロックアタッチメントとライナーロックアダプタが磁石によって引き寄せ合うもの，ピン・ロックアタッチメントが弾性をもつものなどがある．

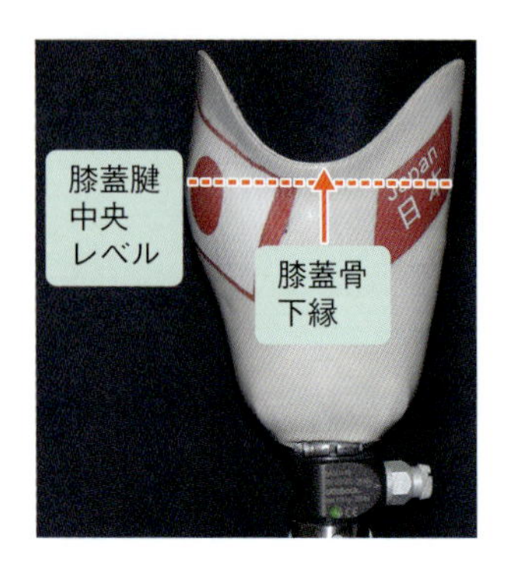

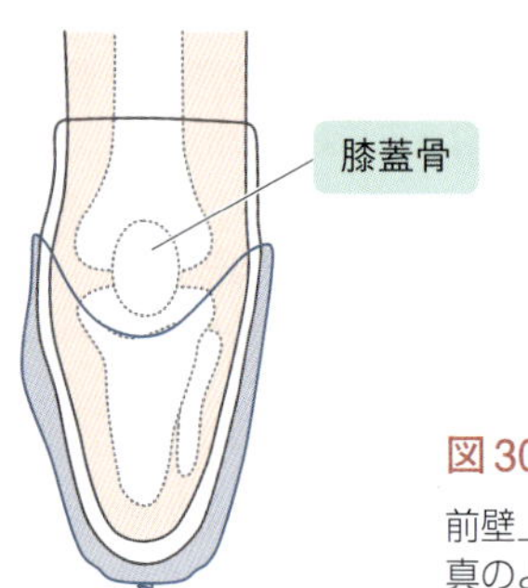

図30　TSB式ソケット前壁上縁の高さ

前壁上縁の高さは基本的に膝蓋骨下縁とするが，写真のように断端機能によっては膝蓋腱中央（MPT）での体重支持機能を若干もたせる場合もある．

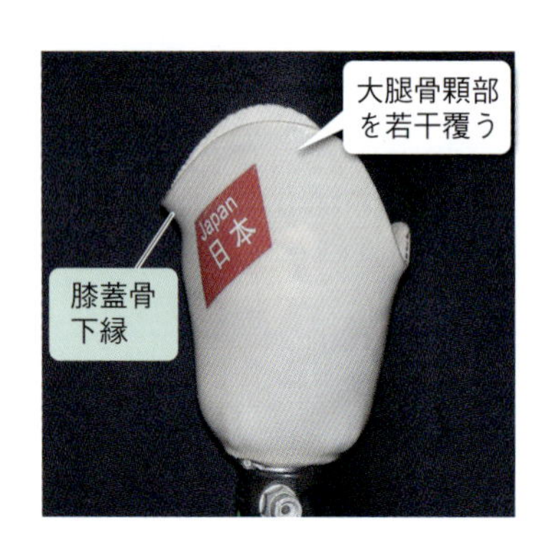

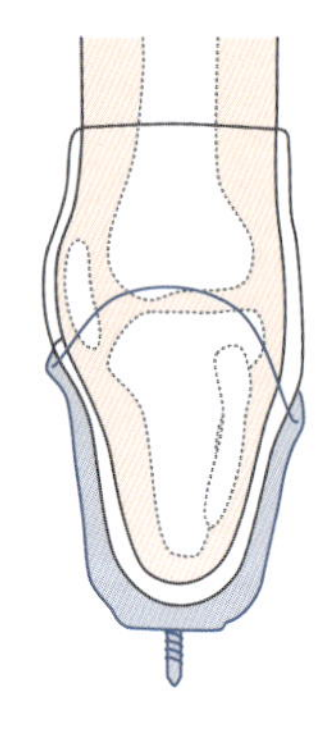

図31　TSB式ソケット側壁上縁の高さ

側壁上縁の高さは基本的に大腿骨顆部を若干覆う程度であるが，断端機能（内外側の固定性をどの程度期待するか）によっては大腿骨顆部を覆う面積を増やす．

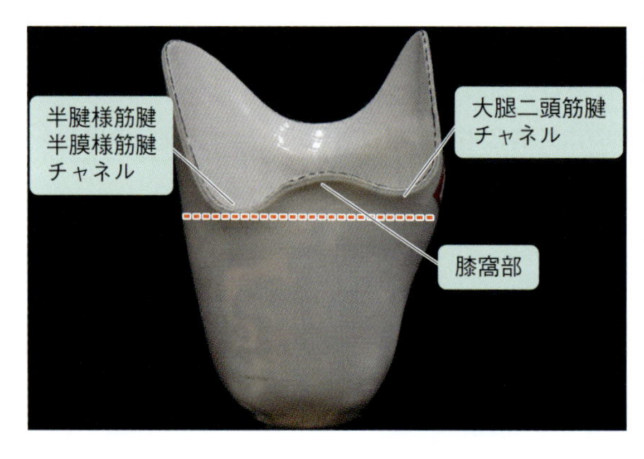

図32　ソケット後壁上縁の高さとハムストリングス腱のチャネル

半腱様筋腱，半膜様筋腱，大腿二頭筋腱をまとめてハムストリングス腱という．前壁上縁が膝蓋骨下縁である場合には，膝窩部のカウンター機能は必要ないため後壁上縁の高さは，膝関節屈曲を妨げない高さ（----で示した内外側ハムストリングスのチャネルの下縁の高さ）まで下げることができる．写真は，前壁に膝蓋腱中央部での体重支持機能を若干もたせているため，後壁には膝窩部のカウンター機能が必要となる．よって，内外側ハムストリングスチャネルも存在している．

※8　ソケット採型のポイント

シリコーンライナーを装着して採型するため，水平面の形状も円筒状になりやすい．水平面の形状が円筒状になるとソケット内での断端の回旋が起きやすくなる．水平面の理想的な形状は，“丸みをおびた三角形”である．陰性モデル製作時に水平面における形状で脛骨稜を頂点とした三角形となるように注意する．

※9　TSB式の類似型ソケット

臨床的には，図30のようにTSB式ソケットの要素にPTB式ソケットの要素を組み込んだ類似型ソケットが製作されることが多い．

3 体重支持

- **断端全表面で体重を支持**する.
- 初期屈曲角を必要としない※4.

4 懸垂機能

ピン・ロック式，シールインシステム，サスペンションスリーブ，機械式ポンプなど，さまざまな懸垂装置が開発されている（図29，33～35）.

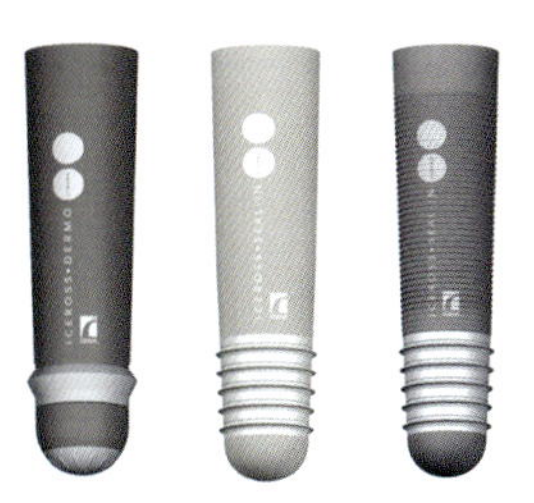

図33 懸垂装置—シールインシステム
外ソケットに一方向弁が設置され，これを用いてソケット内を受動的な陰圧状態として懸垂する．また，シリコーンライナーの遠位端にシリコーン製のヒダが取り付けられており懸垂力を補助する．写真提供：オズール社.

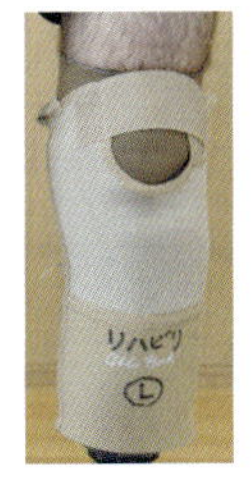

図34 懸垂装置—サスペンションスリーブ
内ソケットとしてピン・ロックアタッチメントがないシリコーンライナーを装着したうえに外ソケットを装着．さらに懸垂補助装置としてその上にサスペンションスリーブ（左）を装着する．写真提供：Ottobock社.

A

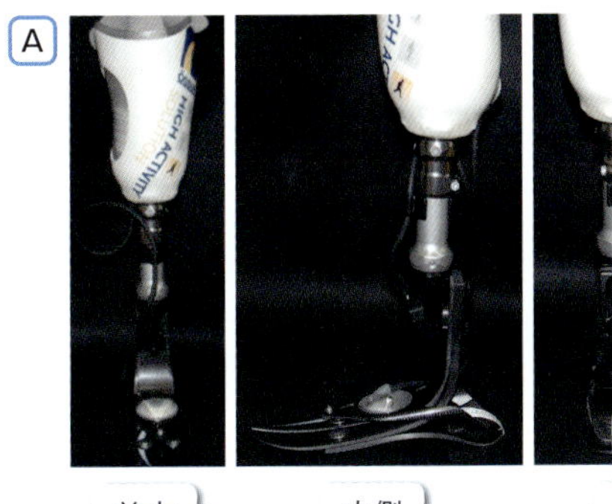

B

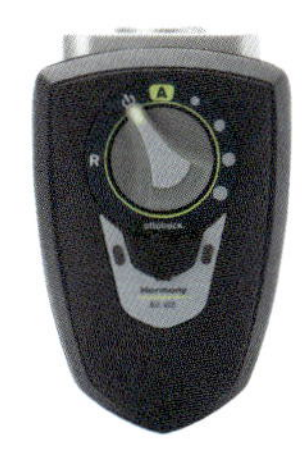

図35 機械式ポンプタイプのソケット装置
A）Unity®（オズール社製）．踵接地後の圧力によりソケット内を陰圧に保つことで懸垂する．B）ハーモニーシステム（Ottobock社製）．ポンプと排気バルブを使用して効果的にソケットとライナー間の空気を排出する．機械式ポンプ（右），または電気式（中）の場合はセンサーにより，一歩ごとに設定範囲内でソケット内の陰圧を高めるように圧力を調整する．これにより断端の周径変動を抑え，良好な適合を得ることができる．写真提供：Ottobock社.

6) 下腿義足ソケットの適応について

1)～5)で解説した下腿義足ソケットにおける適応とその理由について表2に示す.

表2 下腿義足ソケットの適応とその理由

ソケット種類	差し込み式	PTB式	PTS式	KBM式	TSB式
適応	本ソケットに長年慣れ親しみ，他のソケットを拒否する者.	短断端を除く下腿切断症例.	①PTB式よりも短断端症例にはよい適応. ②膝関節が内外側へ動揺性をもつ症例. ③正座や横座り動作が必要な症例.	①PTB式よりも短断端症例にはよい適応. ②PTB式よりも懸垂力を必要とする下腿切断症例. ③端座位での膝蓋骨周辺の外観（衣服を通じての膝蓋骨のシルエット）を求める症例.	①シリコーンアレルギーを除く下腿切断症例. ②極短断端を除く下腿切断症例.
理由	他のタイプのソケットに比べて，改善すべき点が多々あり，新規製作する際に選択することはほとんどないため.	短断端では，荷重部が確保できないため.	①PTB式よりも前壁・側壁が高くソケットと断端の接触面が確保できるため. ②PTB式よりも側壁が高く，膝関節の動揺をソケットにより抑えられるため. ③過屈曲位ではソケットが脱げることにより，これらの動作が可能となるため.	①PTB式よりも側壁が高くソケットと断端の接触面が確保できるため. ②膝カフによる懸垂力よりも優れているためピストン運動が少ない. ③ソケット前壁が膝蓋骨下縁の高さであり，PTS式で認める端座位時の膝蓋骨部のソケット突出がないため．また，膝カフも必要とせず大腿部の外観が非常によいため.	①内ソケットにシリコーンライナーを装着するため，この素材に対して接触性皮膚炎のある者は装着することができない. ②内ソケットにシリコーンライナーを装着するため，断端長がきわめて短いとシリコーンライナーと断端との間にピストン運動が生じてしまうため.

4 下腿義足ソケット評価

- 下肢切断者の残存身体機能と義足機能を最大限に発揮させるためには，ソケットと断端との最適な適合が必要不可欠である．以下，TSB式ソケットを例としてソケットの評価方法について解説する.

1) ソケット前後径

参照
断端の前後径，内外径の測定方法は第Ⅰ章2参照

- 断端の前後径と比較する（参照）.
- 膝蓋腱中央レベルで，膝蓋腱中点と後壁中点を結ぶ前後径を測定する（図36）.

2) ソケット内外径

- 断端の内外径と比較する（参照）.
- 膝蓋腱中央レベルで，膝蓋腱中点と後壁中点を結ぶ直線の中点を通り，後壁と平行な内外径を測定する（図37）.

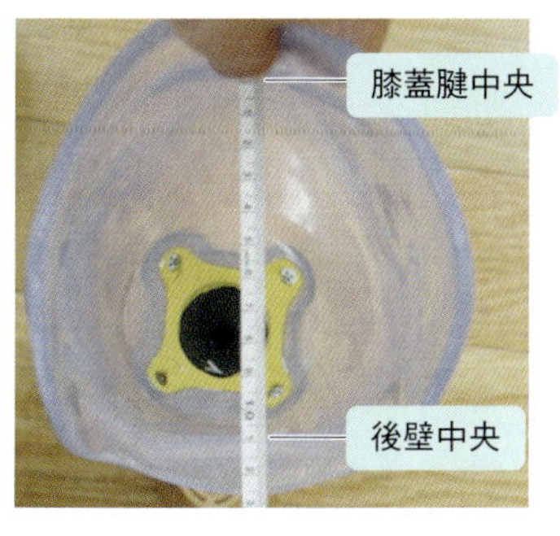

図36　ソケットの前後径測定

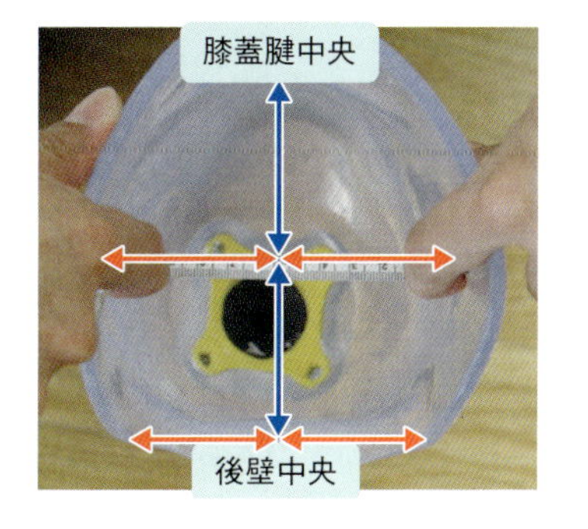

図37　ソケットの内外径測定

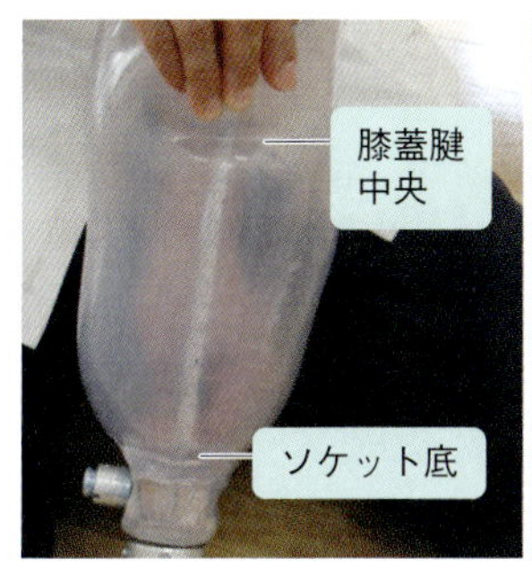

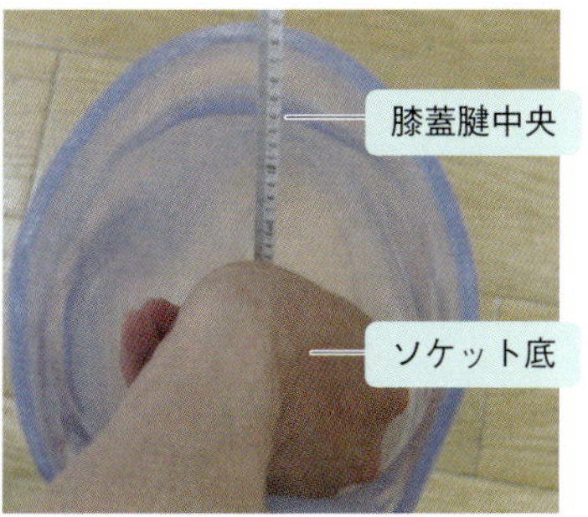

図38　ソケットの深さ測定

3）ソケットの深さ

参照 断端長，断端周径の測定方法は第Ⅰ章2参照

- 断端長と比較する（参照）.
- 断端長とソケットの深さは直線距離で測定する（図38）.
- この直線距離による測定は，断端長測定ではソケットの深さ測定に比べ厳密な直線距離の測定とならないことから誤差が生じる可能性がある.
- 臨床では，この方法の測定誤差を小さくする別法として，断端長測定では断端後面に，ソケット深さ測定ではソケット後壁に，メジャーを沿わせて測定する方法がある.

4）ソケット内周径

- 膝蓋腱中央レベル，脛骨下端レベルの断端周径と比較する（参照）.
- 各レベルにおいてソケット内壁にメジャーを沿わせて測定する. 図39のように両面テープを利用すると測定しやすい.
- 長断端の遠位部（ソケットの深部）などの測定が難しい部位に対しては，測定レベルにテープを一周貼り付けて，剥がしたテープの長さをメジャーで測定してもよい（図40）.

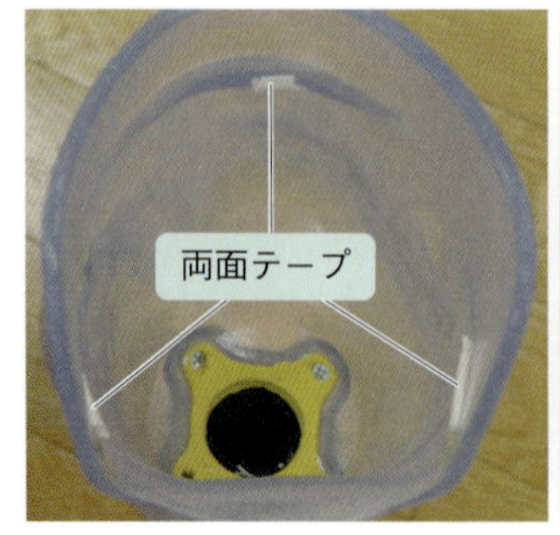

図39　ソケットの内径測定①

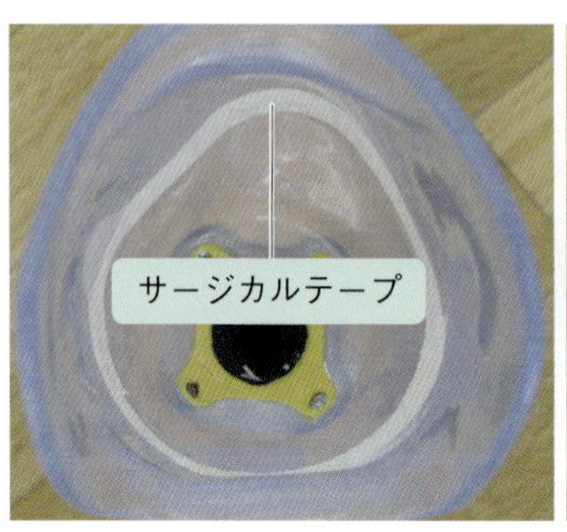

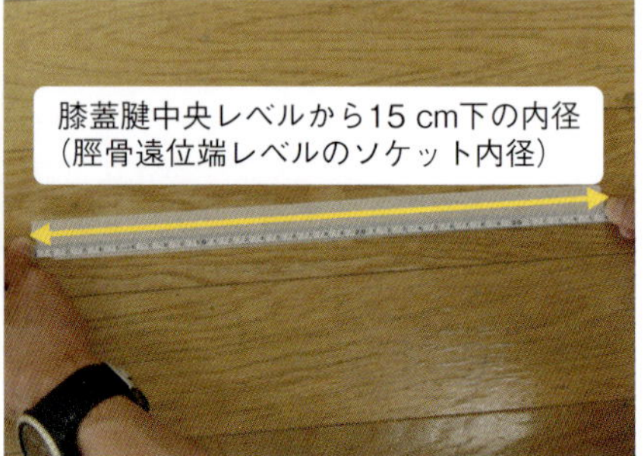

図40　ソケットの内径測定②

参考図書

- 「Q&Aフローチャートによる下肢切断の理学療法 第4版」（細田多穂／監，原 和彦，他／編），医歯薬出版，2018
- 「義肢装具学テキスト 改訂第3版」（細田多穂／監，磯崎弘司，他／編），南江堂，2017

7 サイム義足ソケットの種類と適合評価

学習のポイント

- サイム切断の特徴について学ぶ
- 代表的なサイム義足ソケットの種類と特徴・構造を学ぶ
- サイム義足ソケット評価方法を学ぶ

1 サイム切断の特徴

- サイム切断は足関節で切断するため足機能が失われる.

1）サイム切断の利点

- **断端末端での体重負荷**が可能であること.
- 長い断端（図1）による梃子の作用により**正常に近い歩行能力**が期待できること.
- 義足なしでも歩行が可能であること.
- 断端末端は角質が豊富である**踵部の皮膚**を利用しているため外力に対する抵抗性が強いこと.
- 断端末端の膨隆により義足の**懸垂が得やすい**こと.

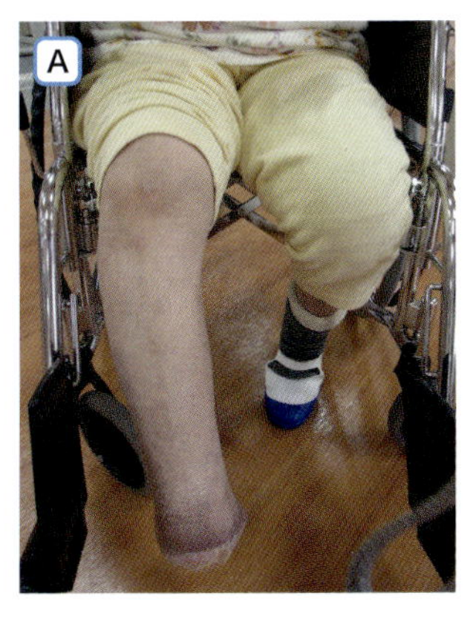

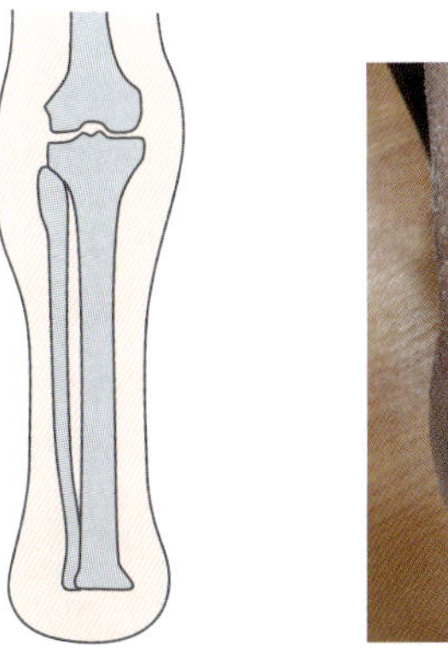

図1 サイム切断の断端形状

A）文献1より引用. B）サイム切断を正面からみた図.

図2 サイム切断の断端末形状

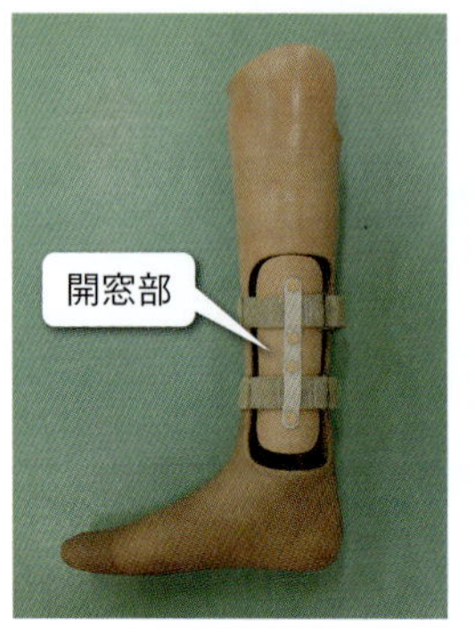

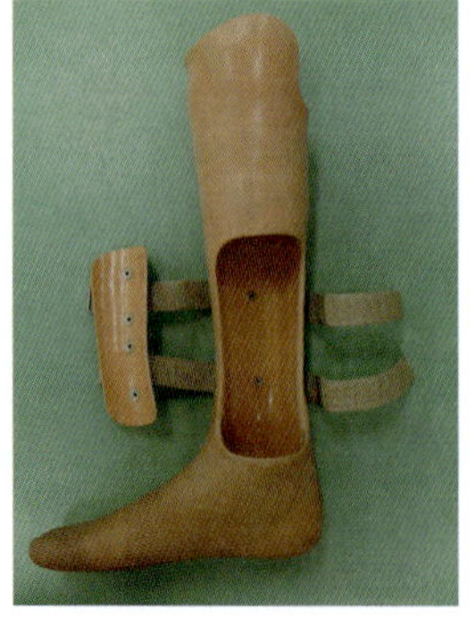

図3　VAPC内側開き式サイム義足（開窓部付きソケット）

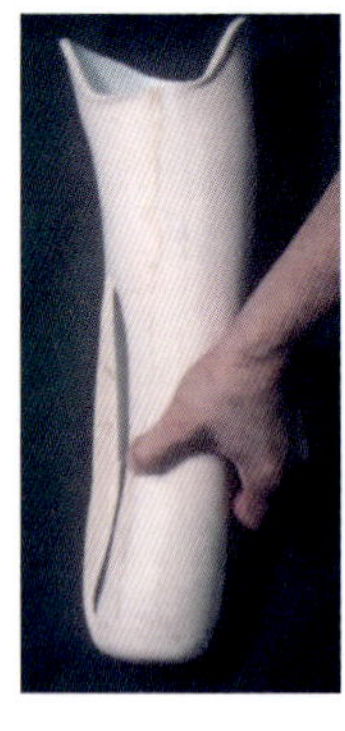

図4　切れ込みの入った内ソケット
内ソケット（スポンジゴム製ソケット）の内側壁に切れ込みを入れ，膨隆した断端末端部を通過しやすくしている．

2）サイム切断の欠点

- 内外果周辺レベルの内外径が大きくなり，**断端末端に膨隆**が生じるため，**外観が優れない**こと（この欠点から一般的に女性の切断高位としては禁忌とされている）（図2）．
- サイム義足脱着時に断端末端部膨隆がソケット内の脛骨骨幹部付近（幅の狭い部分）を通過することが困難となるため，ソケットに**開窓部**（図3）や**切れ込み**（図4）を設けるなどの工夫が必要となることがある．

2　サイム義足ソケットの特徴

1）サイム義足に求められる3つの機能

- 切断肢側踵骨の切除に伴う**脚長差**を補うこと．
- 歩行時の**立脚後期（踏み切り期）で切断肢側に前足部の支持**が得られること．
- 切断肢側に**足関節底背屈運動**に代わる機能があること．

2）サイム義足の種類

❶ 在来式サイム義足（conventional type syme prosthesis）（図5）

- セルロイド製もしくは革製のソケットに木製足部を取り付けた義足．
- 断端末端部膨隆をソケット内に入れやすくするため，ソケット後面が開いており紐の締め具合で断端との適合を調整する．
- ソケット遠位端（断端末）の内外径が大きく外観に問題がある．
- 装着後，紐を縛ることで適合調整する．

❷ カナダ式合成樹脂製サイム義足（図6）

- 在来式の欠点を改善する義足として開発された．

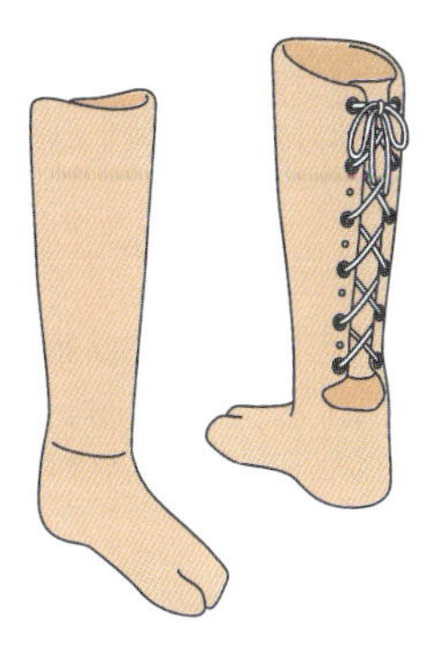

図5　在来式サイム義足

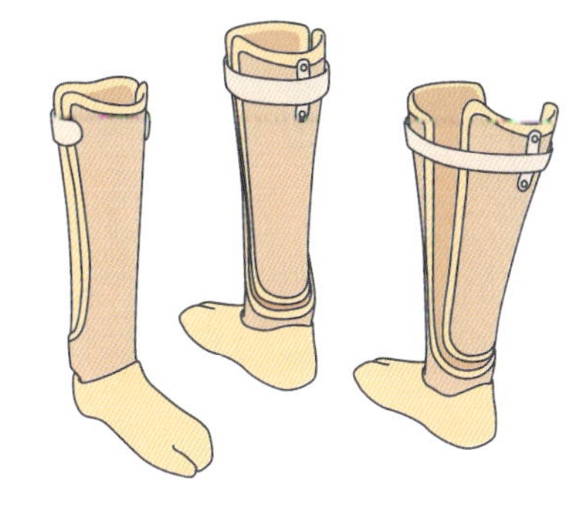

図6　カナダ式合成樹脂製サイム義足

- 在来式に比べ軽量化が図られ着脱が容易になったが，外観および適合感や耐久性には問題が残っている．
- 合成樹脂製ソケットにSACH足部を取り付けた義足（参照）．

参照
SACH足部は第Ⅰ章12参照

- 断端末端部膨隆をソケット内に入れやすくするため，断端末端部膨隆の直上ソケット後面部が切り離されている．

❸ VAPC内側開き式サイム義足（veterans administration prosthetic center, plastic syme prosthesis with medial opening）（図3）

- 合成樹脂製ソケットにSACH足部を取り付けた義足．
- 断端末端部膨隆をソケット内に入れやすくするため，断端末端部膨隆の直上ソケット内側部に**開窓部**をもつ．
- 断端末に**ウレタン製クッション**を敷いて断端末荷重の衝撃を緩和することもできる（後述）．

❹ 軟ソケット付き全面接触式サイム義足（HRC）（図7）

- PTB式ソケットをもつ下腿義足と同様の適合方法で荷重部を増し脛骨顆および膝蓋腱にも負荷させる（参照）．

参照
PTB式ソケットの下腿義足は第Ⅰ章6参照

- ソケット後壁を低くして膝関節屈曲角度を確保している．
- 断端がソケットと**全面接触**することによって適合性がよく，長い断端に全面接触することで懸垂力を得ている．
- 開窓部をもたないため外観と耐久性に優れる．

❺ その他インターフェイスの活用

- 下腿切断長断端用のライナー（シリコーンやウレタンで造られた断端に装着する袋で義足懸垂や断端への緩衝機能をもつ）をインターフェイスとして活用する場合もある（図8）．

3）サイム義足の体重支持方法

- PTB式ソケットの下腿義足と同様に，前壁上縁の中央に膝蓋腱中央部（MPT）で体重を支持する**支持バー**を設ける場合もある（参照）．

参照
PTB式ソケットの下腿義足は第Ⅰ章6参照

- 支持バーの有無は，断端末荷重が可能である場合には不要とされることもあるが，断端末荷重量により膝蓋腱支持力の程度は判断される．

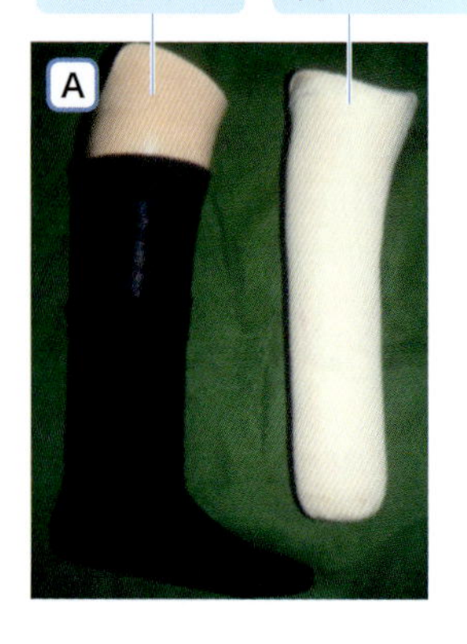

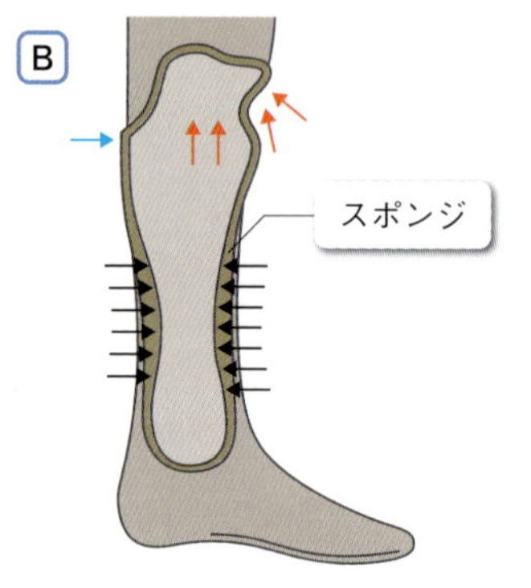

図7　軟ソケット付き全面接触式サイム義足

A）外ソケットは合成樹脂製ソケット，内ソケットはスポンジゴム製ソケット．B）断端末端部膨隆直上をスポンジで埋めて全面接触する構造になっている．PTB式ソケットと同様，脛骨顆および膝蓋腱への荷重力を示す（→）．ソケット後壁を低くして膝関節の深屈曲を可能としている（→）．断端骨幹部の細い部分をスポンジで埋めることにより断端とソケットが全面接触しソケットの懸垂力として働く力を示す（→）．

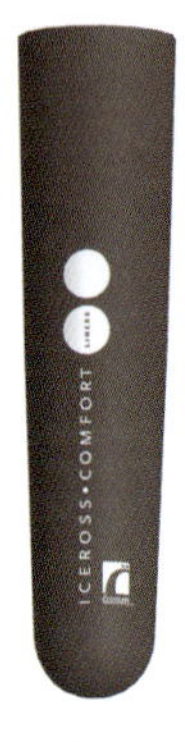

図8　Iceross® コンフォートクッションライナー（オズール社）

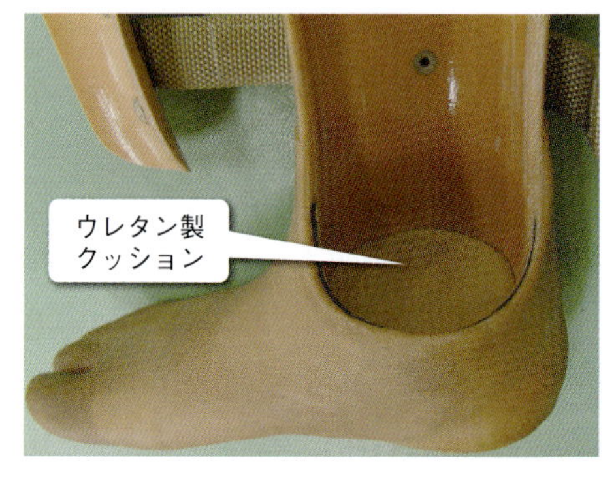

図9　VAPC内側開き式サイム義足における断端末荷重への工夫（ウレタン製クッション）

- 断端末荷重により疼痛が生じている症例には，断端末に**ウレタン製のクッション**などを敷き込むこと（図9）や，支持バーを設置し膝蓋腱部による支持力を高めるなどの工夫も必要である．
- 基本的な荷重部は，PTB式ソケットと同様である（荷重部：前脛骨筋，脛骨前内側面，下腿三頭筋，免荷部：脛骨内外顆上縁，脛骨粗面，腓骨頭，脛骨稜，腓骨末端部，脛骨末端部，ハムストリングス腱部）．
- ただし，PTB式ソケットほど，明確な荷重部と免荷部の圧差はつけない．
- 懸垂機能は，断端全面接触および断端末端（内外果）の膨隆を利用する．

3 サイム義足ソケット評価（参照）

参照
断端長測定方法は第Ⅰ章2参照

- 下肢切断者の残存機能と義足機能を最大限に発揮させるためには，ソケットと断端との最適な適合が必要不可欠である．以下，サイム義足ソケット評価方法について解説する．測定方法は基本的には大腿義足や下腿義足と同様である．

1）ソケット前後径

- 断端の前後径と比較する．
- 下腿義足ソケットと同様，膝蓋腱中央（MPT）レベルで，膝蓋腱中点と後壁中点を結ぶ前後径を測定する（参照）．

参照
下腿義足は第I章6参照

2）ソケット内外径

- 断端の内外径と比較する．
- 下腿義足ソケットと同様，膝蓋腱中央部レベルで，膝蓋腱中点と後壁中点を結ぶ直線の中点を通り，後壁と平行な内外径を測定する．

3）ソケットの深さ

- 断端長と比較する．
- 下腿義足ソケットと同様，断端長とソケットの深さは直線距離で測定する．
- ソケットの深さ測定では，ソケット内が狭く測定者の手がソケット内に入らないため測定することが難しい．
- 「スチールメジャー」を利用してソケット底から支持バーまでの直線距離を測定する（図10）．

4）ソケット内周径

- 下腿義足ソケットと同様，膝蓋腱中央レベル，脛骨下端レベルの断端周径と比較する．
- 各レベルにおいてソケット内壁にメジャーを沿わせて測定する．下腿義足ソケットのように両面テープを利用すると測定しやすい．遠位部などの測定が難しい部位に対しては，測定レベルにテープを一周貼り付けて，剥がしたテープの長さをメジャーで測定してもよい．
- 脛骨下端レベルなどソケット遠位端の測定は困難となるため厳密な測定はできない（場合によっては，ソケット外部周径を測定してその値からソケットの厚さ分を減算して比較することもある）．

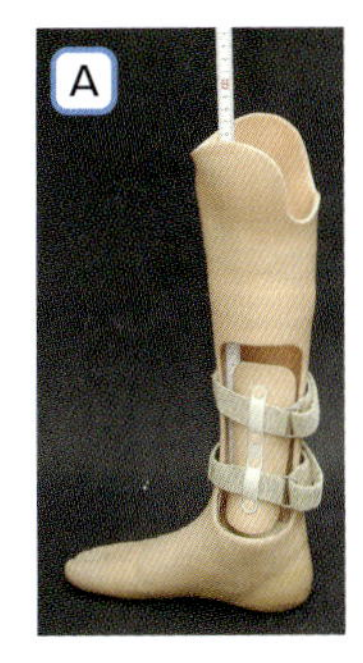

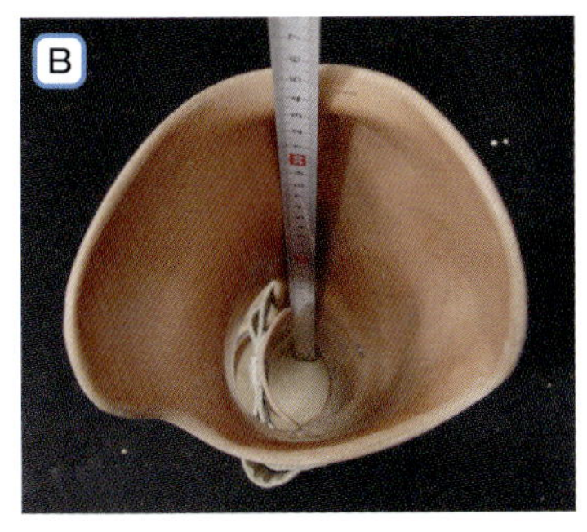

図10 ソケットの深さ

A）矢状面．B）水平面．スチールメジャーの「0」をソケット底に合わせ，支持バーまでの直線距離を測定する．

文献

1）豊田 輝：足部切断・離断者に対する理学療法—評価から生活指導まで．理学療法，32：336，2015

第I章 義肢学

8 下腿義足・サイム義足アライメント

学習のポイント

- 下腿義足・サイム義足におけるベンチアライメント設定を学習する
- 下腿義足・サイム義足におけるスタティックアライメント設定を学習する
- 下腿義足・サイム義足におけるダイナミックアライメント設定を学習する

1 下腿義足・サイム義足アライメントについて

- 下腿義足・サイム義足のアライメントも大腿義足・膝義足アライメント同様，「**ソケットと足部の位置関係**」のことである．
- 切断者の残存機能を最大限に活かすために，身体機能評価の可能な理学療法士がアライメント調整することは重要な治療手段となりうる．
- 下腿・サイム義足アライメントも，**ベンチアライメント**（bench alignment），**スタティックアライメント**（static alignment），**ダイナミックアライメント**（dynamic alignment）の3工程を経て調整する（参照）．

参照
アライメントの工程は第Ⅰ章5図1参照

- アライメント調整の前に**ソケット適合**を確認し，ソケット適合に問題がないことを確認したうえでアライメント調整を行う．

2 ベンチアライメント設定

参照
大腿義足・膝義足のベンチアライメントは第Ⅰ章5 3 参照

- 基本的には大腿義足・膝義足アライメントと同様である（参照）．
- ベンチアライメントとは，作業台の上でソケットと足部の位置関係や軸位を設定し組み立てる工程（厳密には，切断者が義足装着する前に作業台上で義足を組み立てる工程）のことである．
- 臨床では，切断者が義足を装着していない状態での義足アライメントを広義的に「ベンチアライメント」と表現していることが多い．
- ここでは下腿・サイム義足のベンチアライメントにおける前額面，矢状面，水平面の基準を示す．

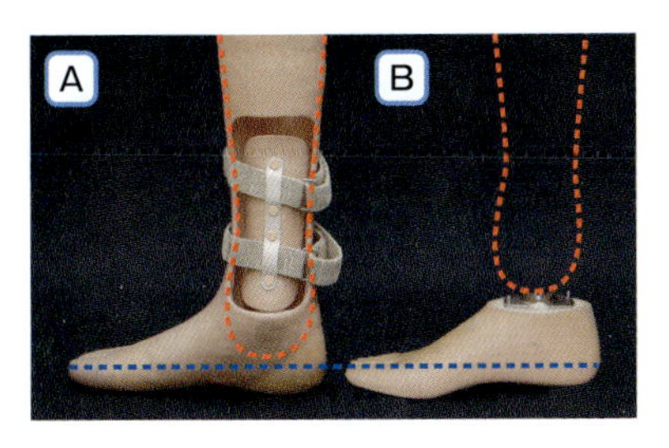

図1　サイム切断の足部選定

A）サイム義足．B）SACH足部．-----はサイム切断の断端形状を示す．下腿義足や大腿義足で使用する一般的なSACH足部にソケットを取り付けた場合，義足長が非切断肢側よりも長くなってしまう．

図2　サイム義足で使用可能なエネルギー蓄積型足部

A）フレックスサイム．写真提供：オズール社．B）プロサイム（1C20）．写真提供：Ottobock社．スタティック/ダイナミックアライメントの際にも足部底背屈/内外反方向への角度調整が可能な足継手をもつ．

1）義足足部に靴を装着させる

下腿義足

- 義足歩行範囲が屋内に限定する者の場合には，**靴の装着**は「なし」とする（室内でも靴を装着して生活する場合には靴を装着させる）．
- 屋外歩行や屋外での立位動作を必要とする者は必ず靴を装着させる．
- 装着させる靴は，今後の日常生活活動（ADL）において最も使用率の高いものとする．
- 特に低活動性者の場合には，踵の高さがない靴を選択する（靴の有無によるアライメントの差をなくすため）．

サイム義足

- 靴の装着における留意点は，下腿義足と同様である．
- サイム義足用足部を使用する．
- 断端長が長い（内外果レベルまで残存する）ため，大腿・下腿切断者用の義足足部を使用すると義足側の下肢長が長くなってしまう（図1）．
- 近年，サイム義足用のエネルギー蓄積型足部（図2）が開発されているため，高い身体機能をもった切断者に応じた処方が可能となっている（）．

参照
エネルギー蓄積型足部は第I章12参照

2）足部が床面上で安定している状態をつくる

下腿義足

- 靴底（足底）面をベンチ（作業台）上に安定するように設置する．
- **前額面・矢状面**：下腿軸（パイロン）を作業台に対して垂直に設置する．

サイム義足

- 靴底（足底）面を作業台上に安定するように設置する．

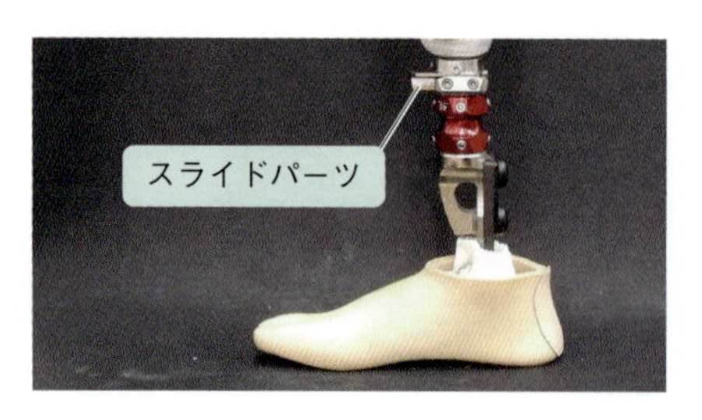

図3　スライドパーツの設置（通常は靴あり）

靴の種類によりヒール高の高さ（前足部底部と踵部底部の高さの差）が異なる．このため，靴の装着の有無により矢状面のアライメントは大きく異なり，靴なしで設定したアライメントでは，ヒールの高い靴を履かせて歩行することは困難となる．よって，屋外歩行機会が多い切断者の場合には，ベンチアライメント設定時から日常生活で装着予定の靴を履かせてアライメント設定を行う．特に，はじめて義足装着練習する場合には，前足部底部と踵部底部の高さの差がない靴を選択する．

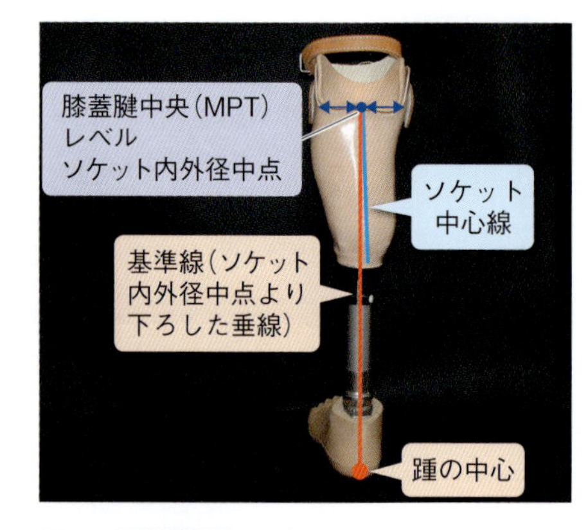

図4　下腿義足のベンチアライメント（前額面）（左脚）

前額面において基準線とソケット中心線のなす角を初期内転角という．

3）スライドパーツを取り付ける

下腿義足

- 必要に応じてスライドパーツを取り付ける（図3）．
- **前額面**：スライドパーツ上面を作業台に対して水平に設置する．

サイム義足

- 断端が長いため下腿義足で使用するパーツなどは組み込めない．

4）ソケットを初期内転位に設置する（前額面）（図4）

下腿義足

- このソケット初期内転角設定の理由は生理的な脛骨弯曲角度に合わせるためである．
- 断端が短いほど外転する傾向にあり，短断端では軽度外転角がつく．長断端ほど初期内転角が大きくなる．

サイム義足

- 足部設置位置により「**安定性**」を重視するか，「**外観**」を重視するかが異なる（図5）．
- 「安定性」を重要視する場合には，サイム義足ソケットの膝蓋腱中央（MPT）レベルの内外径中心点から下ろした基準線（垂線）が踵の中心を通るように設定する（図5A）．この場合，安定性はよいが，ソケット遠位内側部が突出するため外観は不良となる．
- 「外観」を重要視する場合には，ソケットのMPTレベルの内外径中心点から下ろした基準線が踵の中心よりも外側に位置するように設定する（図5B）．この場合，ソケット遠位内側部の突出が減るため外観はよいが，荷重時に義足が外側へ倒れやすく膝が外側へ押し出され不安定となる．

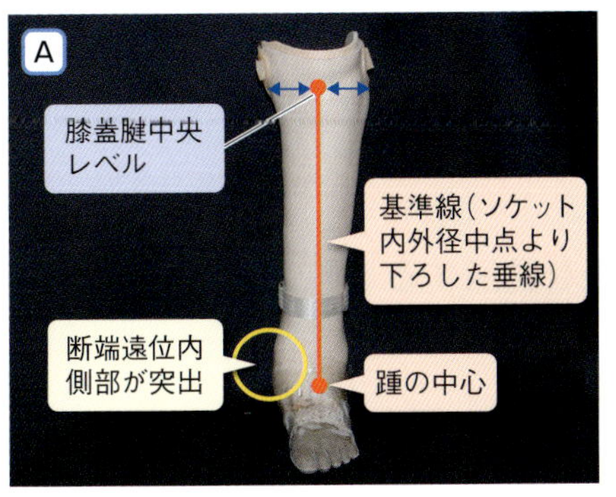

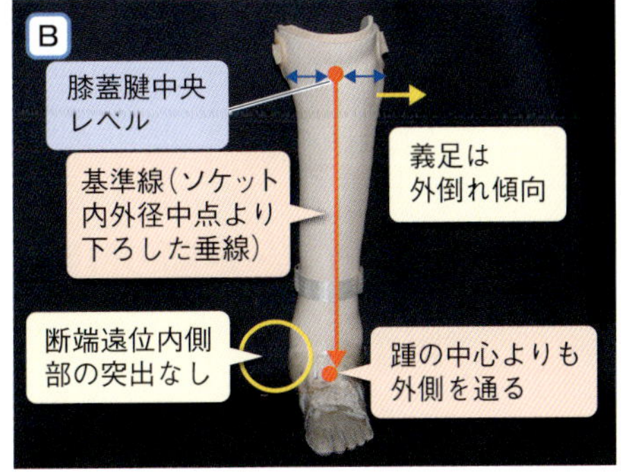

図5　サイム義足のベンチアライメント（前額面）（左脚）

A）「安定性」重視アライメント．B）「外観」重視アライメント．

表1　断端長に応じたソケット初期屈曲角度（膝関節拘縮なしの場合）

断端長	初期屈曲角度
長断端	5～10°
中断端	10～25°
短断端	25～35°

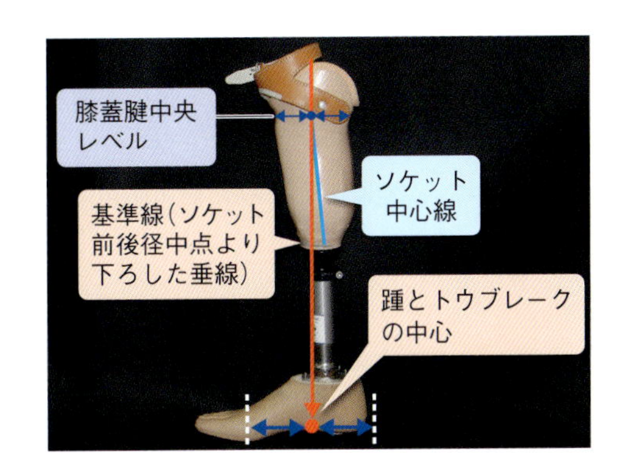

図6　下腿義足のベンチアライメント（矢状面）（右脚）

矢状面において基準線とソケット中心線のなす角を初期屈曲角という．

5）ソケットを屈曲位に設置する（矢状面）

下腿義足

- PTB式/PTS式/KBM式ソケットでは，断端長に応じて初期屈曲角度を設定する（表1，図6）．
- TSB式ソケットでは初期屈曲角度を設定する必要はなし（**支持バー**を設置した場合には初期屈曲角度を設定する）．
- 屈曲拘縮がある場合には，拘縮角度に＋5°加えた角度とする．
- このソケット初期屈曲角設定の理由は2つある．
  - ▸1つ目：「stretch shortening cycle」を利用して大きな膝関節伸展筋力を得るため．
  - ▸2つ目：断端前面での体重負荷を増やすため．

サイム義足

- 通常，サイム義足における初期屈曲角度は，断端長が長くレバーアームにより膝伸展筋力が十分に義足に伝わるため設定は不要※1とされている．

※1　サイム義足で初期屈曲角が必要な場合
断端末荷重が期待できない場合には，支持バーを設けて膝蓋腱での荷重量を増やす．その際，確実な膝蓋腱での体重支持を得るため初期屈曲角度をつける．

6）ソケット・足部の位置関係を調節する

下腿義足

- **前額面**：膝蓋腱中央レベルにおけるソケット内外径中心点から降ろした基準線（垂線）は，踵中心に落ちる．また，切断者の生理的な脛骨の弯曲に応じて初期内転角を設定する（図4）．
- **矢状面**：膝蓋腱中央レベルにおけるソケット前後径中心点から降ろした基準線（垂線）は，足部踵とトウブレーク（toe break）間の中心に落ちる．また，断端長に応じてソケット初期屈曲角を設定する（図6）．
- **水平面**：ソケット後壁と直行する線を進行方向とする．この進行方向に対して約15°の足先角（トウアウト角）を設定する（図7）．
- 初期内転角や初期屈曲角，スライドパーツの調整などは大腿義足・膝義足と同様に行う．

サイム義足

- ソケットと足部を連結後，特別な足部（図2）などを使用しない限り工具を使用してアライメントを調整することはできない．

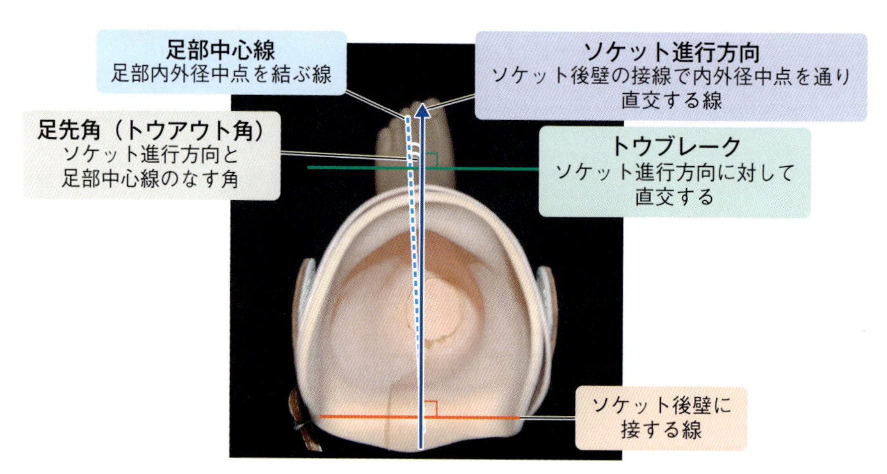

図7　下腿義足のベンチアライメント（水平面）（左脚）

3 スタティックアライメント設定

参照
大腿義足・膝義足のスタティックアライメントは第Ⅰ章5 4参照

- 基本的には大腿義足・膝義足アライメントと同様である（参照）.
- スタティックアライメントとは，ベンチアライメントで設定した義足を切断者に装着させて**静止立位による姿勢観察**からアライメント調整する工程のことである.
- ここでは，下腿・サイム義足におけるスタティックアライメントにおける適合チェックと姿勢観察の基準を示す.

1）ソケットを装着させ適合を確認する（下腿義足・サイム義足）

1 座位での適合評価

- 内ソケット（軟ソケット・シリコーンソケットなど）を装着し断端との間に隙間がないか確認する.
- 外ソケットを装着して疼痛がないかを確認する.
- 義足装着下における膝関節屈曲の可動域を測定する（後壁の突き上げ確認）.

2 立位での適合評価

- 膝蓋腱中央が支持バー位置と合っているか，支持バーを必要としない義足では，膝蓋骨下縁とソケット前壁上縁との位置関係を確認する.
- ソケット底部に隙間がないことを確認する.
- 義足装着下で荷重させ，切断者自身の主観的な装着感（疼痛の有無）※2を確認する.
- ソケット上縁が軟部組織に食い込んでいないことを確認する.
- 荷重時と非荷重時でピストン運動※3が生じないことを確認する.
- PTB式ソケットの場合，膝カフ位置が適切なことを確認する（参照）.

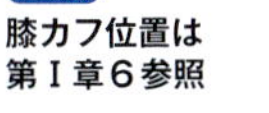
参照
膝カフ位置は第Ⅰ章6参照

※2　切断者の装着感でわかること
断端末の荷重感が強いときや疼痛がある場合には，ソケットの所定位置よりも断端が沈み込んでいる可能性が高い．逆に，断端末の荷重感が弱く断端末の皮膚の上部へのひきつり感が強い場合には，ソケットの所定位置に断端が入りきっていない可能性が高い.

※3　ピストン運動の確認方法
切断者自身の主観から評価する方法（切断者自身に断端の上下動感覚を確認する方法）と理学療法士による視覚的な方法（ソケット後壁レベルに目印を付け，荷重時と非荷重時で目印と後壁の位置関係が変化するかを評価する方法）がある.

2）足先角（トウアウト角）を確認する（下腿義足・サイム義足）

- 非切断肢側の足先角に合わせる．両側切断の場合には，約15°とする.

3）静止立位で義足長を確認する（下腿義足・サイム義足）

- 両側踵部が10 cm程度の歩隔をとらせ，両側下肢に均等な荷重をさせる（図8）.
- その際，視線は前方とし足元をみるような姿勢にならないよう注意が必要である.
- 義足長は，**腸骨稜**の上縁もしくは**上前腸骨棘**をランドマークにして左右を比較する.

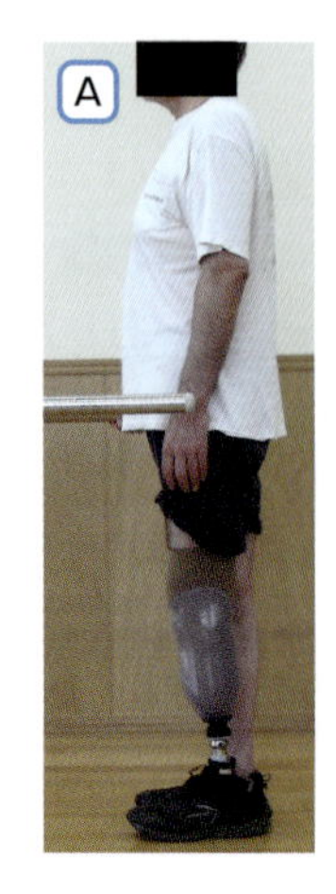

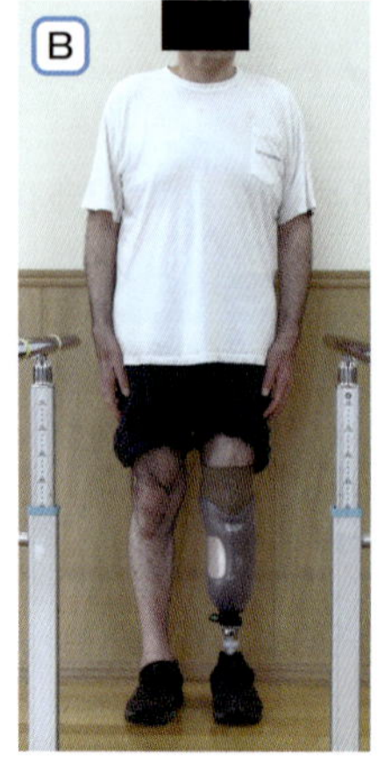

図8　スタティックアライメント評価姿勢
A）矢状面．B）前額面．

- 基本的には左右差はないように調整する．
- 骨盤骨折などにより上前腸骨棘が左右平行な位置にない場合には，臍果長や坐骨結節から床面など他の肢長をもって比較する．

4）後方バンパー（踵バンパー）の硬さを確認する（下腿義足のみ）

- 単軸足部の場合，義足を1歩前に出させ体重をかけさせる．足底部が床につく，もしくは床から1 cm以内の間隔であれば硬さは適切と判断する．
- SACH足部の場合，踵部へ全体重をかけさせる．その際，SACH足部の踵が靴の中に1 cm程度沈み込めば硬さは適切と判断する（参照）．
- 足部の踵が硬すぎると膝折れ感が出現する．

参照
SACH足部は第Ⅰ章12参照

5）前額面における立位姿勢観察

下腿義足

❶膝の外側への不安定感

- **現象①**：パイロンが垂直に立っているが外側へ倒れそうな感じ（図9A）．
  - **観察面**：前額面
  - **主な観察部位**：切断肢側膝関節，パイロン
  - **パーツ・アライメントの原因**：ソケット以下をインセット（内側に設定）し過ぎている
  - **対処**：ソケットを内側へ移動する
- **現象②**：パイロンが外側へ倒れ足底内側が浮き上がっている（図9B）．
  - **観察面**：前額面
  - **主な観察部位**：切断肢側膝関節，パイロン，義足足部内側部
  - **パーツ・アライメントの原因**：ソケット初期内転角が不足している
  - **対処**：ソケット初期内転角を増やす
  - **アライメント調整における留意点**：
    - ・ソケット初期内転角を増やす場合，大きく角度を増やすと膝蓋腱中央レベルにおけるソケット内外径中心点から降ろした前額面における基準線が踵中心よりも外側へ落ち

る場合がある．

・この際，適切なソケット初期内転角を設定したうえで（増やしたうえで），スライドパーツを調節してソケットを内側へ平行移動し基準線が踵中心に落ちるように設定する（図10）．

❷膝の内側への不安定感

● **現象①**：パイロンが垂直に立っているが内側へ倒れそうな感じ（図11A）．

▸ **観察面**：前額面

▸ **主な観察部位**：切断肢側膝関節

▸ **パーツ・アライメントの原因**：ソケット以下をアウトセット（外側に設定）し過ぎている

▸ **対処**：ソケットを外側へ移動する

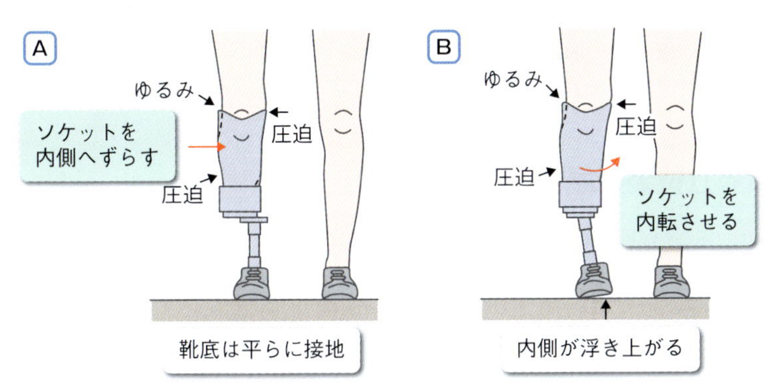

図9　膝の外側への不安定感
文献1をもとに作成．

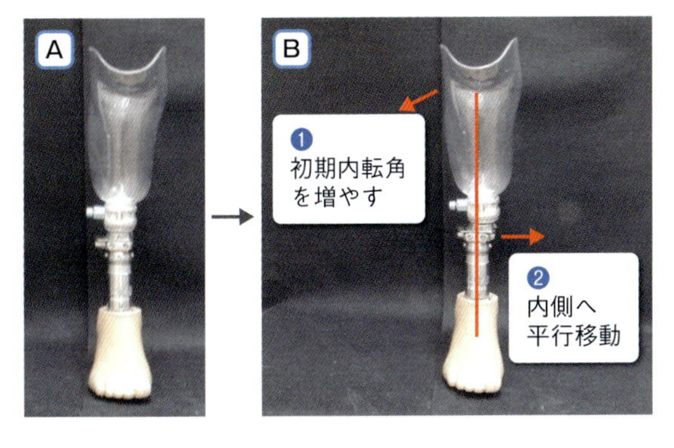

図10　初期内転角を増やすとき
A）初期内転角の不足した状態．
B）調整した状態．

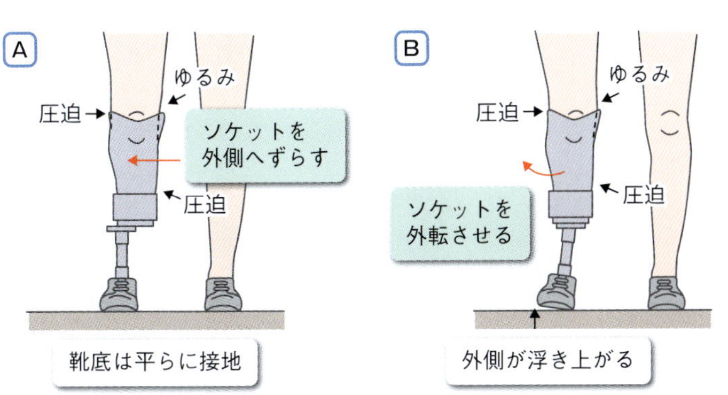

図11　膝の内側への不安定感
文献1をもとに作成．

- **現象②**：下腿支柱が内側へ倒れ足底外側が浮き上がっている（図11B）.
  - **観察面**：前額面
  - **主な観察部位**：切断肢側膝関節
  - **パーツ・アライメントの原因**：ソケット初期内転角が過大である
  - **対処**：ソケット初期内転角を減らす
  - **アライメント調整における留意点**：
    - ・ソケット初期内転角を減らす場合，大きく角度を減らすと膝蓋腱中央レベルにおけるソケット内外径中心点から降ろした前額面における基準線が踵中心よりも内側へ落ちる場合がある.
    - ・この際，適切なソケット初期内転角を設定したうえで（減らしたうえで），スライドパーツを調節してソケットを外側へ平行移動し基準線が踵中心に落ちるように設定する.

サイム義足

- ソケットと足部を連結後，特別な足部（図2）などを使用しない限り工具を使用してアライメントを調整することはできない.

6）矢状面における立位姿勢観察

下腿義足

❶膝の後方への不安定感

- **現象①**：パイロンが垂直に立っているが，義足側膝関節が後方へ押される（図12A）
  - **観察面**：矢状面
  - **主な観察部位**：切断肢側膝関節，パイロン
  - **パーツ・アライメントの原因**：義足足部に対してソケットが後方にあり，ソケット初期屈曲角が不足している.
  - **対処**：ソケットを前方へ移動し，ソケット初期屈曲角を増やす.
- **現象②**：パイロンが後方へ倒れ，義足側膝関節が後方へ押される（図12B）
  - **観察面**：矢状面
  - **主な観察部位**：切断肢側膝関節，パイロン
  - **パーツ・アライメントの原因**：後方バンパーや踵バンパー（ウェッジ）が軟らかすぎる，靴の踵の高さが低すぎる.

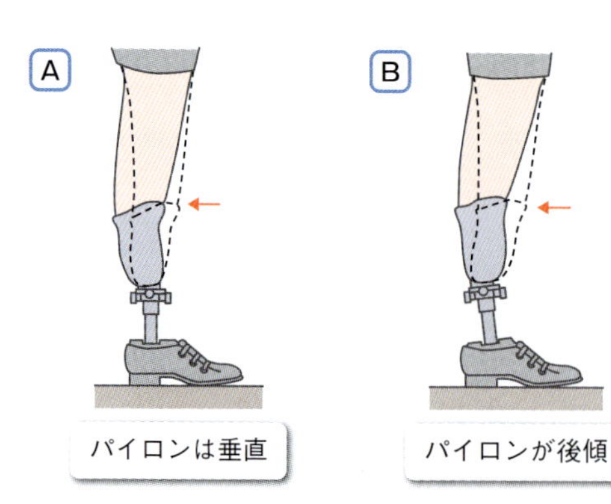

図12　**膝の後方への不安定感**
文献2をもとに作成.

▶**対処**：後方バンパーや踵バンパー（ウェッジ）を硬くする，硬い足部や踵の高い靴に交換する．

▶**アライメント調整における留意点**：

・ソケット初期屈曲角を増やす場合，大きく角度を増やすと膝蓋腱中央レベルにおけるソケット前後径中心点から降ろした矢状面における基準線が踵とトウブレーク間の中心よりも前方に落ちる．

・この際，適切なソケット初期屈曲角を設定したうえで（増やしたうえで），スライドパーツを調節してソケットを後方へ平行移動し基準線が踵とトウブレーク間の中心に落ちるように設定する（図13）．

❷膝の前方への不安定感

● **現象①**：パイロンが垂直に立っているが，義足側の膝折れ感がある（図14A）．

▶**観察面**：矢状面

▶**主な観察部位**：切断肢側膝関節，パイロン

▶**パーツ・アライメントの原因**：

・義足足部に対してソケットが前方に位置し過ぎている．

・義足足部のサイズが小さ過ぎる（トウブレーク位置が近位過ぎる）

▶**対処**：

・ソケットを後方へ移動する．

・義足足部を変更する（靴の装着のしやすさから非切断肢側マイナス0.5 cm程度のサイズとする）．

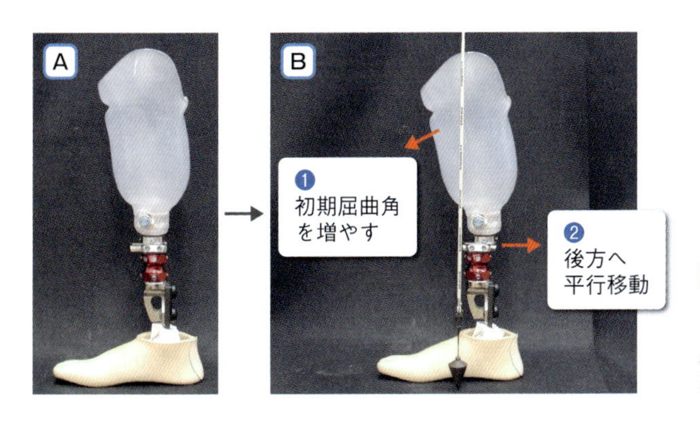

図13 ソケット初期屈曲角を増やす調整方法

A）初期屈曲角の不足した状態．
B）調整した状態．

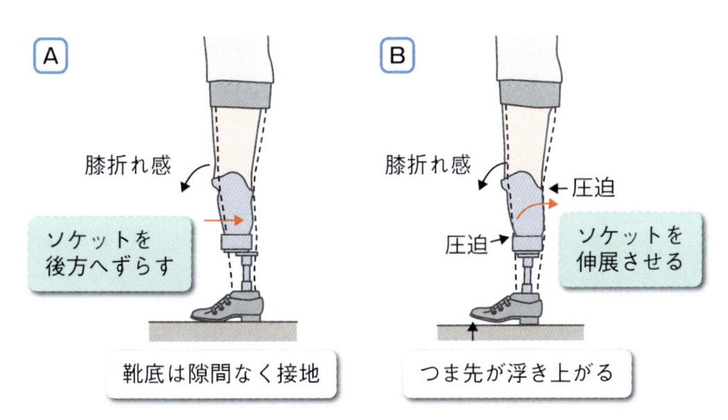

図14 膝の前方への不安定感

文献1をもとに作成．

- **現象②**：パイロンが後方へ倒れ，義足側のつま先が浮き上がり膝折れ感がある（図14B）．
  - **観察面**：矢状面
  - **主な観察部位**：切断肢側膝関節，パイロン，義足つま先
  - **パーツ・アライメントの原因**：ソケット初期屈曲角が大き過ぎる
  - **対処**：ソケット初期屈曲角を減らす
  - **アライメント調整における留意点**：
    - ・ソケット初期屈曲角を減らす場合，大きく角度を減らすと膝蓋腱中央レベルにおけるソケット前後径中心点から降ろした矢状面における基準線が踵とトウブレーク間の中心よりも後方に落ちる．
    - ・この際には，適切なソケット初期屈曲角を設定したうえで（減らしたうえで），スライドパーツを調節してソケットを前方へ平行移動し基準線が踵とトウブレーク間の中心に落ちるように設定する．つまり，図13の反対の調整を行う．

サイム義足

- ソケットと足部を連結後，特別な足部（図2）などを使用しない限り工具を使用してアライメントを調整することはできない．

7）ソケットを取り外し断端皮膚の確認（下腿義足・サイム義足）

参照
断端皮膚の確認は，第Ⅰ章5 4参照

- 大腿義足・膝義足アライメントと同様である（参照）．

4 ダイナミックアライメント設定

1）下腿義足

参照
大腿義足・膝義足のダイナミックアライメントは第Ⅰ章5 5参照

動画①

- 基本的に大腿義足・膝義足のアライメントと同様である（参照）．
- スタティックアライメントで安定しているようにみえても，ダイナミックアライメントで異常が確認されることがある（図15～23）．
- スタティックアライメントは両脚支持であるのに対して，歩行時義足側立脚中期には義足側のみでの**片脚立位**となるため微細なアライメント異常が出現しやすい．
- ダイナミックアライメントにおける観察手順およびその対処方法例について表2に示す．
- 異常歩行をみつけるための比較対象として，下腿切断者の通常歩行（ソケット適合良好，至適アライメント設定を動画で示す（動画①）．

2）サイム義足

- 義足歩行観察方法や異常歩行の原因は，下腿義足に準じる．
- ソケットと足部を連結後，特別な足部（図2）などを使用しない限り工具を使用してアライメントを調整することはできない．

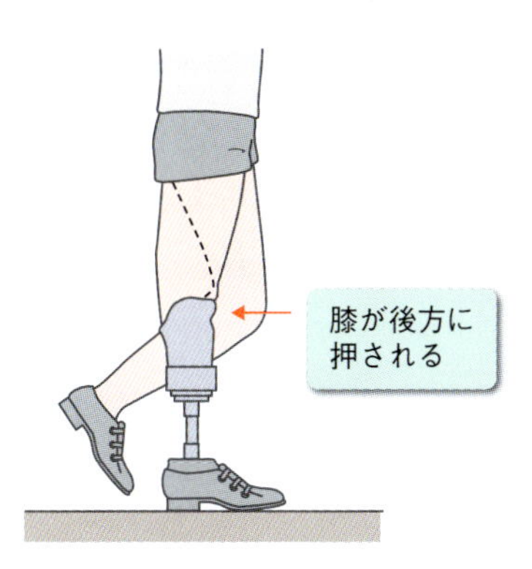

図15　過度の安定（膝伸展位）①
文献1をもとに作成.

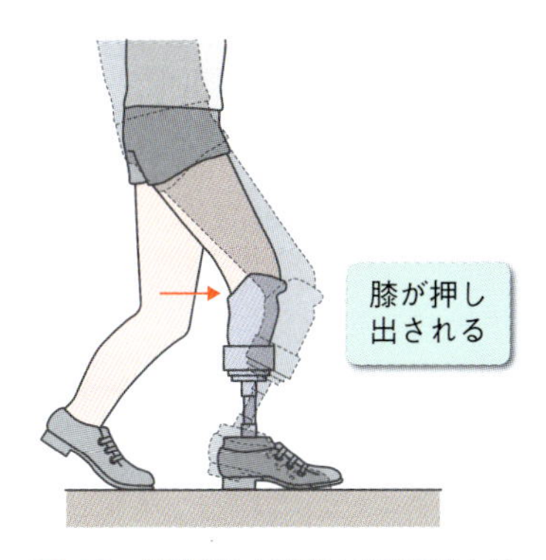

図16　膝折れ（急激な膝屈曲）①
文献1をもとに作成.

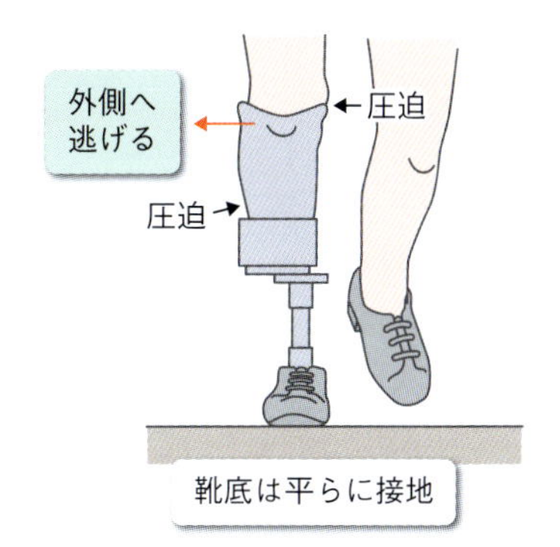

図17　外側への不安定感①
文献1をもとに作成.

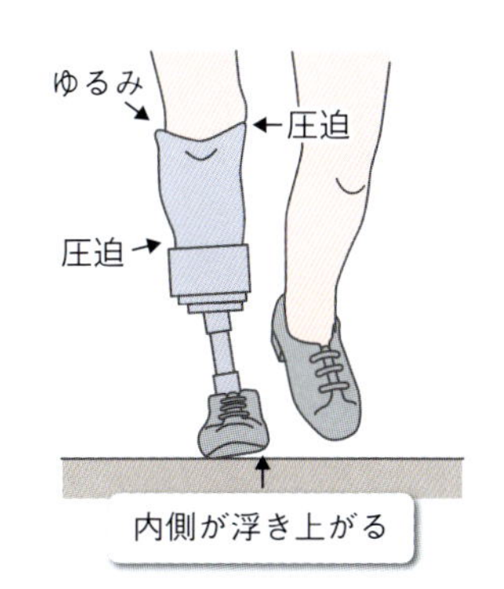

図18　外側への不安定感②
文献1をもとに作成.

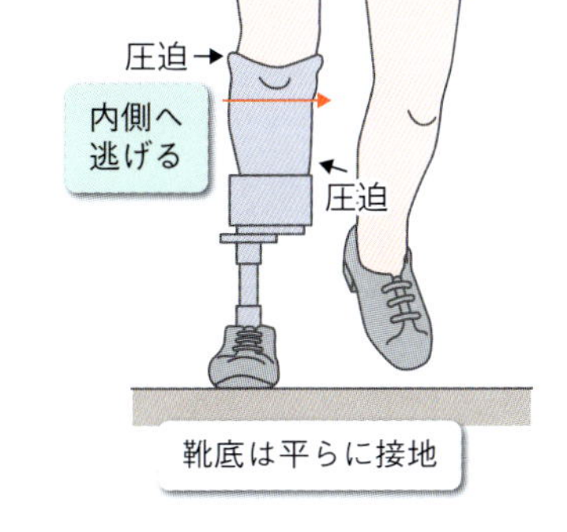

図19　内側への不安定感①
文献1をもとに作成.

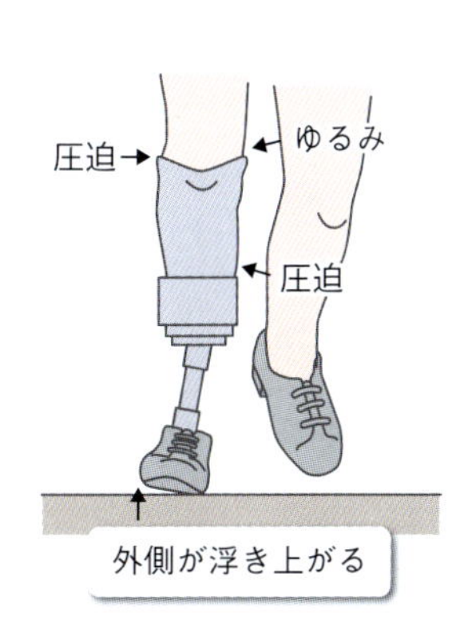

図20　内側への不安定感②
文献1をもとに作成.

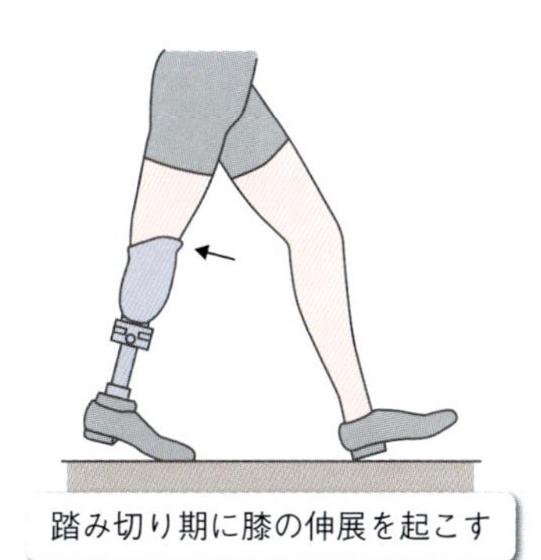

図21　過度の安定（膝伸展位）②
文献1をもとに作成.

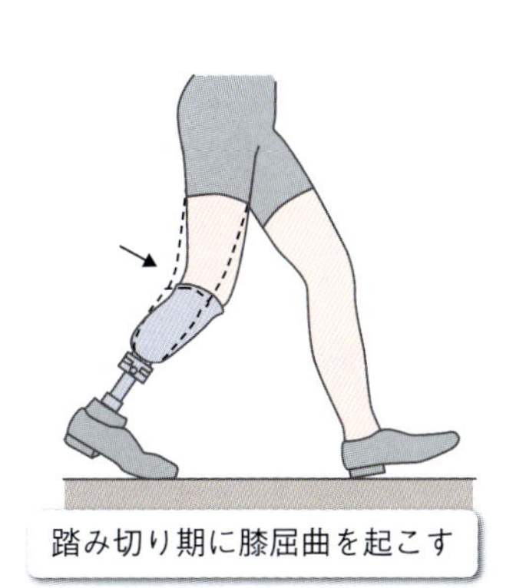

図22　膝折れ（急激な膝屈曲）②
文献1をもとに作成.

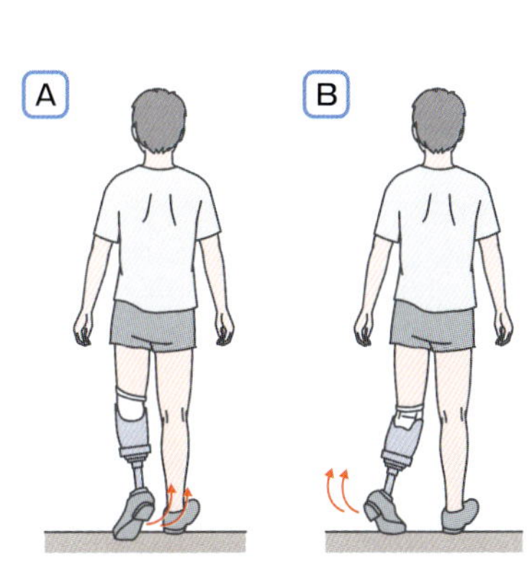

図23　内側・外側ホイップ
A）内側ホイップ．B）外側ホイップ.
文献1をもとに作成.

表2　下腿義足のダイナミックアライメントにおける異常歩行の観察部位と対処方法

歩行周期（観察肢：切断肢側）	異常歩行	治療者の観察面	治療者の観察部位	義足側の原因と対処方法	
				ソケット適合の原因	対処方法
初期接地から立脚中期	過度の安定（膝伸展位）（図15）（膝屈曲が不十分で伸展位のまま立脚中期に至る）	矢状面	切断肢側膝関節	ソケット前面の適合不良（疼痛）	ソケット適合改善（例） ①支持バーの押しを強くする ②脛骨下端部の形状を整える ③前脛骨筋筋腹部の加圧を強める
	膝折れ（急激な膝屈曲）（図16）（踵接地後，立脚中期までの時間が短く，通常よりも急激に膝屈曲が生じる）	矢状面	切断肢側膝関節		
立脚中期	外側への不安定感（パイロンが垂直に立っているが外側に倒れそう）（図17）	前額面	切断肢側膝関節 パイロン		
	外側への不安定感（パイロンが外側へ倒れ足底内側が浮き上がっている）（図18）	前額面	切断肢側膝関節 パイロン 義足足部内側部		
	内側への不安定感（パイロンが垂直に立っているが内側へ倒れそう）（図19）	前額面	切断肢側膝関節		
	内側への不安定感（パイロンが内側へ倒れ足底外側が浮き上がっている）（図20）	前額面	切断肢側膝関節 パイロン 義足足部外側部		
立脚中期から終期	過度の安定（膝伸展位）（切断肢側の膝関節屈曲が遅れ，その後，急に伸展する）（図21）	矢状面	切断肢側膝関節	ソケット前面の適合不良により断端が伸展位をとっている	ソケット適合改善（例） ①支持バーの押しを強くする ②脛骨下端部の形状を整える ③前脛骨筋筋腹部の加圧を強める
	膝折れ（急激な膝屈曲）（図22）（通常歩行よりも急激に膝屈曲が生じ，骨盤が切断肢側へ傾斜する）	矢状面	切断肢側膝関節		
		前額面	骨盤		
立脚終期から遊脚初期	内側ホイップ（図23A）（義足側踵が内側へ移動し切断肢側膝関節が外旋する）	前額面	義足踵部 切断肢側膝関節	後壁外側が内側より後方に位置しPTB式ソケットの支持バーと後壁が平行でない	PTB式ソケットの支持バーと後壁を平行にする
				水平面のソケット形状が丸くソケット内で断端が回旋している	ソケット適合改善（例） ①断端袋を増やす ②前脛骨筋部や後壁部へ貼物をする
	外側ホイップ（図23B）（義足側踵が外側へ移動し切断肢側膝関節が内旋する）	前額面	義足踵部 切断肢側膝関節	後壁内側が外側より後方に位置しPTB式ソケットの支持バーと後壁が平行でない	PTB式ソケットの支持バーと後壁を平行にする
				水平面のソケット形状が丸くソケット内で断端が回旋している	ソケット適合改善（例） ①断端袋を増やす ②前脛骨筋部や後壁部へ貼物をする

義足側の原因と対処方法		切断者側の原因と対処方法	
パーツ・アライメントの原因	対処方法	原因	対処方法
足部の踵が軟らか過ぎる	硬い踵の足部に交換	切断者側大腿四頭筋の筋力低下が著明な場合	筋力増強トレーニング
足部後方バンパーが軟らか過ぎる	硬い後方バンパーに交換		
足部が底屈し過ぎている（動画②）	足部を背屈方向へ変更する		
ソケットが足部に対して後方に位置し過ぎている	ソケット位置を前方へスライドさせる		
ソケット初期屈曲角が不足している	ソケット初期屈曲角を増やし，ソケットを後方へ移動する		
足部の踵が硬過ぎる	軟らかい踵の足部に交換		
足部後方バンパーが硬すぎる	軟らかい後方バンパーに交換		
靴の踵が高過ぎる	踵が前足部と同じ程度の高さの靴に交換		
足部が背屈し過ぎている（動画③）	足部を底屈方向へ変更する		
ソケットが足部に対して前方に位置し過ぎている	ソケット位置を後方へスライドさせる		
ソケット初期屈曲角が大き過ぎる	ソケット初期屈曲角を減らし，ソケットを前方へ移動する		
足部に対してソケットが外側に位置し過ぎている	ソケットを内側へスライドさせる		
ソケット初期内転角度が不足している（動画④）	ソケット初期内転角を増やしてソケットを内側へスライドさせる		
足部に対してソケットが内側に位置し過ぎている	ソケットを外側へスライドさせる		
ソケット初期内転角度が大き過ぎる（動画⑤）	ソケット初期内転角度を減らしてソケットを外側へスライドさせる		
足部に対してソケットが後方に位置し過ぎている	ソケット位置を前方へスライドさせる		
義足足部が過度に底屈している	足部を背屈方向へ変更する		
ソケット初期屈曲角が不足している	ソケット初期屈曲角を増やす		
足部に対してソケットが前方に位置し過ぎている	ソケット位置を後方へスライドさせる		
義足足部が過度に背屈している	足部を底屈方向へ変更する		
足部の外旋（もしくは内旋）が強すぎる	足先角を適切な角度に調整する		
ソケット初期屈曲角が大き過ぎる	ソケット初期屈曲角を減らす		
靴の踵が高すぎる	靴を交換する		
外側カフベルト取り付け位置が内側取り付け位置よりも後方に位置し，膝蓋骨が外側へ押されている	適切な取り付け位置（内外側のカフベルトが均衡な張り具合になるような位置）に変更		
内側カフベルト取り付け位置が外側取り付け位置よりも後方に位置し，膝蓋骨が内側へ押されている	適切な取り付け位置（内外側のカフベルトが均衡な張り具合になるような位置）に変更		

動画②

動画③

動画④

動画⑤

文献

1）「義肢装具のチェックポイント 第8版」（日本整形外科学会，日本リハビリテーション医学会／監），医学書院，2014

2）「切断と義肢 第2版」（澤村誠志／著），医歯薬出版，2016

9 股義足ソケットの種類

学習のポイント

- 股関節離断の特徴について学ぶ
- 代表的な股義足の種類と特徴・構造を学ぶ
- カナダ式股義足ソケットの種類と特徴を学ぶ

1 股関節離断・股義足について

- 股義足を処方する切断には，**片側骨盤切断**，**股関節離断**，**大腿切断（極短断端）**がある（図1）．
- 股義足は，股継手・膝継手・足継手をコントロールしなければならず，歩行の安定性はソケットの適合，継手機構，アライメントに頼るところが大きい．
- **坐骨**が残存しているか否かで，体重支持の方法が異なる．
- 股義足での歩行は，股継手と膝継手と足継手のコントロールをする必要があり，高度な練習が必要である．
- 股義足のタイプには**受け皿式**，**ティルティングテーブル式**，**カナダ式**があるが，現在はほぼすべての切断者にカナダ式が処方されている．
- 股義足はもともと**殻構造**であったが，現在では**骨格構造**（カナダ式股義足）の股義足が多

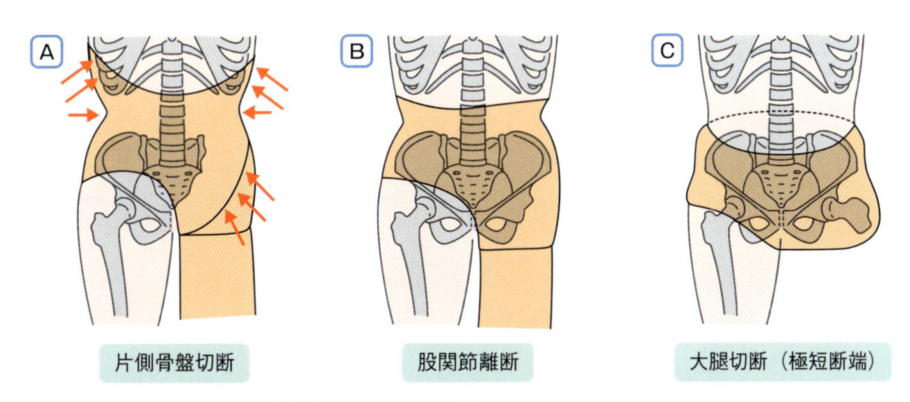

図1 股義足適応の切断高位とソケット形状

A）カナダ式片側骨盤切断用ソケット．片側骨盤切断の場合は，骨性の体重支持部がないため，矢印部（→）で主に体重支持を行う．B）カナダ式股義足用ソケット．C）大腿切断（極短断端）用ソケット．A，Bは文献1より引用．Cは文献2をもとに作成．

く用いられる.

2 股関節離断の特徴

1）片側骨盤切断（図1A）

- 片側骨盤切断は腸骨・恥骨・坐骨の一部もしくは全部を切除されたものである.
- 断端は腹部臓器を軟部組織で覆っただけとなり，**骨性支持部がない**ためにソケット上部を第10肋骨レベルまで覆い体重支持を補助する（図1A）.
- 懸垂は**腸骨稜**で行うが，片側の腸骨稜がない場合は懸垂能が低下するため，懸垂バンドをサスペンダーのように使用する場合がある.
- 他の股義足適応切断と比べソケットの適合に難渋する.

2）股関節離断（図1B）

- 股関節から大腿骨を切離されたものである.
- **坐骨が残存**しているため，体重支持は坐骨結節とその周辺の殿筋で行う.
- 懸垂は基本的に両側の**腸骨稜**で行う.

3）大腿切断（極短断端）（図1C）

- 大腿切断のうち小転子より近位で切断されたものである.
- 大腿義足の処方が難しい症例は股義足が適応となる.
- 体重支持は股関節離断と同様である.
- 懸垂は股関節離断と同様であるが，腸骨稜と大転子の間での懸垂を利用する場合もある.

3 股義足の種類

1）受け皿式股義足（図2A）

- 大腿部上部が受け皿のようなソケットになっており，そこに断端を乗せる.
- 懸垂は肩吊り帯と腰ベルト（単軸股継手使用）で行う.
- 股継手・膝継手は，歩行中は固定され，座位の際に固定を解除する.

2）ティルティングテーブル式股義足（図2B）

- 皮革で製作されたソケットの外側の股関節軸に相当する場所に付けた股継手により大腿部と連結される.
- ソケット内側下部に設置されたローラーとこれを受けるレールにより，回転運動と一部体重支持が行われる.
- 股継手・膝継手は，歩行中は固定され，座位の際に固定を解除する.

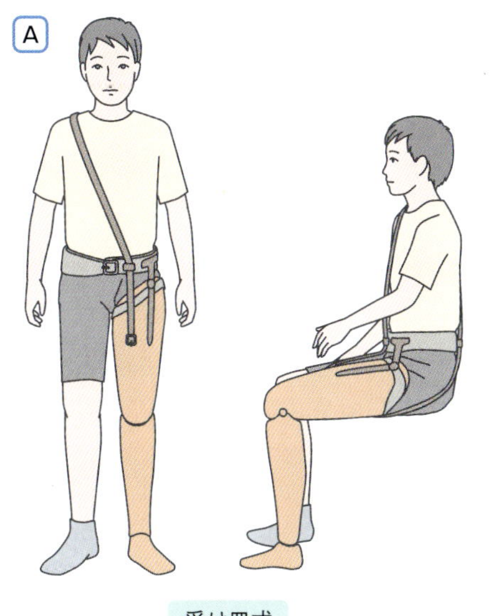

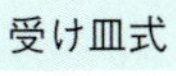

図2　**股義足の種類**
文献3をもとに作成.

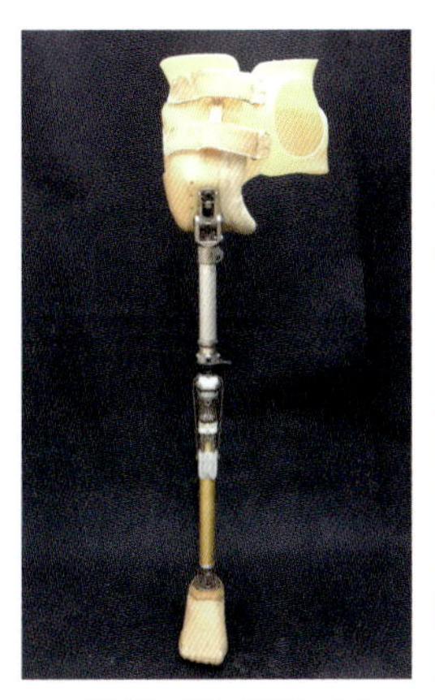

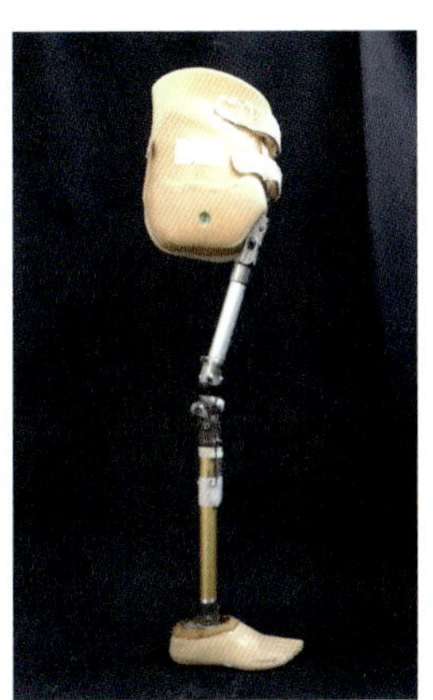

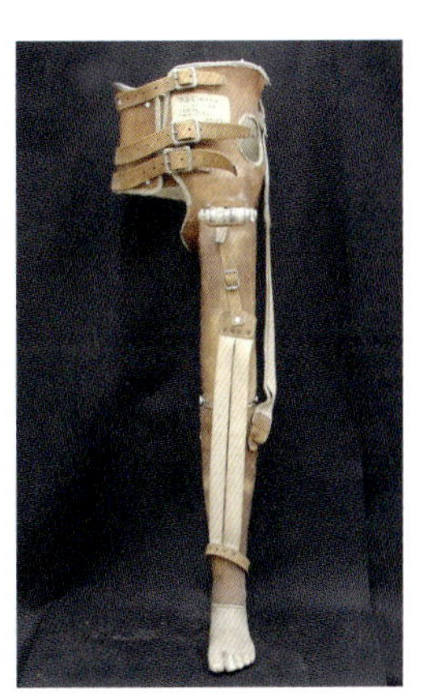

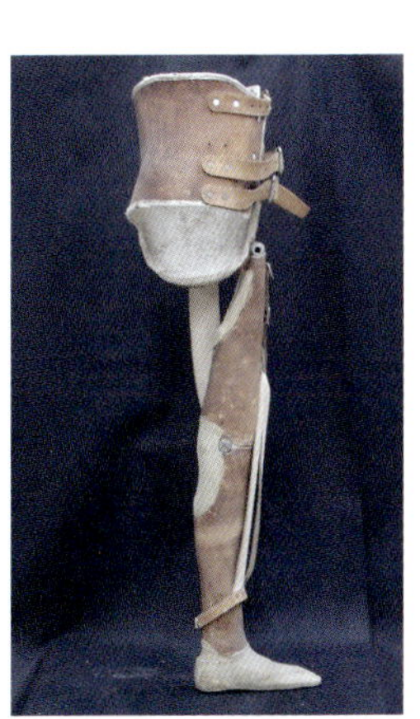

図3　**股義足の種類（カナダ式）**

3）カナダ式股義足（図3）

- 基本構成は**ソケット**，**懸垂装置**，**股継手**，**大腿部**，**膝継手**，**下腿部**，**足継手**，**足部**である．その他，各種アダプター，カップリング，ターンテーブル，ショックアブソーバー，フォームカバーなどで構成される（1954年にトロントのサニーブルック病院で開発された）．
- ソケットは骨盤（断端含）の固定，体重支持，懸垂の役割をもつ．
- 固定は主に**両側腸骨稜上部**，**坐骨結節**，**大殿筋部**の3点で行われ（ピストンは6 mm以下にする），懸垂は両側腸骨稜上部，体重支持は**坐骨結節**とその周辺の**殿筋**で行う（図1B）．
- ソケットは体重支持部を硬性の合成樹脂で製作し，非切断肢側の腰バンド部分は軟性の合成樹脂で製作される（ある程度の柔軟性をもち，歩行中の骨盤回旋・傾斜運動に適合できる）.

- 股継手の位置が正常股関節軸よりも前下方に取り付けられる.
- 股継手・膝継手は遊動で取り付けることができる（他の股義足に比べ歩容が健常者に近く，安定性が良好である）.

4 カナダ式股義足ソケット（図4）

1）前方開き式ソケット（カナダ式ソケット）

- 基本となるソケットのタイプであり，骨盤全体を包み腸骨稜上部で懸垂を行う形状である（図4A，B，E，図5）.
- ソケットが一体型となったフルソケットや後方継手式，斜めベルト式がある.
- 高温多湿のわが国では発汗の問題もあり，ソケットに多くの穴を開けたもの，部分的に大きな穴を開けたものが多い.

2）ダイアゴナルソケット（図4C）

- 切断肢側の腸骨稜部を除去し，斜めにかけたベルトによる懸垂に替えたものである（diagonalとは「斜めの」，「対角線の」を意味する）.
- カナダ式に比べ重量や通気性の面で良好であり，懸垂の調整が容易であるなどの利点があるが，歩行時の安定性で劣るところがあり重労働者などには慎重に処方しなければならない.

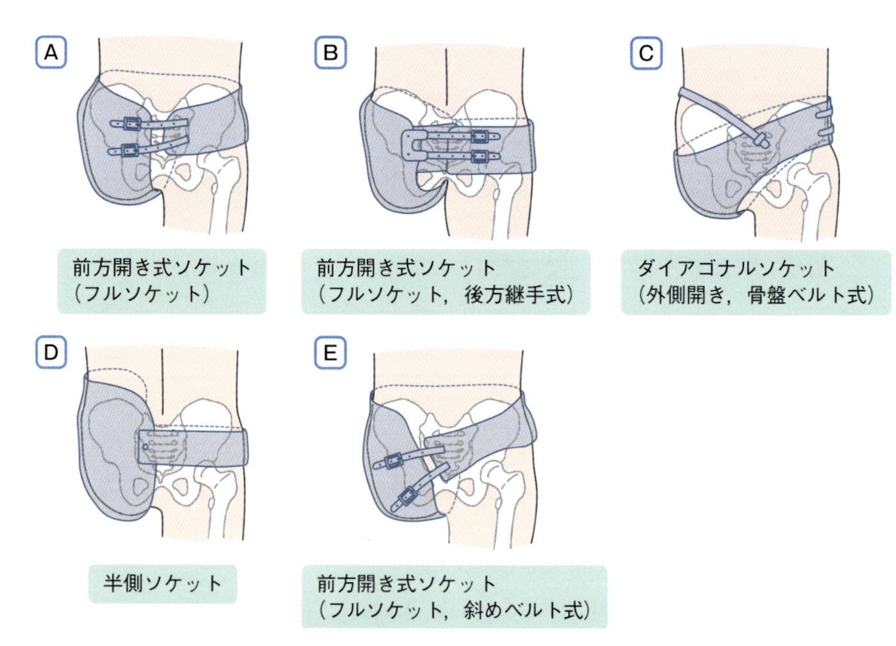

図4 カナダ式股義足ソケットの種類
文献4より引用.

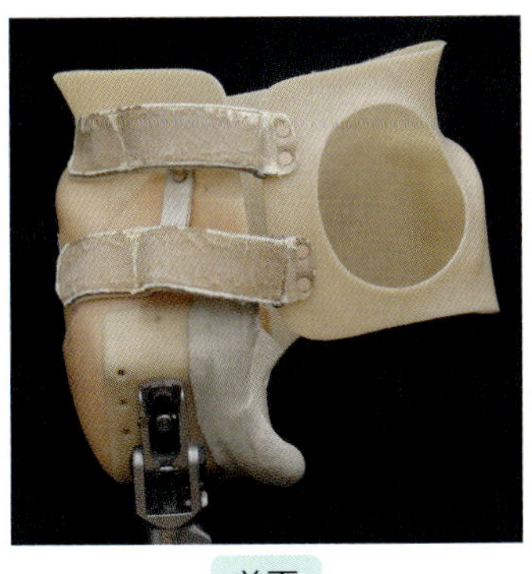

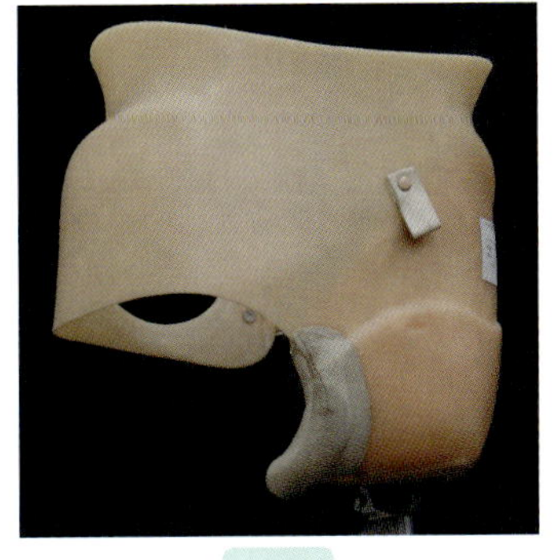

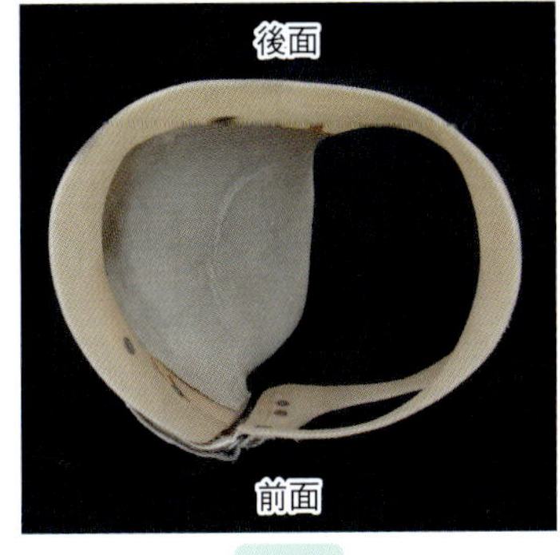

図5　カナダ式股義足ソケット（フルソケット）

3）半側ソケット（図4D）

- 断端部を包むソケットと非切断肢側を幅広なベルトで固定する.
- 窮屈感が少なく，非切断肢側の股関節屈曲が制限されない.

文献

1）「義肢装具学テキスト 改訂第2版（シンプル理学療法学シリーズ）」（細田多穂／監，磯崎弘司，他／編），南江堂，2013

2）丸野紀子：股義足使用者の現状．日本義肢装具学会誌，24：201-205, 2008

3）McLaurin CA：The Canadian Hip disarticulation prosthesis. Artif Limbs, 4：22-28, 1957

4）「切断と義肢」（澤村誠志／著），医歯薬出版，2007

参考図書

- 「理学療法テキスト 義肢学 第2版（15レクチャーシリーズ）」（石川 朗／総編集，永冨史子／責任編集），中山書店，2022
- 「Q&Aフローチャートによる 下肢切断の理学療法 第4版」（細田多穂／監，原 和彦，他／編），医歯薬出版，2018
- 「義肢装具学 第4版」（川村次郎，他／編），医学書院，2009
- 「義肢学 第3版」（日本義肢装具学会／監，澤村誠志，他／編），医歯薬出版，2015
- 「義肢装具のチェックポイント 第9版」（日本整形外科学会，日本リハビリテーション医学会／監），医学書院，2021
- 野坂利也：股義足ソケットの製作上の工夫について．日本義肢装具学会誌，24：206-209, 2008

第Ⅰ章 義肢学

10 股義足のアライメント

学習のポイント

- 股義足におけるベンチアライメント設定を学習する
- 股義足におけるスタティックアライメント設定を学習する
- 股義足におけるダイナミックアライメント設定を学習する

1 カナダ式股義足のアライメントについて

参照
カナダ式股義足は第Ⅰ章9参照

- 股義足は，**股継手・膝継手・足継手**をコントロールしなければならず，歩行の安定性は**ソケットの適合**，**継手機構**，**アライメント**に頼るところが大きい．
- 本項では，股義足で一般的によく使われるカナダ式股義足を例に解説する（参照）．

2 股義足のストライドコントロール歩幅制限機構

- **股義足の振り出し**は，切断肢側の立脚期中期から終期に腰椎の前弯が限界に達し，つま先離地から遊脚期初期にその前弯を戻そうとする力による．
- 股義足には，基本的に，掘り出しの補助を行う機構と，ストライドコントロール機構が付いていて，それぞれ数種類の機構がある．
- 股バンパーが内蔵された股継手（図1）では，立脚期に圧縮された**後方（股）バンパー**がつま先離れから遊脚初期に開放され，振り出しの補助として働くと同時に**前方（股）バンパー**が遊脚期終期にストライドコントロールを行う．
- 股バンパー以外では，ゴムによる調整機構が付いたもの，バネによる調整機構が付いたものなど，振り上がり過ぎるのを抑制するためのストライドコントロール機構がある（図2）．

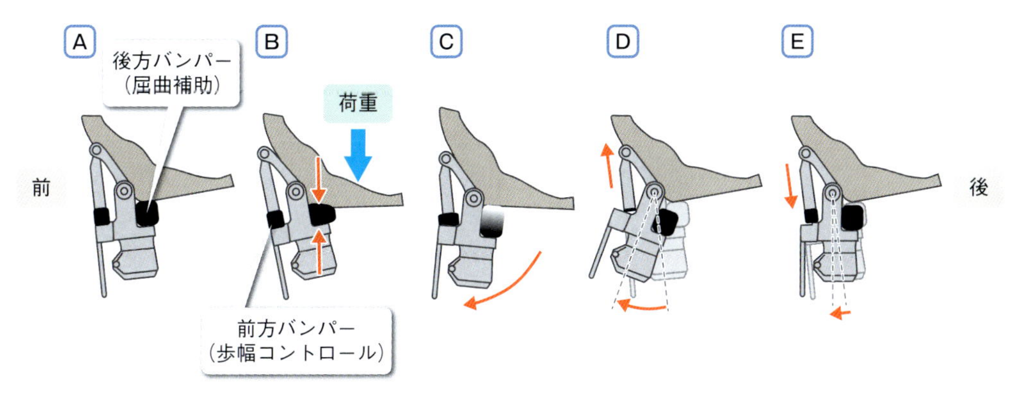

図1　股バンパーによるストライドコントロール

後方（股）バンパーは立位での安定性・歩行立脚期での膝安定性・歩行初期の股継手屈曲補助を行う．これが厚すぎると腰椎前弯が増強する．逆に薄すぎると殿部が下がり骨盤が低下する．前方（股）バンパーは遊脚期終期でストライドを制限する．A）股バンパーを内蔵した股継手の構造．前方にストライドコントロール用のバンパー，後方に屈曲補助用のバンパーがつく．B）荷重時（踵接地期から遊脚初期）は屈曲補助バンパーが圧縮される．C）荷重がなくなると（前遊脚期から遊脚終期），後方バンパーが反発する．D）E）前方バンパーの調整で股継手の屈曲角度を制限し，ストライドコントロールを行う．文献1をもとに作成．

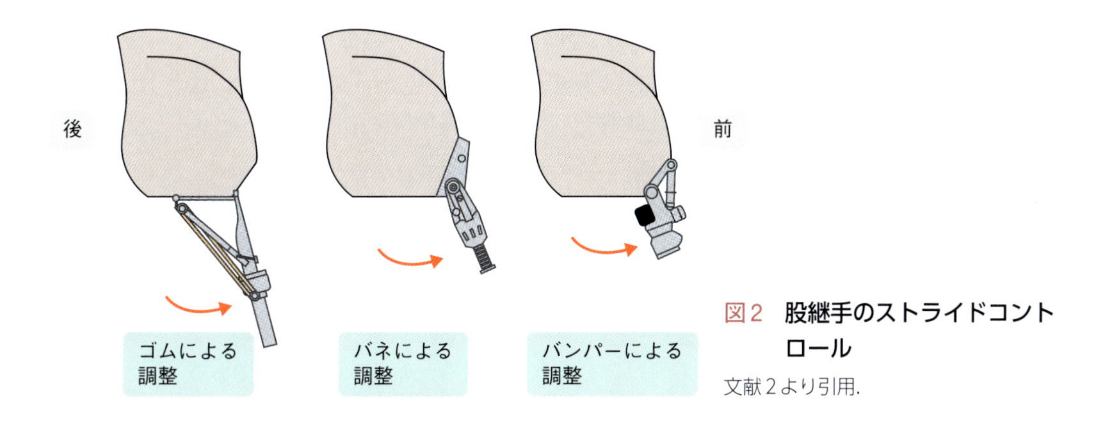

図2　股継手のストライドコントロール

文献2より引用．

3 ベンチアライメント設定*

- 股義足のベンチアライメントの定義や概要は，大腿義足や下腿義足のベンチアライメントと基本的には同じである（参照）．
- 股義足における最も重要な点は，ベンチアライメントであり，立脚期での安定は，これに大きく依存する．

＊ここでのベンチアライメントは代表例であり，切断者の体格，継手機構により調整する．

参照
大腿義足や下腿義足のベンチアライメントは第Ⅰ章5，8参照

1）前額面（図3A）

- 坐骨結節からの垂線は膝継手の中心点を通り踵の中央に落ちる．

2）矢状面（図3B）

- **股継手**の位置は正常股関節軸より45°前下方で断端とソケットにできるだけ接近した位置に取り付ける．

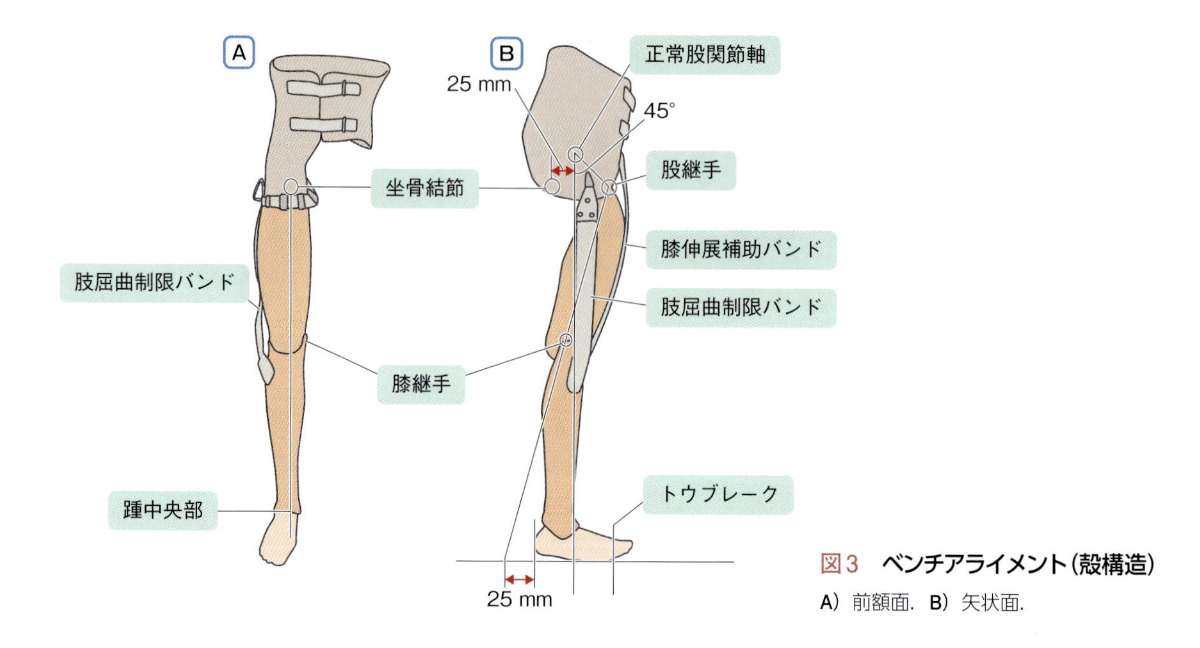

図3　ベンチアライメント（殻構造）
A）前額面．B）矢状面．

- 股継手と膝継手を通る線は，踵の後方約25 mmに落ちる．
- 正常股関節軸からの垂線は膝継手軸の10～15 mm前方を通り，踵とトウブレークの中間に落ちる（これにより膝継手の安定性が保たれる）．
- 股継手軸からの垂線はトウブレークのやや後方に落ちる．
- 膝継手軸の位置は，非切断肢側の膝関節裂隙より30 mm上方に取り付ける（座位時に膝を揃える）．

3）骨格構造カナダ式股義足のベンチアライメント（図4A，B）

- 現在処方される股義足はほとんどが骨格構造カナダ式股義足である．
- 1）2）であげたベンチアライメントは主に殻構造カナダ式股義足のものである．骨格構造カナダ式股義足では，基本的な考え方は殻構造カナダ式股義足と同じだが使用部品により推奨されるアライメント設定に相違がみられるため注意が必要である．

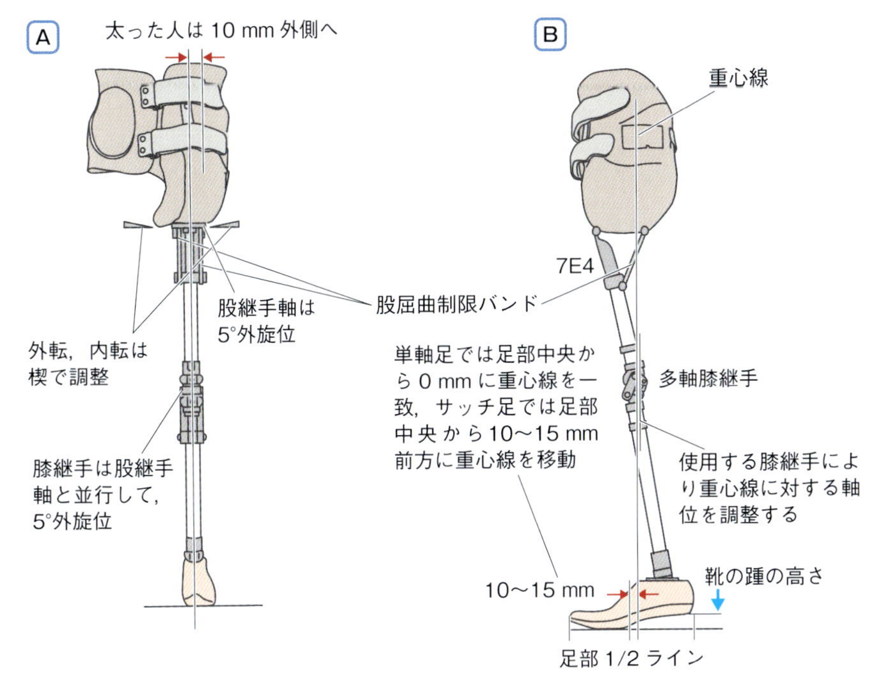

図4 骨格構造カナダ式股義足のベンチアライメント例（Ottobock 社）

A）前額面．B）矢状面．股継手は Ottobock 社の 7E4 を例に図示．文献3，4をもとに作成．

4 スタティックアライメント設定（チェックアウト）

参照 大腿義足や下腿義足のスタティックアライメントは第Ⅰ章5，8参照

- 股義足のスタティックアライメントの定義や概要も，大腿義足や下腿義足のスタティックアライメントと基本的には同じである（参照）．
- **義足長**：原則非切断肢側と同じにする．ただし，振り出しを容易にするため 10〜20 mm 程度短くする場合がある．また，片側骨盤切断例など懸垂が適切に行われない場合は 20〜30 mm 程度短くする場合もある．
- **懸垂**：断端の懸垂は両側腸骨稜上部で行う．ソケット内でのピストンは 6 mm 以下にする．
- **ソケットの適合**：ソケットと断端に隙間はないか，きつすぎないか，坐骨結節が適切な位置にあるか，骨の突起部や肋骨への圧迫はないかなどを確認する．
- **坐骨結節の位置**：体重を負荷し，坐骨結節が適切な位置にあるか確認する（皮膚鉛筆で坐骨結節部にマーキングし，ソケットに写った位置で確認する方法もある）．
- **姿勢**：腰椎前弯は強くないか，座位時の骨盤の傾き（ソケット底面の厚さが適切か），座位時の膝継手の高さと前後位置が適切かなどを確認する．
- **安定性**：荷重時に膝継手は安定しているか，側方へ倒れる感じがないかなどを確認する．

5 ダイナミックアライメント設定（歩行の特徴）

参照 大腿義足や下腿義足のダイナミックアライメントは第Ⅰ章5，8参照

- 股義足のダイナミックアライメントの定義や概要も，大腿義足や下腿義足のダイナミックアライメントと基本的には同じである（参照）．

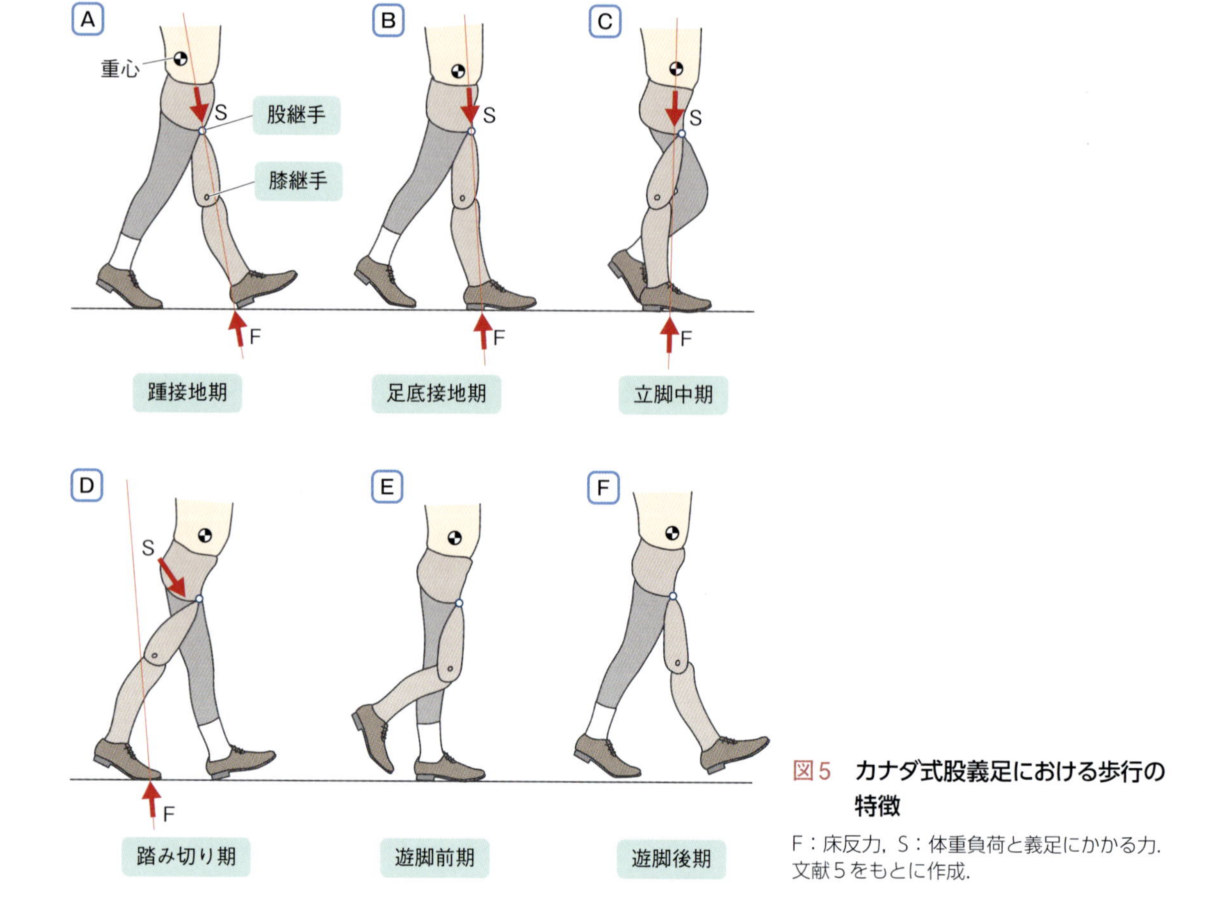

図5　カナダ式股義足における歩行の特徴

F：床反力，S：体重負荷と義足にかかる力．文献5をもとに作成．

- 股義足は，股継手・膝継手・足継手をコントロールしなければならず，腰椎の動きを効率よく遠位に伝えるためにはソケットの適合が重要となる．
- 股義足での歩行は，立脚期で膝折れを起こさないことが重要であり，アライメントの正確性が求められる．

1）各歩行周期における特徴と歩行分析のポイント

1 踵接地期（図5A）

- 膝継手は伸展位であり，後方（股）バンパーはソケットに接触していない．
- 床反力（F）は踵後部から股継手へ向かうが，膝継手軸はそれより後方にあるため膝折れを起こさない．

2 足底接地期（図5B）

- 膝折れを起こさず足底接地が安全に行われるために踵（踵バンパー）の軟らかい足部を利用する．
- 床反力（F）が膝継手軸のやや前方に移動するため膝継手軸は安定する．

3 立脚中期（図5C）

- 後方（股）バンパーとソケットが接触しはじめる．

- 体重が前方（進行方向）にかかることにより，床反力（F）は膝継手軸のさらに前に移動し膝の安定性はさらによくなる．
- 全体重がかかるため，股継手・膝継手はしっかりと固定される．

❹ 踏み切り期（図5D）

- 体重をかけたまま前方に移動すると床反力（F）がソケットの後方を通るようになる．
- ソケットから義足にかかる力はSの方向に働くことになり後方（股）バンパーの圧縮が増加する．
- この反動が膝継手を屈曲させる力として働いて遊脚期へと移行する〔後方（股）バンパーの圧縮が不十分だとスムーズな振り出しができない〕．

❺ 遊脚前期（図5E）

- 後方（股）バンパーの反発により膝継手が屈曲する．
- その際に**腰椎前弯**が戻ろうとする力も働き，股継手の屈曲を補助する．
- 遊脚前期で体幹が前屈すると足部が床に引っかかりやすくなるため（伸び上がり歩行に注意），脊柱をまっすぐに伸ばし股継手の位置をできるだけ高く保持する．

❻ 遊脚後期（図5F）

- 膝継手は完全伸展する．
- 股継手の屈曲はストライドコントロール機構〔前方（股）バンパーなど〕により制御され歩幅を一定に保つ．

2）股義足の異常歩行とその原因

- 股義足の主な異常歩行とその原因を表に示す．

表　股義足の主な異常歩行とその原因

異常歩行	歩容	原因
体幹の非切断肢側への側屈	切断肢側立脚期で体幹が非切断肢側に側屈する	・荷重線が外側に寄りすぎて，義足が外側に倒れようとする現象を代償する ・ソケットの適合不良により支持が不十分で，義足が外側に倒れようとする現象を代償する
	切断肢側遊脚期で体幹が非切断肢側に側屈する	・義足の振り出しをスムーズにするため過度に体幹を非切断肢側へ側屈し，切断肢側骨盤を挙上する
伸び上がり歩行	切断肢側遊脚初期で非切断肢側の踵を浮かし，非切断肢側足関節底屈位で伸び上がり義足を振り出す	・義足が長すぎる ・ソケットの適合不良（懸垂力の低下） ・ソケットの適合不良（前下方部もしくは後上方部が緩く力が伝わらない） ・後方（股）バンパーが薄すぎる（屈曲補助不十分）
歩幅の不同	切断肢側と非切断肢側の歩幅が均等でない	・前方（股）バンパーの厚みが適切でなく切断肢側歩幅が大きく（小さく）なる ・転倒に対する恐怖心から非切断肢側下肢（義足）の歩幅が小さくなる
膝継手不安定	切断肢側立脚期で膝折れを起こしそうになる	・後方（股）バンパーが厚すぎる ・腰椎前弯が強すぎる

文献

1）田澤英二：目で見る臨床シリーズ／義肢⑧義足の股継手．臨床リハ，2：607, 1993
2）「義肢装具学テキスト 改訂第2版（シンプル理学療法学シリーズ）」（細田多穂／監，磯崎弘司，他／編），南江堂，2013
3）「Q&Aフローチャートによる 下肢切断の理学療法 第4版」（細田多穂／監，原 和彦，他／編），医歯薬出版，2018
4）「切断と義肢 第2版」（澤村誠志／著），医歯薬出版，2016
5）「義肢装具学 第4版」（川村次郎，他／編），医学書院，2009

参考図書

・「理学療法テキスト 義肢学 第2版（15レクチャーシリーズ）」（石川 朗／総編集，永冨史子／責任編集），中山書店，2022
・「義肢学 第3版」（日本義肢装具学会／監，澤村誠志，他／編），医歯薬出版，2015
・「義肢装具のチェックポイント 第9版」（日本整形外科学会，日本リハビリテーション医学会／監），医学書院，2021
・長倉裕二，他：股義足のアライメント・パーツの調整－私はこうしている－．日本義肢装具学会誌，16：280-283，2000
・大崎保則，他：股義足のアライメント調整技術－パーツの選択と調整－．日本義肢装具学会誌，16：284-286，2000

11 足部部分義足の種類と適合評価

学習のポイント

- 足部切断の特徴について学ぶ
- 足部部分義足の種類・特徴と対応切断を学ぶ
- 足部部分義足の適合を学ぶ
- 足部切断に対するフットケアの必要性を学ぶ

1 足部切断の特徴

- **足部切断**（図1）には，**足趾切断**（図2），**中足骨切断**，**リスフラン関節離断**（図3），**ショパール関節離断**が含まれる．
- サイム切断と違い，脚長差が生じない．
- **足底での体重支持**が可能である．ただし，ショパール関節離断では，荷重時疼痛を起こしやすい．

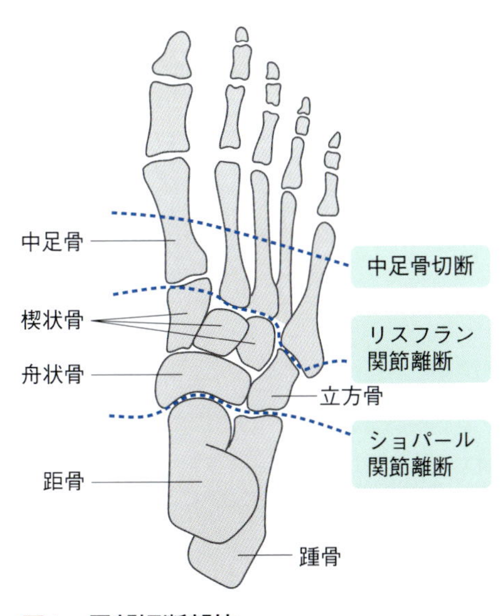

図1 足部切断部位

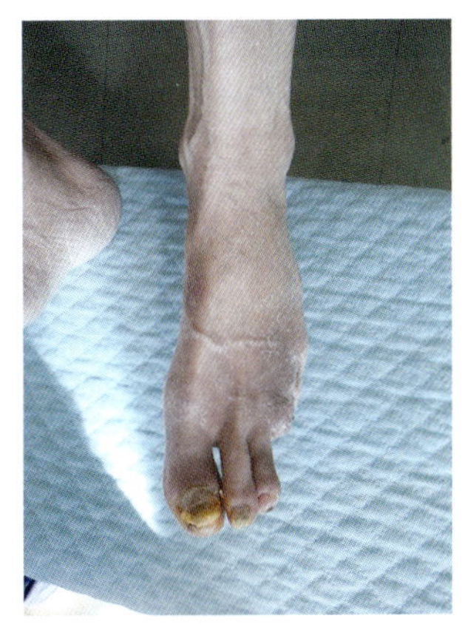
図2 足趾切断

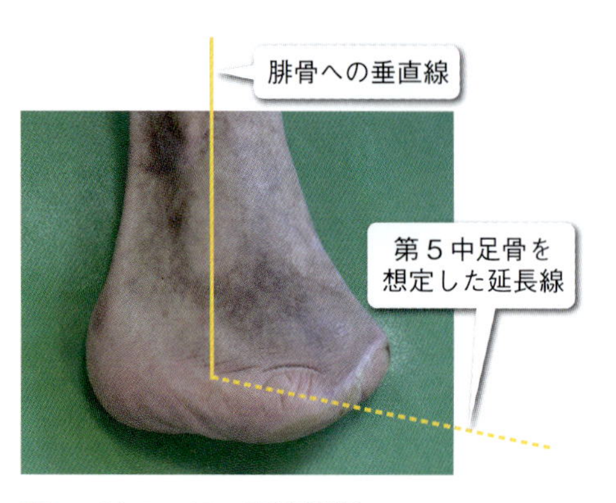

図3　**リスフラン関節離断**

この写真は尖足変形を起こしており，第５中足骨を想定した線が下側へ向かっている．文献１より引用．

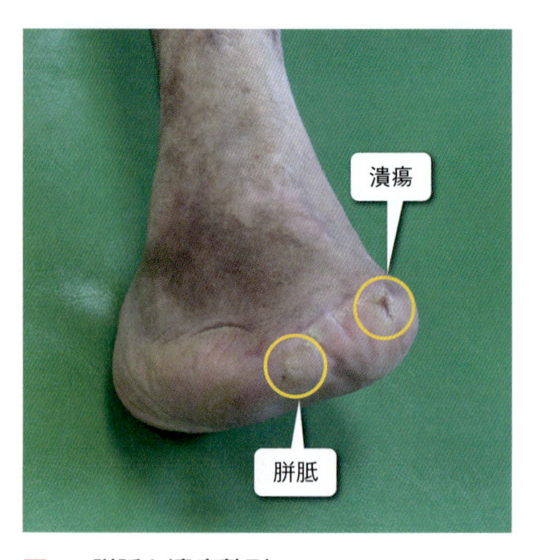

図4　**胼胝と潰瘍整形**

- 筋のアンバランスによる**変形**を起こしやすい（図3）．
- ショパール関節離断では**内反尖足＞尖足＞内反**，リスフラン関節離断では**尖足＞内反＞内反尖足**の変形を起こしやすい．
- 断端の軟部組織が少なく，変形も起こしやすいことから，**創**や**胼胝**（べんち），**潰瘍**を形成しやすい（図4）．
- 足長が短くなることで**踏み切り効果**が不十分となる．
- 足部切断の最も多い原因は**糖尿病性壊死**である（参照）．

参照
切断の疫学は第Ⅰ章１参照

2 足部部分義足について

- **足部部分義足**には切断部位・残存機能により，切断者に適したものを選択する．
- 足部部分義足には**装飾的な意味合い**が強いものが多い．
- 尖足などの変形があり，踏み返しが十分行えない場合は，靴底に**ロッカーバー**や**中足骨バー**を取り付けるとよい．

3 足部部分義足の種類（図5）

1）下腿式（在来式）（図5A）

- 下腿前面を覆うタイプ．
- 以前は皮革・セルロイドのソケットに足先ゴムを取り付け，ソケットの両側を金属支柱で補強したものが用いられていたが，重量が重くなること，破損が多いことなどにより，現

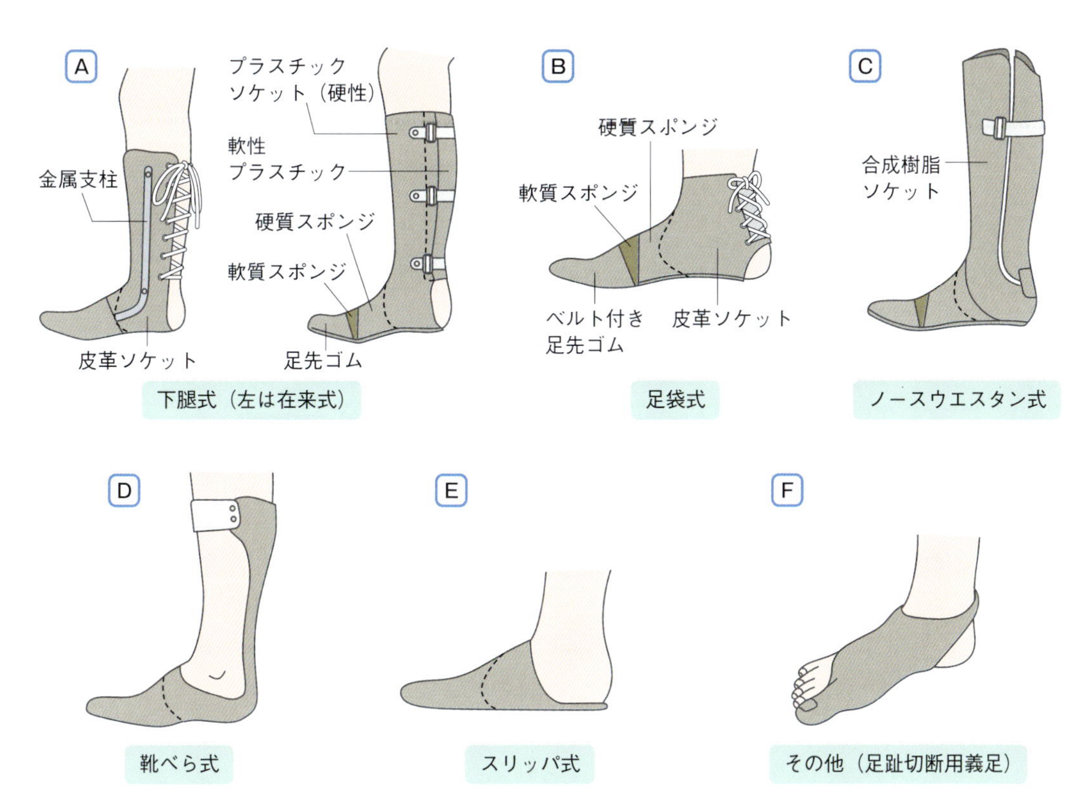

図5　**足部部分義足の種類**
文献2より引用.

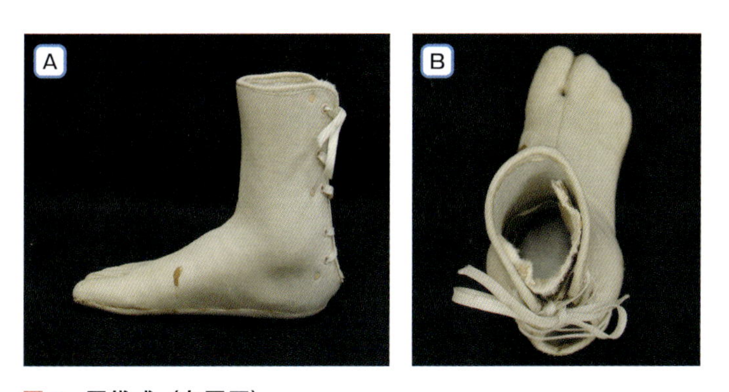

図6　**足袋式（右足用）**

在はカーボン繊維やプラスチックなどを利用した金属支柱を用いないタイプが多い.

- ショパール関節離断に用いられることが多い.

2）足袋式（図5B，6）

- わが国では最も多く処方されているタイプである.
- 皮革製の足袋式ソケットにベルト付き足先ゴム，スポンジなどを接合し，後方・背側・側方の開口部を紐やベルクロ（マジックテープ）で固定する.
- 外装はクロム革などで整える.

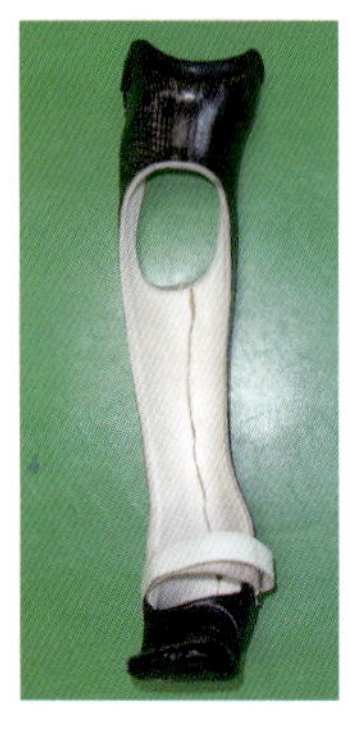

図7　靴べら式（右足用）

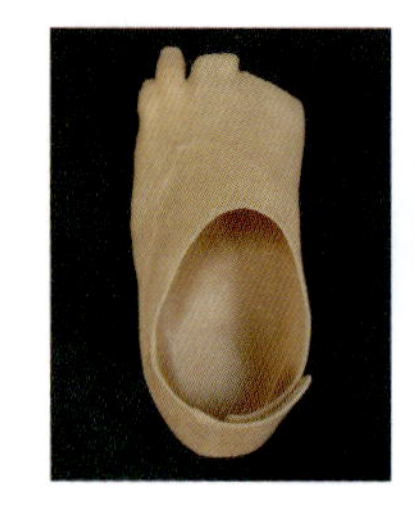
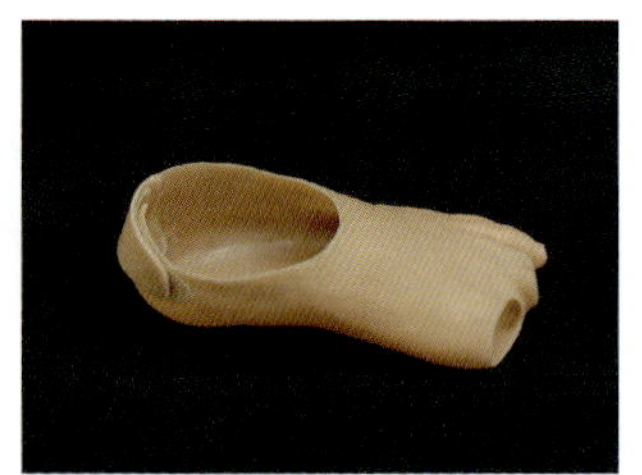

図8　装飾用（左足用）

- ソケットが皮革のため，形状が断端に馴染みやすい．
- リスフラン関節離断・中足骨切断に主として用いられる．

3）ノースウエスタン式（図5C）

参照 サイム義足は第Ⅰ章7参照

参照 PTB式ソケットは第Ⅰ章6参照

- カナダ式サイム義足（参照）と同様の理論のもとに開発されたもので，後方開き式の合成樹脂ソケットで製作される．
- ショパール関節離断で主に用いられる．
- 疼痛による荷重制限がある場合には，PTB式ソケット（参照）の理論で体重支持が行える．

4）靴べら式（図5D，7）

- 短下肢装具と同じようにポリプロピレンなどの素材でソケットを製作し，足先ゴム・スポンジなどを接合したもので，可撓性をもたせているため踏み返しに優れている．
- リスフラン関節離断などに用いられる．

5）スリッパ式（図5E）

- 皮革や合成樹脂で製作され，靴との併用を原則とした屋外歩行に重点をおいたもの．

6）その他（図5F）

- 中足骨切断や足趾切断用には，義手のコスメチックグローブのように塩化ビニルを用いて装飾用（図8）として用いるものもある．

足部部分義足のよび方
それぞれのタイプ名の後ろに「足根義足」と付ける場合もある．
例：足袋式足根義足など．

4 足部部分義足のチェックアウト（評価方法）

- 装着，立位，歩行の際に痛みがないか．
- 踏み切り期が円滑であるか．
- 異常歩行（跛行）がないか．
- 外観がよいか．
- 義足を取り外した際に傷はできていないか．

5 フットケア

- 足部切断は断端の軟部組織が少なく，変形を起こしやすいことから創や胼胝（べんち）（たこ），潰瘍を形成しやすい（図4）．
- **皮膚トラブル**には，発赤・水泡・胼胝・鶏眼（俗にいう「うおのめ」）・擦過傷（擦靴症）・毛嚢炎・潰瘍などがある．
- 足部切断の最も多い原因は**糖尿病性壊死**である．糖尿病性神経障害の切断者は，感覚障害により断端の微細な外傷に気づかないため，その対処が遅れる．
- 重症化すると再切断，多肢切断になるおそれがある．
- 理学療法士はこれらのことを理解したうえで足部切断者にフットケアの重要性とその予防について指導しなければならない．
- 足部切断者には，毎日断端のチェック※を行ってもらい，異常があれば受診するよう指導する．

※ 断端先端部のチェック
断端の足底部など，目視しにくい箇所は，手鏡を用いてチェックするとよい．

文献

1）豊田 輝：足部切断・離断者に対する理学療法．理学療法，32：334-342, 2015

2）「義肢装具学テキスト 改訂第2版（シンプル理学療法学シリーズ）」（細田多穂／監，磯崎弘司，他／編），南江堂，2013

参考図書

- 「切断と義肢 第2版」（澤村誠志／著），医歯薬出版，2016
- 「理学療法テキスト 義肢学 第2版（15レクチャーシリーズ）」（石川 朗／総編集，永冨史子／責任編集），中山書店，2022
- 「Q&Aフローチャートによる 下肢切断の理学療法 第4版」（細田多穂／監，原 和彦，他／編），医歯薬出版，2018
- 「義肢装具学 第4版」（川村次郎，他／編），医学書院，2009
- 「義肢学 第3版」（日本義肢装具学会／監，澤村誠志，他／編），医歯薬出版，2015
- 「義肢装具のチェックポイント 第9版」（日本整形外科学会，日本リハビリテーション医学会／監），医学書院，2021
- 澤村誠志，他：足部切断に対する検討―特にChopart, Lisfranc切断について―．臨床整形外科，5：355-363, 1970

第Ⅰ章 義肢学

12 継手の種類とその設定調整方法

学習のポイント

- 股継手・膝継手・足継手・足部の分類と役割，構造と機能特徴について理解する
- 各種の継手，足部の選択と調整が歩行に与える影響について理解する

1 股継手

1）股継手の役割と機能

❶ 特性と構造

- 股継手は股義足において**生体の股関節の代わり**として機能する義足部品である．
- 生体の股関節が多様な動きを可能にしているのに対し，股継手は矢状面を運動軸として**一軸で動く**製品が多数を占める（図1）．
- 股継手の限定された動きは，股義足装着者の歩行に多大な影響を与える（参照）．

参照
股義足は第Ⅰ章9，10参照

❷ 歩行への効果と影響

- 股継手は**伸展補助装置**による屈曲制限機能と，伸展終末期の衝撃緩和に働く股バンパーによって歩行をコントロールする．歩行周期のなかで主に機能するのは以下の場面である．
  - **遊脚終期**：義足の振り出しを制限し，歩幅を整える．
  - **義足踵接地から荷重応答期**：股継手の過度な屈曲による転倒を防止する．これにより骨盤から体幹の安定性も保たれる．
- 健常者の正常歩行では，股関節が多様な運動方向（矢状/前額/水平）で機能する．しかし股関節離断者や片側骨盤切除の場合は，義足の股関節にあたる“股継手”が，矢状面の一軸運動に限定されるため，限定された股継手の運動方向に残存肢が合わせざるをえない．

❸ 座位時の影響

- 着座動作では伸展補助装置が股継手屈曲を制限する．義足接地の状態から，❶膝継手屈曲，❷股継手屈曲の手順で行う（図2）．
- 股義足装着者の座位保持では，股継手の取り付け位置が影響をおよぼす．ソケット底面に取り付ける股継手は，身体と座面の間に股継手が介在し，左右殿部の高さに違いが生じるので，タオルなどを挟んで微調整する場合がある．前方に取り付ける股継手は，ソケット底面と屈曲位の継手が滑らかに座面と接するので，座位保持には都合がよい（図3）．

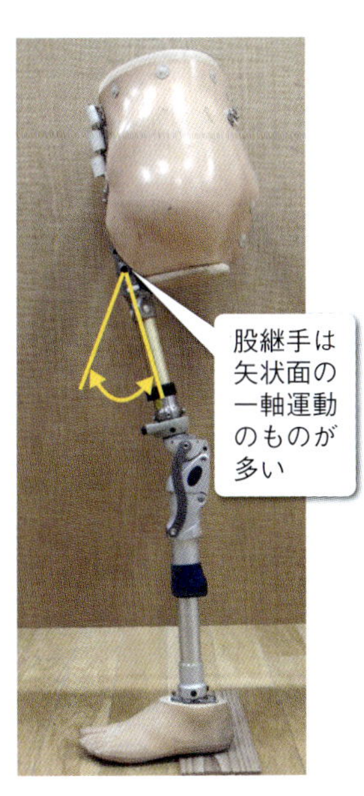

図1　股継手の運動軸

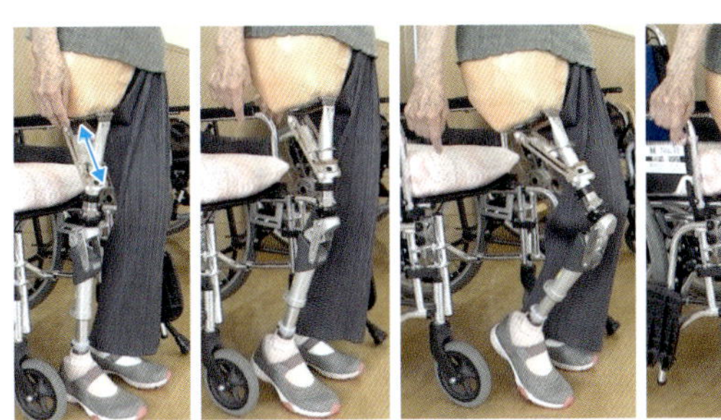
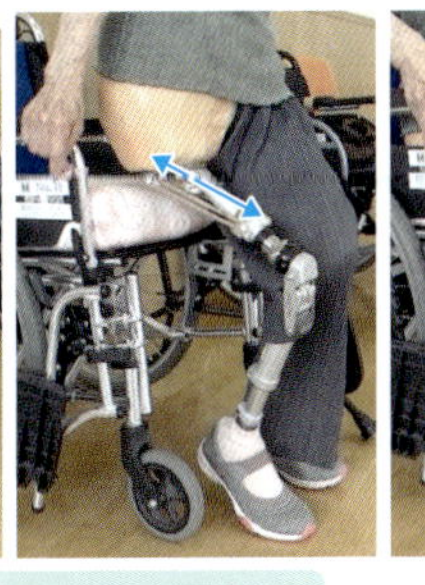
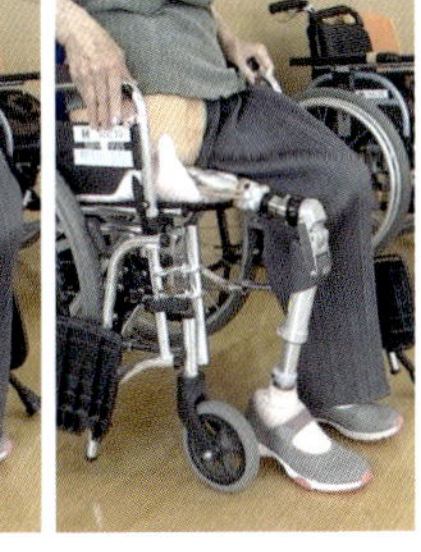
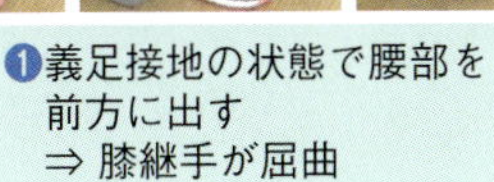

❷前方に出した腰部を
引き戻す
⇒股継手が屈曲

図2　着座動作の手順と股継手の動き

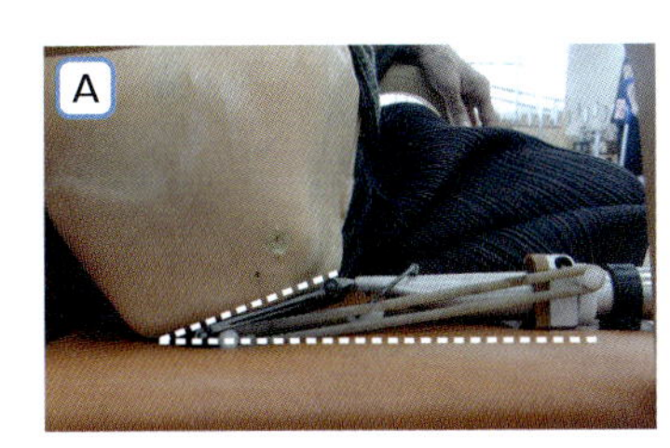

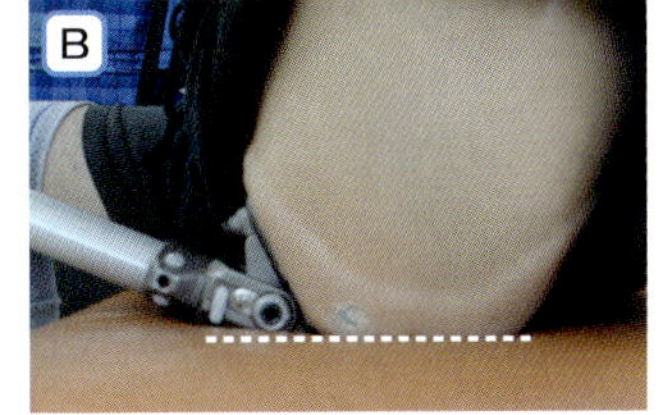

図3　座面と股継手の関係

A）ソケット底面取り付け型股継手．ソケット底面と座面の間に伸展補助装置が介在する．B）ソケット前方取り付け型股継手．ソケット底面と座面が接する．

表1　股継手の種類と伸展制御のしくみ

股継手の種類	固定（マニュアルロック）型	遊動型（伸展補助装置あり）		
		ゴム式	バネ式	流体制御(油圧)式
遊脚期における伸展制御	なし	ゴム本数の増減（継手両脇に２本）	バネ張力の増減	油圧抵抗の増減
立脚期における伸展制御	なし	なし	なし	油圧抵抗の増減
製品例	7E5（Ottobock社）	7E4（Ottobock社）	M1001（今仙技術研究所）7E7（Ottobock社）	7E9（Ottobock社）

2）股継手の種類

■1 遊脚期制御（表1）

- 股継手伸展補助装置による遊脚期制御は，すべて遊脚終期の振り出しの制限を目的に機能する．
- 伸展補助装置には，**固定（半遊動含む）・ゴム・バネ・流体（油圧）式**などがあり，それぞれ振り出し制限の調整が可能だが，流体式は他の制御方法よりも調整の幅が大きく多様性がある．

- 流体式の油圧粘性は，抵抗値を最低に設定しても他の股継手より制動能力が高いため，活動度の低い切断者では振り出しが重く，むしろ快適性が失われる場合がある．

❷ 立脚期制御

- 固定型を除くすべての股継手が伸展補助装置を有するが，義足踵接地時の安全確保については荷重線が股継手軸の前方を通る矢状面の調整（アライメントスタビリティ）によるところが大きく，伸展補助装置が果たす立脚期制御の役割はあくまで補助的な要素に留まる．
- 股継手の種類とその伸展制御のしくみは表1の通りである．

2 膝継手

1）膝継手の役割と機能

参照
大腿義足は第Ⅰ章3，5，股義足は第Ⅰ章9，10参照

- 膝関節は歩行動作に重要で，下腿切断と大腿切断との比較では，膝関節の残存しない大腿切断者の歩行達成率が低いといわれている．膝離断以上の切断者の**膝関節の代わりを担う義足部品**が膝継手である（図4，5）（参照）．
- 膝継手には多くの種類が存在するが，どの膝継手も以下に示した歩行における共通の目的を遂行するために機能する．
  - **義足立脚期**に膝折れせず安心して荷重できる．
  - **義足遊脚初期**に円滑に屈曲して足部クリアランスを保ち，義足が地面と接触しないようにする．
  - 膝継手が伸展に転じる**遊脚後期**では，次の義足接地を安定に行えるように良好な追従性を発揮する．
- 人体の膝関節は思いのままに曲げ伸ばしが可能だが，膝継手は残存する切断端（もしくは股関節）からの作用を受けて屈伸がコントロールされる．
- 膝継手について，実際の動きを見たことがない読者のために，以下の解説動画を用意したので，参照されたい．
  - 動画① 義足膝継手①：概論編
  - 動画② 義足膝継手②：構造（立脚期）
  - 動画③ 義足膝継手③：構造（遊脚期）
  - 動画④ 義足膝継手④：機能

動画②

動画③

動画④

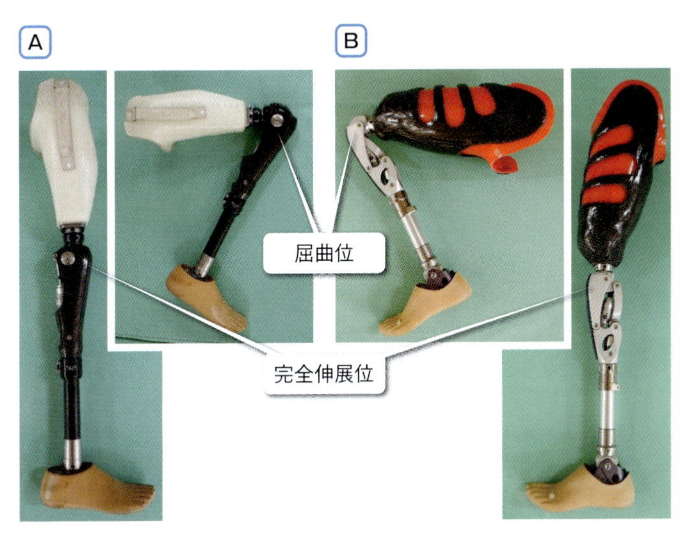

図4　**大腿義足における膝継手の位置**　A）単軸膝継手．B）多軸膝継手．

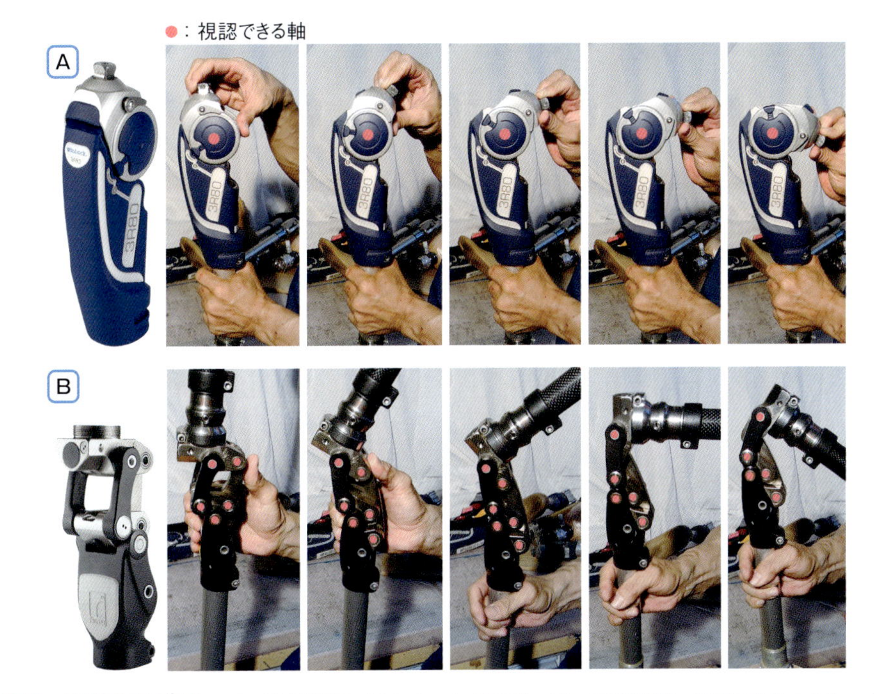

図5　**膝継手の動き**　A）単軸膝継手（Ottobock 3R80）．B）多軸膝継手（OSSUR Total Knee）．

2）膝継手の分類

- 膝継手はさまざまな視点で分類が可能である（軸数，立脚期・遊脚期の制御方式，完全伸展保持特性，機械制御と電子制御，使用目的など）．
- 膝継手を選択する際に考慮すべき因子を表2に示す．

表2　膝継手選択で考慮すべき因子（赤字は処方時に影響が大きい項目）

身体的因子	
・年齢＊1 ・体重＊2 ・身長＊3 ・切断原因＊1 ・断端長＊4 ・両側切断（両側大腿切断 / 下腿＋大腿切断）or 片側切断＊5	・断端筋力 ・断端可動域 ・断端痛 ・非切断肢の能力 ・リハビリテーションゴール
義足に関する因子	
・装着（懸垂）方法＊6 ↑こちらが処方時優先されるべき ・膝継手重量 ・膝継手の大きさ＊2 ・多軸 or 単軸 ・遊脚期制御機構（低摩擦，空圧，油圧）	・立脚期制御機構（荷重ブレーキ，バウンシング，イールディング） ・厚生労働省基準内か否か＊7
社会的因子	
・職業＊8 ・生活環境 ・趣味・習慣	・家庭内の役割 ・支給制度 ・経済能力

＊1　高齢者や抹梢循環障害による切断の場合は，立脚期の安定性，易疲労性を考慮して固定膝継手や重量の軽いものを第一選択肢とする．遊動膝継手を選択する場合は多軸膝継手，また単軸膝継手では荷重ブレーキのように膝折れが生じにくい選択肢を考える．
＊2　膝継手は荷重ストレスに耐えうる処方を行うため製品によって体重の上限が設定されている．
＊3　ソケット以下のクリアランスに影響．
＊4　短断端では発揮できる筋力が小さく，長断端では膝継手に割けるスペースが小さいという課題がある．
＊5　片側切断者の膝継手選択は歩行快適性を補う目的も大きいが，両側切断者では義足での動作が可能になるか否かを決定づける要素となる．
＊6　ソケット以下のクリアランスに影響（キャッチピン懸垂<吸着式）．
＊7　厚生労働省が認可する製品ならば更生用義足製作以降でも同じ膝継手の継続使用が可能．
＊8　就業状況などによって優先される機能に影響を与える（立ち仕事が多い→固定 / 遊動の選択可能な膝継手，しゃがみ動作が多い→屈曲角度の大きな膝継手）．

表3　膝継手構造における単軸と多軸の比較

	運動軸	継手運動時の軸移動	歩行時トウクリアランス	股関節伸展筋力	長断端の切断者の座位時の外観	付加される制御方法
単軸	回転中心（視認される軸位）	変化なし	小さい	多軸より求められる	義足側の膝が突出（左右非対称）	①荷重ブレーキ ②イールディング
多軸	瞬間回転中心（前後の上下軸を結ぶ交点）（後述の図7）	上下軸間の距離に比例 膝継手（大）⇒移動（大）	大きい	少なくて済む	左右対称	主にバウンシング

1 軸数による分類と特徴

- 膝継手の軸構造は，大きく単軸と多軸に分かれる（図4，5，表3）．
- 殻構造の義足には単軸の膝継手しか使用できない．現在では，骨格構造の義足が多く使用

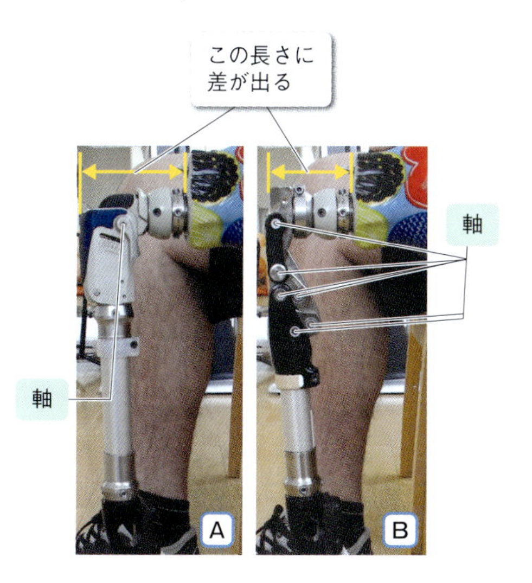

図6　座位時の膝継手比較

A）単軸．B）多軸．

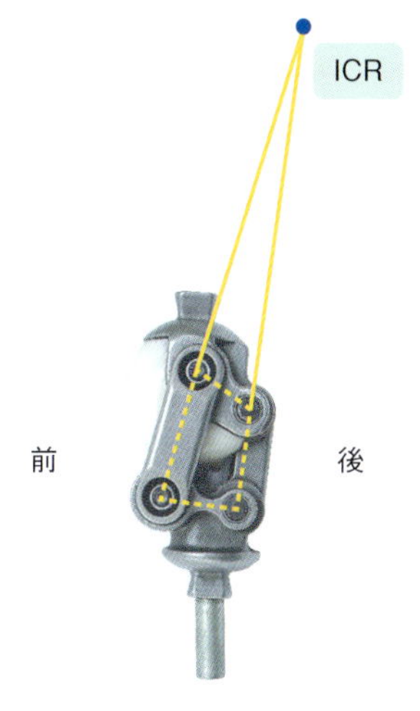

図7　多軸膝継手の立脚期の瞬間回転中心（ICR）

前後方の上下軸を結んだ交点は立脚相踵接地時の瞬間回転中心（instant center of rotation：ICR）の位置を示している．

されており，膝継手の軸構造は単軸と多軸の両方が使われている．多軸膝継手は4～7軸など軸数が異なるものが存在する．

①**単軸膝継手**（図4A，5A）

- **1つの運動軸**で構成される．
- シンプルな構造で，視認された軸位と実際の運動軸位が一致しており，アライメント設定の目印となる軸と膝継手回転中心の軸が一致する．そのため，膝継手の**位置が認識しやすい**点が最大の特徴．
- 路面状況や体勢次第で膝折れする場面（例えば，階段の交互降りなど）についても，装着者が習熟すればより健常者に近い動作を獲得できる可能性があることも特徴．
- 長断端の切断者に使用する場合，継手の位置が低くなるので，**座位姿勢のとき非切断肢の膝と膝継手の位置に左右差が生じる**（図6）．
- 下腿長が短くなると，歩行時に振り出した義足に働く慣性モーメントが小さくなり，歩行の切断肢側遊脚期に膝継手が屈曲しにくく，トウクリアランスが保たれない場合があるのがデメリットである．また股関節伸展筋力も多軸膝継手に比べて必要．
- 屈曲の制御には，**荷重ブレーキ機構**，**イールディング機構**（後述）が用いられる．

②**多軸膝継手（リンク膝）**（図4B，図5B）

- **複数の運動軸（リンク）**で構成される．
- アライメント設定の目印となる軸と，膝継手回転中心の軸が一致しない．単軸膝継手と比べると軸の位置がわかりにくい．
- さまざまなデザインのものが存在するが，運動軸を結ぶと上辺の短い台形になることは共通しており，その台形4節リンクの平行移動と回転の合成で動く（図7）．

- 個々の運動軸を結んだ延長線上に回転中心が存在し，膝継手の屈伸運動に伴い回転中心が移動する．移動するごとに生じる回転中心は「**瞬間回転中心**（instant center of rotation：ICR）」とよばれる．
- 完全伸展時（静止立位時）に，最も後上方に回転中心（仮想の軸）が存在する（図7）．
- 回転中心（仮想の軸）が後上方に存在することには2つの利点がある．上方に位置する利点は**断端操作による膝継手屈曲が簡便**になること，また後方に位置する利点は**立脚期安定性を担保**することである．膝継手が低く位置する長断端切断者，特に膝離断者にとってはこれらの利点はとても重要である．
- 上下軸間の距離と運動軸（リンク）の移動量は比例関係にあり，運動軸間が長いほど大きなトウクリアランスが得られる．
- 複数の運動軸をもつ多軸膝継手の利点
  - 荷重線が継手軸の前方にあるので**膝折れしにくく，安心を感じる**ものが多い
  - 股関節伸展の**筋力が低くても扱いやすい**
  - 長断端の切断者に対する処方が有効．座位時にも義足側の膝が突出することなく**見ためがよい**
  - 歩行の義足遊脚期で**足部クリアランスが保持される**
- 着座や階段の交互降りなどの膝継手の屈曲が必要な動作のときには，義足足部のつま先部を地面と接触させて意図的に膝継手を屈曲させる動作を学習する必要がある．
- 屈曲の制御は，主に**バウンシング機構**（後述）が用いられる．

2 立脚期制御による分類

- 義足に荷重して切断肢で立つ際（静止立位時）に，膝継手の安全性（膝折れによる転倒防止）を保障するしくみが立脚期制御である．
- 制御方法は多様であり，いくつかの方法を複合して用いる（図8）．
- 装着者自身による随意制御と矢状面のアライメントスタビリティは，すべての遊動膝継手を使用する場合に必須である．

【随意制御】

- **切断肢側の股関節伸展**によって，膝継手の伸展位保持を行う方法である．
- 断端長が長ければ長いほど行いやすい．
- 大腿切断の場合，断端で随意制御を行うためには，ソケット適合・股関節伸展筋群の筋力・股関節伸展可動域およびソケット屈曲角度の関係・疼痛の有無（運動痛，荷重痛，圧痛）との関連が重要である．

【不随意制御】

- **切断者自身の断端制御（股関節伸展）以外の方法**で立脚期の膝折れを防ぐ方法をさす．

①アライメントスタビリティ*

- ベンチアライメントを設定するとき，基準線と膝継手の矢状面における位置関係をあらかじめ整えることで，膝継手伸展位が保持しやすくなる．これによって安全を担保する．

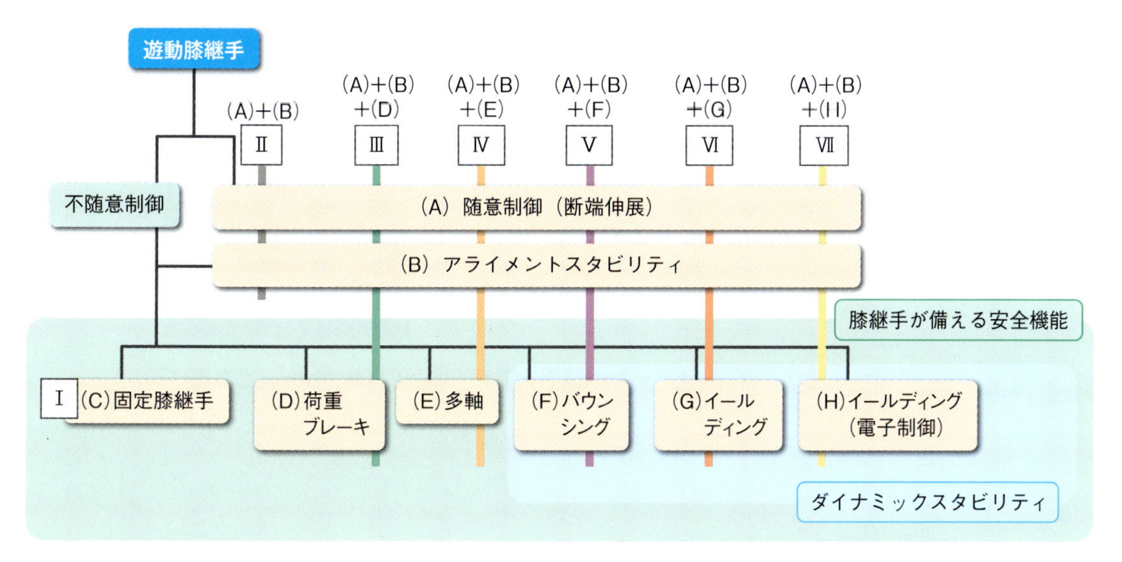

図8 **立脚期制御方法の分類**

Ⅰ～Ⅶは実際の製品にみられる制御方法の組合わせ.

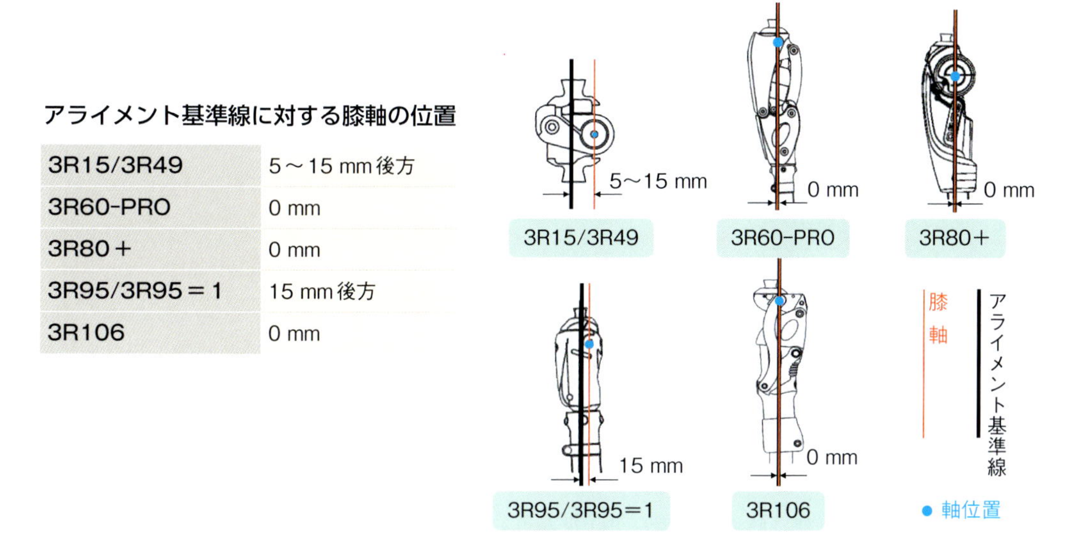

アライメント基準線に対する膝軸の位置

3R15/3R49	5～15 mm後方
3R60-PRO	0 mm
3R80＋	0 mm
3R95/3R95＝1	15 mm後方
3R106	0 mm

図9 **多軸膝継手における各メーカー推奨アライメント**

資料提供：Ottobock マニュアル.

- 矢状面の膝継手軸位は，荷重線に対して前方に位置するほど随意制御を必要とし，後方に位置するほど荷重時に膝継手伸展の外部モーメントが作用して随意制御の依存度が低くなる.
- アライメントスタビリティは製品ごとに設定が異なるため，メーカー推奨に倣うのが原則である（図9）.

＊安全性の確保にアライメントを利用するのは多軸膝継手も同様だが，ここでいうアライメントスタビリティとは，膝継手自体の機構で安全を図る多軸膝継手の場合とは異なる．アライメント設定の段階で，詳細な調整を問われる傾向が強いのは単軸膝継手である.

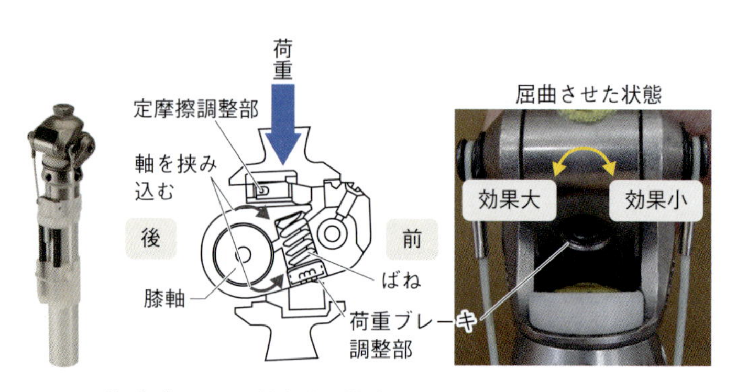

図10　荷重ブレーキ膝継手の構造（製品例 Ottobock 社の 3R15）

荷重ブレーキ調整部でブレーキの強さ（伸展保持力）を調整できる．時計周り（−），反時計周り（＋）なので注意が必要．

②固定膝継手（マニュアルロック）

- 全歩行周期を通じて常に膝継手はロックされた状態である．
- 立位から座位への動作では，手動でロックを外して着座するため，非切断肢の体重支持能力が重要となる．
- 立ち上がる動作では膝継手が伸展位で自動的にロックされるしくみになっている．

③荷重ブレーキ機構

- 義足への荷重を利用した安全機構である．
- 立脚期に切断肢に体重がかかったとき，膝継手に対して何らかの物理的接触をつくり，その摩擦力によって膝伸展位を保持するしくみである（図10）．

④多軸膝継手

- 膝継手の瞬間回転中心が後方に位置するため，立脚期に安定する．

⑤ダイナミックスタビリティ

- ダイナミックスタビリティとは，動的に支える機構を用いて立脚期制御を行う方法のことである．
- バウンシング機構とイールディング機構はダイナミックスタビリティに分類される（表4）．
- **バウンシング（bouncing）機構**
  - 立脚初期に膝継手が少しだけ沈みこんだように動き，軽度屈曲位でロックする．
  - バウンシング機構の特徴3つを以下に示す．
  - 踵部に荷重すれば軽度屈曲位で伸展状態を保持するので，随意制御が不十分な切断者の初期接地から荷重応答期まで安全性が発揮される．
  - 義足装着時に最も不利となる傾斜降りに際して，義足長軸に荷重すれば膝継手が軽度屈曲位で保持されるので，非切断肢の接地が円滑に行える．
  - 沈み込む動きで膝折れしないことに慣れれば，義足装着者にとって「安心の合図」になる．

＊バウンシング機構をもつ膝継手の多くは多軸構造である．また，バウンシング膝継手と足部の組合わせでは，踵部に適当な硬さをもつ足部を選択することが望ましい．踵が軟らかい足部では，義足荷重を利用したバウンシング機構の安全性が発揮されにくいからである．

- **イールディング（yielding）機構**
  - 立脚期を流体（油圧，MR 流体）の利用で制御する唯一の方法である．

表4　バウンシング機構とイールディング機構の比較

	平地歩行	歩行の初期接地	傾斜降り	立位→座位	後方へのステップ
バウンシング (bouncing)	・意図的に使う機能ではない ・義足に荷重すれば現象として現れる	・完全伸展位で接地しなければ膝折れする ・接地後に機構が働き一定範囲まで屈曲する	・義足を前に出した揃え型動作から指導する	・義足の前足部を接地させた状況で断端を振り出し膝継手を曲げる	・踵荷重で膝継手をロックして簡便に可能
イールディング (yielding)	・意図的なブレーキ動作以外で出現しない ・以下の場合は問題が生じる ①アライメント不良 ②随意制御が不十分	・完全伸展位での接地が原則 ・軽度屈曲で接地しても急に膝折れしない	・随意制御を意識せず切断肢側に身を委ねる ・無理なく作動する矢状面設定を行う	・切断肢側に荷重し殿部を座面に近づけることで機構を活かす	・義足荷重で作動するため円滑でない

- 軽度屈曲位で保持され一定範囲を超えて動かないバウンシング機構に対して，イールディング機構は屈曲しながら膝継手の全可動域を支えるのが特徴である．
- 路面状況や動作によって，立脚期における大腿四頭筋の遠心性収縮の代用として機能する．
- 機械制御とコンピュータ制御のものが存在する．
- イールディング機構の長所・短所を以下に示す．
- **長所**：傾斜の降り，階段の交互降りで緩やかに屈曲して非切断肢の接地が円滑に行える．着座動作のときに義足に荷重できる．歩行時に切断肢側で減速できる．
- **短所**：長断端の日本人には下腿クリアランスが足りず処方できない場合がある．機構の活用には切断者の能力評価とアライメント設定を詳細に行う必要がある．高額な製品が多い．

3 遊脚期制御による分類

- 義足を空中に振り出しているとき（遊脚期）の膝継手の屈曲を制御するしくみが遊脚期制御である．
- 遊脚期制御方法の分類と実際の製品にみられる制御方法の組合わせを図11に示す．
- 遊脚期制御は歩調や歩幅といった歩行の多様性に関与し，これらの調節でより速く歩くことも可能になる．
- 遊脚期における膝継手の屈曲制御のしくみを以下に示す．

①固定膝継手による制御

- 前述の「**2 立脚期制御による分類**」参照．

②機械的摩擦機構

- 定摩擦機構：遊脚期において常に一定の摩擦力が働く機構．代表的な定摩擦機構の調節方法を図12に示す．
- 可変摩擦機構：遊脚期において膝継手の屈曲角度により摩擦力が変わる機構．

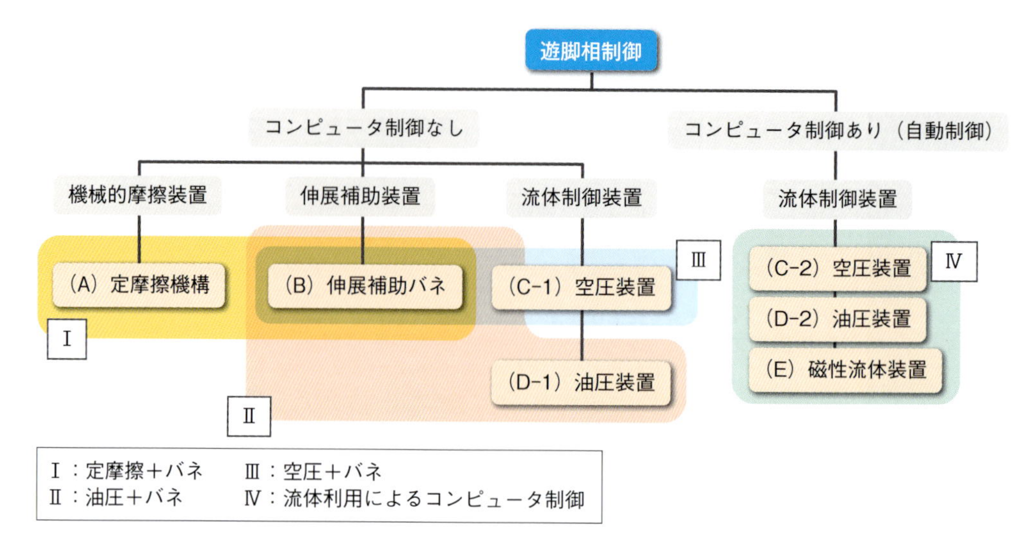

図11　遊脚期制御方法の分類

Ⅰ～Ⅳは実際の製品にみられる制御方法の組合わせ．

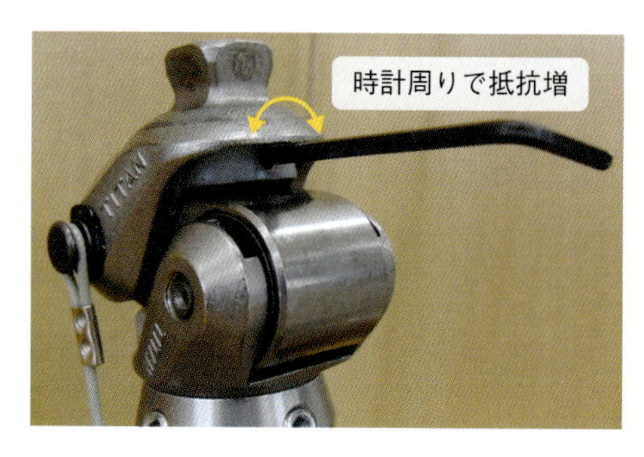

図12　定摩擦機構の調節方法（製品例Ottobock社の3R15）

図では六角レンチで定摩擦調整をしている．

③伸展補助装置

- 遊脚期初期と後期に摩擦力が強くなり，蹴り上げ後の膝継手の伸展位保持とターミナルインパクトを制御する装置．
- 旧来の義足ではゴムなどを使用した簡単なしくみが存在した．現在はスプリング（伸展補助バネ）が広く利用されている．
- 歩行周期では，屈曲を開始する遊脚初期の抵抗，伸展が完了する遊脚中期から終期での追随性に関与する．

④流体制御装置（空圧制御・油圧制御）

- 現状，遊動膝継手のなかでは，流体制御を利用するものが最も使用頻度が高い．
- 定摩擦機構や伸展補助バネと比較すると，遊脚期の膝継手屈曲角度に応じて曲線的に抵抗が変化する．
- 空圧制御でも油圧制御でも，「屈曲抵抗」と「伸展抵抗」の操作で細かな制御が可能である．ただし，抵抗を最小に設定した場合でも，定摩擦機構や伸展補助装置と比較すると一定の抵抗を感じる．
- **空圧制御の特徴**

- 空気圧シリンダーによる空気の圧縮を利用している．気体の性質上，強く圧縮することで気圧が高くなり効果を発揮する．
- 歩行周期に当てはめると，断端を振り出す遊脚初期では抵抗（圧力）は小さく，継手の屈曲角度が大きくなると抵抗（圧力）も大きくなる．
- 空気圧シリンダーは継手の角度変位が大きくなったときに抵抗が生じるため，通常歩行では義足の振り出しに応じて程よい追随性を発揮する．しかし走行などの義足の振り出しが頻回に行われる状況では，空気の圧縮が追い付かず，リズムが合わないという問題も生じる．

- **油圧制御の特徴**
  - 液体の性質上，バルブに流体が流れ込む際に生じる抵抗が主たる効果を発揮する．複数のバルブ孔を設けることで膝継手の角度変化に応じて抵抗に変化を付ける場合が多い．
  - 一般的に立脚期から遊脚期に移行するタイミングで抵抗が強く，体重の軽い切断者には使用感が重く感じられる．そのため比較的活動度の高い切断者に処方されることが多い．

⑤コンピュータ制御（空圧・油圧・MR流体を用いた電子制御）

- 電気信号によって流体装置（アクチュエーター）を自動的に操作する制御システムの総称である．
- 遊脚期と立脚期の両方の制御に用いられている．電気信号は専用端末から入力される．
- 多様な制御が可能であり，相反する「屈曲しやすく伸展が速い」という調整などが可能である．

4 その他の分類

①完全伸展保持特性の有無による分類

- 義足装着時，振り返ったり，立ち位置を調整したり，ちょっとした足踏みをすることがある．このとき前方に義足を少しもち上げるようにステップを踏むことが多い．空中に位置する膝継手は，①義足下腿の重みで軽く屈曲する製品，②重力に抗して完全伸展を保持する製品に分かれる．
- 遊動膝継手の多くは完全伸展位のみ安全を保障し，義足を振り出せば軽く屈曲する①の製品が多数を占める．つまり足踏みをすれば膝継手が屈曲するので，その度に完全伸展をしなければならない．②の製品は完全伸展を保持することができ立脚期に安全であるが，階段の交互昇りなどには都合がよくない．

②使用目的による分類

- 切断者のニーズは多岐に渡り，応用動作や生活環境に合わせた膝継手が考案されている．
- **疾走用**：走行動作に使用できる膝継手は，アライメント設定や断端の随意制御など，旧来のストラテジーによる安全担保を求められる傾向が強いがゆえに，単純な構造で耐久性のあるコンパクトなものが求められる．疾走専用として開発された膝継手と，一般的に使用されてきた膝継手を疾走用に流用するものに分かれる．
- **半遊動機構**：この機構は，バドミントンやクロスカントリースキーなどに使用実績がある．立脚期の屈曲を一定範囲まで許して固定される構造になっている．
- **自転車用**：専用の機構は存在せず既存の製品を利用する．完全伸展保持特性のないものが自転車のペダリングには都合がよい．

3 足継手と足部

1）役割と機能

1 特性や構造

- 足継手と足部は生体の**足関節および足底部の代わり**となる．
- 足継手と足部は，足関節以上のすべての義足に存在する．そのため義足部品のなかでは最も使用頻度が高い．
- 多くの部品は**荷重を利用したエネルギーの吸収と放出により生体足関節に似た働きを模倣する**ため，接地した状態でのみ機能するものが大勢を占める．
- 生体の足関節は可動性（mobility）と支持性（stability）の双方を両立させることで，多様かつ安定した動作を可能にする．足継手は生体を模しているが，生体と同じ機能をすべて満たすものは存在しない．
- 足部のサイズ表記は「足の大きさ」であり多くは1 cm刻みで選択する．したがって靴の大きさより0.5～1.5 cm小さいサイズを選択する．

2 歩行における役割

- 構成する材質（カーボン・ウレタン・ゴムなど）の可撓性や粘弾性を利用して，生体の足関節底背屈筋，足趾屈筋の代替機能を果たす設計となっている．

3 足部による推進と制動の機序（図13）

- **ヒールロッカーファンクション**（踵を中心とした転がり）
  - ▶初期接地から荷重応答期：カーボンのたわみを利用したエネルギーの吸収により緩衝および制動を行う．
  - ▶荷重応答期から立脚中期：吸収したエネルギーの解放により前方推進を行う．
- **アンクルロッカーファンクション**（足部底面を起点とした転がり）
  - ▶立脚中期以降：足継手またはトウレバーを利用したエネルギーの吸収により制動を行う．
- **フォアフットロッカーファンクション**（前足部の剛性を利用した転がり）
  - ▶立脚終期から遊脚移行期：前足部カーボンのたわみによるエネルギーの蓄積により制動を，蓄積したエネルギーの解放により蹴り出しを行う．

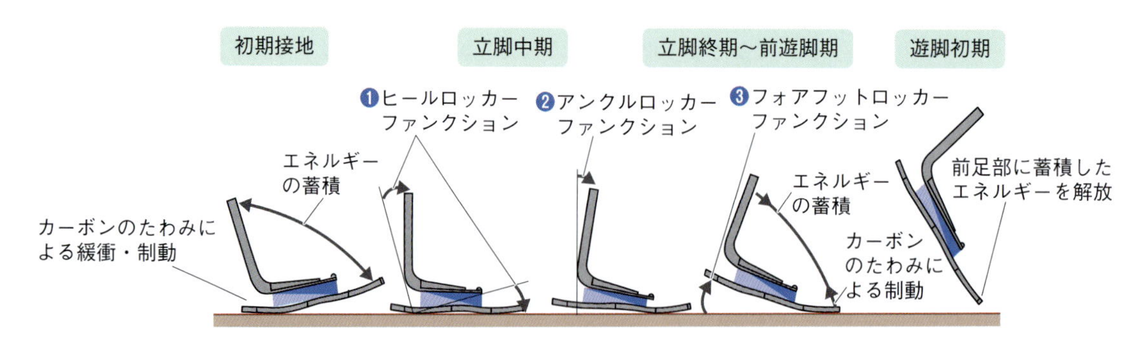

図13　エネルギー蓄積型足部を例とした推進／制動の機序

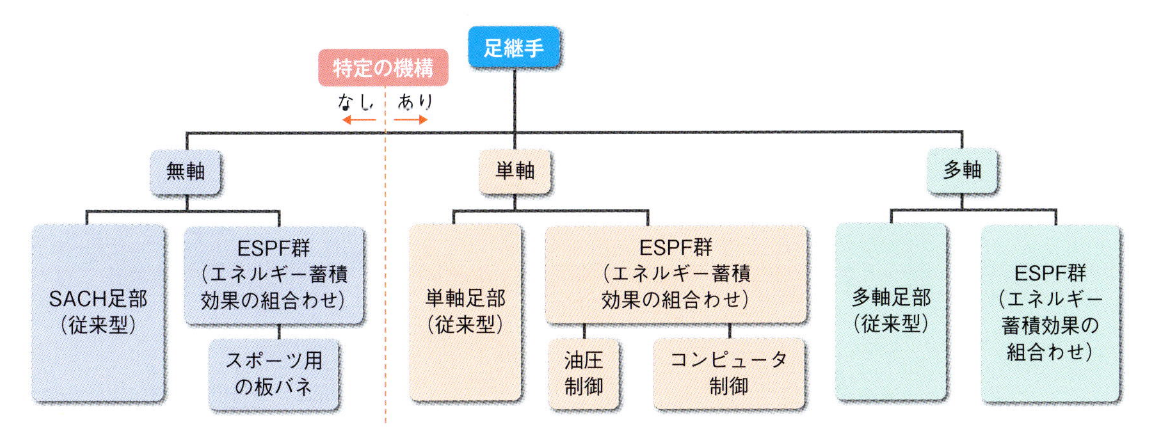

図14　足継手と足部の分類

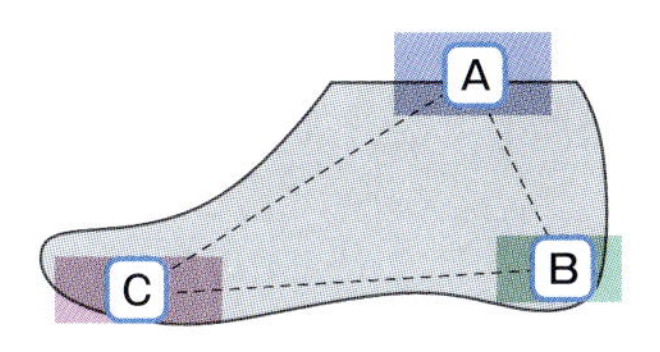

図15　足部の主要な構成要素

A）足継手（運動を可能にする特定の機構），B）踵部（カーボン，ウレタンなど），C）前足部（カーボン，グラスファイバー，木など）．

2）足継手と足部の分類

1 足継手の軸数による分類とESPF群

- 足継手と足部は軸数や機構により分類される（図14）
- 足部の機構や制御のしくみは，矢状面の三角形（**足継手→踵部→前足部**）で構成される（図15）．足継手が運動を可能にする特定の機構を担う．以下，足継手と足部の分類と機構を解説する．

①無軸

- 運動をなす特定の機構が存在せず，上部パイロンと連結・固定される（図16A❶）．
- 底面をなすフットプレートと一体構造になっている（図16A❷）．
- カーボン，樹脂，ウレタン，ゴム，木などの可撓性やクッション性を利用して足関節の代用をなす．
- フットプレートの分割によって軸のある足継手と同様に多様な運動が可能な製品も存在する．
- SACH足部（solid ankle cushion heel）（従来型）（図16A❸）の特徴を以下に示す．
  - 概要：木製・金属製の前足部，ウレタン製の踵部をラバー製の外観で整えている．
  - 長所：歩行時の踵接地の際にウレタンによる衝撃吸収が機能する．可撓性のない前足部は静的安定性が高い．習熟によっては床からの硬質な反発を得られる．軽量で最も安価．
  - 短所：エネルギー吸収は大きく，放出は小さい（低活動者への適応では静的安定性の利点が大きい）．可撓性のないトウレバーが前方推進の制限になる場合があるので，アライメント設定や歩行の習熟が重要になる．

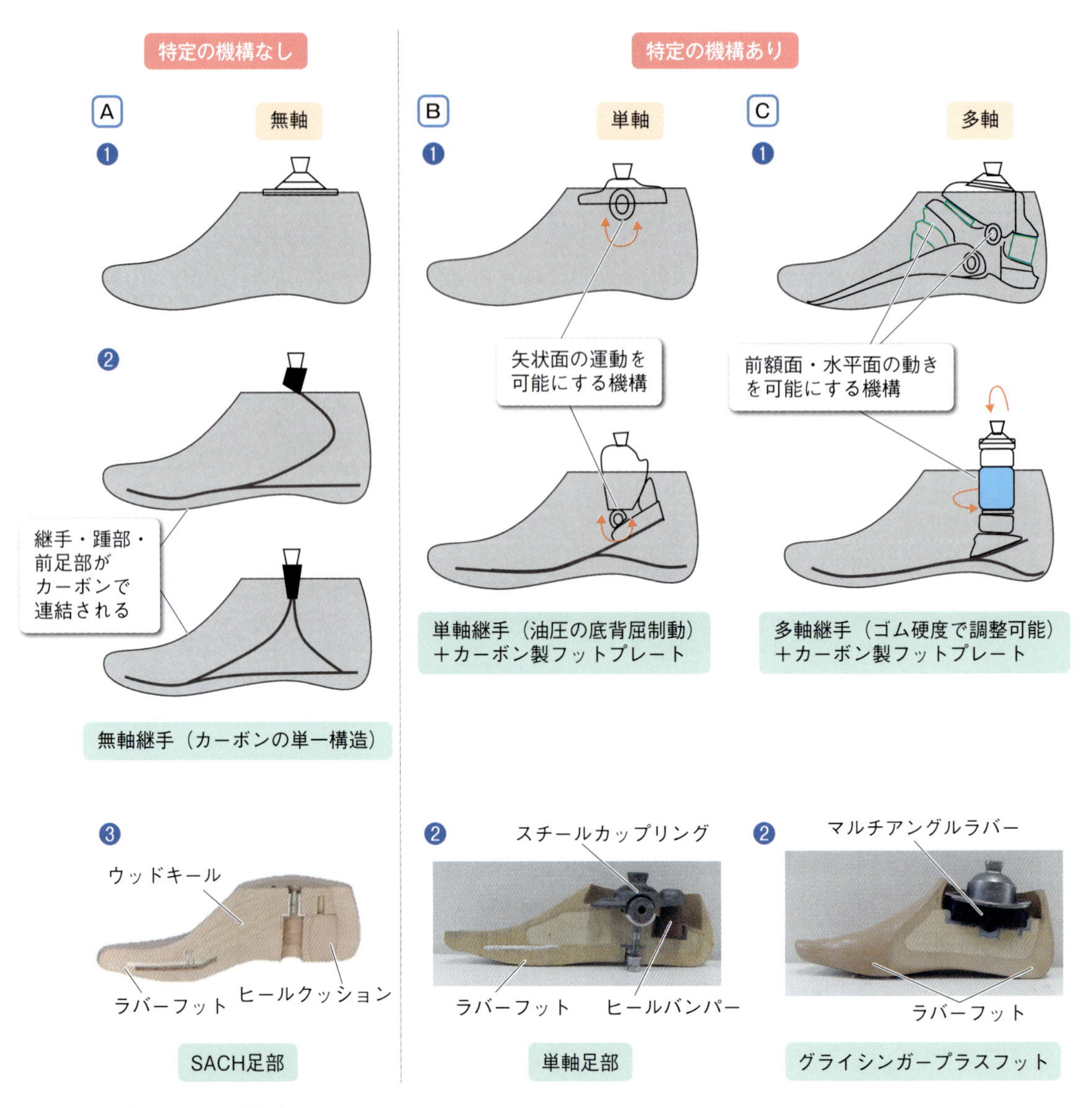

図16　足継手と足部の構造

- **無軸足継手のエネルギー蓄積足部**（energy storing prosthesis foot：ESPF）の特徴を以下に示す．
  - 概要：カーボン，ガラス繊維，樹脂などのフットプレートで底面を構成しており，エネルギー吸収と放出の効果が大きい．臨床では使用頻度が高い．
  - 長所：製品により差はあるが，ロッカーファンクションが高く，総じて荷重による前方推進が円滑である．低活動者から高活動者まで選択の幅が広い．同じ製品でも剛性（フットプレートの硬さ）の選択が可能なものが存在する．ゴム製のウェッジなどで踵接地時のクッション性を調整可能．
  - 短所：高い機能を求めるとサイズが大きくなる傾向にあり，下腿クリアランスによっては使用できない．高額な製品が多い．

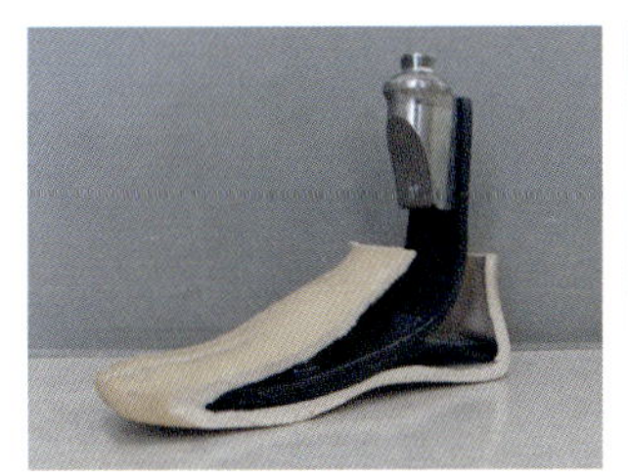
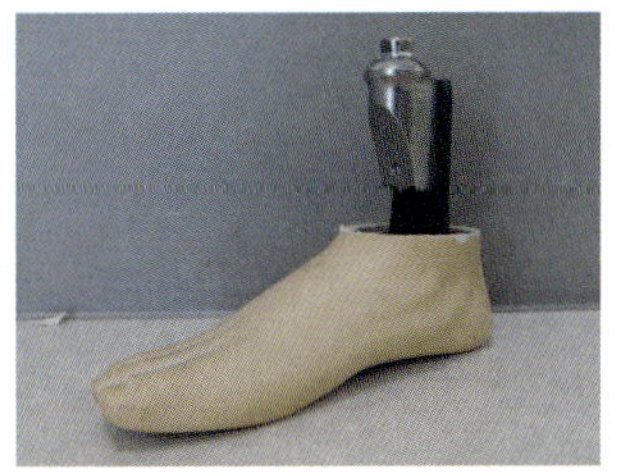

図17　スポーツに特化したエネルギー蓄積型板バネ足部

- **スポーツに特化したエネルギー蓄積型板バネ足部**（図17）の特徴を以下に示す．
  - 概要：「スポーツ義足」「板バネ」という呼称で区別されている．重層のカーボン繊維で仕上げた鈎型の形状をしており，多くは踵部が存在しない．曲線形状や大きさは多様化している．
  - 長所：エネルギー放出が非常に大きく，義足荷重の習熟に伴いその効果を得やすい．荷重に対して前上方にエネルギー放出が行われるので前方推進が非常に円滑である．運動強度に耐えうる強度をもっている．
  - 短所：多くの場合，サイズが大きく，十分な下腿クリアランスを必要とする．高額かつ現状で支給制度が存在しないため，自費購入しか方法がない．

②単軸

- 足継手を起点にして矢状面の底背屈運動を行う構造（図16B❶）．
- 義足荷重時のエネルギー吸収と放出は，ゴム硬度，油圧抵抗などで制御される．底背屈の運動域は製品により異なる．
- **単軸足部**（single-axis ankle）（従来型）の特徴を以下に示す（図16B❷）．
  - 概要：生体の距腿関節に相当する足継手が矢状面の一軸運動を可能にする．
  - 長所：足継手後方のゴム製バンパーが歩行時踵接地の緩衝作用に働く．衝撃吸収効果はゴムの厚みや硬度で調整可能．必要なクリアランスが小さいので，低身長・長断端の切断者にも使用できることがある．足継手の材質に，スティール・アルミ・チタンの3種類があるので，目的（価格・重量）に応じて選択できる．
  - 短所：エネルギー吸収の性質が強く，放出は小さい．スティールなどの安価な材質は重く，アルミ・チタンなどの軽量な材質は高額である．
- **単軸足継手のESPF**（油圧制御とコンピュータ制御）の特徴を以下に示す．
  - 概要：底背屈の一軸運動におけるエネルギー吸収と放出を油圧あるいは電子的に制御する．
  - 長所：カーボン製のフットプレートによるエネルギー吸収，放出効果が付加されている．油圧制御では，油圧粘性により底背屈筋群の遠心性収縮の代用効果が十分に発揮される．底屈と背屈の油圧制御がそれぞれ可能で，生活環境や動作のニーズに合わせた微細な調整が可能．コンピュータ制御の足継手は，階段や傾斜の昇りで義足のつま先を地面や階段の縁に接触しないよう調整する遊脚期制御機能を有する．
  - 短所：高額かつ油圧ユニットの影響で重い．油圧制御によるエネルギー吸収が大きく，無軸の足部に比べてカーボンの可撓性によるエネルギー放出が小さい．コンピュータ制御の足部には厚生労働省認可の製品は存在せず，高額でサイズが大きい．

③多軸

- 足継手と足底面の間に，内外反や回旋の動きを可能にする機構が存在する（図16C❶）．生体の足関節と比較すると運動域は小さい．
- 足継手の「多軸」とは運動方向の数を指しており，膝継手の「多軸」とは意味が異なる（膝継手の多軸は同一方向の運動軸の数をさしている）．
- **マルチフレックス＋アンクル，グライシンガープラスフット**（従来型）の特徴を以下に示す．
  - 概要：マルチフレックス＋アンクルは，アンクルアダプターがラバー製足部のドーナツ状の穴に接合されて矢状面，前額面の動きを生み出す構造．グライシンガープラスフットは，金属製の継手下部に運動制御と衝撃吸収に作用するゴム製の機構が取り付けられ，多様な動きを可能にする構造（図16C❷）．
  - 長所：路面を選ばず足底面の全面接地が可能．
  - 短所：エネルギー吸収は大きく，放出は小さい．静的安定性が低い．
- **多軸足継手のESPF**の特徴を以下に示す．
  - 概要：多様な運動を可能にする足継手機能と，カーボン製フットプレートで構成される．
  - 長所：路面を選ばず足底面の全面接地を得やすく，かつエネルギー放出効果も得られる．体幹の回旋を伴うゴルフ，テニス，野球などの運動に用いられる．空圧調整やゴム硬度の調整で，内外反や回旋運動の快適性を改善できる．サイズの小さいものもある．
  - 短所：多軸機構のエネルギー吸収の要素が大きく，無軸足継手のESPFほどロッカーファンクションは高くない．高額かつ重い製品が多い．

2 エネルギー蓄積足部（ESPF）における分類

- エネルギー蓄積足部（ESPF）は，“軸の数”と“制御方法”により分類できる（図14）．
- 主にカーボン製フットプレートを用いて，エネルギー吸収と放出を行う足部を「エネルギー蓄積型足部」として区別するが，近年この特性はすべての軸構造の足部に組み込まれている（図16）．
- 「エネルギー蓄積型足部」という狭義の名称と，実質のエネルギー蓄積効果は区別して理解する必要がある．エネルギー蓄積の効果は義足の種類によって，また踵接地とつま先離地で異なる．

3 その他の足部

- 実際の生活では，立つ，歩く，走るを可能にするだけでニーズが満たされるわけではない．そのため，これまで紹介した以外にも多様なニーズに合わせた足部が多数存在する．以下に列挙する．
  - 構造上は無軸でありながら，多軸と同様に足関節内外反の機能をもつ構造の足部（スプリット・トウなど）．
  - 非切断肢側が裸足の際や，複数の靴に合せて高さを調整できる足部．
  - サンダルなどの履物にも対応できる指股のある足部．
  - 茶道を趣味とする人のための正座のできる足部．
  - 水場で活動することが多い人のための防水機能を備える足部．
  - 短距離走，幅飛びなど，特定のスポーツに特化した足部．
  - 農作業などの現場で使える足部（ドリンガー足部など）．

表5　足継手（足部）の選択で考慮すべき因子（赤字は処方時に影響が大きい項目）

身体的因子

- 年齢
- 体重*1
- 身長*2
- 切断原因
- 断端長*2
- 両側切断（両側大腿切断／下腿＋大腿切断）or 片側切断*3
- 断端筋力
- 断端可動域
- 断端痛
- 非切断肢の能力
- リハビリテーションゴール*4

義足に関する因子

- 装着（懸垂）方法*5
- 重量
- 足継手（足部）の大きさ*2
- 膝継手選択*6
- 骨格構造 or 殻構造
- 価格
- 厚生労働省基準内か否か*7

社会的因子

- 職業*8
- 生活環境
- 趣味・習慣（指股や高さの調整機能の有無など）
- 家庭内の役割
- 支給制度
- 経済能力

＊1　足部は荷重ストレスに耐えうる処方を行うため，製品によって体重の上限が設定されている．
＊2　下腿クリアランスに影響．
＊3　両側切断では静的安定性を重視しながら，実質の機能肢（長断端側，切断高位が低い側）に多様性を求める足部を考慮する．
＊4　高齢者や抹梢循環障害による切断の場合は屋内生活を含めた静的安定性や重量を重視．高活動がゴール設定の場合は歩行効率を重視してロッカー機能の高い足部を選択肢とする．
＊5　（下腿切断において）クリアランスに影響（キャッチピン懸垂<カフベルトによる懸垂）．
＊6　膝継手以下のクリアランスに影響．
＊7　厚生労働省が認可する製品ならば更生用義足製作以降でも同じ足部の継続使用が可能．
＊8　就業状況などによって優先される機能に影響を与える〔長距離持続歩行を要する仕事→ロッカー機能（歩行効率）重視〕．

3）足継手（足部）の選択

- 足部の部品を選択するための因子は，身体因子，義足因子，社会的因子などがある（表5）．

1 新規切断者や高齢切断者の場合

- エネルギー蓄積足部は，**荷重→エネルギーの蓄積→エネルギー放出**という図式で前へ進む力を得る．この力を得るためには切断者自身による積極的な義足荷重が不可欠である．新規切断者で義足装着が未習熟な場合は，筋力低下や痛みのためにこのような高機能な足部の利点を活かしにくいことが多い．これは高齢者によくみられる傾向であるが，リハビリテーション初期においては高活動な若年者にも共通してみられる．
- 足部のフットプレートは義足装着初期では比較的剛性の低いものを装着し，習熟に応じて適宜変更することが望ましい．
  - ▶装着例：リハビリテーション初期はJ-foot（今仙技術研究所）を使い，後期はVariflex®（オズール社）を使用する．Variflex®は習熟に合わせてさらにカーボン剛性を9段階より選択できる．

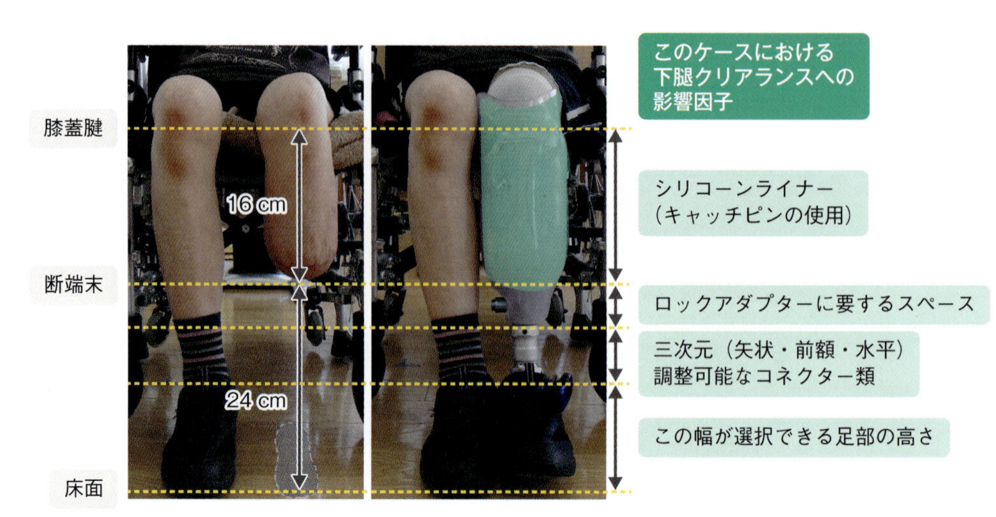

図18　足部選択のケーススタディ（下腿切断，身長158 cm，60代女性）

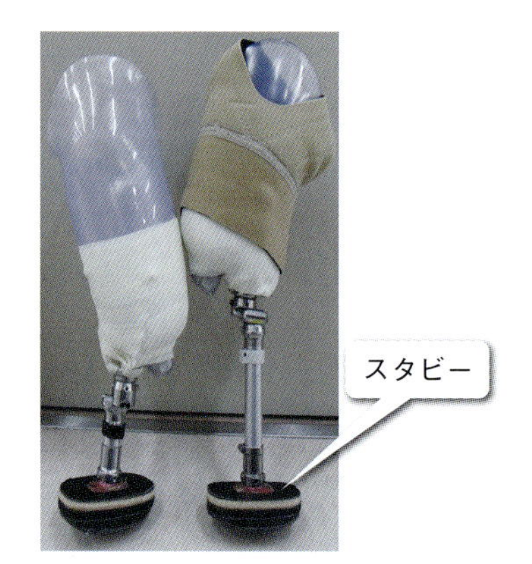

図19　両側大腿切断のリハビリテーション初期に使用するスタビー義足

2 下腿クリアランス（下腿切断を想定）を考慮する場合（図18）

- 身長，断端長，懸垂方法は下腿クリアランスにかかわり，選択肢に影響を与える．
- 下腿クリアランスは，①低身長＜高身長，②長断端＜短断端，③キャッチピン懸垂＜バンド懸垂のように差異が生じる．つまり，低身長，長断端，キャッチピン懸垂の場合に最も足部の選択肢が狭まる．
- 低床型足部は，高さが低いのでクリアランスが限られる場合に有効である．他にも，膝継手の選択肢増，長断端への対応，足部の軽量化などの利点がある．

3 膝継手の組合わせ（大腿切断を想定）を考慮する場合

- サイズの大きい膝継手との組合わせでは，足部を組み込むスペースに制限が生じる．
- 固定膝継手選択時は，足部による衝撃吸収を考慮する．特に立脚後期から遊脚移行期でのトウクリアランス不良が起きる可能性があるため，前足部のクッション性や背屈角度の設定，義足長なども考慮する必要がある．

4 切断部位を考慮する場合

- 大まかには膝関節が残存する下腿切断と，膝関節以上で切断する場合を区別して考える．
- 大腿切断の場合，切断肢による制御が保たれていれば多軸足部なども選択肢に入るが，筋力低下などの問題がある場合には安定性を重視して無軸足部を選択することが多い．
- 切断肢側の股関節可動域に制限がある場合には，前足部の可撓性を利用できる足部が歩行の立脚後期形成を助ける可能性がある．

5 両側切断の場合

- 両側大腿切断のリハビリテーション初期は静的安定性を重視した足部選択が有効な方法である．特に義足装着の極めて初期の段階では重心が低く安定なスタビー義足が効果を発揮する（図19）．
- 切断部位，断端長の条件，習熟度によるが，利き足として機能する切断肢側に高機能かつロッカーファンクションを重視した足部を選択することは有効な方法の1つである．

6 屋内外への対応（靴選び）を考慮する場合

- 多くの場合，靴を履く想定の足継手（足部）の角度設定は，裸足の際に前足部のみが接地する不都合が生じる．
- 高活動者の場合は靴を履く想定（屋外歩行）の調整で問題ないが，低活動者のように屋内中心の義足装着を想定する場合は，裸足時の角度設定にすることも考慮すべきである．
- 低活動者が屋内で義足装着する際は，踵までカバーされる室内履きを想定した設定なども有効である．

第I章 義肢学

13 下肢切断者に対する理学療法プログラム

学習のポイント

- 義足装着のための断端管理の種類と方法，拘縮予防について理解する
- 義足装着の種類と義足歩行のための練習について理解する
- 義足装着時と未装着時の日常生活活動（ADL）とその練習について理解する

1 義足装着方法の基礎知識

- 義足装着方法の基礎知識とその症例に合わせた装着方法の選択が切断者の歩行パフォーマンスに大きく影響する．そのためリハビリテーション専門職は装着方法と選択肢を幅広く知り，装着練習を行っていく必要がある．
- 歩行動作・応用動作を最大限に引き出すためにはソケットと断端を適合良好な状態に装着することが必要であり，これによって断端トラブルも回避できる．
- 装着方法を選択する際に重要な視点は以下の通り．
  - 断端未成熟で今後も**周径変化**が著しいか（新規切断者の場合）
  - **義足歴**と**以前までの装着方法**（新規切断者でない場合）
  - **年齢**
  - **活動度**（低活動と高活動）と**生活・社会背景**
  - **切断原因**（糖尿病壊疽・血管原性・腫瘍・外傷・その他）
  - **断端長**（膝継手・足部選択に影響する）
  - **皮膚トラブル**の有無
  - 断端における**筋皮弁**や**皮膚移植**の有無
  - **費用負担方法**（医療保険・福祉・労災・自賠責），収入などの**経済面**

2 断端管理

- 切断術直後の断端は**腫脹・浮腫・熱感**が著しく未成熟で，**周径の日間変動・日内変動**が起こりやすい状態にある．

動画①

動画③

動画④

動画⑤

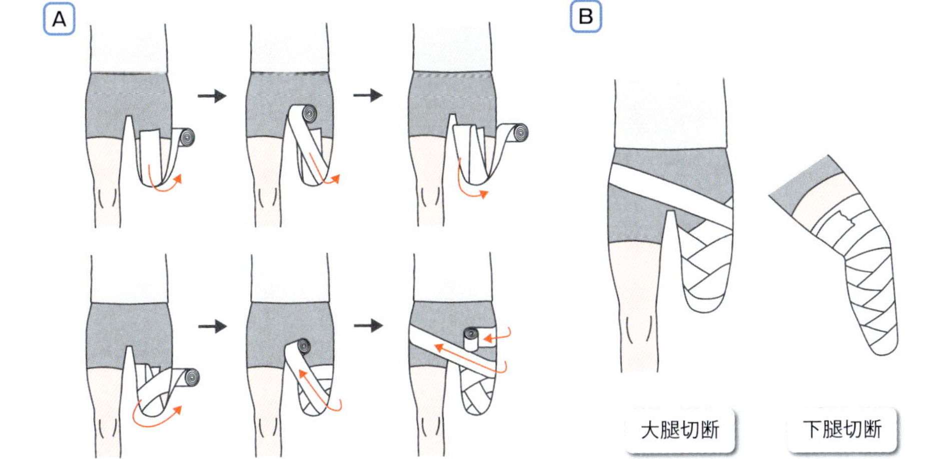

図1　断端包帯の巻き方

動画① 下腿切断の包帯管理（正面＋患者視点）
動画② 下腿切断の弾性包帯①一般的な断端管理
動画③ 下腿切断の弾性包帯②手が小さい人の断端管理
動画④ 下腿切断の弾性包帯③簡便で最速の断端管理
動画⑤ 下腿切断の弾性包帯④ほどけやすい人の断端管理

- **断端管理**とは断端を適度に圧迫し，浮腫の軽減や断端輪郭形成，創治癒を促すこと．
- **断端成熟**とは，断端管理により浮腫が軽減し，断端周径が安定した状態をいう（参照）．
- **周径変化**の少ない断端形成を行うためには，早期からの専門職による**断端管理**・指導と切断者自身による**自己断端管理**が必要となる．
- 断端管理は義足装着時の安定した適合と断端トラブルの予防につながる．
- 各施設・病院において切断後のチームアプローチが実施できる体制や条件を考慮し，最前の方法を選択することが重要である．

参照
断端成熟は第Ⅰ章2③5参照

1）ソフトドレッシング（soft dressing）

- 切断端の創縫合部を**滅菌ガーゼ**で覆い**弾性包帯**を巻いて圧迫・固定する方法である．
- 従来より行われている**最も簡便**な方法であり，今なお日本で最も普及している．
- 創部観察が可能であり，特別な材料が不要で安価などの利点がある．
- 圧を均一にする包帯の巻き方には熟練が必要である（図1）．
- 末梢から近位に向けて圧力が軽減するように巻いていく．
- **近位部をきつく巻くと浮腫が増加**する（とっくり締め）．
- 自己装着での管理が難しく夜間時（就寝時）に取れてしまうことが多い．取れないよう強く圧迫すると断端痛やしびれの原因になることがある．夜間時はスタンプシュリンカー（後述）と併用するとよい．
- 疼痛がある場合は近位関節に屈曲拘縮が生じやすい．

2）リジットドレッシング（rigid dressing）（図2）

- 手術室にて切断端に厚手の滅菌断端袋（または創をガーゼで覆った上にストッキネット）

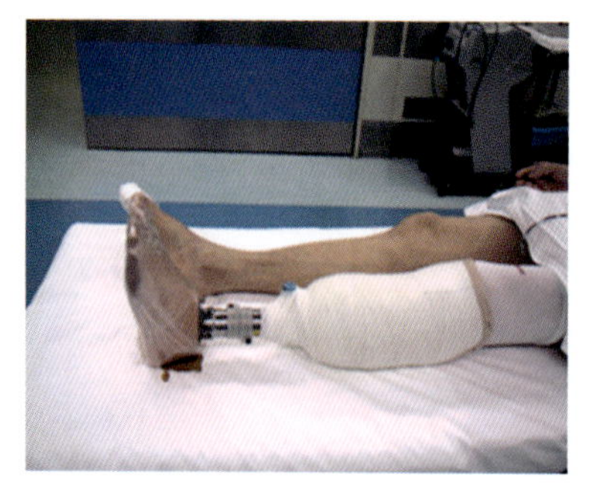

図2 **リジットドレッシング**

手術室にてギプス包帯ソケットにパイロンや足部を取り付け仮義足を製作する方法を「術直後義肢装着法」とよぶ．文献1より引用．

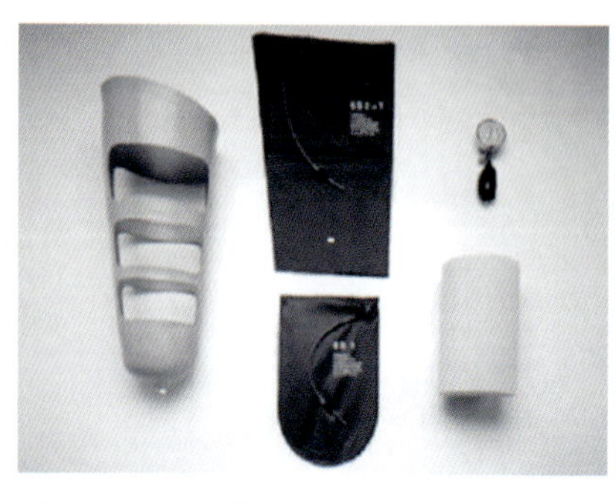

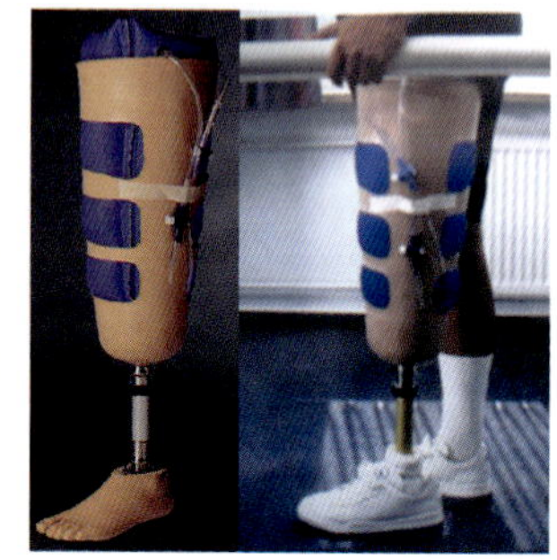

図3 **セミリジットドレッシング** 文献1より引用．

をかぶせ，その上に**ギプス包帯**を巻く方法である．

- 浮腫や膝・股関節の屈曲拘縮を予防でき，幻肢・幻肢痛が少ない，**早期より立位保持が可能**などの利点がある．
- 断端や創部の観察，湿度温度管理ができないため感染などへの対応が遅れないように注意が必要である．
- 石膏ギプス巻きの技術が必要であり，石膏で包むため重いなどの欠点もある．
- 義肢について専門的な知識と熟練した製作技術が必要である．チームアプローチが実施できる体制が条件であり今現在は限られた病院のみで実施されている．

3）セミリジットドレッシング（semi-rigid dressing）（図3）

- ギプス包帯法を使わずに，unna pasteなどの少し弾力性のある材料や**エアバッグ**で断端を圧迫・固定する方法であり，**早期に立位・歩行を可能**とする．
- エアバッグにより均一な圧迫を断端に加えることができ，断端の**周径変化などにも自動的に対応**して，完全な全面接触を行うことができる．
- 装着方法が簡単であることや，創部の観察，浮腫の予防，早期に立位・歩行が可能などの利点がある．
- 下腿切断と膝離断のみの適応となる．
- 空気漏れが発生することや，高圧過ぎて疼痛が生じることもあり注意が必要．
- 日本では現在限られた病院でのみ実施．

4) 環境コントロール法（controlled environment treatment：CET）

- 断端を**ドレッシングバッグ**という透明なバッグのなかに直接挿入し固定する方法である．滅菌したうえで温度や湿度を調節した空気をそのバッグのなかに送り込み圧をかけて創の管理を行う．
- 疼痛や浮腫の予防，温度・湿度調節を利用した創部乾燥による感染予防，直視による創部観察，血行促進による良好な創部の治癒などが利点である．
- 特殊な装置が必要であり，切断者の絶対数が少ないわが国では普及していない．
- 早期離床による訓練が困難，機器装着による行動制限などが欠点である．

3 その他の断端管理

1) シリコーンライナー管理（図4）

- **シリコーンライナー**を装着する方法である．ソフトドレッシングやスタンプシュリンカーと同等の簡便さがある．
- 自己装着でも介助装着でも圧力が均一になるため断端成熟が早期に得られやすく，結果として**早期の義肢装着が可能**になる．
- 通気性が悪く発汗も多くなるため創部が落ち着いてから実施する．
- シリコーンライナー自体が高価なため周径変化に応じてライナーを交換（レンタル）する体制が整っている施設のみ可能である．

2) スタンプシュリンカー（図5）

- **スタンプシュリンカー**をストッキングのように装着する方法である．断端末端部から近位に向かって段階式に着圧が低くなる設計により断端を適切に加圧しズレにくく，**長時間の定位置固定が可能**である．
- ソフトドレッシングの自己装着管理が難しい場合（習熟度が低い，手指の機能低下など）でも断端サイズに合せて簡便に装着でき，適度な着圧が得られる．

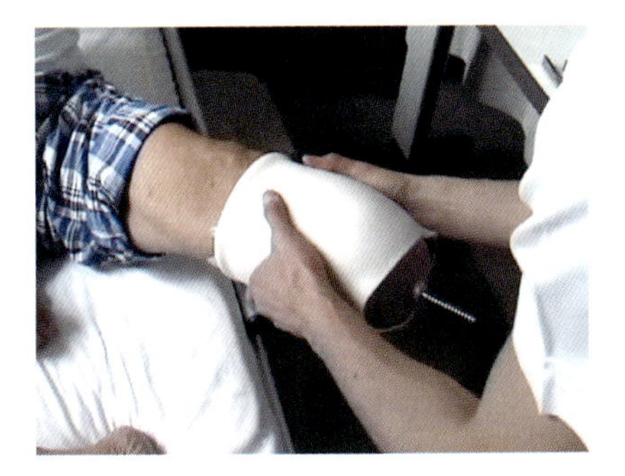

図4 シリコーンライナー管理
文献2より引用．

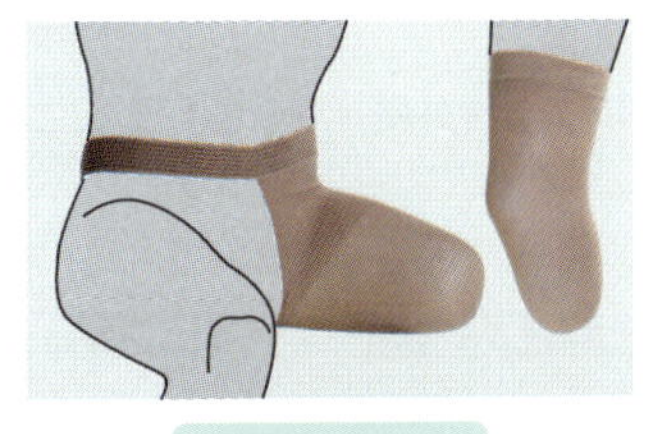

Ottobock 社製

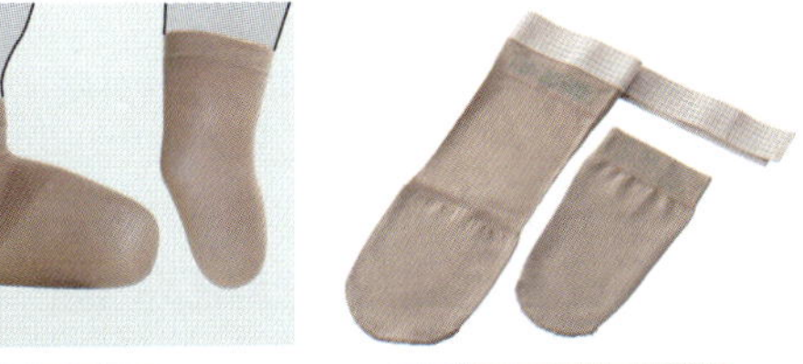

今仙技術研究所製

図5 スタンプシュリンカー

- 限られたサイズのみであり，患者ごとにぴったりとしたサイズ（すなわち着圧）に調整できるわけではない．
- 夜間就寝時の断端のむくみを抑え，翌朝の義足ソケットの装着を容易にする．
- 断端管理の簡便さから広く普及している．
- 切断直後の断端管理としてソフトドレッシングと併用，またはシリコーンライナーと併用される場合が多い．

4 術後良肢位保持（拘縮予防）

- **下腿切断**では膝関節の屈曲筋群が拮抗筋群と比較して強くなるため膝関節屈曲拘縮が顕著となりやすい．
- **大腿切断**では股関節屈曲，外転，外旋筋群の筋力が拮抗筋に比較して強くなるため，股関節屈曲・外転・外旋拘縮が顕著になりやすい．
- 関節拘縮は義足アライメント設定に影響をおよぼすため，切断術後，早期から専門職と切断者自身が**拘縮予防**の共通認識をもって取り組む必要がある．
- 特に**拘縮予防の重要性と良肢位保持**について術前から指導する．
- 拘縮を助長させる姿勢と肢位に留意する．
- 病棟において可能であれば良肢位である腹臥位保持の指導を行う．
- 腹臥位のみでは股関節の伸展保持ができない場合は腹臥位にて切断肢側前面へバスタオルなどを敷き，股関節伸展位を保持する方法を指導する．

1）拘縮予防のための禁忌肢位（図6～8）

- 車椅子座位での長時間の切断肢側の股関節・膝関節屈曲肢位（下腿・大腿切断）．
- ベッド上（背臥位）にて切断肢側股関節外転・外旋位を長時間とる（大腿切断）．
- ベッド上（背臥位）にて切断肢側膝関節屈曲位で下腿をたらす（下腿切断）．
- ベッド上で切断肢側の膝関節下に枕を入れ股関節・膝関節屈曲位をとる（下腿・大腿切断）．

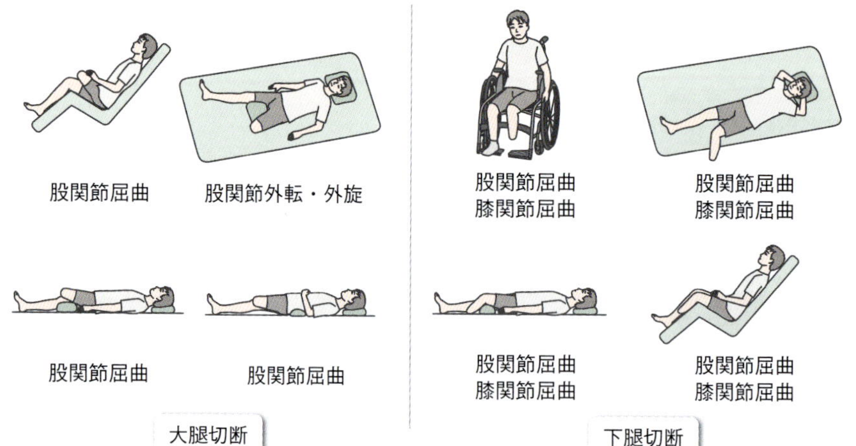

図6 拘縮肢位
文献3をもとに作成．

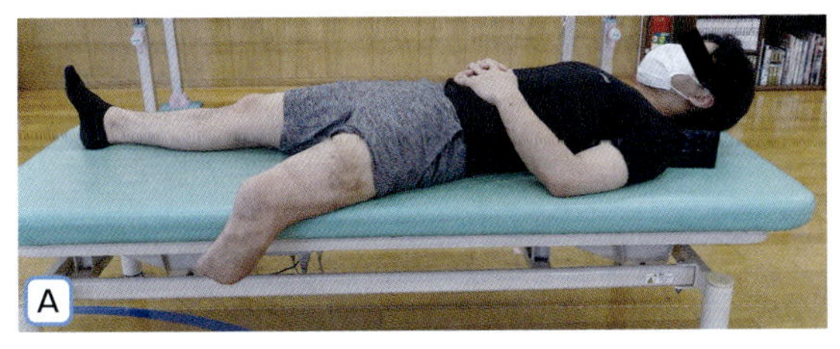

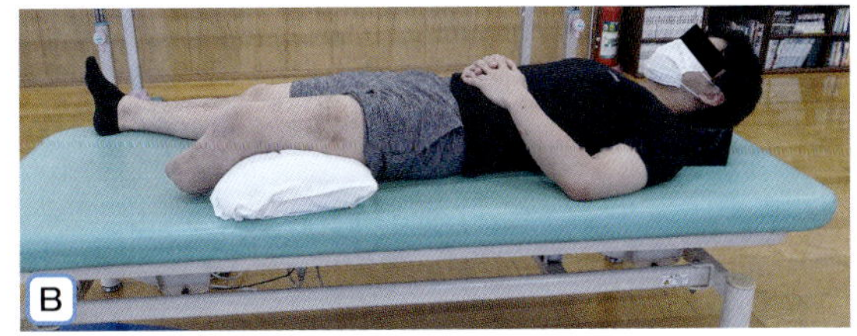

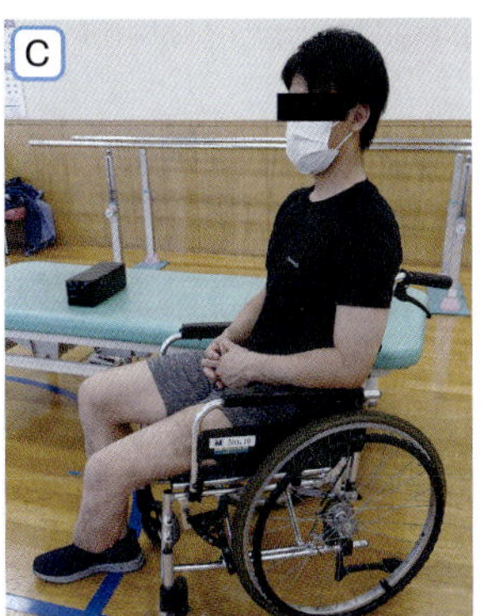

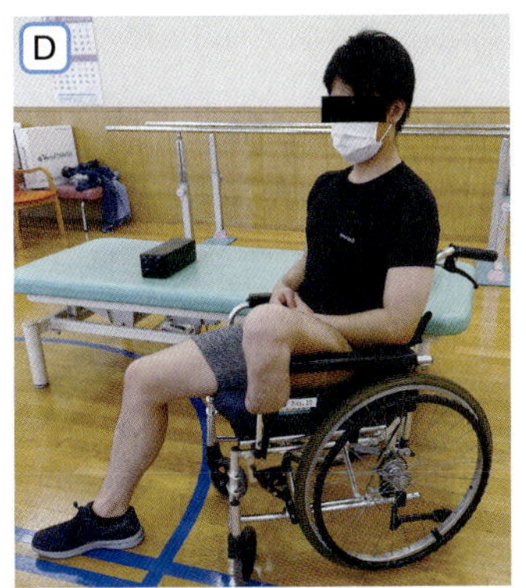

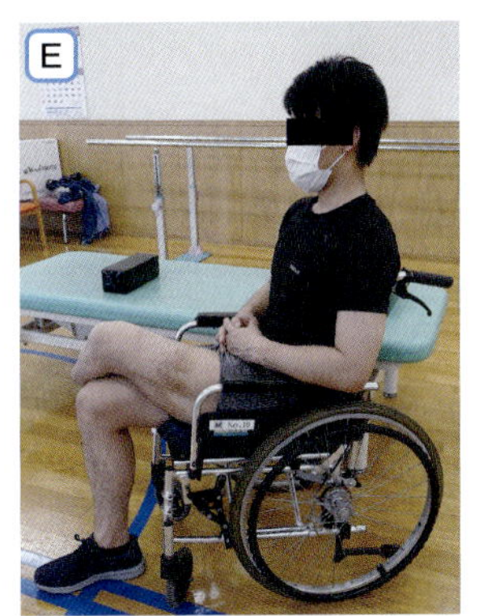

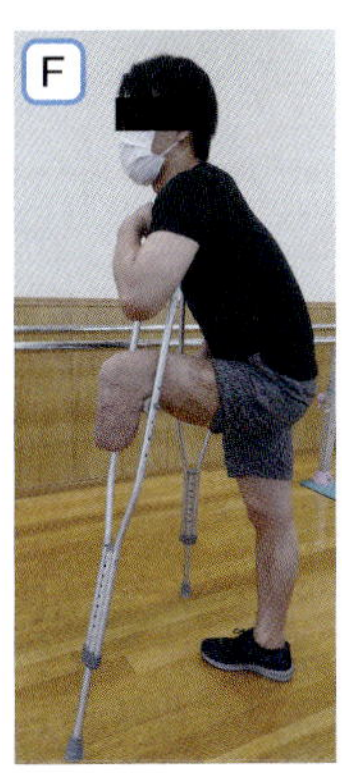

図7　下腿切断者の拘縮（特に膝関節拘縮）を助長する禁忌肢位

A）ベッド側端から切断肢側膝関節を屈曲位で垂らした肢位．B）枕を膝関節下に入れた切断肢側膝関節屈曲肢位．C）端座位で長時間の切断肢側膝屈曲肢位．D）車椅子アームサポートに切断肢側膝関節屈曲肢位にて載せる．E）足組肢位（非切断肢側へ切断肢側膝関節屈曲肢位にて載せる）．F）松葉杖グリップに切断肢側膝関節屈曲肢位にて載せる（転倒のリスクもあるため禁忌）．

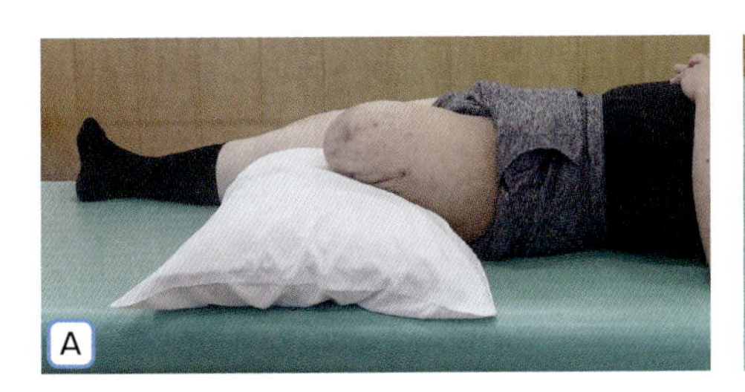

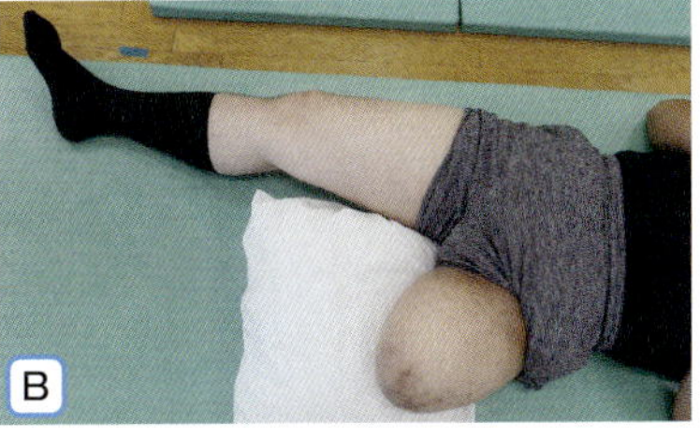

図8　大腿切断者の拘縮を助長する禁忌肢位

A）枕を入れた状態：切断肢側（左）股関節屈曲拘縮を助長する肢位．B）枕を入れた状態：切断肢側（左）股関節屈曲・外転・外旋拘縮を助長する肢位．

2）拘縮予防のポイント（図9，10）

- 大腿切断では股関節伸展・内転・内旋位の保持（ベッド上での腹臥位と背臥位で）．
- 下腿切断では股関節ならびに膝関節の伸展位の保持（車椅子・ベッド上で）．

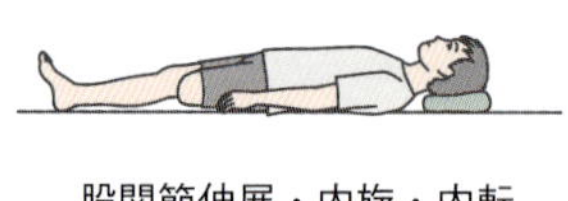
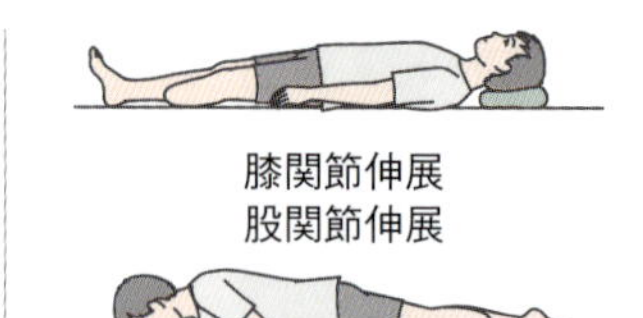

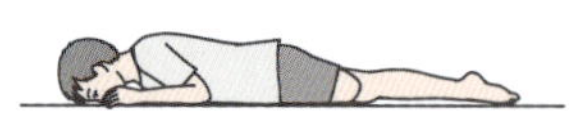

図9 拘縮予防肢位
文献3をもとに作成.

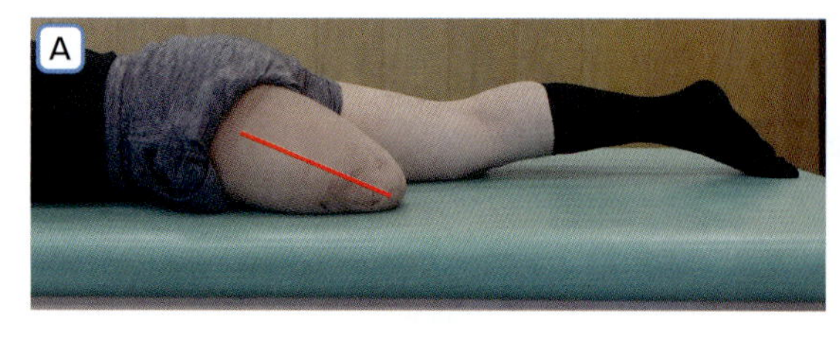

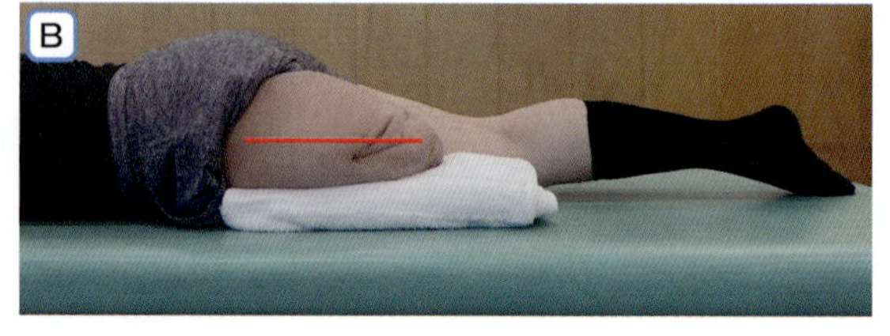

図10 大腿切断者の屈曲拘縮予防する肢位と工夫

A）腹臥位になるだけでは切断肢側（左）股関節屈曲位の状態で股関節伸展位とならない場合が多い. B）バスタオル等を入れ切断肢側（左）股関節伸展位を保持できるよう工夫する. ※大腿切断者の場合は股関節伸展・内旋・内転位が拘縮予防肢位となる.

5 義肢装着開始時期

1）術直後義肢装着法について

- 手術室にてギプス包帯（リジットドレッシング）ソケットにパイロンや足部を取り付けて仮義足を製作して術直後より立位や歩行練習を開始する方法のこと.
- 本法は，医師や義肢装具士などによる高度なチームアプローチが求められるため，本邦において一般的には実施している施設は少ない.

2）早期義肢装着法について

- 一般的に多くの施設で実施されている方法である.
- 抜糸後できるだけ早期にソケットを製作し，仮義足を使用した立位・歩行練習を開始する方法のこと.

6 義足装着前練習

- 義足装着時に十分なパフォーマンスが得られるように以下の練習を行う.
  - ▶関節可動域練習
  - ▶筋力増強練習
  - ▶義足未装着でのバランス練習
  - ▶義足未装着での起居動作練習

*各練習内容は後述の8 2）を参照. 9 2）の練習のうち，義足をつけなくてもできるものを行う.

7 義足装着練習

1）カナダ式股義足（カナディアンソケット）の装着について

- カナダ式股義足（カナディアンソケット）の装着手順を図11に示す．
- カナダ式股義足（参照）の適合は**前方開き式ベルトの締め方**に依存し，それが歩行に大きな影響をおよぼす．そのためダイナミックアライメントでの異常歩行が観察された場合，即座にアライメント設定を変更するのではなく，まず装着方法の確認を行ったうえでアライメント設定変更を行う．

参照　股義足は第Ⅰ章9，10参照

- きつく締める場合とゆるく締める場合でソケットに対する**軟部組織**と**腸骨稜**の収納が大きく変化する．
- 新規切断者の場合，断端部（軟部組織）の変化は特に著しいため注意が必要である．特に痛みの出やすい，腸骨稜の上縁や坐骨支持部はクッションを張る工夫が必要となる場合が多い（図12）．
- 腸骨稜での懸垂が不十分な場合，遊脚移行期に義足の重さの訴え，足部のひっかかり，ピストン運動が観察される場合が多い．

2）キャッチピン式の下腿義足と大腿義足の装着について

- キャッチピン式の下腿義足（図13A）と大腿義足（図13B）の装着手順を示す．
- **シリコーンライナー**の末端部の**キャッチピン**をソケット底部の**ライナーロックアダプター**で固定し懸垂するため抜ける心配がない*（参照）．

キャッチピン式のシリコーンライナー装着方法は第Ⅰ章6参照

＊長断端の場合，シリコーンライナーの先にキャッチピンとソケット底部のロックアダプターのスペースを確保するため，膝継手・足部の選択幅が少なくなる．

- 新規切断者は軟部組織や腫張，断端周径の変化が著しいため，シリコーンライナー装着時にピンの向きが定まらない場合がある．そのため装着時にキャッチピンの向きを底部のロックアダプター位置に毎回同じように入れる練習が必要である．
- 断端周径の日内変動によりソケットとシリコーンライナー間に緩みが生じるとソケットが回旋（内外旋）する．その場合は断端袋やパットでの修正などでその緩みを改善する．

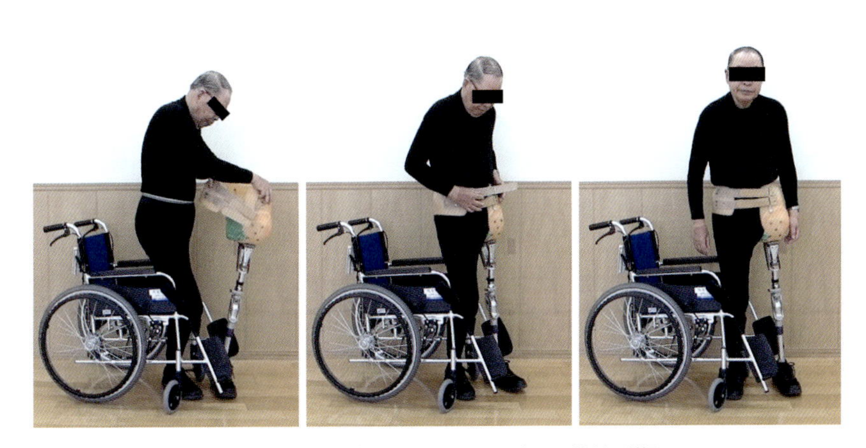

図11　カナダ式股義足（カナディアンソケット）の装着手順

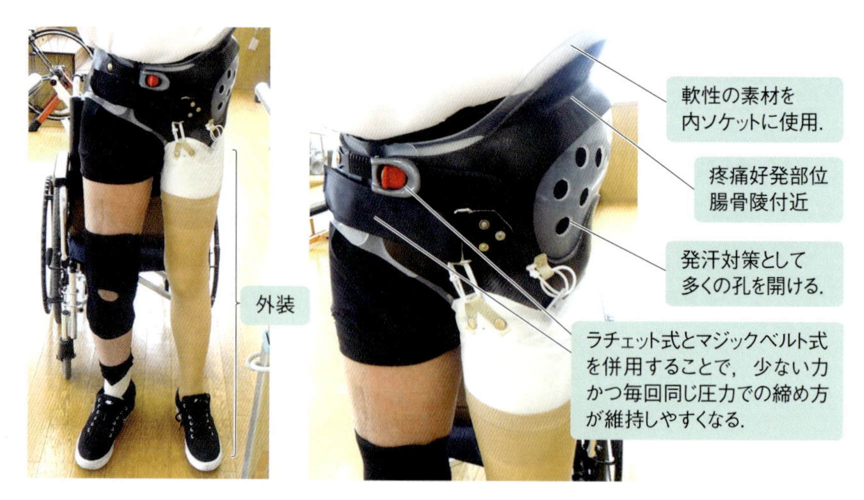

図12　カナダ式股義足の工夫

腸骨陵付近は軟部組織が少なく骨隆起が顕著なため痛みを生じやすい．痛みが強い場合は，義肢装具士に相談し接触部位のソケット修正とパット貼付等を行い改善を図る．また内ソケットに軟性の素材を使用し，痛み軽減と適合状態の向上のため二重ソケットにするなどの工夫が必要な場合もある．ラチェット式はマジックベルトよりも少ない力でソケットを締められ，均一な圧力の締め方が維持しやすい．外装は見た目を補う役割と衣服（ズボン）が破れないように保護する役割もある．高温多湿の日本では発汗対策としてソケットに多くの孔開け，または下着の素材を速乾性の高いものに変えるなどの対策が必要となることが多い．ソケットの素材や形状によって，強度維持のため孔開けが難しい場合もある．

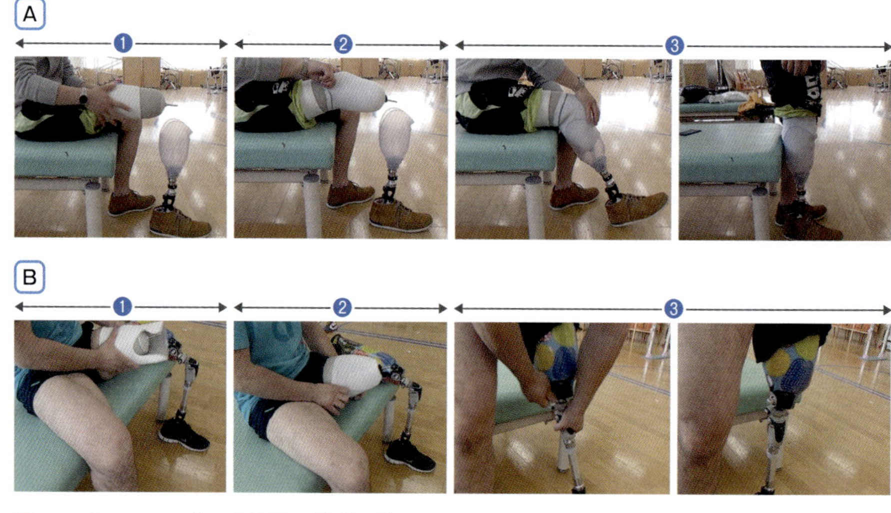

動画⑥

動画⑦

図13　キャッチピン式義足の装着手順

A）下腿切断者の装着手順（動画⑥）．B）大腿切断者の装着手順（動画⑦）．❶断端とシリコーンライナー間に空気の層ができないように，またキャッチピンが断端に対して長軸方向になるようにロールオン装着する．❷周径変化に合わせた断端袋を装着する．❸キャッチピンがソケット底部のロックアダプターに垂直に入った時点で荷重をかけていき，少し入りづらい場合はピンを引き込んでいく．

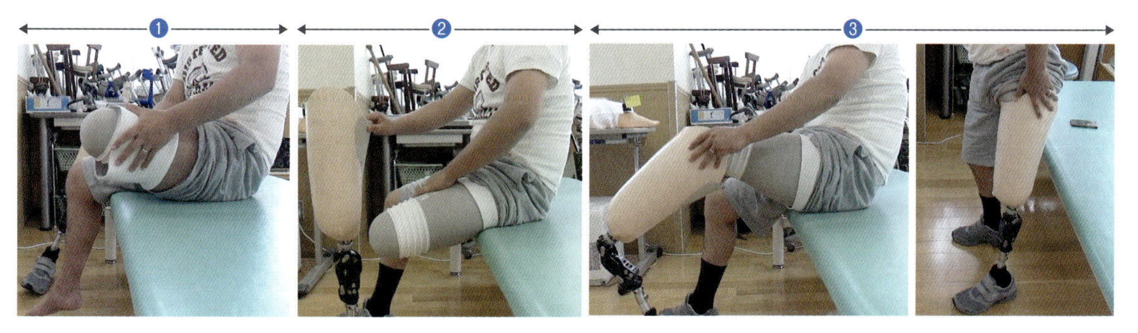

図14　シールイン式の大腿義足の装着手順（動画⑧）

❶断端とシリコーンライナー間に空気の層ができないようにロールオンし装着する．❷装着を円滑にするためシールに潤滑液を塗る（※必要な場合のみ）．❸ソケットに対して断端を真っ直ぐ入れていく．荷重をかけていくとバルブから空気が抜け断端とソケットの内壁が密着する．

動画⑧

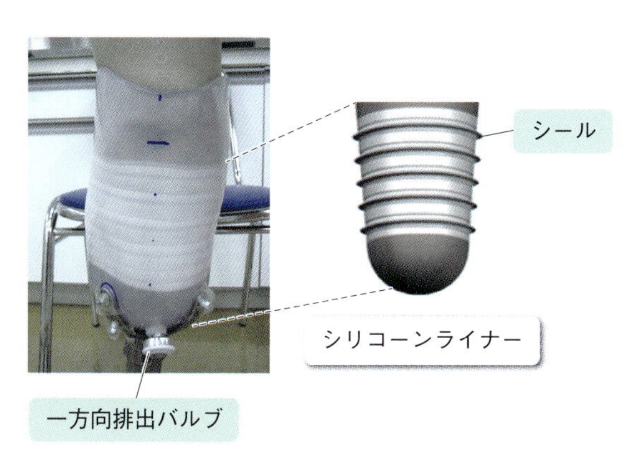

図15　シールがつぶれて断端とソケットが密着した状態の下腿義足

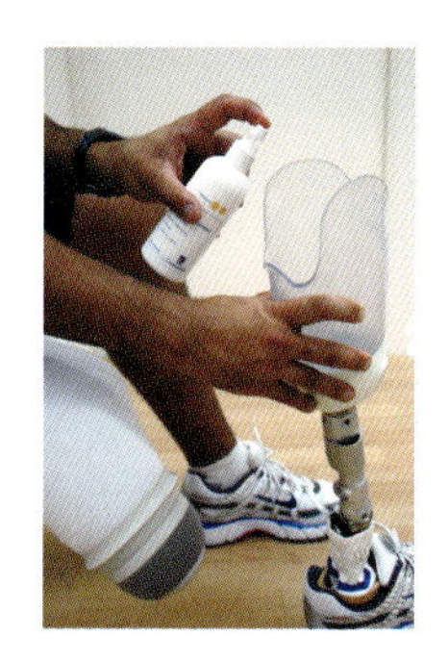

図16　潤滑液

3）シールイン式の下腿義足と大腿義足の装着について

- シールイン式下腿義足の装着手順を図14に示す．
- **シール**とソケット内の**一方向排出バルブ**によって断端とソケット内壁が密着し気密性を保ち，懸垂機能を発揮する（図15）．
- 着脱が容易であり，ソケットとシリコーンライナー（断端）間の回旋も少ない．
- シールイン式はキャッチピン式と比べてシリコーンライナーの先にピンのスペースがなくなる分，ターンテーブルや膝継手・足部の選択幅が増える．
- 新規切断者の場合，周径変化が著しいためソケットとシリコーンライナー間に隙間ができ懸垂性を保つことが難しくなる場合がある．周径変化の著しさを考慮し慎重に処方を行うとともに，周径変化を評価し（日内変動・断端部の成熟度），装着方法を検討する必要がある．
- 周径変化に対して，専用の断端袋にて対応する．
- ソケットの履き方により，義足アライメント（特に内外旋位）が変化するため毎回同じ位置に装着できるように練習する．
- 揮発性がありソケット内に留まらない**潤滑液**をシリコーンライナー（シール）につけることで装着が容易になる（図16）．

A

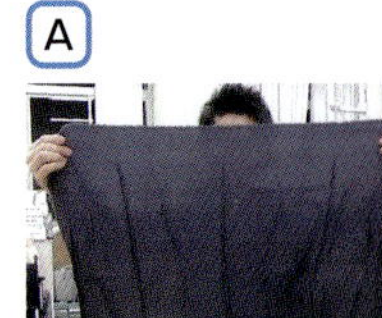

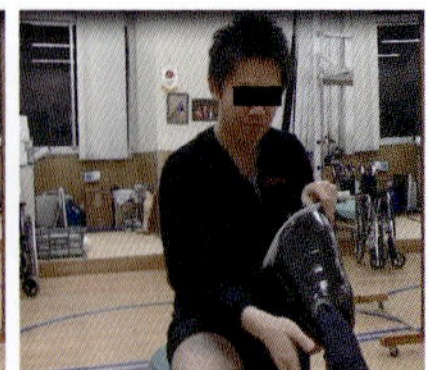

B

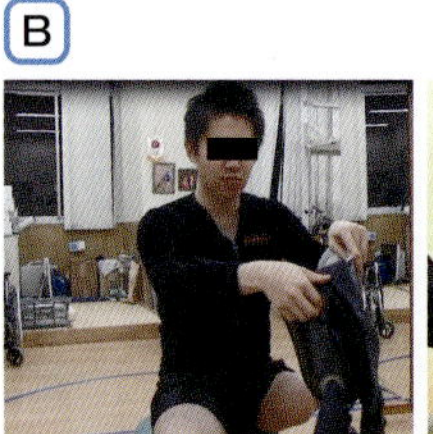

C

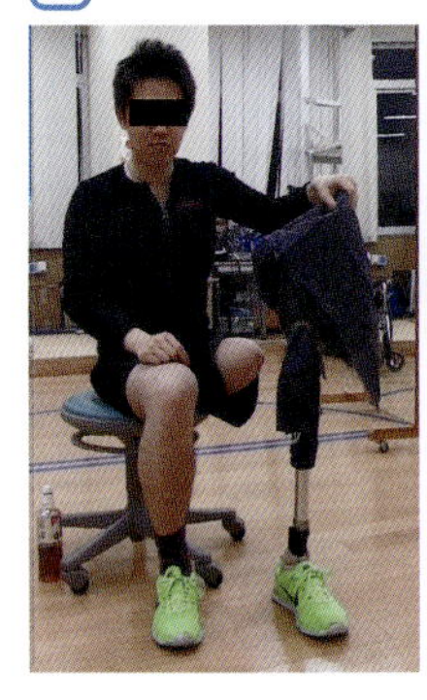

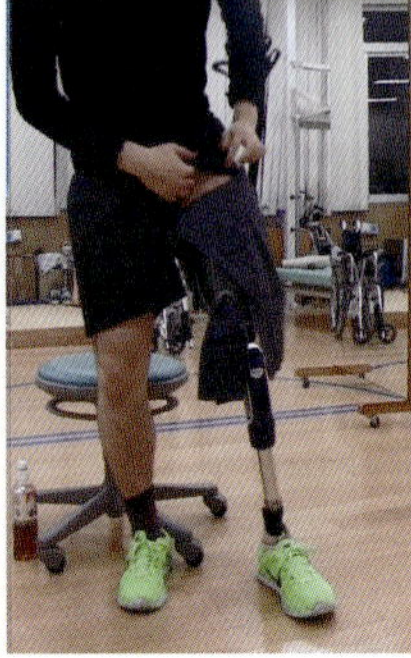

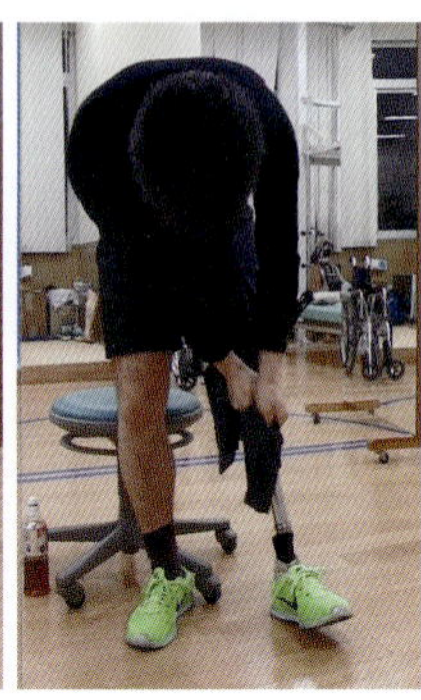

図17　吸着式大腿義足の装着手順（動画⑨）

A）誘導帯をソケット内に挿入しソケット外へ出す（誘導帯はソケット内から出してから上肢把持にて引き抜いていける程度の長さを確保する）．B）誘導帯をソケット内にて円状に広げていく（円状に広げた誘導帯が少し重なる程度にする．断端に誘導帯を巻く方法もある）．C）立位保持しながら切断肢側へ荷重し両上肢にて誘導帯を交互に引いていく（ベビーパウダーを断端に塗ることで滑りをよくする場合もある）．

動画⑨

4）吸着式（誘導帯）の大腿義足の装着について

- 吸着式大腿義足の装着手順を図17に示す．
- ソケットと断端全体で直接密着（陰圧）した適合になるため，**適合が良好な場合パフォーマンスは非常に高く発揮される**．
- シリコーンライナーを介在しない分，断端部の感覚的なフィードバックが高い．
- 義肢装具士の製作技術と切断者の装着技術で適合が大きく変化する．
- シリコーンライナーの外側に断端袋を装着する対応ができないため，周径変化が著しい場合は義肢装具士のソケット修正が頻回に必要となる．この傾向は特に，短断端の切断者に顕著にみられる．
- ソケットと断端間に隙間（空気漏れの音で判断できる）ができ，懸垂性を保つことが難しくなる場合がある．
- 立位で誘導帯を引き抜く際，ある程度切断肢側へ荷重をかけながらの動作となるため，非切断肢側の支持性が求められる．
- 二重ソケットの，内ソケットのみを装着し，座位で誘導帯を引き抜く方法もある．

5）キスキットの装着について

- キスキットは，**ストラップを用いて大腿義足を懸垂するためのライナー**である（図18）．大腿切断者のキスキットの装着手順を図19に示す．
- ソケットの中に断端が上手く収納できない，キャッチピン式の大腿義足の適応が難しい（断端末の疼痛や皮膚移植に伴う皮膚トラブルなど）などの場合に処方することが多い．
- 断端とソケット間の回旋を防止できること，座位での装着が容易に行えることが利点である．高齢者や両大腿切断者など，立位での装着が難しい症例に適応となることも多い．

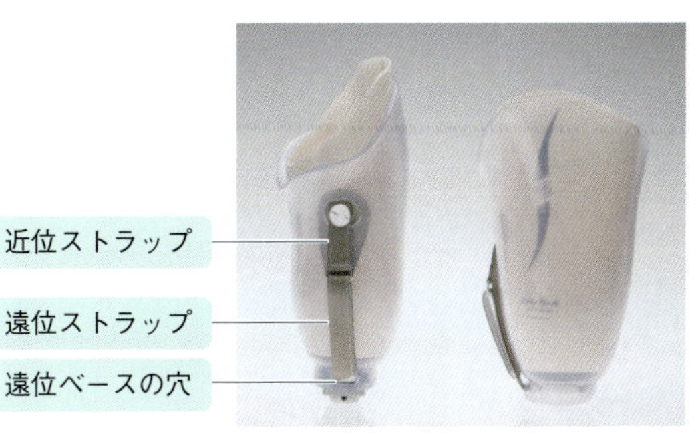

図18　**キスキット**
Ottobock社.

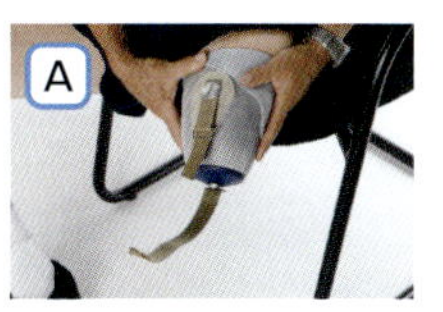

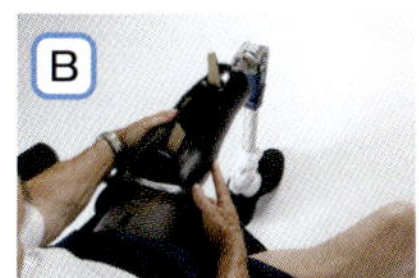

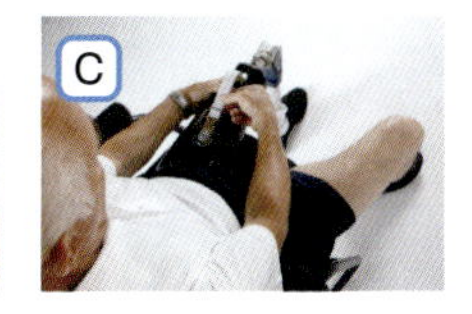

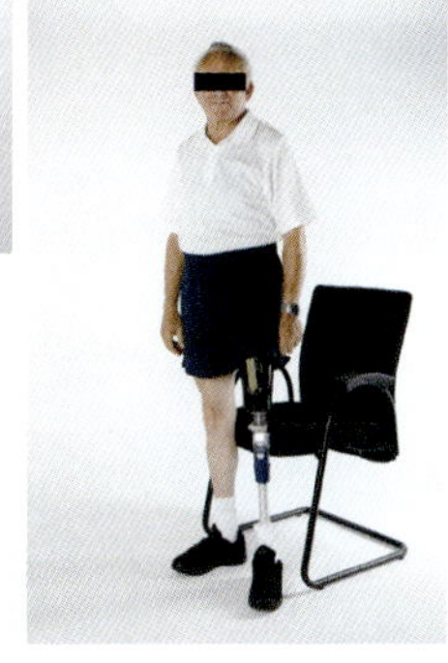

図19　**キスキットの装着手順**
近位ストラップをライナーの適切な位置に貼付しライナーを裏返し，端末に空気が入らないように装着する（A）．ソケット端末に埋め込んだ遠位ベースの穴に遠位ストラップを通す（B）．ストラップを引っ張りながら，断端をソケットに収納する（C）．近位ストラップをソケット上部の穴に通す．近位ストラップのカンに遠位ストラップを通して折り返す（D）．写真提供：Ottobock社.

- 差し込み式と腰バンド（シレジアバンド，テスベルトなど）併用の装着方法からキスキットへの装着方法へ移行するケースが増えている（ライナーの装着にトラブルがない場合に限る）.

参照
差し込み式ソケットは第I章3，6参照

6）差し込み式の下腿義足と大腿義足の装着について（参照）

- 他の方式と比べて，差し込み式は装着が簡便であるがソケットと断端間でのピストン運動（立脚期から遊脚移行期）が大きいため力の伝達が悪く義足との一体感は望めない.
- 肩吊り帯，シレジアバンド・骨盤帯・サスペンションスリーブ（テスベルト）のいずれかと併用する場合が多い.
- 周径変化に対しては断端袋にて調整する.
- 吸着式・シリコーンライナーを用いる方式（キャッチピン式，シールイン式）が適応でない場合に処方することが多く，特に**皮膚トラブル**に対して有効となる場合が多い.

8 義足装着のための筋力強化トレーニング ～義足装着および未装着時の筋力強化とバランス練習*

- 徒手筋力検査（MMT）が高い値でも，義足への力の伝達や筋の出力の不十分な場合は多い．その場合は義足装着時における筋力評価と筋の出力強化が求められる.
- 高齢の一側性下腿切断者の切断肢側股関節外転筋力は切断肢側への体重負荷量と関係がある．また，歩行の速さや歩幅の長さ，歩隔の狭さなどの歩行因子とも相関が高く，切断肢側股関節外転筋の筋力強化は重要である[4].

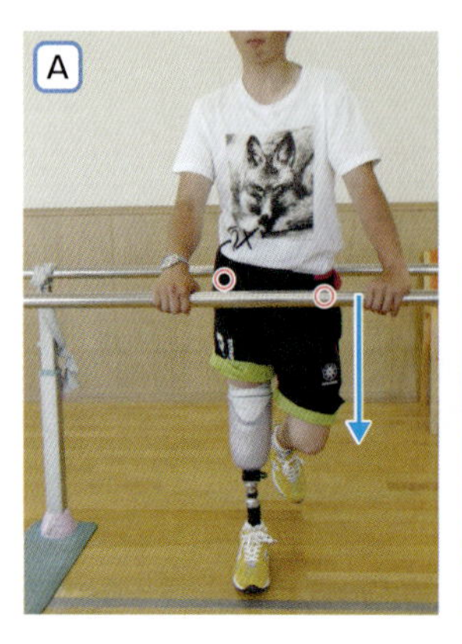
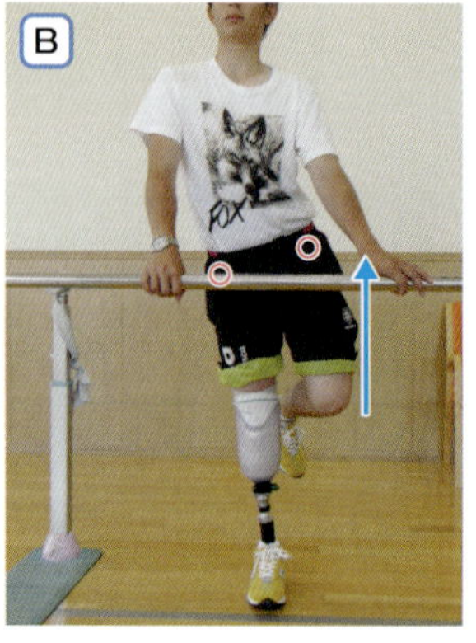

図20　立位での骨盤傾斜練習
切断肢側股関節外転筋の遠心性（A）/求心性収縮（B）.

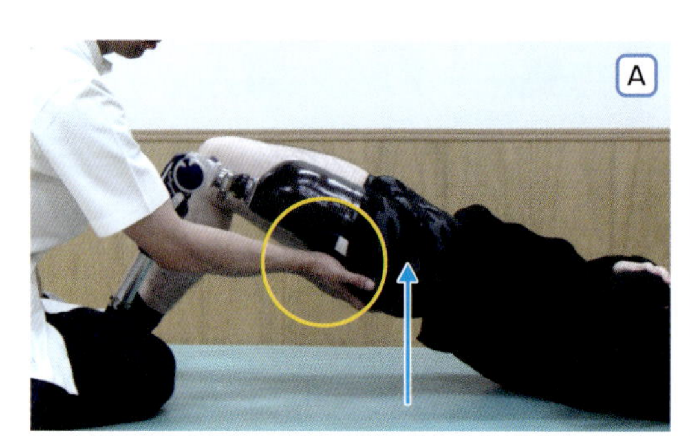
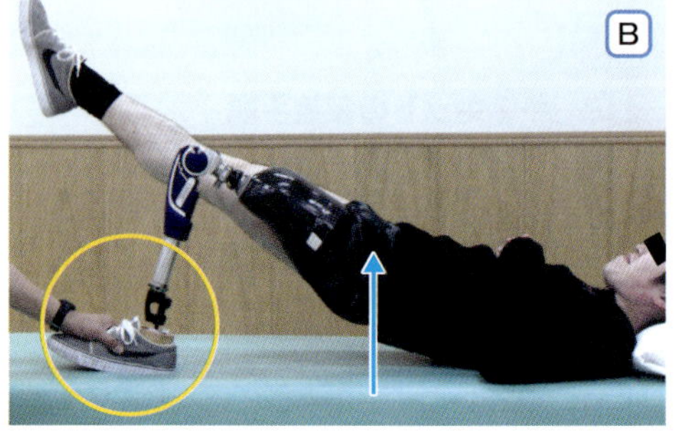
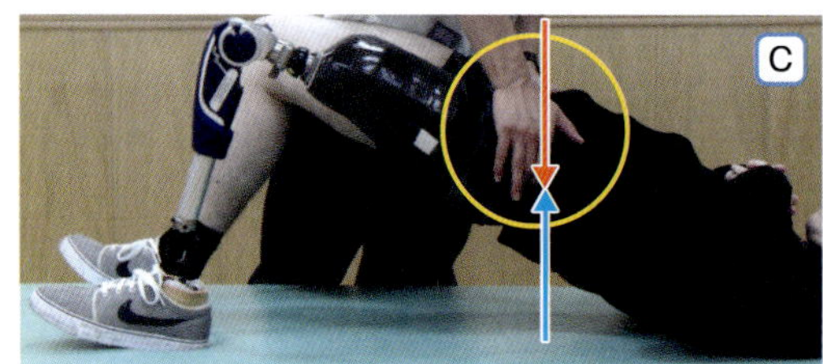

図21　ブリッジ
体幹（腰背部筋群）と切断肢側股関節（伸筋・屈筋群）の筋力強化を目的とする．A）補助あり．理学療法士による筋収縮の確認．B）補助なし＋切断肢側股関節伸展．理学療法士による固定．C）負荷あり．理学療法士による抵抗．黄線の円は理学療法士による支持を示す．

- 股関節伸展・外転筋群，および膝伸展筋群の強化は，切断肢側の荷重が促され骨盤・膝関節の安定性が改善され歩行能力が改善するとの報告がある[5) 6)].
- 以下に具体的な練習方法を述べる.
  - **切断肢側への重心移動**：骨盤と上部体幹を切断肢側へ平行移動し股関節外転筋群の発揮を促す（股関節周囲）.
  - **立位での骨盤傾斜練習**：切断肢側股関節外転筋の遠心性・求心性収縮（図20）.
  - **ブリッジ**：体幹（腰背部筋群）と下腿（伸筋・屈筋群）（図21）.
  - **側臥位でのサイドブリッジ**：（体幹側筋群）と下肢（外転筋群）（図22）.
  - **立位でのセラバンドによるトレーニング**：股関節外転内転筋群（図23）.
  - **壁際での股関節外転筋群トレーニング**（図24）.
  - **段差乗り越え**：股関節の伸展筋群（随意制御能力の向上）（図25）.

＊注意点：トレーニング時にソケット内で切断肢側に痛みが出現するときはただちに中止する.

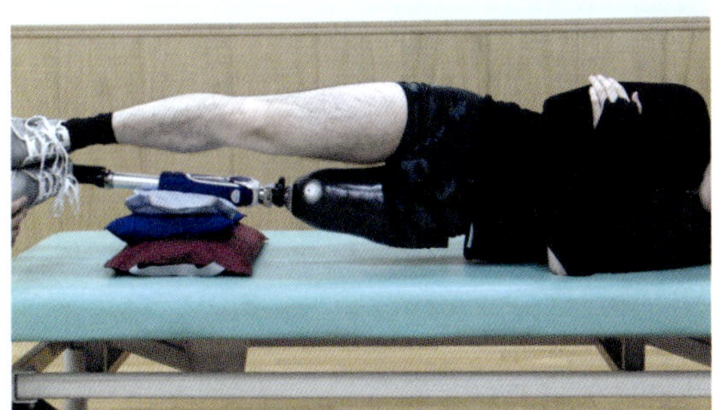

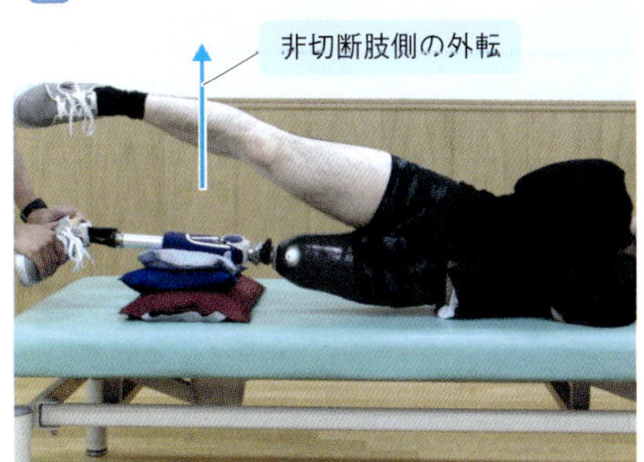

図22　側臥位でのサイドブリッジ

体幹側筋群と下肢（外転筋群）の筋力強化．A）側臥位にて側臥位姿位を保持．B）この姿位を保持しながら非切断肢側を外転していく．

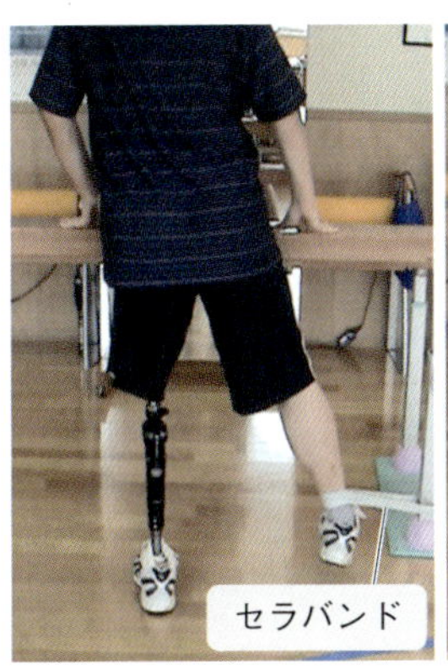

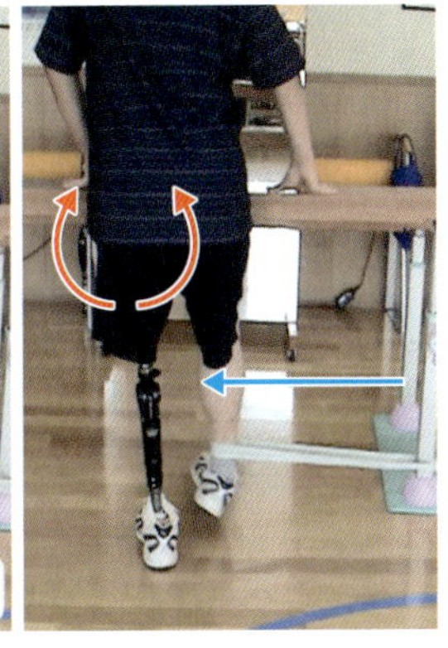

図23　立位でのセラバンドによるトレーニング

切断肢側にて片脚立位（平行棒把持）をとり，セラバンドを非切断肢側の下腿末端に装着し，内転運動を行う．切断肢側の支持性の向上（特に切断肢側の股関節内外転筋群の強化）につながる．体幹は必ず直立位置を保つ．

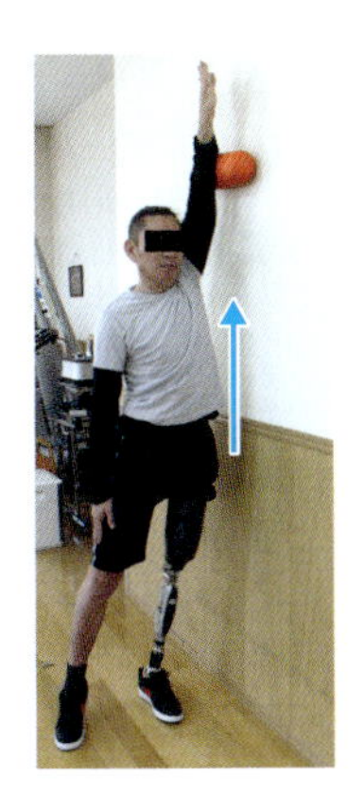

図24　壁際での切断肢側股関節外転筋群トレーニング

体幹側屈筋（腹斜筋）の伸張．

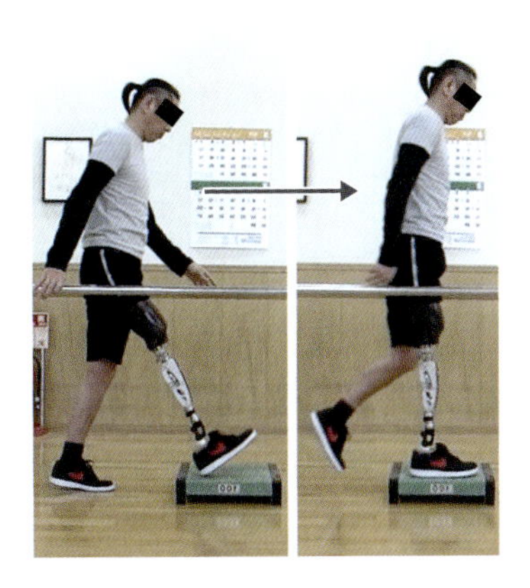

図25　段差乗り越え

股関節の伸展筋群の発揮（随意制御能力の向上）．

- 義足装着を見越した筋力強化とバランス能力の向上を促すことで，早期に義足荷重・義足歩行動作へ移行することが可能となる．以下にトレーニングに用いる用具や方法を示す．
  - **セラバンド**（股関節外転・内転・伸展・屈曲）
  - **重錘**（下肢にまく重り）（股関節外転・内転・伸展・屈曲）
  - **徒手抵抗**（股関節外転・内転・伸展・屈曲）
  - 臥位での股関節伸展・外転（図26）
  - **パピーポジション**での体幹筋の強化（図27）
  - 四つ這いでの体幹筋の強化（図28）
  - 側臥位での**サイドブリッジ**
  - **バランス練習**
    - ・非切断肢側下肢の静的バランス練習（図29）
    - ・バランスディスクを使用した動的バランス練習（図30）
    - ・切断肢側下肢の筋力強化とバランス練習（図31）
  - **膝立ち位での骨盤と体幹を中心としたトレーニング**（図32）

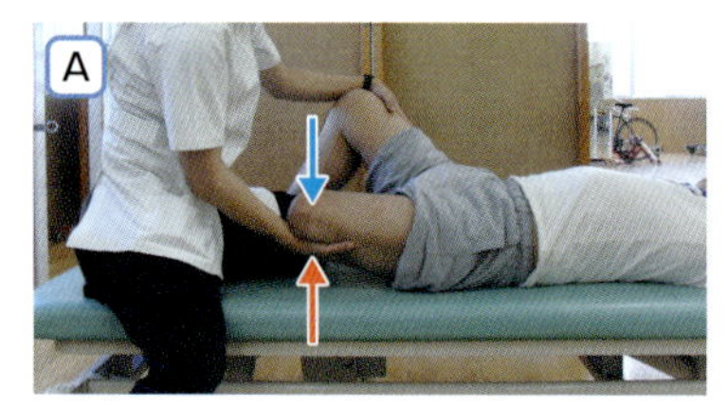

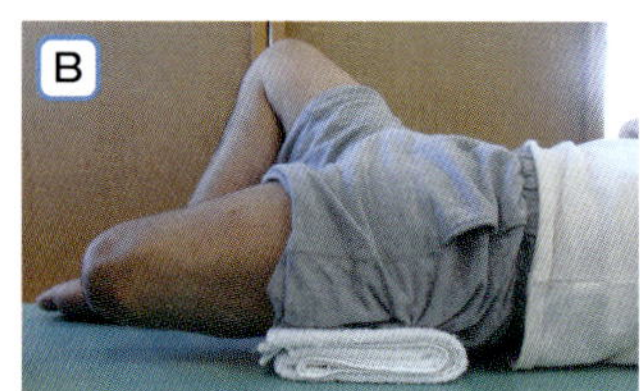

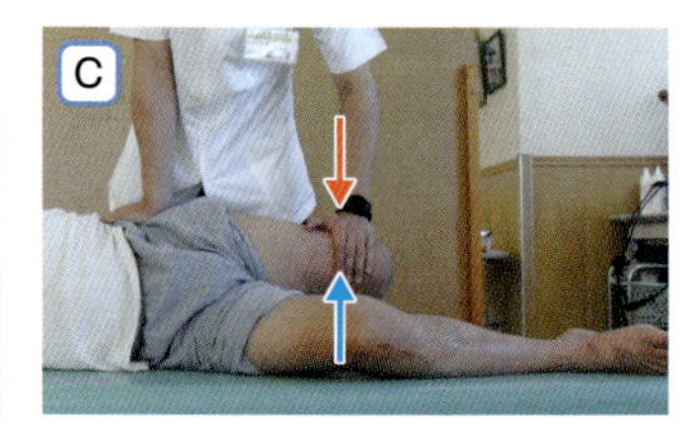

図26　背臥位ならびに側臥位での股関節伸展・外転

抵抗を加える部位は末端部・中間部・近位部とし，どの部位での筋出力が低下しているかの評価とそのときの疼痛評価を合わせて行う．義足装着時にソケットへ力を伝達するイメージを伝えながら行う．A）理学療法士は切断肢側の後面を把持しハムストリングスの収縮を感じながら切断肢側股関節伸展力（→）に対して拮抗するように抵抗（→）を加える．B）腰椎の過前弯が出る場合は仙骨後面にバスタオルを敷くか，切断者に非切断肢側股関節を屈曲し抱えてもらい過前弯を抑制して行う．C）理学療法士は骨盤を固定し，切断肢側股関節外転筋群に対して拮抗するように抵抗を加える．

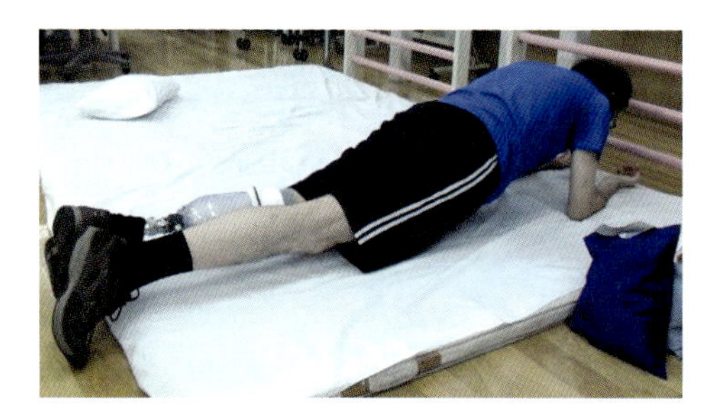

図27　プランク（planck）での腹筋と腰背部筋の強化

義足装着時の実施は下腿切断者のみ可能．大腿切断と股関節離断は非装着の状態で行う．姿勢がくずれる場合，切断肢側足部がずれる場合は理学療法士が補助する．

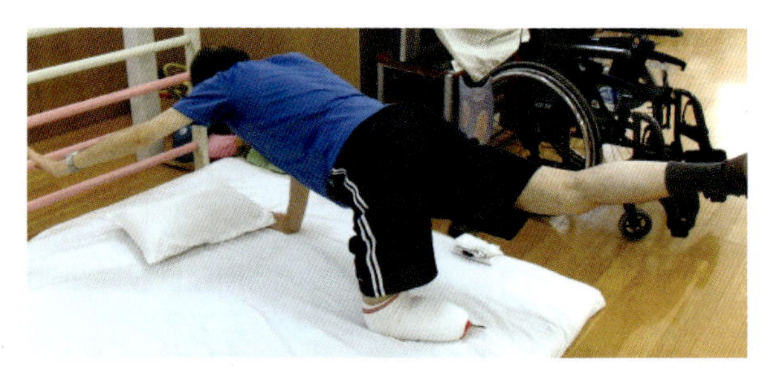

図28　腹筋・腰背部筋と切断肢側下肢の筋力強化

膝関節の残存する下腿切断者のみ可能．四つ這いで対角線上にある上下肢を上げる．姿勢がくずれる場合は理学療法士が補助する．

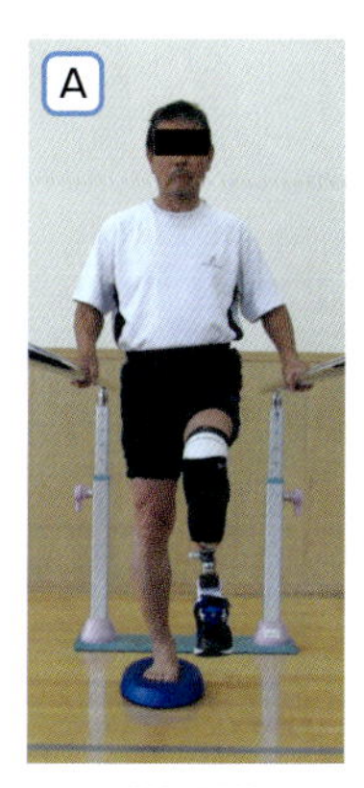

B

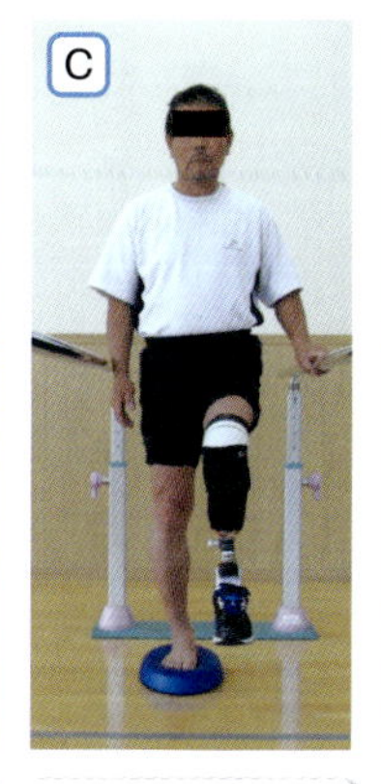

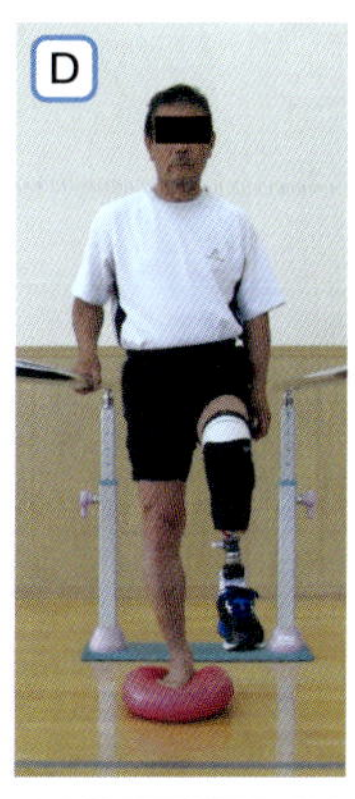

両手把持　非切断肢側の上肢による把持　切断肢側の上肢による把持　非切断肢側の上肢による把持

図29　非切断肢側下肢の静的バランス練習

A）バランスディスクを使用（難度低），B）C）バランスディスクを使用（難度中），D）バランスディスク（空気圧調整付き）を使用（難度高）．

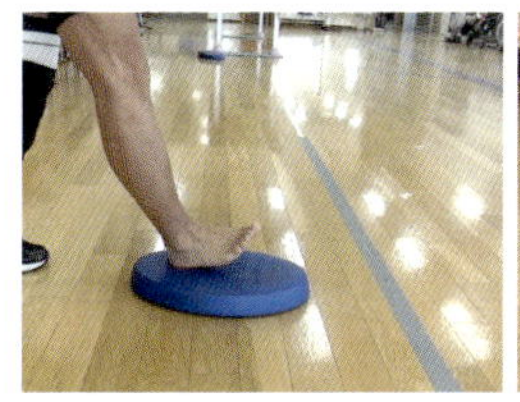

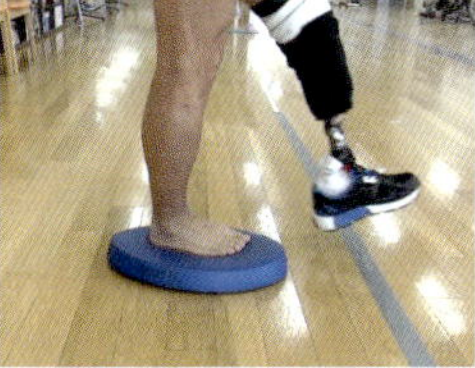

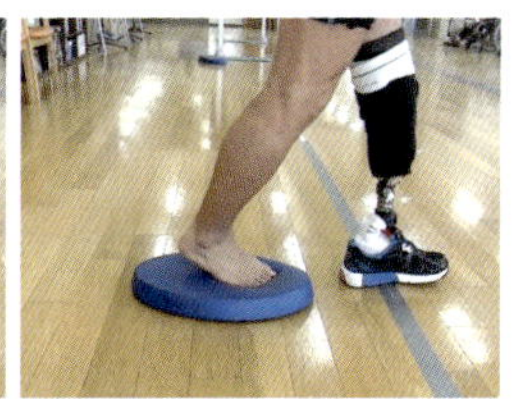

ヒールロッカー　アンクルロッカー　フォアフットロッカー

図30　バランスディスクを使用した動的バランス練習

IC（ヒールロッカー），MS（アンクルロッカー），TS（フォアフットロッカー）の相をイメージしながらバランスディスク上で練習する．屋外での不整地歩行時を想定．写真は非切断肢側下肢での動的なバランスと切断肢側での安定した接地を迎えるための練習．切断肢側と非切断肢側を入れかえた練習も行う．不安定な場合は平行棒内で行う．

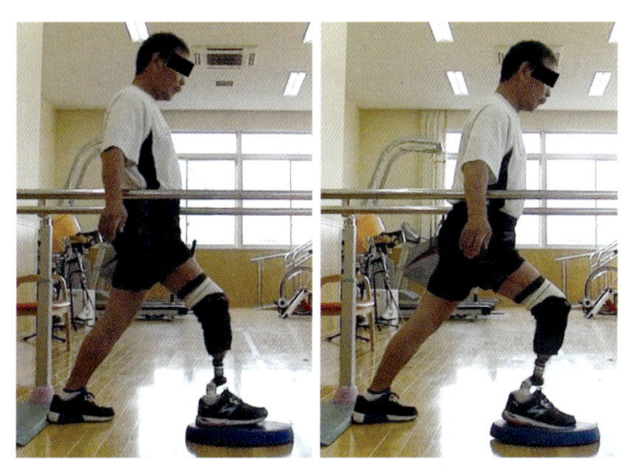

図31　切断肢側下肢の筋力強化とバランス練習（バランスディスク使用）

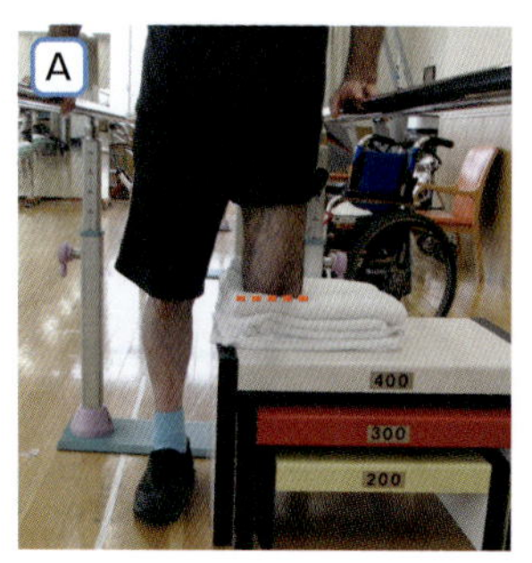

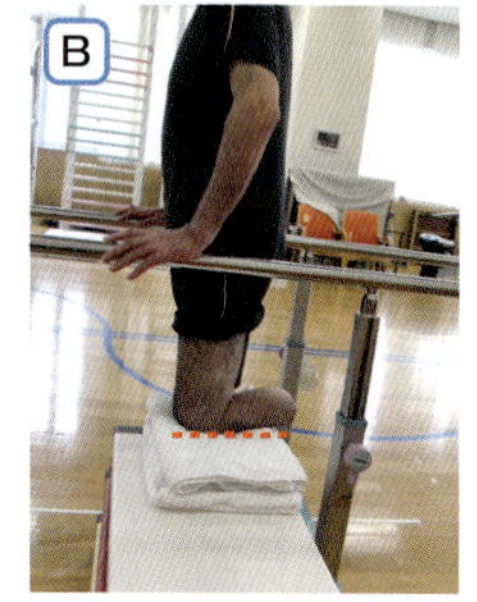

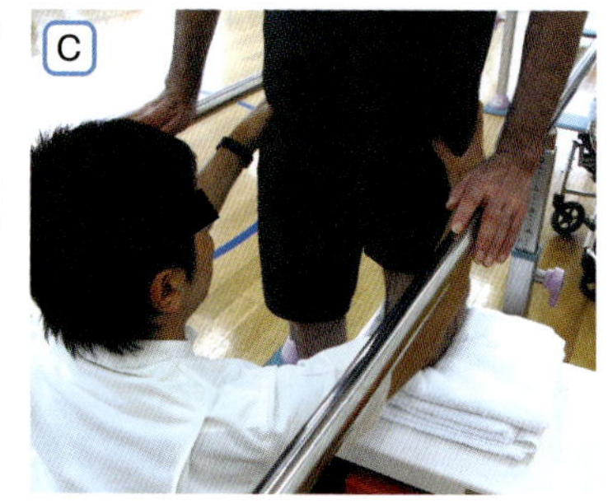

図32　膝立ち位での骨盤と体幹を中心としたトレーニング

膝関節が残存する下腿切断者が義足製作がされるまでの期間，また義足荷重が困難な場合行う．台にバスタオルを敷き，立位保持可能な高さに調整をする．両側下腿切断者の場合は両膝立ちにてマット上で行う．A）B）義足非装着時の荷重練習．膝関節を曲げ下腿前面で支持できるため義足装着時より難易度は低くなる．C）理学療法士が介助して，体幹は直立を保ち，骨盤を把持したまま切断肢側へ重心移動する．赤点線は支持基底面を示す．

9 義足歩行練習（下腿・大腿・股義足）

- 義足に荷重し切断肢側にて適切に痛みなくソケットに力を伝達することが可能となって，はじめて義足歩行・義足応用動作が可能となる．決して「義足」が歩かせてくれるわけではない．
- 非切断肢側による片脚立位保持の困難な低活動切断者（虚弱高齢者など）であっても，義足を使用することで立位保持，補助具を併用した歩行動作ができるようになることは多い．
- ここでの解説を参考に，低活動から高活動までの切断者に対して可能なトレーニング方法を選択し，治療プログラムを立案していただきたい．

1）歩行前直立練習

1 義足荷重練習

①立位保持練習

- **目的**：立位保持動作の獲得．
- **低活動者の場合**：平行棒把持の状態で理学療法士が非切断肢側の腋窩を支持しながら行う*．
  - *初期のリハビリテーションにて立位保持ができない場合は，義足アライメント調整やサスペンションスリーブ（テスベルト）などを装着し，できるだけ立位保持しやすい環境をつくる．
- **高活動者の場合**：平行棒内で平行棒を把持せずに行う．
  - ▸肩幅程度に両下肢（切断肢側・非切断肢側）を開き平行棒を把持した状態で立位保持を行う．
  - ▸転倒のリスクと荷重量を軽減させるため初期は必ず平行棒内で行う．
  - ▸高活動者の場合，両手支持にて平行棒把持で行い，徐々に平行棒から手を離すようにしていき両手支持なしで立位保持ができるようにしていく．
  - ▸鏡を対面に置き立位姿勢を自分で確認できるようにする．
  - ▸体重計を用いて，初期の左右の荷重量と立位保持時間を計測しておく．
  - ▸足関節背屈・膝関節屈曲と骨盤が後方位・上部体幹が前傾位にならないように上部体幹を直立に保つ．

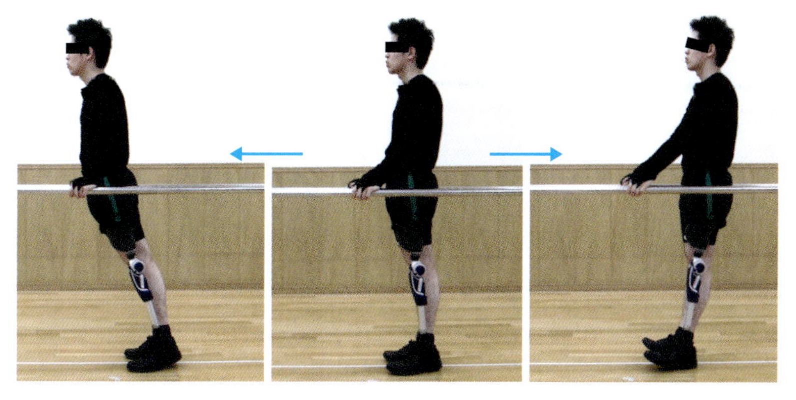

図33　**大腿義足使用者の前後への重心移動練習**

前足部，中間部，後足部への荷重を意識する．下腿義足使用者も同様に行う．

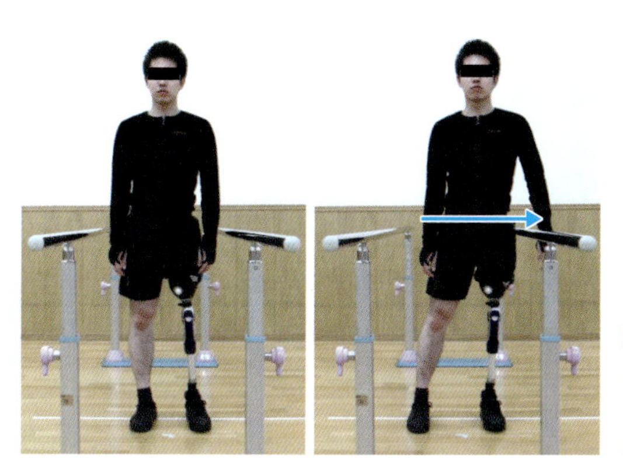

図34　**大腿義足使用者の切断肢側への重心移動練習**

重心を移動する側の腕を床と水平に上げ（肩関節90°）切断肢側への重心移動も行う．非切断肢側への重心移動も練習する．下腿義足使用者にも同様に行う．

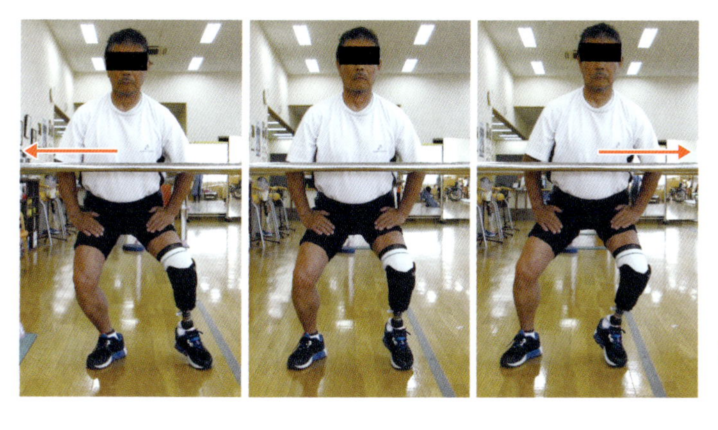

図35　**非切断肢側の重心移動（左）と切断肢側への重心移動（右）**

②立位姿勢から前後左右への重心移動と荷重練習（図33～35）

- **目的**：立位姿勢からの前後左右への重心移動の獲得と切断肢側への荷重量の増加．
- **低活動者の場合**：平行棒把持の状態で理学療法士が非切断肢側の腋窩を支持しながら行う．
- **高活動者の場合**：平行棒内で平行棒を把持せずに行う．
  - 方法・手順は①**立位保持練習**と同様に行う．

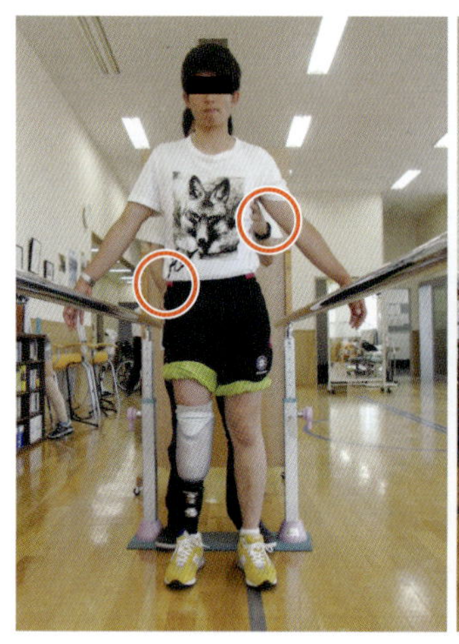
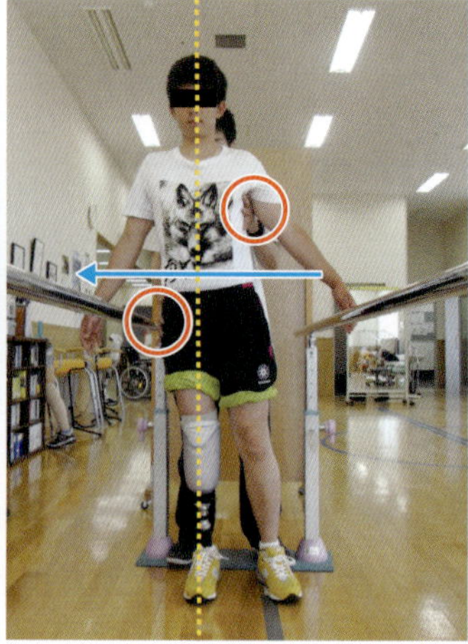
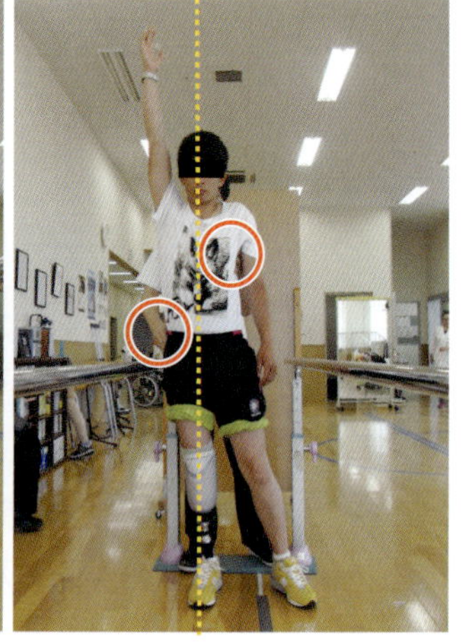

動画⑩

図36　**切断肢側への重心移動練習（下腿切断者の場合）**（動画⑩）

理学療法士は切断肢側骨盤に手腹を当て切断者には押し返すように指示し，拮抗するように抵抗を加える．また同時に対側の腋窩を支え体幹の直立を保ちながら切断肢側への重心移動を行う．下腿義足ソケットPTBバーの中央に体重が乗るイメージで行う．大腿義足使用者も同様に行う．

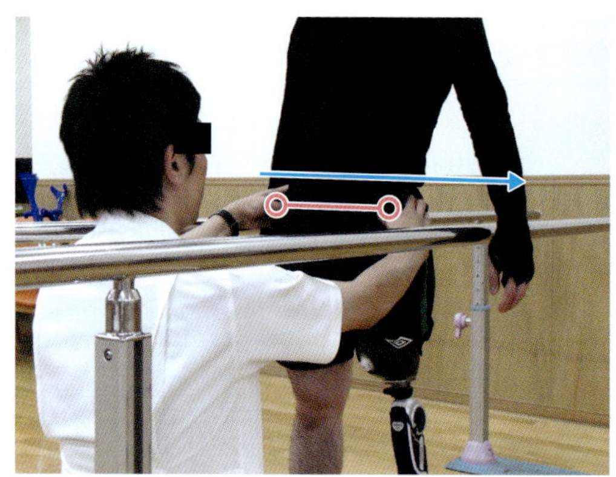
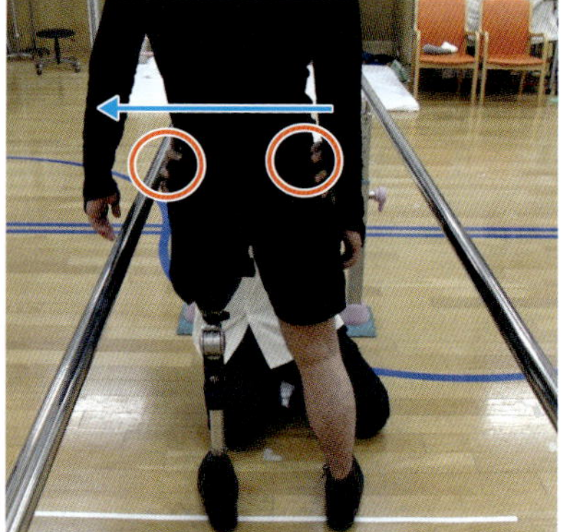

図37　**理学療法士が介助する大腿義足使用者の切断肢側への重心移動練習**

非切断肢側への重心移動も練習する．下腿義足使用者も同様に行う．

- 日常生活では義足歩行するだけでなく，前後左右へ重心位置，荷重量を変えながらの起居動作・応用動作（方向転換）が求められる．それらを念頭におきながら荷重練習を進めていく．
- 義足荷重練習は，歩行時・応用動作時の基礎練習であり，切断肢側と非切断肢側の筋力と支持性の向上につながる．
- 荷重時に痛みが伴えば歩行時にはその痛みはさらに顕著になる場合が多い．ソケット適合や断端チェックも合わせて行い体重計を用いて荷重量を常に把握しておく必要がある．

③骨盤と体幹を中心とした理学療法士によるアプローチ（図36，37）

- **目的**：立位姿勢からの前後左右への重心移動の獲得と切断肢側への荷重量の増加*．
  *介助者がいることで，切断者の不安軽減，姿勢や重心移動の増減を徒手的にコントロールすることができる．
- **低活動者の場合**：平行棒把持の状態で行う．

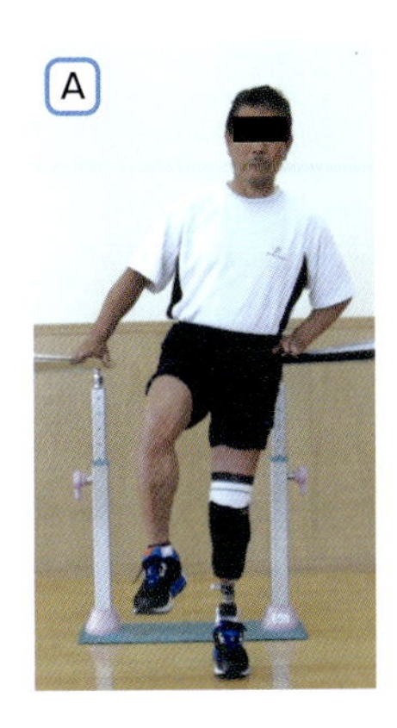

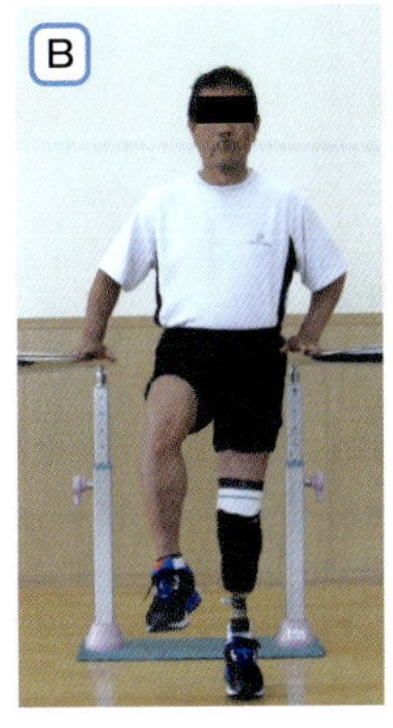

図38　下腿義足使用者による切断肢側での片側立位練習

A）上部体幹が側屈している．切断肢側の股関節周囲外転筋力が弱い場合に生じる．B）上部体幹が直立位で保持できている．この状態のまま，上肢の支持を少しずつ減らすよう練習する．大腿義足使用者も同様に行う．

- **高活動者の場合**：平行棒内で平行棒を把持せずに行う．
  - **矢状面（前後移動）**：切断肢側の骨盤の前面に理学療法士の手腹を当て，手をゆっくり押し返すよう切断者に重心移動させる．理学療法士は他動的に前方へ誘導するのではなく抵抗をかけながら，骨盤の前傾が大きくならないように調整し膝折れが起こらないように注意する．また上部体幹は直立を保ったまま前・後屈しないように修正しながら行う．
  - **前額面（左右移動）**：平行棒に切断肢側の骨盤を寄せ，立位保持を獲得できてから行う．中間位から切断肢側に骨盤をシフトして骨盤を平行棒に接触させた後，また中間位に戻すことが介助なしでできるように行っていく．その際触診にて中殿筋の収縮を確認する．また上部体幹が直立を保ったまま側屈・前傾しないように修正しながら行う．非切断肢側への重心移動も練習する．

❷ 片脚立位練習（図38）

- **目的**：切断肢側と非切断肢側の支持性と重心移動の向上を目的とする．歩行時の単脚支持期の割合を増加させる場合必須となる．
- 平行棒を把持し両上肢にて下肢（切断肢側・非切断肢側）への荷重量を調整しながら行っていく．
- 切断肢側と非切断肢側，両側とも行い，上肢・体幹・骨盤での代償動作も合わせて観察する．
- 定期的な時間を決めてソケット適合・断端チェックを必ず行う．
- **低活動者の場合**：理学療法士が腋窩支持をしたまま，切断者は平行棒を両手で把持した状態で行う．もち上げて練習する方の下肢を接地したままでもよい．
- **高活動者の場合**：もち上げる方の下肢側の上肢で平行棒を把持したまま，または平行棒内で把持はせずに行う．
  - 切断肢側と非切断肢側の支持性を向上させ，体幹直立位（図38B）での片側立位ができるように練習する．

2）歩行前基本練習

- 表1にて歩行前基本練習を解説する．

表1 歩行前基本練習

練習に対応する歩行周期	IC：initial contact 初期接地	LR：loading response 荷重応答期	Mst：mid stance 立脚中期	Tst：terminal stance 立脚終期	Psw：pre swing 前遊脚期	Isw：initial swing 遊脚初期	Msw：mid swing 遊脚中期	Tsw：terminal swing 遊脚後期
練習の目的	切断肢側・股関節伸展筋群の随意収縮のタイミングを習得することで，この時期の膝継手の安定感が増す．	継続的に切断肢側・股関節伸展筋群の随意収縮を行うことで，この時期の膝継手の安定感が増す．	立脚中期までの股関節伸展筋群の随意収縮による膝継手の安定に加え，遊脚期で膝継手が屈曲できるように切断肢側前足部までのスムーズな体重移動ができるようになる．		切断肢側股関節の屈曲によって膝継手のスムーズな屈曲ができるようになる．		立脚初期の踵接地を確実なものにするため，踵接地までの遊脚後期で膝継手を完全伸展できるようになる．	
開始姿位	最初は一足分程度，切断肢側を前方に出した姿勢から開始する．動作が可能になったら少しずつ歩幅を広げる．				非切断肢側を一歩前に出し，切断肢側前足部にしっかりと体重をかけた姿勢から開始する．		遊脚初期の姿勢から開始する．	
練習前説明	「切断肢側を小さく一歩前に出した姿勢で切断肢側へ体重をかける練習をしましょう」	「一歩前に出した切断肢側に体重をかけて踏み込む練習をしましょう」	「切断肢側で片足立ちをしましょう」「次はそのまま切断肢側の前足部まで体重をかけていきましょう」		「切断肢側の膝継手をしっかりと曲げて振り出せるように練習しましょう」		「切断肢側の膝継手をしっかりと最後まで伸ばしきることで，次に床に踵が着く瞬間に安定して体重をかけられるように練習しましょう」	
口頭指示内容	「踵が床に着く瞬間に切断肢側のお尻をギュッと閉めながら，ソケットのなかで足を後へ蹴ってください」	「切断肢側の足をソケットのなかで後ろに蹴り続けてください」「義足と反対側の足で背伸びをしながら，胸をはりましょう」	「切断肢側の足は後ろに蹴り続けながら，反対の足を切断肢側よりも大きく前へ踏み出してください」「最終的には，切断肢側の足部前方にまでしっかりと体重を乗せましょう」		「切断肢側前足部にしっかりと体重をかけた状態から，切断肢側の脚を振り上げしょう」		「踵が床に着く瞬間までに，切断肢側の膝継手をしっかりと最後まで伸ばしましょう」「踵が床に着く瞬間には，切断肢側の大殿筋を収縮させ，ソケットのなかで足を後ろへ蹴りましょう」	

	初期接地	荷重応答期	立脚中期	立脚終期	前遊脚期	遊脚初期	遊脚中期	遊脚後期
身体的ガイド1	理学療法士がソケット後方から前方に力を加え，これに抵抗するようにソケットの中で足を後ろに蹴ってもらう．大殿筋の収縮を促す．立脚期から遊脚期への移行を促す．また前足部のひきずり（クリアランス）に注意して行う．						理学療法士がソケット前方から後方に力を加え，これに抵抗するようにソケットのなかで足を前に蹴ってもらう．このとき，外転やぶん回し歩行が出現する場合は，抵抗の方向で矯正する．	
身体的ガイド2	理学療法士が切断者の中殿筋付近から非切断肢側へ力を加え，これに抵抗するように切断肢側方向へ体重をかけながらソケットのなかで足を後ろに蹴ってもらう．						理学療法士がソケット後方から前方に力を加え，振り出しを誘導する．これを，遊脚初期から中期にかけてくり返し行う．	
身体的ガイドの漸減	強い抵抗量＋口頭指示	弱い抵抗量＋口頭指示	タッピング＋口頭指示	モデリング＋口頭指示	口頭指示のみ			

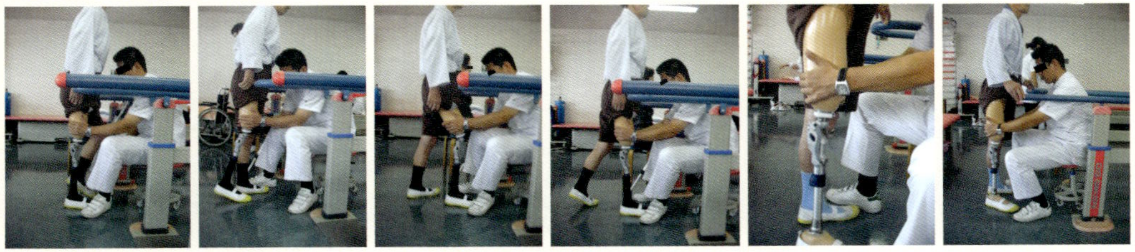

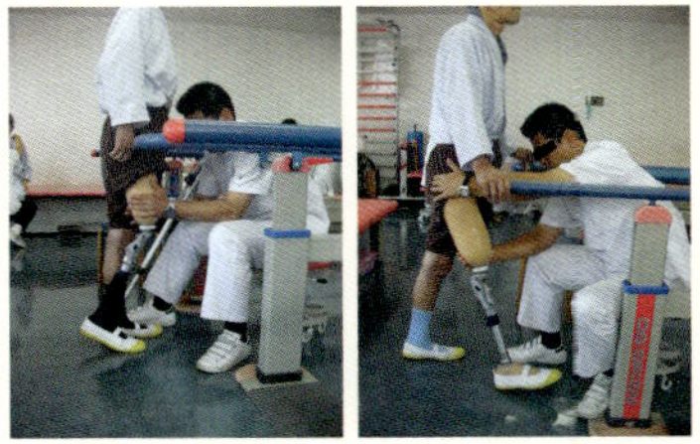

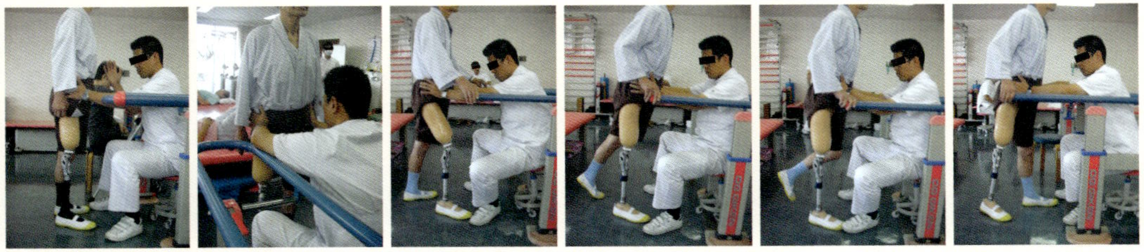

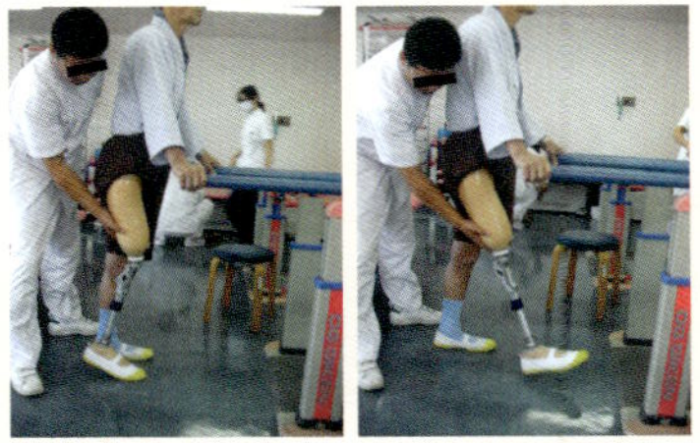

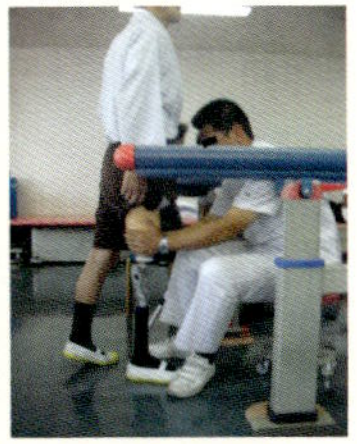

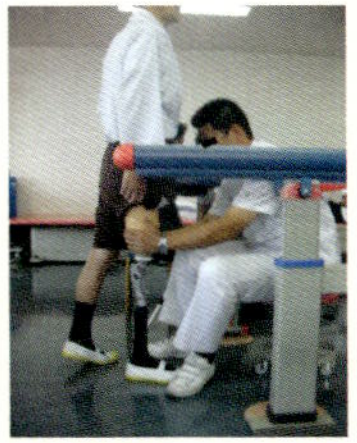

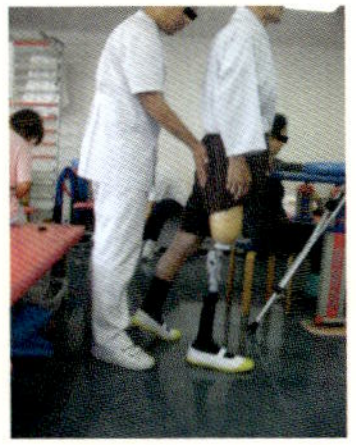

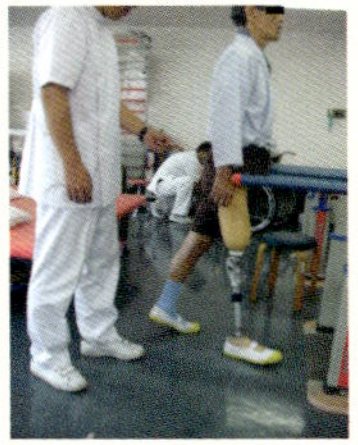

最初は抵抗量を多くして，蹴る方向や骨盤の運動方向を確認しやすくする．運動方向が習得できれば，その抵抗量を徐々に減らしていく．

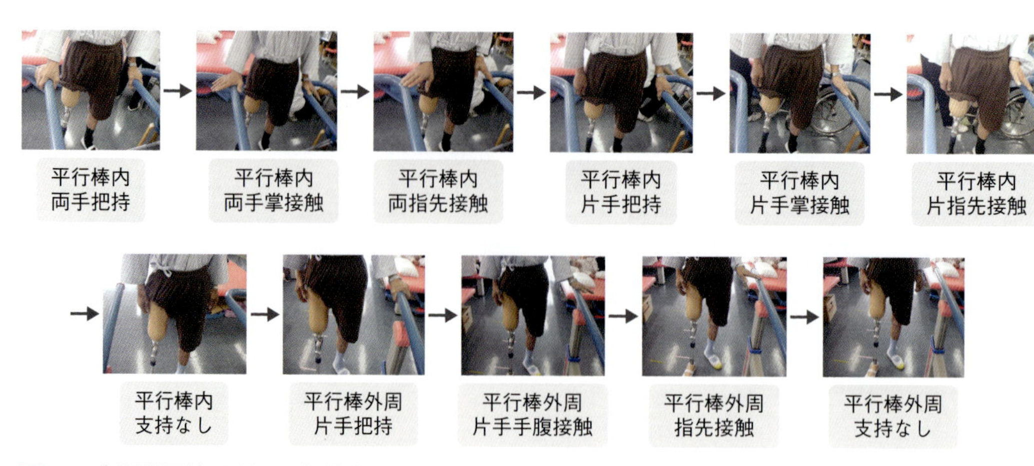

図39 **大腿義足使用者の平行棒内/外周歩行** 下腿義足使用者も同様に行う.

3) 歩行練習

1 平行棒内歩行

- **目的**：義足装着時の歩行の獲得.
  歩行時の切断肢側への荷重量と支持性の向上.
- **ポイント**：
  - 平行棒内での歩行練習がその後の歩行様式に大きな影響をおよぼすため，**代償動作や異常歩行を学習しないよう歩行分析を行い，随時介入**していくことが求められる
  - 一度学習してしまった異常歩行（くせ）を修正し再学習するには多くの時間を要すため，はじめが重要である
  - 「平行棒内両手把持→平行棒内両手掌接触→平行棒内両指先接触→平行棒内片手把持→平行棒内片手掌接触→平行棒内片指先接触→平行棒内支持なし」と，段階的に移行することで切断肢側への重心移動と荷重量を向上させる（図39）.
- **低活動者の場合**：理学療法士が腋窩支持をしたまま，切断者は平行棒を両手で把持した状態で行う．切断肢側への体幹側屈または上肢での支持量がどの程度あるのか把握する.

＊初期のリハビリテーションにて歩行能力が低い場合は，義足アライメント調整やサスペンションスリーブ（テスベルト）などを装着しできるだけ立位保持しやすい環境をつくる.

- **高活動者の場合**：平行棒を切断肢側上肢で把持したまま，または平行棒内で把持はせずに行う.
  - **前額面**：切断肢側への荷重と重心移動の向上を第一の目的とする．上部体幹の前傾や切断肢側への側屈動作（代償動作）が出現する場合が多いが，義足への荷重量向上と重心移動をさせることを第一優先とする．その後，徐々にその代償をトレーニングにより軽減させていく（後述）.
  - **矢状面**：切断肢側の骨盤の前面に理学療法士の手腹を当て，切断者にゆっくり手を押し返すように重心移動させる．理学療法士は他動的に前方へ誘導するのではなく抵抗をかけながら，骨盤の前傾が大きくならないように調整し，膝折れが起こらないように注意する．また上部体幹は直立を保てるように前・後屈しないように修正しながら行う（図40）.
  - 定期的にソケット適合・断端チェックを必ず行う.

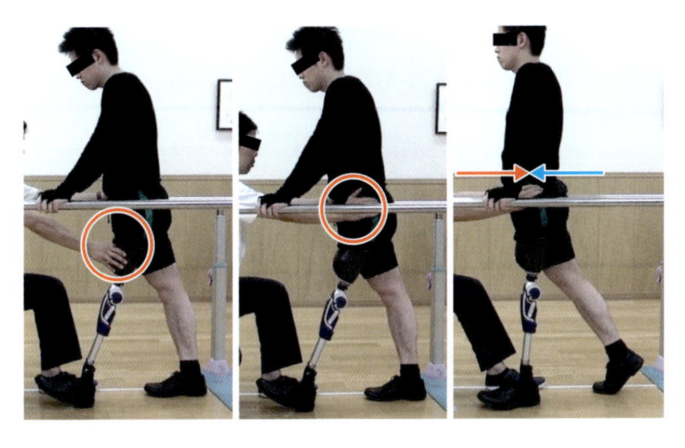

図40　**大腿義足使用者の平行棒内歩行練習**

下腿義足使用者も同様に行う.

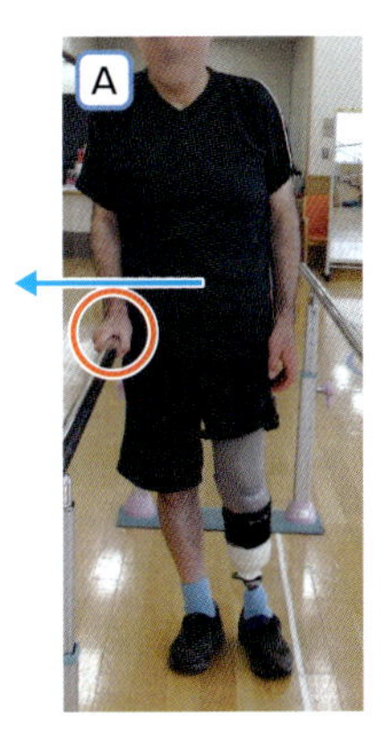

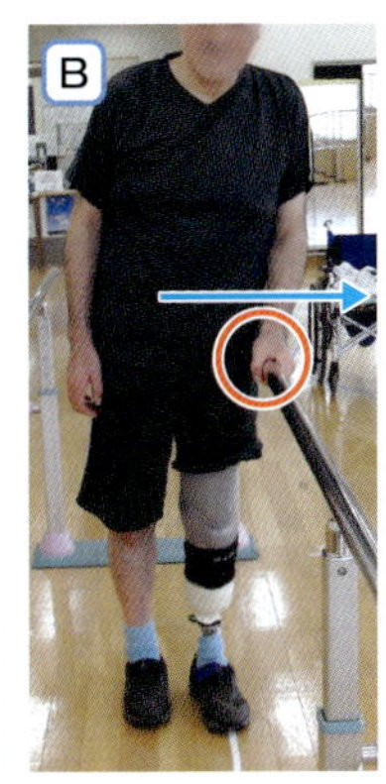

図41　**非切断肢側・切断肢側上肢での平行棒把持歩行**

A）義足への荷重軽減．B）義足への荷重増加.

①両上肢把持歩行と歩行様式

- **前型歩行（義足荷重量高）**：非切断肢側を切断肢側より前に出す方法で，交互に早く歩く歩行．切断肢側の支持性が高い場合に行う.
- **揃え型歩行（義足荷重量中）**：非切断肢側を切断肢側に揃える方法でゆっくり安全な歩行．切断肢側の支持性が低い場合や痛みが強い場合に行う.
- **後ろ型歩行（義足荷重量低）**：非切断肢側を切断肢側より後ろに出す方法であり，揃え型も困難で切断肢側への支持性が低く荷重が困難な場合の歩行.

②非切断肢側上肢での平行棒把持歩行（義足への荷重軽減）（図41A）

- 非切断肢側上肢で平行棒を把持することで重心が非切断肢側へ偏移し義足への荷重量が減る.
- 切断肢側の支持性が十分でない場合に行う.

③切断肢側上肢での平行棒把持歩行（義足への荷重増加）（図41B）

- 切断肢側上肢（②のときと逆側の手）で平行棒を把持することで義足への荷重量と重心移動を促し義足での支持性を向上させる．非切断肢側と切断肢側における重心移動と荷重量の差と代償動作を観察する.

④平行棒の種類と使用方法の違い

- 平行棒には円筒状のものと平面状（手を置くところが平均台のような形状）のものがある.
- 円筒状の平行棒は上肢で把持することができるが，平面状（平面台）のものは把持することができない.

- 義足装着時に歩行する場合，切断肢側の前方への推進力不足を補うために，平行棒を上肢で把持し引き込む動作で代償しなければならないことがある．そのようなとき，まずは円筒状の平行棒で練習する．

  ＊平行棒把持にて引き込む動作が出現するのは切断肢側（義足側）から非切断肢側へ重心を移動する瞬間が多い．

- 平行棒に手腹を置く程度の支持で歩行が可能な場合はどちらの平行棒で練習してもよい．

2 平行棒外周歩行（図39）

- **目的**：義足装着時の歩行の獲得と切断肢側への荷重量と支持性の向上．平行棒から離れた歩行へ移行する前段階の練習．
- **ポイント**：
  - 平行棒の外周を回ることでその後の方向転換時の練習にもつながる．
  - 方向を換える際にバランスを崩すことが多いため慎重に行う．
  - 大腿切断以上の場合，平行棒末端で方向転換する際に前足部への荷重量が増加し膝継手の膝折れを起こしやすいため特に注意しながら行う．
- **低活動者の場合**：両脇に平行棒がないことで不安感が大きくなることが多いため，理学療法士が腋窩を支持しながら安心して歩行が行えるようにする．切断者は平行棒を切断肢側上肢あるいは非切断肢側上肢のどちらかで把持した状態で行う．
- **高活動者の場合**：切断者は平行棒を切断肢側上肢あるいは非切断肢側上肢のどちらかで把持した状態，あるいは把持をせずに行う．
- 以下の順番に練習を重ねていく．

  ①平行棒内での歩行に十分に慣れる．

  ②平行棒外にて，非切断肢側上肢に補助具（T字杖，ロフストランドクラッチ）を把持し，切断肢側上肢で平行棒を把持して歩行練習する．

  ③「平行棒外周片手把持→平行棒外周片手手腹接触→平行棒外周片手指先接触→平行棒外周支持なし」というように，段階的に移行することで切断肢側への重心移動と荷重量を向上させる（図39）．

  ④平行棒との距離を徐々に遠くして，平行棒を離れる恐怖感を少しずつ軽減していく．

3 応用歩行動作練習（リハビリ室内）

①鏡をみながらの歩行

- 現状の立位姿勢・歩容をフィードバックすることを目的とする．

②横歩き歩行（横向き姿位からの非切断肢側前と切断肢側前での横歩き）

- 非切断肢側前と切断肢側前の横歩きを行うことで股関節外転筋群の発揮を促すことを目的とする．

③ノルディックウォーキング杖での歩行

- 体幹直立位での股関節周囲筋の発揮と，単脚支持期・歩幅の均衡化を目的とする．

④ペーシング歩行

- ペーシング機能付き装置を使用し，ケイデンス（steps/min）を換えながらの対称性の高い歩行を目的とする．
- この際に膝継手・股継手の追随意性のチェックもあわせて行う．

⑤10メートル歩行

- 最大・最小歩行速度と至適歩行の速度を客観的に評価することを目的とする.

⑥2分間（低活動）と6分間・12分間歩行（中・高活動）

- 歩行距離・速度・持久力の評価を目的とする.
- エネルギー消費の検査としてPCI（physiological cost index）を用いる.

⑦肩関節屈曲肢位を利用した重心移動歩行（肩関節屈曲180°）

- 切断肢側の肩関節180°屈曲位（重心は非切断肢側へ偏移）と非切断肢側の肩関節180°屈曲位（重心は切断肢側へ偏移）での歩行獲得を目的とする.

⑧トレッドミル歩行

- ランダムな歩行速度変化への順応・立脚後期の形成・歩幅・立脚時間の均衡化を目的とする.
- 免荷装置が設置してある場合は転倒リスク回避と免荷量調整のため装着してから行う.

⑨理学療法士によるセラバンド負荷・徒手的な負荷での歩行

- 理学療法士が後方から骨盤に巻いたセラバンドを引っ張り歩行する，または前方から徒手的に負荷をかけ前への推進力を発生させることを目的とする.

⑩バランスボールを使用した上部体幹回旋歩行

- 歩行時における対称性の高い上部体幹回旋動作の獲得を目的とする.

⑪歩行時における急停止と方向転換

- 日常生活や屋外で人ごみを歩く際を想定し，歩行時における合図での急停止と方向転換の獲得を目的とする.

⑫ジグザグ歩行

- 直線的な歩行獲得後，ジクザク歩く応用歩行の獲得を目的する.

⑬交差歩行

- 歩隔狭小による切断肢側股関節周囲の筋力増加と動的なバランス能力向上を目的とする.

4 応用歩行動作練習（階段・傾斜）

①階段昇降練習（表2）

動画⑪

- **2足1段での階段昇り**：非切断肢側下肢による屈伸動作ができれば可能（図42）（動画⑪）.
  - ❶1段上へ非切断肢側を接地，❷非切断肢側で伸びあがるようにして，❸切断肢側を非切断肢側にそろえて接地，という動作をくり返す.

表2　各義足で可能な階段の昇り降り

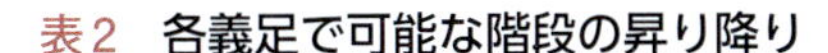

階段昇り	下腿義足	大腿義足	股義足
2足1段	○	○	○
1段飛ばし	○	○	○
交互昇り	○	△	×

階段降り	下腿義足	大腿義足	股義足
2足1段	○	○	○
交互降り	○	△	△

○可能（共通課題として達成する），△条件が整えば可能，×不可能

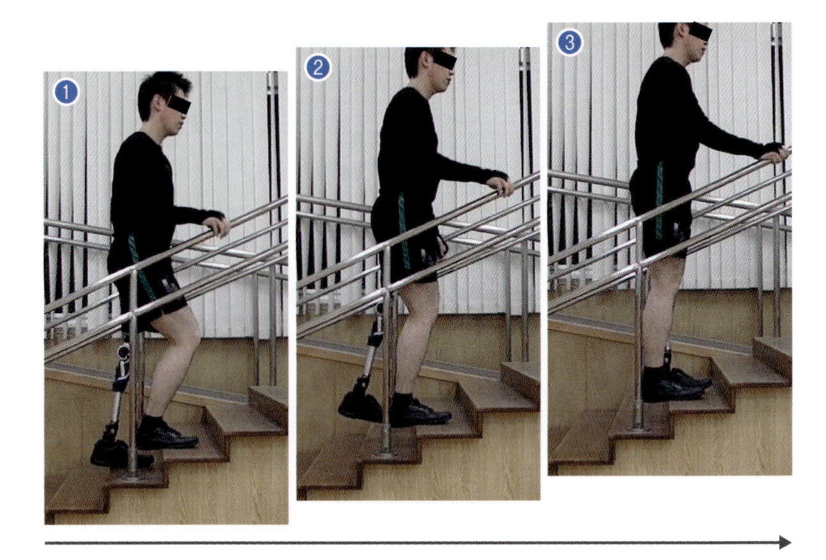

動画⑪

図42　2足1段での階段昇り（動画⑪）

❶一段上へ非切断肢側下肢を接地．❷非切断肢側で伸びあがるようにして，❸切断肢側を揃えて接地する．昇るときは非切断肢側から昇り，降りは切断肢側から行うのが基本である．下腿/大腿/股義足の使用者はすべて同様に行う．

- 非切断肢側の支持性が低い場合は手すりを把持する．

- **1段飛ばし昇り**：非切断肢側による屈伸動作の能力が高い場合は可能．
  - ❶非切断肢側を接地，❷非切断肢側で伸びあがるようにして，❸1段飛ばして切断肢側を接地，という動作をくり返す．
  - 上肢にて**手すりを引き込む力**を利用することでより速く昇ることが可能．
- **交互昇り**：非切断肢側と切断肢側での単脚支持期に支持性が高く，動作が円滑に行えれば可能（表2）．

動画⑫

  - 下腿切断者の場合，❶切断肢側の前足部を接地，❷切断肢側で体重を支持し体幹を軽度前傾，❸非切断肢側を接地，をくり返す．**体幹を前傾する**ことで膝の屈伸動作が楽に行える（図43）（動画⑫）．
  - 股義足使用者においては不可能である．しかし大腿義足使用者の場合，膝継手の選択とそれを随意的にコントロールすることができ，非切断肢側の能力が高い場合は可能となる．
- **2足1段降り**（表2）
  - ❶非切断肢側で支持しながら1段下の段へ切断肢側を接地，❷切断肢側で支持しながら非切断肢側を切断肢側に揃えて接地，をくり返す．

＊非切断肢側の足関節（背屈）・膝関節・股関節をゆっくり屈曲させながら次の段へ切断肢側を接地．

  - 非切断肢側の支持性が低い場合は手すりか杖を使用する．

動画⑬

- **交互降り**（表2）
  - 大腿義足の場合，階段床面に対して足部を中央付近まで出すと膝継手が屈曲しやすく円滑な交互降りができる（図44A）（動画⑬）．
  - 階段床面に対して足部が全面接地した状態では膝継手が屈曲せず円滑な交互降りが難しくなる（図44B）．それは膝継手の選択にもよる（参照）．

参照
膝継手は第I章12を参照

動画⑫

図43　下腿切断者の交互昇り（動画⑫）

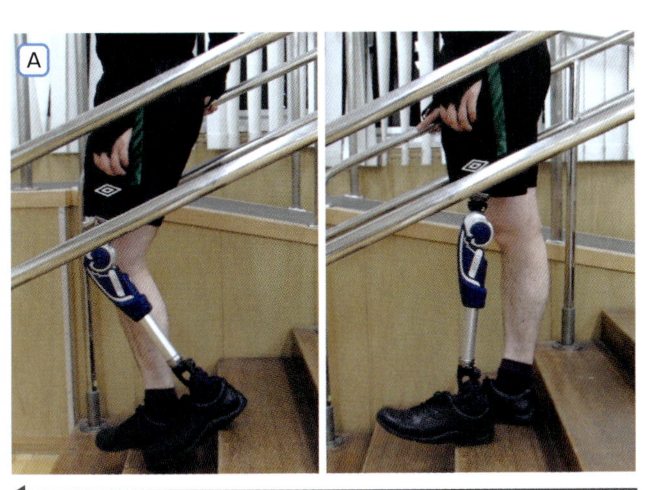

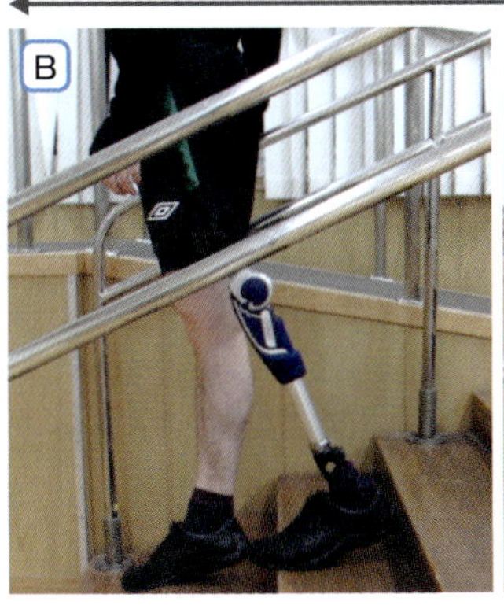

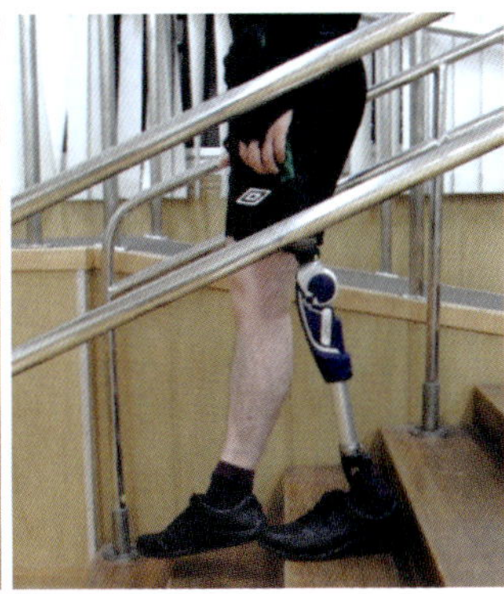

動画⑬

図44　大腿義足使用者の交互降り（動画⑬）

- 膝継手の選択では**イールディング機構**を利用すると降りやすさが向上し非切断肢側膝関節の負担も軽減する．また，次の接地までの時間的猶予をつくれ，安心して非切断肢側の接地を迎えることができる．
- 非切断肢側の支持性が低い場合は手すりか杖を使用する．

表3　各義足で可能な傾斜の昇り降り

傾斜昇り	下腿義足	大腿義足	股義足
非切断肢側より切断肢側が前にいかない昇り	○	○	○
交互昇り	○	△	△
横昇り	○	○	○

傾斜降り	下腿義足	大腿義足	股義足
非切断肢側より切断肢側が前にいかない降り	○	○	○
交互降り	○	○	△
横降り	○	○	○

○可能（共通課題として達成する）
△条件が整えば可能

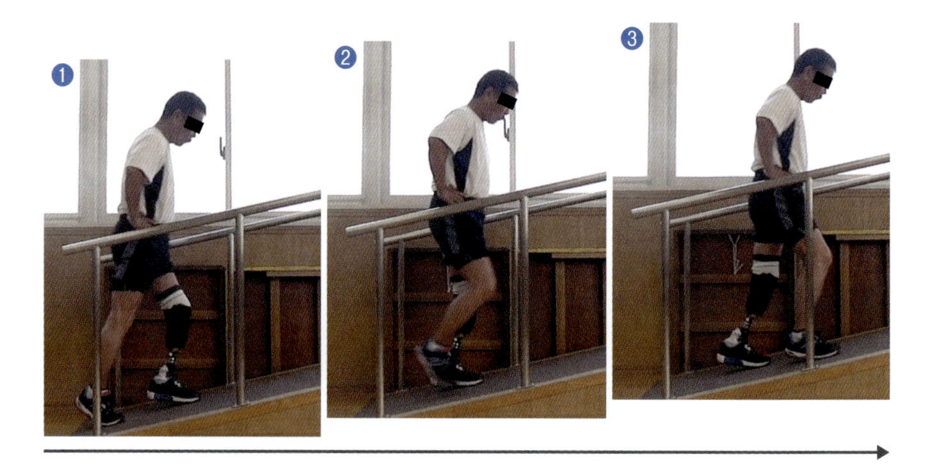

図45　下腿義足使用者の傾斜（交互昇り）
体幹を軽度前傾することで膝の屈伸動作が楽に行える．

②傾斜の昇り降り練習（表3）

● **非切断肢側より切断肢側が前にいかない傾斜昇り**

▶❶非切断肢側を切断肢側より前に接地，❷非切断肢側（膝屈伸）にて切断肢側を引き上げるように切断肢側を非切断肢側より手前に接地，をくり返す．

● **交互昇り**

▶下腿義足の場合，❶切断肢側前足部で接地し，❷膝関節屈曲位を保持しながら，❸非切断肢側を接地，をくり返す（図45）．

▶大腿義足の場合，基本動作は下腿義足の場合と同様．膝継手を曲げない場合（固定膝・遊動膝），切断肢側を大きく回すように接地．膝継手を曲げる場合（遊動膝），切断肢側遊脚期で足部が地面に接触しやすいため，義足立脚時間を短めにして早期の切断肢側股関節屈曲や非切断肢側の伸び上がりでクリアランスを確保する．

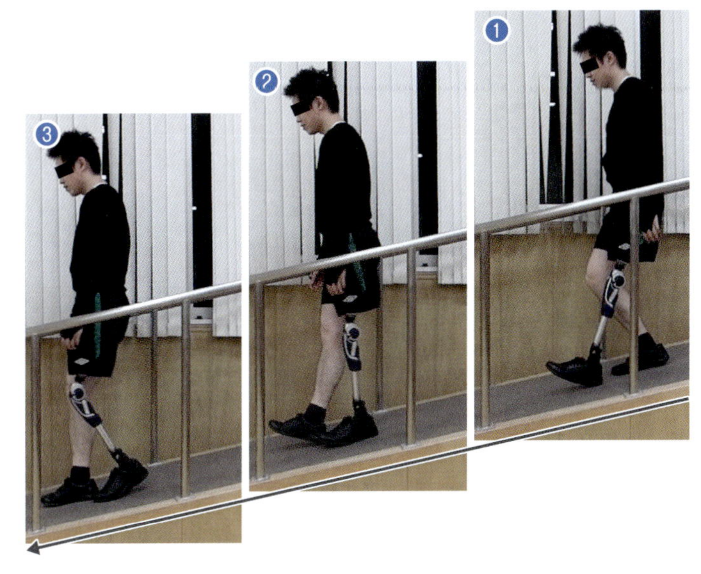

図46　大腿義足使用者の交互降り（イールディング機構不使用）（動画⑭）

- 切断肢側より非切断肢側が前にいかない傾斜降り
  - 基本的には切断肢側→非切断肢側の手順で行う．切断肢側を非切断肢側より手前に接地しながら傾斜を降りる．

- 交互降り
  - イールディング機構を利用しない場合：❶切断肢側の膝継手を抑えつけながら，❷非切断肢側を接地，❸非切断肢側での安全が担保されてから膝継手を屈曲させる，をくり返す（図46）（動画⑭）．

＊歩幅は小さくなり速度は遅くなる．

動画⑮

  - イールディング機構を利用する場合：❶切断肢側を接地し，❷イールディング機構を利用しながら膝継ぎ手を屈曲し非切断肢側を接地，をくり返す（動画⑮）．

＊歩幅は大きくなり降りる速度も速くなる．

動画⑯

- 傾斜の横昇り降り
  - 傾斜の横昇り：❶切断肢側で支持しながら非切断肢側を上の方に接地する，❷切断肢側を非切断肢側へ近づける，をくり返す（図47）（動画⑯）．
  - 傾斜の横降り：横昇りと逆のパターンで行う．
  - 膝継手に膝折れの危険性がある場合，あるいは急斜面の場合に行う方法．

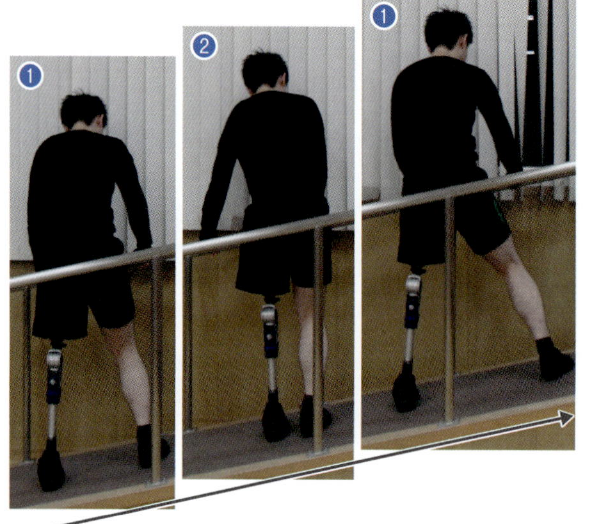

図47　大腿義足使用者の傾斜の横昇り（動画⑯）

10 義足装着時と未装着時の日常生活活動（ADL）練習

- 日常生活では義足装着，未装着の両方の状況がある．そのため，両者の状況を想定し，日常生活活動（ADL）を練習する必要がある．
- 実際の日常生活では動作能力の高低だけでなく，壁に手すりを取り付けるなど，環境の工夫が生活の質に大きく影響する．
- 以下に，ADL練習の例をあげる．
  - 床へのしゃがみこみ動作（動画⑰⑱）
  - 床からの立ち上がり動作（動画⑰⑱）
  - 椅子からの立ち上がり動作と椅子への座り動作（動画⑲）
  - 背臥位から座位への起き上がり動作（動画⑳）
  - 車椅子とベッド間の移乗動作（動画㉑㉒）
  - 車椅子と床の間の昇り降り（動画㉓㉔）
  - 立位からあぐらへの移行動作（動画㉕）
  - トイレでの便座と車椅子間の移乗動作（動画㉖㉗）
  - 車への乗り降り動作

11 義足装着者にとっての屋外環境

1）大腿切断以上の高位切断者の歩行について

- 非切断者の活動を基準としたとき，下腿義足装着者は習熟次第で同等の活動度を得られることが多いが，大腿切断以上の高位切断の義足装着者にとってそれは難しい．
- 膝関節が残存する下腿切断者の方が，切断肢側の接地位置の調節，クリアランス（地面と義足の距離）確保といった点で，大腿切断者よりも行いやすい．
- 膝関節が残存しない大腿切断者は切断肢側の遊脚期の制御に限界がある．そのため，使用する膝継手の種類や，切断肢側股関節による義足制御，非切断肢側の動作について工夫する必要がある．

2）義足装着者が工夫と対策を要する屋外環境

❶ 電車乗降と雑踏

- 大腿切断者にとって電車乗降が難しいのは一歩での動作完遂を要求されることが理由である．ホームと車両の隙間よりも歩幅を広くしなければならず，段差がある場合にはそれを乗り越えなければならない．もしその場に乗降客がいる場合は，「整然と行う」ことも必要になる．
- ラッシュ時には他者と歩調・速度を同調させる難しさも生じる．
- 大腿義足では遊脚期の制御に限界があるため，距離の近い通行者に義足が接触して転倒する危険がある．
- 工夫と対策：これらの環境に対して，義足歩行の習熟度を高める，空いている時間帯・車両を利用する，などの対策が考えられる．

❷ 歩道や路肩

- 屋外においては純粋な平地はあまり存在しない．舗装道路においても，雨天を想定して排水溝を一定間隔に配し，水はけを考慮した「かまぼこ型」か「一方向傾斜」（図48）の構造になっていることが多い．そのため，多くの義足装着者は屋外歩行の際に平地との違いを訴える．
- 義足装着者の進路に向かって傾斜が横切っているとき，切断肢側が高く，非切断肢側が低い傾斜になっていると，クリアランス不良となって歩行しにくくなる．

図48　左大腿切断者の屋外歩行（路面の一方向傾斜）

左大腿切断者にとって左側の傾斜が高い路面は難易度が高くなる．

- 手すりの設置されていない一般道では，公共施設のスロープや階段よりも不都合が多いと考えられる．
- 膝継手・足部パーツについて，屋外歩行でのアライメント評価は必須である．
- 工夫と対策：平地歩行から屋外歩行へ移行する場合，路面環境が大きく変化（路面の凹凸，傾斜，段差など）する．そのような環境下では平地歩行では観察されなかった足部の引きずりや，膝折れ（膝継手）などが顕著にみられる場合が多く義足構成要素（膝継手・足部のアライメント調整や選択）評価・調整を随時行う必要がある．

3 砂利道・芝生

- 大腿義足者の歩行において，砂利や芝は膝継手の追従性に影響を与える．
- 砂利や芝による制限で，義足の膝継手が完全伸展しないまま接地を迎えると転倒の危険が高まる．このような路面は，社寺などの歴史的建造物，公園，テーマパークなど観光地に多い．
- 工夫と対策：**2歩道や路肩**と同様．

文献

1）寺門厚彦：下腿切断手技と断端形成の変遷．POアカデミージャーナル，13：57-61，2005

2）寺門厚彦：下腿切断時にシリコーンソケットを用いた術直後義肢装着法の使用経験．日本義肢装具学会誌，21：48-51，2005

3）「義肢装具学テキスト 改訂第2版（シンプル理学療法学シリーズ）」（細田多穂／監，磯崎弘司，他／編），南江堂，2013

4）Nadollek H, et al：Outcomes after trans-tibial amputation：the relationship between quiet stance ability, strength of hip abductor muscles and gait. Physiother Res Int, 7：203-214, 2002

5）Powers CM, et al：Influence of prosthetic foot design on sound limb loading in adults with unilateral below-knee amputations. Arch Phys Med Rehabil, 75：825-829, 1994

6）Schoppen T, et al：The Timed "up and go" test：reliability and validity in persons with unilateral lower limb amputation. Arch Phys Med Rehabil, 80：825-828, 1999

参考図書

・亀山順一，盛合徳夫：下腿義足と大腿義足におけるエネルギー効率（PCI）と速度との比較検討．リハビリテーション医学，37：788-789，2000

・Dasgupta AK, et al：The performance of the ICEROSS prostheses amongst transtibial amputees with a special reference to the workplace-a preliminary study. Icelandic Roll on Silicone Socket. Occup Med (Lond), 47：228-236, 1997

・Seymour R, et al：Comparison between the C-leg microprocessor-controlled prosthetic knee and non-microprocessor control prosthetic knees：a preliminary study of energy expenditure, obstacle course performance, and quality of life survey. Prosthet Orthot Int, 31：51-61, 2007

・亀山順一，盛合徳夫：下肢切断者の義足歩行分析．J Clin Rehabil，11：346-355，2002

・有澤 誠，西山俊樹：全国規模の社会調査に基づく障碍者全般の長時間移動特性の研究．ヒューマンインタフェース学会研究報告集：human interface，4：31-43，2002

・西山敏樹，他：東京圏在住下肢障碍者の地域内移動特性の研究．日本地理学会発表要旨集，59：39，2001

・陳 隆明：高齢下肢切断者のリハビリテーションの実際と近年の傾向について．Jpn J Rehabil Med，45：331-334，2008

・畠中泰司，島津尚子：高齢下肢切断の現状と課題．理学療法ジャーナル，46：1059-1064，2012

・陳 隆明：高齢下肢切断者のリハビリテーションゴールの設定と義足処方．MB med Rehabil，16：31-38，2002

・水落和也：Ⅶ 切断-49．血管原性切断者のリハビリテーション．総合リハビリテーション，40：720-725，2012

14 下肢切断の理学療法（症例紹介）

学習のポイント

- 下肢切断の理学療法を安全に実施するために，大腿切断，下腿切断，両側大腿切断の症例にもとづいて，各時期に応じた理学療法プログラムを理解する
- 各症例に対して，今後の生活・身体状態などを踏まえた評価を行い，それをもとに義足の選定を行う

症例1 循環障害による大腿切断

性別・年齢 男性　70歳代後半

診断名 **閉塞性動脈硬化症による右大腿切断**

現病歴

平成XX年12月中旬	突然の右下肢のシビレが出現し近医受診．CT画像より腎動脈分岐部から腹部大動脈の閉塞を認め，閉塞性動脈硬化症と診断
12月中旬	**鎖骨下動脈から両側浅大腿動脈間バイパス術施行**
翌年 1月中旬	右膝下7 cmから遠位部にかけ壊疽となったため，右大腿切断施行
2月上旬	左鎖骨下動脈バイパス吻合部の狭窄で，左手のシビレが出現．経皮的ステント留置術施行
2月下旬	義足製作および義足装着練習目的で，当院に転入院

術式 膝関節裂隙より9.8 cm上で切断し，筋肉形成術（myoplasty）を施行

既往歴 ○年前に高血圧症と診断

併存疾患 高血圧症，皮脂欠乏性湿疹

薬状況 降圧剤，抗血液凝固剤，下剤，保湿剤

喫煙歴 45年前より1週間30本程度の喫煙

ホープ 外を出歩きたい

職業 閉塞性動脈硬化症発症まで家電量販店に勤務

保険 後期高齢者医療制度

身体障害者手帳 申請中

家族構成 妻と2人暮らし

家屋状況 築○年10階建て分譲マンションの7階に居住（エレベーターあり）

トイレ 洋式トイレ（手すりなし）

浴室 ユニットバスで浴槽の深さ64 cm（手すりなし）　**寝具** ベッド

1）義足製作前の理学療法評価とプログラム

参照
下肢切断の理学療法評価は第Ⅰ章2参照

❶ 理学療法評価（参照）

①**心理状態**：切断の受容はできており，義足歩行の獲得に向けて意欲的である．

②**バイタルサイン（安静時）**：血圧：118/68 mmHg，脈拍：80/min

③**形態測定（非切断肢側の測定）**

- 身長：163 cm
- 体重：44 kg（切断肢を除く）
- 非切断肢下肢長：73.5 cm（立位にて坐骨結節から足底）
- 非切断肢大腿長：30.5 cm（立位にて坐骨結節から膝関節裂隙）
- 非切断肢下腿長：43 cm（立位にて膝関節裂隙から足底）
- 非切断肢足長：25.5 cm

④**非切断肢の状況**：浮腫（＋），足は清潔に保たれ，爪の処理は良好．足白癬・胼胝・鶏眼などは認められないが扁平足（＋）．膝窩動脈，足背動脈，後脛骨動脈の拍動は触知可能．

⑤**断端評価**

- 断端の状態
  - 断端の形状：軟部組織が多く，張りのない円柱状．浮腫（－）．
  - 皮膚の状態：断端全体がやや赤みがかっている．
  - 術創の状態：抜糸済みで，術創部は完治している．
- 断端長：26 cm（立位にて坐骨結節から断端末）
- 断端内外径：15 cm（立位にて坐骨レベルでの大腿内側から外側）
- 断端前後径
  - 最大前後径：15 cm（立位にて坐骨レベルでの大腿直筋から大殿筋）
  - 最小前後径：7.5 cm（座位にて座面から長内転筋腱）
- 断端周径

	午前	午後	日内変動
坐骨レベル	45.0	46.5	1.5
下5 cm	44.0	46.0	2.0
下10 cm	38.5	40.5	2.0
下15 cm	34.0	36.5	2.5
下20 cm	31.5	34.5	3.0

（単位：cm）

参照
幻肢は第Ⅰ章2参照

- 幻肢評価：Ⅱ型（遊離型）常時，足部が断端から遊離して存在する（参照）

⑥**感覚検査**

- 表在感覚（触覚）：断端末および非切断肢側足趾軽度鈍麻
- 深部感覚（位置覚）：問題なし

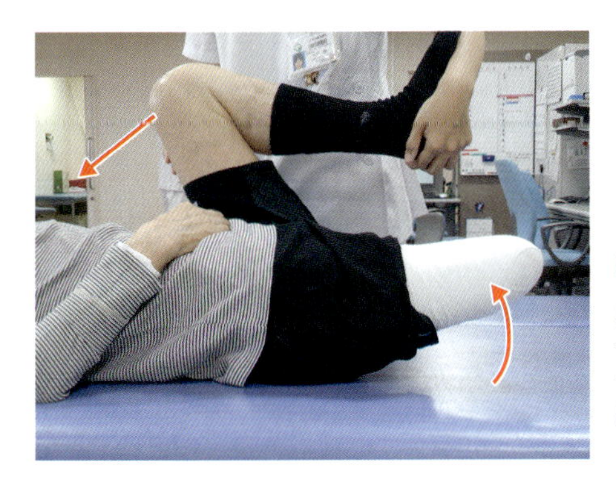

図1　**トーマステスト**
股関節屈曲拘縮・股関節屈筋の短縮の有無を調べるテスト．非切断肢側の股関節を屈曲してゆき，切断肢側がベッドより浮き上がれば陽性となり，股関節屈曲拘縮または股関節屈筋の短縮の可能性を示す．

⑦関節可動域

	右（切断肢側）	左（非切断肢側）
股関節伸展	－5°	5°
内転	5°	10°

- トーマステスト（thomas test）：陽性（図1）

⑧筋力評価（徒手筋力テスト：MMT）

	右	左
股関節屈曲	4	4
伸展	4	4
外転	4	4
体幹屈曲	4	
伸展	4	

握力：右30 kg，左21 kg

⑨疼痛評価
- 断端痛：常時，断端末から5 cm上あたりまでシビレるような疼痛あり
- 幻肢痛：常時，足趾にシビレた痛みあり

⑩パッチテスト：数種類の絆創膏，シリコーンライナー，熱可塑性樹脂，熱硬化性樹脂などの素材を腹部に貼付し検査した結果，陰性

参照
理学療法プログラムは第Ⅰ章13参照

2 理学療法プログラム（参照）

- 表1に本症例における時期ごとの目標・評価・治療内容を示す．

①関節可動域練習（図2）
- 股関節の各運動方向に対して理学療法士が徒手にて行う．
- 鎖骨下動脈から両側浅大腿動脈間バイパス術施行のため，**両股関節伸展**はバイパス部に圧迫が加わる腹臥位は避け，**側臥位**にて実施する．
- 義足歩行練習を開始した後も関節可動域練習を継続して実施，セルフストレッチの指導もあわせて行う．

表1　循環障害による大腿切断の経過ごとの目標・評価・治療内容

時期	義足製作前	義足製作直後	1カ月後	2カ月後	3カ月後（退院時）
目標	・関節可動域の維持，拡大 → ・筋力の維持，向上 → ・断端の成熟	・義足への荷重感覚の習得 ・限定された環境下での義足歩行の習得	・屋内での義足歩行の習得 ・ADLの習得	・屋外を含めた応用歩行の習得 ・より生活環境に沿ったADLの習得	・退院後の自主練習の習得（セルフストレッチや筋力向上）
評価	・疼痛の評価 → ・関節可動域の評価 ・下肢体幹の筋力の評価 ・断端の評価 ・非切断肢側下肢の評価 ・義足パーツの選定	・ソケットの適合評価 → ・義足歩行分析 →	・ADLの評価 →		・義足パーツおよびシリコーンライナーの管理方法の理解 ・断端管理方法の理解 ・緊急時応急対応の理解
治療	・体感，非切断肢下肢，切断肢の関節可動域練習 → ・下肢，体幹の筋力強化練習 → ・断端管理法の指導 → ・他の切断者との交流 →	・義足荷重練習 ・義足歩行練習（手支持あり）	・屋内義足歩行練習（フリーハンド） ・ADL練習	・屋外義足歩行練習（フリーハンド） ・家屋評価も含めたADL練習	・自主練習内容の確認 ・義足管理法の指導

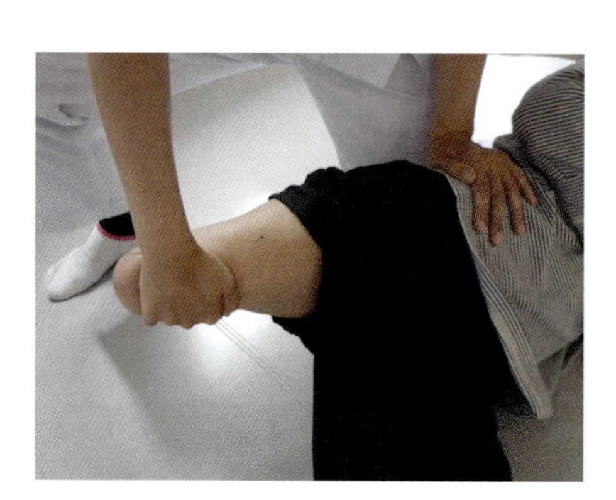

図2　関節可動域練習の例（切断肢股関節伸展）

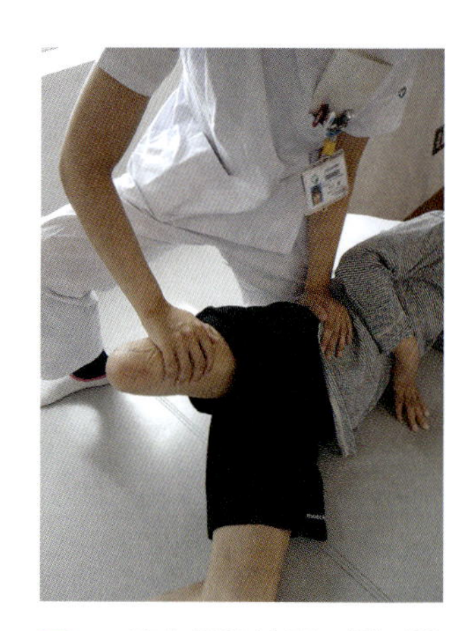

図3　筋力増強練習の例（股関節外転筋）

②筋力増強練習（図3）*

- 関節可動域練習と同様の理由から側臥位にて実施する．

　＊　股関節外転筋は，側方の安定性に重要であり，筋力増強練習においては，代償動作に注意しながら実施する．

- 義足歩行練習を開始した後も，筋力強化練習は継続して実施していく必要がある．

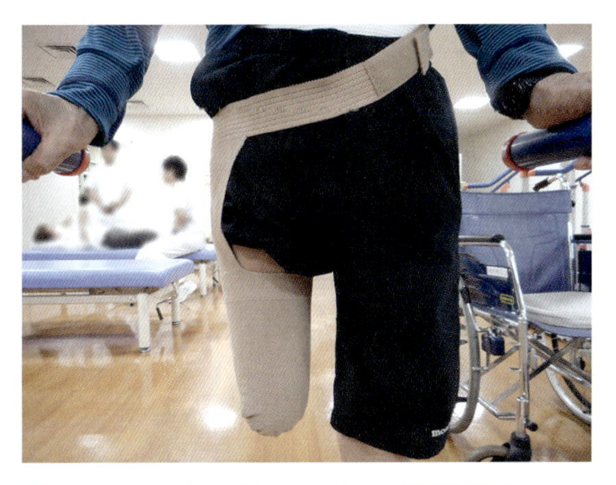

図4　スタンプシュリンカーによる断端管理

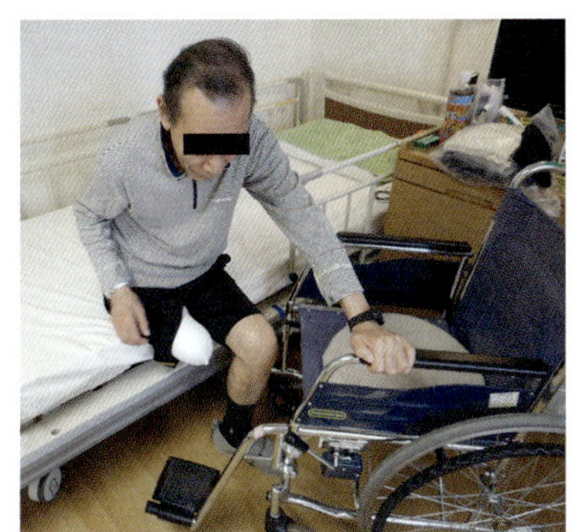
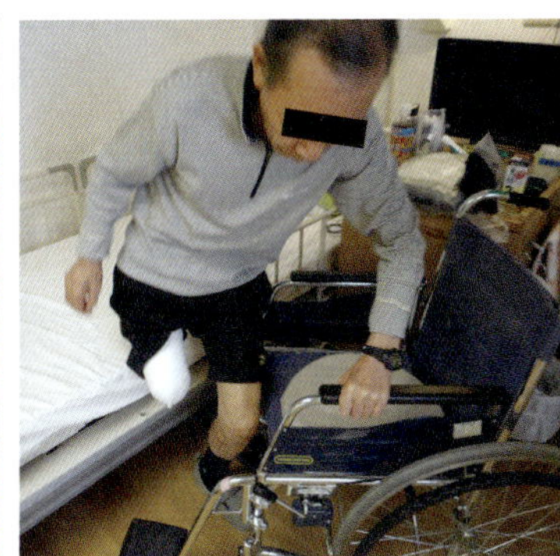
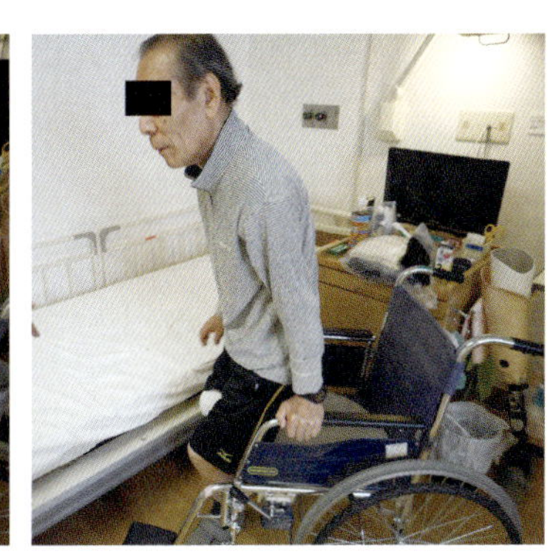

図5　ベッドと車椅子間の移乗

- 非切断肢の立位バランスの向上と足趾の変形や足内在筋の委縮に対して，タオルギャザー練習を行う．
  - ＊タオルギャザー：椅子に座った状態で，足の下にタオルを敷きその上に足を置く．踵は浮かないようにし，足全体でタオルを手繰り寄せていく．その際，足の甲が丸くなるよう意識するとよい．

③断端管理練習

- シリコーンライナー，ソフトドレッシング，スタンプシュリンカー（図4）を併用した断端管理を行う．
- 頻回に断端の創・皮膚状態のチェックを行い，患者自身にも頻回に観察するような意識付けが重要．場合によっては家族にもその方法を指導する．

④義足なしでの日常生活活動（ADL）練習

- 起き上がり
  - 実際の生活場面で練習を実施．
  - 上肢支持を利用した方法やベッド柵を使用した方法を指導し，自立度を上げる．
- ベッドと車椅子間の移乗（図5）
- 床へのしゃがみ込み・床からの立ち上がり

⑤拘縮予防指導

- 筋のアンバランスと安静時の不良姿勢から**股関節屈曲・外転・外旋拘縮**をきたしやすいため，**股関節伸展・内転・内旋位**に保持することを意識付けさせる．通常であれば，頻回に腹臥位になるようにも指導するが，バイパス術への影響を考慮し腹臥位になることは避ける．

⑥その他（義足装着へのモチベーションづくりや病棟生活の指導）

- 動画や画像にて，他の切断者の治療・練習経過を見せる．
- 他の切断者や義足を使いこなしている方とのコミュニケーションの場を設ける．
- リハビリテーションの進捗具合を多職種で共有し，病棟生活でも義足を装着してのADLが積極的に行えるよう調整する．

2）義足処方検討に必要な情報の収集

- 医師からの情報：切断の原因となった閉塞性動脈硬化症の状況，内科的な問題と活動量の確認を行う．
- 理学療法士からの情報：身体機能，運動能力の評価を行うとともに，退院後の生活を考慮し，自宅および職場環境の把握を行う．
- 義肢装具士からの情報：患者の状態・能力から最適なソケット，パーツなどの提案を行う．
- 看護師からの情報：病棟での生活状況や精神的な状況を確認する．
- 医療福祉士からの情報：経済的な状況，義足の交付手続きにかかわる支援を確認する．

3）義足ソケット・膝継手・足継手の選定

参照
大腿義足は第Ⅰ章3，5参照

1 ソケット（参照）

- 断端に摩擦・圧迫などのストレスの低いもの
- 左手のシビレと握力低下を考えて容易に装着できるもの

参照
膝継手は第Ⅰ章12参照

2 膝継手（参照）

- トウクリアランスを確保し，歩行中のつまずきが少なくなるもの
- 年齢，筋力を考慮し，膝折れしにくいロック機構を有するもの
- 歩行時のみならず立位時においてもロック機構が働き，非切断肢の負担軽減が図られるもの

参照
足継手は第Ⅰ章12参照

3 足継手（参照）

- 軽量なもの
- 屋内・外で歩きやすいもの

4 その他

- 義足を装着したままズボンおよび靴の着脱を容易に行えるもの

5 パーツの決定

- 1～4の条件から下記のパーツを決定した．
  - ソケット：四辺形ソケット＋シリコーンライナー（ピンロック式）
  - 膝継手：多軸遊動式
  - 足継手：エネルギー蓄積型足部

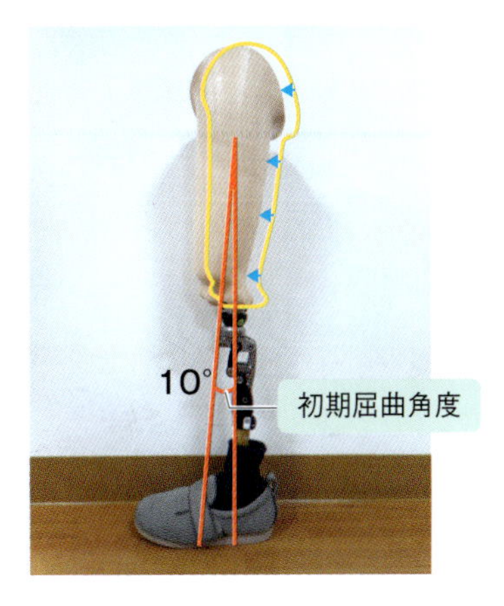

図6　ベンチアライメント

▶その他：ターンテーブル

4）義足仮合わせ時のチェックアウト

1 シリコーンライナーのサイズ確認

- 断端末から4 cm上方の断端周径は30.0 cm，シリコーンライナーのサイズは，同周径より1サイズ小さい28 cmサイズのものとする．

2 ソケット適合判定

①ソケットの深さ：26.5 cm

②ソケット内外径：15.0 cm

③ソケット前後径：最大前後径は15.5 cm，最小前後径は8.0 cm

④ソケット周径

	ソケット内周径	シリコーンライナー装着周径	断端周径（義足製作時）
坐骨レベル	38.5	39.5	40.0
下5 cm	37.0	38.0	39.5
下10 cm	35.0	36.0	36.5
下15 cm	32.0	32.5	33.5
下20 cm	30.5	31.0	31.5

（単位：cm）

⑤義足長：72.0 cm

⑥足部長：24.0 cm

3 ベンチアライメント（図6）

- 股関節屈曲拘縮があったため初期屈曲角度を10°に設定し，ソケットをやや前方に設定した．初期内転角度も10°に設定した．

4 スタティックアライメント（図7）

- 切断肢側の上前腸骨棘が2横指程度低く，義足のパイロンを2横指程度長いものに交換した．

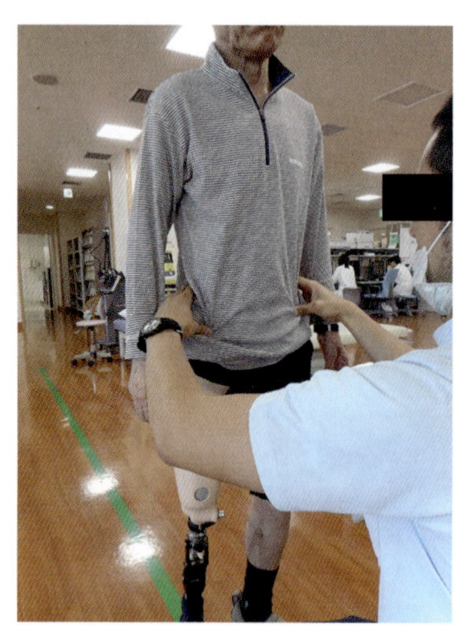

図7　スタティックアライメント

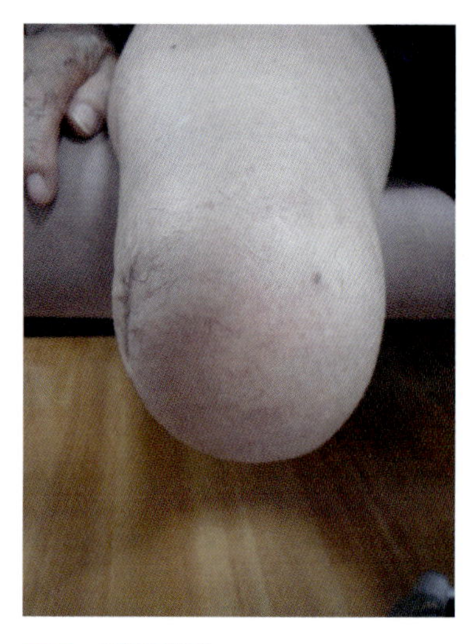

図8　断端確認

5 義足を脱いだ後の断端確認（図8）

- 歩行練習後，断端のうっ血，発赤，擦過傷，水泡などのトラブルは認められなかった．

参照
義足装着練習は第Ⅰ章13参照

5）義足装着練習（参照）

1 シリコーンライナー装着練習

- シリコーンライナー底中央部を断端末に密着させ，空気が入らないようにロールオンする．また，シリコーンライナーの先端にあるピンが適切な位置にあるか確認する．
- 練習当初からシリコーンライナーの管理方法の実習を行い，衛生面の問題にも対応した．

2 ソケット装着練習

- 装着練習当初はピンをアダプターに完全に装着させるのは難しい．
- ピンが完全にアダプターに入るまで，切断肢を1歩前に出し，荷重しながら骨盤を前後方向に移動させる．
- スムーズなソケット装着には約3週間の期間を要し，病棟での自主練習にも取り組んでもらった．

6）義足歩行練習

1 基礎練習

①左右方向での荷重移動

- 両足を肩幅に広げ，ゆっくりと左右方向に骨盤を水平移動させ切断肢への荷重を行う．体幹側屈の代償運動に注意．

②前後方向での荷重移動

- 切断肢を1歩前にした状態で，ゆっくりと前後方向に骨盤を水平に移動させ，非切断肢から切断肢への荷重移動を行う．
- 切断肢と非切断肢を入れかえて，同様に荷重移動を行う．

- いずれにおいても腰が引けないように注意する．

③膝継手のコントロール

- 非切断肢を1歩前にした状態から切断肢を振り出し，切断肢側遊脚期での膝継手のコントロールの練習をする．
- 切断肢を1歩前にした状態から非切断肢を振り出し，切断肢側立脚期での膝継手のコントロールの練習をする．

2 平行棒内歩行練習

- 切断肢にしっかりと荷重が行えているか，また歩幅は左右均等であるか確認する．
- 平行棒の端に姿勢矯正鏡をセットし，患者自身に視覚的なフィードバックをできるようにして練習を行う．
- 平行棒は決して引っ張らず軽く支持するように指導し，徐々に手放し歩行に移行するよう誘導する．
- 切断肢への荷重移動と切断肢股関節外転筋力増強を目的として，左右方向への横歩き練習も行う．
- 切断肢の立脚後期において，切断肢側股関節伸展を促す．

3 平行棒外周での歩行練習

- 歩行練習の初期の段階において，平行棒内から平行棒外へ歩行を移行する際の慣らしと恐怖感を軽減するために，非切断肢側上肢で平行棒を軽く支持し平行棒外周での歩行練習を行う．

4 ダイナミックアライメント

- 前額面後方からの歩行観察で，切断肢側立脚終期から遊脚初期にかけて踵が内旋（内側ホイップ）していたので調整した．
- 義足の膝継手が進行方向に対しやや外旋していたので平行になるように調整した．

5 応用歩行練習方法

①スロープ

- 昇り：切断肢側の骨盤を引き，股関節外転・外旋位にした姿勢で，義足膝継手が屈曲しないようにして，義足を非切断肢に揃えて昇る（動画①）．
- 降り：非切断肢側の骨盤をやや引いた姿勢で，義足の膝継手を屈曲させずに，足部の踵のみ接地するように義足を振り出し，非切断肢を切断肢に揃えて降りる（動画②）．

②階段昇降（動画③）

- 昇り：手すりを把持し，非切断肢を1段上のステップに上げ，ついで股関節・膝関節を伸展しながら，切断肢をやや分回し気味に非切断肢に揃える．
- 降り：2足1段の方法で，手すりを把持し，非切断肢の股関節・膝関節を屈曲しながら，義足をやや分回し気味に1段下のステップに降ろし，ついで非切断肢を義足に揃える．

動画③

③溝またぎ

- 義足を溝の縁に近づけ，非切断肢を前方に大きく振り出し溝を跨いで渡る．

動画④

④エスカレーター乗降（動画④）

- 乗り：非切断肢側上肢で手すりを保持し，非切断肢より踏板に乗り，ついで，同じ踏板に切断肢を乗せる．

- 降り：非切断肢側上肢で手すりを保持したまま，非切断肢より降ろし，ついで切断肢を降ろし，最後に手すりを離す.

⑤物拾い

- 非切断肢を1歩前に踏み出し，義足膝継手が屈曲しないよう切断肢の股関節をやや外旋位にする．ついで，非切断肢に重心を移動させながら，同時に股関節・膝関節の屈曲，体幹の前屈により物を拾う.

7）義足装着・未装着での日常生活活動（ADL）練習

- 義足装着・未装着の起居動作練習
  - ▶義足装着・未装着でのしゃがみ込みと立ち上がり動作（動画⑤⑥）
  - ▶義足装着・未装着での椅子からの立ち上がりと座り動作
- 更衣動作練習
  - ▶ズボン履き動作（動画⑦）
  - ▶靴脱ぎ動作
- 義足装着・未装着時のトイレ動作練習
- 入浴シミュレーション動作（動画⑧）
- 靴未装着での屋内歩行練習*

*靴の有無でアライメントが変わるため，裸足での歩行を含めたADL練習を行う．靴なしによるアライメント変化に対応できない場合には，屋外で使用する靴と同様のものを屋内でも履いて生活することもある.

動画⑤

動画⑥

動画⑦

動画⑧

症例 2 外傷による下腿切断

性別・年齢 男性　30歳代前半

診断名 外傷による左下腿切断（短断端）

現病歴

平成XX年5月上旬	一般道路にてバイクを運転中，車線変更したトレーラーに巻き込まれ受傷．B大学病院へ救急搬送されるも**左下腿部**の挫滅により同日左下腿切断術および左大腿部より断端末への初回**皮膚移植**術を施行.
5月中旬	2回目の皮膚移植術施行.
5月下旬	関節可動域および筋力の確保を目的に理学療法開始.
6月上旬	同大学病院にて義足製作および義足装着練習開始.
9月上旬	日常生活における義足歩行自立し，同大学病院より自宅退院.
翌々年8月上旬	職場復帰を果たすも断端の良好な適合性が得られず，**義足の再製作**を目的に当院受診.

既往歴 特になし
合併症 断端の皮膚移植に伴う**瘢痕癒着**
主訴 断端が痛くて長く歩けない．容易に傷ができてしまう．
ニーズ 適合性のよい義足の製作．
ホープ 義足を履いて走れるようになりたい．
切断高位 下腿切断（**短断端**）
術式 筋肉形成術（myoplasty）
身体障害者手帳 4級
職業 工場作業員
家族構成 妻と子の3人暮らし
保険 国民健康保険
家屋状況 都内に2階建ての一軒家

1）義足製作前の理学療法評価とプログラム

参照 下肢切断の理学療法評価は第Ⅰ章2参照

1 理学療法評価（参照）

①心理状態：**断端痛**に対し敏感になっているが，義足の再製作に向けて意欲的である．

②形態測定（非切断肢側の測定）

- 身長：176 cm
- 体重：69 kg（切断肢を除く）
- 非切断肢下腿長：48 cm〔立位にて膝蓋腱（MPT）から足底〕
- 非切断肢足長：27.5 cm

③関節可動域

- 左下肢関節はすべて「関節可動域表示ならびに測定法」（日本リハビリテーション医学会改訂）の参考可動域と比較して問題なし

④筋力

- 徒手筋力検査（MMT）の結果，すべてNormalレベル

⑤日常生活活動（ADL）

- 義足非装着下での家屋内移動は**ホッピング**（片脚跳び）にて自立している（図9）．
- その他ADLはすべて自立している．

⑥職業動作

- 通勤は自転車．仕事内容は主として溶接作業．しゃがみ動作や重量物をもっての移動動作が求められる．

⑦断端評価

- 断端の形状：下腿切断の短断端（図10）
- 皮膚の柔軟性：皮膚の柔軟性はやや低下しているものの保湿状態は良好．
- 感覚：表在感覚，深部感覚ともに問題なし（断端末はやや過敏な傾向あり）
- 疼痛：義足歩行の立脚初期から中期に**断端末と腓骨頭部に圧迫感**（NRS*：8）
  義足歩行の遊脚初期に断端末に引っ張られ感（NRS*：7）

＊numerical rating scale（NRS）は，最もよく使用されている評価法である．0～10までの11段階の数字を用いて，患者自身に痛みのレベルを数字で示してもらう方法である．

図9　ホッピング

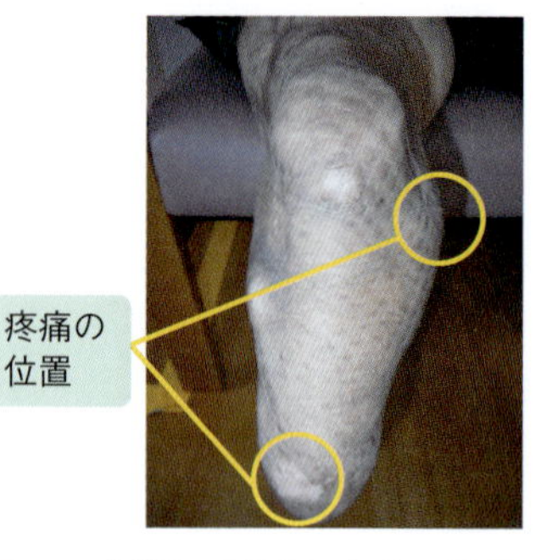

図10　断端の形状と疼痛の位置

図11　ディスタルカップ（左）とシリコーンライナー（右）

- 周径：
  - 膝蓋腱レベル　32 cm
  - 下2 cm　29 cm
  - 下4 cm　26.5 cm
  - 下6 cm　24.5 cm
- ディスタルカップとシリコーンライナー（図11）装着時の断端長
  - 前後径：8.8 cm（膝蓋腱レベルで計測）
  - 内外径：9.0 cm（膝蓋腱レベルで計測）
  - 断端長：12.5 cm
- 幻肢および幻肢痛の有無：なし

⑧ソケット評価

- 内径：
  - 膝蓋腱中央レベル　29.0 cm
  - 下2 cm　27.0 cm
  - 下4 cm　25.0 cm
  - 下6 cm　23.0 cm
- 前後径：8.7 cm
- 内外径：8.6 cm
- ソケットの深さ（膝蓋腱〜ソケット底まで）：13 cm

⑨非切断肢評価

- 筋力：右下肢関節もすべて「関節可動域表示ならびに測定法」（日本リハビリテーション医学会 改訂）の参考可動域と比較して問題なし
- 関節可動域：徒手筋力検査（MMT）の結果，すべてNormalレベル
- ホッピング（図9）：30回以上可能
- 足長：27.5 cm→足部サイズ：26 cm
- パッチテスト：シリコーンライナー，絆創膏，サージカルテープ，ソケットなどの素材を検討した結果，陰性．

表2　外傷による下腿切断の経過ごとの目標・評価・治療内容

時期	義足製作前	仮合わせ	1週後	2週後	3週後（退院時）
目標	・瘢痕化した皮膚組織の柔軟性向上 ・走行へのモチベーション維持・向上	・義足歩行時の疼痛緩和 ・走行へのモチベーション向上	・義足歩行時の疼痛緩和（速歩～小走り） ・走行へのモチベーション向上	・義足走行時の疼痛緩和 ・走行へのモチベーション向上	・義足走行時の疼痛緩和 ・走行へのモチベーション向上
評価	・疼痛の評価 ・皮膚の柔軟性評価 ・下肢・体幹の筋力評価（ホッピング含む） ・断端評価（断端長・周径など） ・義足パーツ選定	・疼痛の評価 ・ソケット適合評価 ・義足歩行分析 ・皮膚の柔軟性評価	・疼痛の評価 ・ソケット適合評価 ・義足歩行分析 ・皮膚の柔軟性評価	・疼痛の評価 ・ソケット適合評価 ・義足歩行分析 ・皮膚の柔軟性評価	・疼痛の評価 ・義足パーツおよびシリコーンライナーの管理方法の理解 ・断端管理方法の理解 ・緊急時応急対応の理解
治療	・断端への徒手療法（軽擦法・強擦法） ・体幹・非切断肢・断端の筋力練習 ・他の切断者との交流	・断端への徒手療法（軽擦法・強擦法） ・義足歩行練習（前足部荷重練習） ・他の切断者との交流	・断端への徒手療法（軽擦法・強擦法） ・義足歩行（速歩～小走り）練習 ・トレッドミル（BWSTT併用） ・他の切断者との交流	・断端への徒手療法（軽擦法・強擦法） ・義足走行練習（屋外平地・坂道） ・義足管理方法の指導 ・他の切断者との交流	・自主練習内容の確認（断端マッサージなど） ・義足走行練習 ・義足管理方法の指導 ・他の切断者との交流

⑩義足なしでの起居動作能力評価

- 屋内移動はホッピングにて30 m以上可能である．
- 床からの立ち上がりは助けを借りずに行える．

2 理学療法プログラム（義足製作前）

- 表2に本症例における時期ごとの目標・評価・治療内容を示す．

①走行へのモチベーション作り

- パラリンピックの映像やさまざまな障害者スポーツの映像を見せ，義足で走ることに対するモチベーションを高めさせた．

②断端の植皮部（瘢痕癒着）への軽擦法および強擦法

- 徒手にて断端の植皮部を末梢から中枢に向けてさすった．
- 疼痛の程度に合わせて強弱をつけることで疼痛を誘発せず，徐々に皮膚瘢痕の硬化を柔らかくし可動性を回復させた．また，感覚刺激の入力をくり返すことによって断端の感覚閾値を上げることも狙いにあった．

③筋力練習

- 断端のみならず，**体幹筋**も含めた筋力練習を実施した（図12）．

2）義足処方検討に必要な情報の収集

1 医師からの情報

- **瘢痕癒着による疼痛**が主症状．
- 表皮の脆弱性は認めない．
- 適合面さえ問題なくなれば走行も可能．

図12　義足装着での筋力練習

→は運動の方向を示す．側臥位から切断肢側と肘で体幹を浮かし，非切断肢側を体幹と水平になるまで挙上させ，その肢位を保持するよう促す．

2 理学療法士からの情報

- 身体機能，運動能力の評価で大きな問題なし．
- 疼痛評価では荷重時に断端の先端部および腓骨頭部に圧痛（NRSで8程度）あり．
- 懸垂時にキャッチピンに引っ張られ，断端先端部に疼痛あり．
- 瘢痕癒着により皮膚の可動性が低下傾向であることから，ピストン時に疼痛を誘発している可能性が高い．
- 切断者は仕事でしゃがむ機会が多く，ソケット後壁の高さを可能な範囲で下げて欲しいという希望があった．ただし，義足適合の都合から接触面積をなるべく減らしたくない．

3 義肢装具士からの情報

- 短断端で断端末の形成不良あり．
- 荷重時の負担軽減のため**断端末の形成不良**に対してディスタルカップを使用し圧力の分散と断端の保護を図ることを提案する．
- 義足懸垂時の負担軽減を目的にKBM式ソケットの要素を一部取り入れたTSB式ソケットを提案する．

3）義足ソケット・足継手の決定

参照　下腿義足ソケットは第Ⅰ章6参照

1 ソケット（参照）

KBM式ソケットの要素を加えたTSB式ソケット（図13）

2 シリコーンライナー

キャッチピン付きシリコーンライナーとディスタルカップ（図11）

参照　足部と足継手は第Ⅰ章12参照

3 足部（参照）

エネルギー蓄積型足部（Vari-Flex XC，オズール社製）（図14）

4 決定理由

- 断端末の形成不良に対してディスタルカップを用いることで断端荷重時の圧力を分散し，義足歩行中の疼痛を緩和する．
- 大腿骨顆部前面をシリコーンライナーで覆い大腿骨内外顆前縁に掛けることで義足懸垂を上部で補助し，断端末への引っ張り感を軽減する．

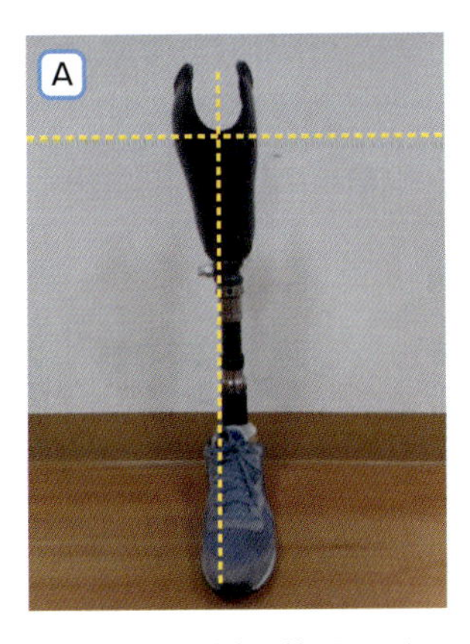

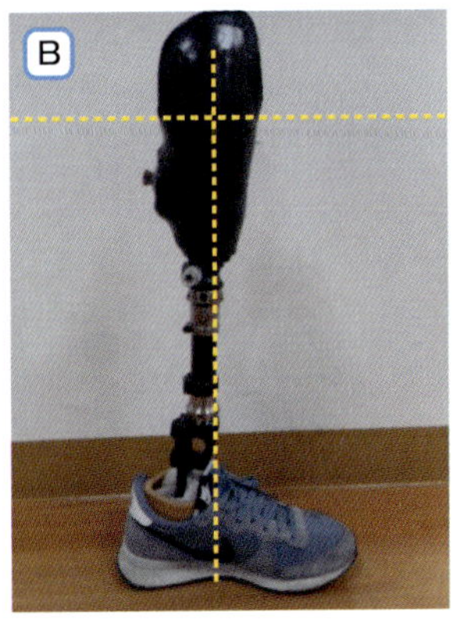

図13　本症例の義足のベンチアライメント
A）前額面（前面）．B）矢状面（内側）．

図14　エネルギー蓄積型足部（Vari-Flex® XC，オズール社製）

- 短断端であるため荷重面積を多くとることで，断端荷重時の圧力を分散することを目的として上記のソケットを選択した．
- Vari-Flex XCは軽量かつ踏み返しが滑らかで高活動切断者にも適応があり，日常的な小走りにも対応できる．のちに本格的な義足走行を主眼に置くならば，走行用の板バネ型足部を経験する前段階として，前足部荷重とその反発力の使い方を十分に学習しておく必要がある．

参照
下腿義足とそのアライメントは第I章6，8参照

4）義足仮合わせ時のチェックアウト（理学療法士がチェックするべきところ）（参照）

1 シリコーンライナーのサイズ確認

- 断端組織が下がった状態で，断端末より4 cm近位を測定し，中程度のテンションにて周径を計測した．
  - 断端末4 cm近位の周径：21.5 cm
  - 断端末4 cm近位に相当するレベルのシリコーンライナーの周径：20.0 cm

2 ソケット適合判定

- ソケットの深さ：13 cm　　断端長　　：12.5 cm
- ソケット前後径：8.7 cm　　断端前後径：8.8 cm
- ソケット内外径：8.5 cm　　断端内外径：9.0 cm
- ソケット内周径と断端周径は表3を参照．
- 義足長：47.5 cm
- 足部長：26.0 cm

3 ベンチアライメント（図13）

- 短断端であったため，標準的ベンチアライメントよりソケットの初期内転角度を－5°に設定し，ソケットをやや内方に傾け，重心が内側に落ちるように設定した．

4 スタティックアライメント（図15）

- 上前腸骨棘の高さに左右差なく，義足長は適切だった．

表3　ソケット内周径と断端周径

	ソケット内周径	断端周径	シリコーンライナー装着周径
膝蓋腱レベル	29.0	29.0	31.5
下2 cm	27.0	26.0	29.0
下4 cm	25.0	23.5	27.0
下6 cm	23.0	20.0	24.0

※シリコーンライナーの厚み：1 cm　　(単位：cm)

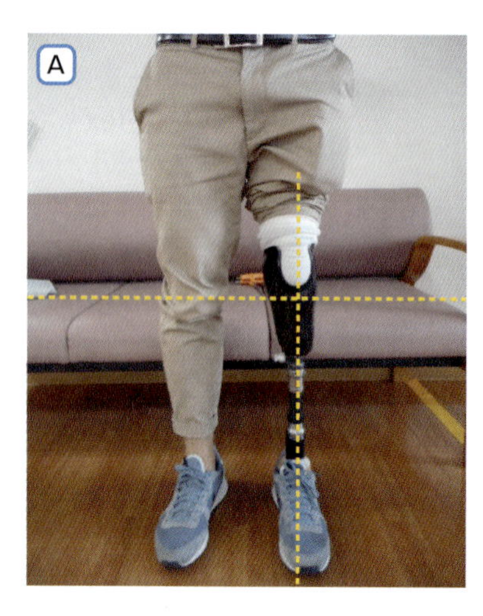

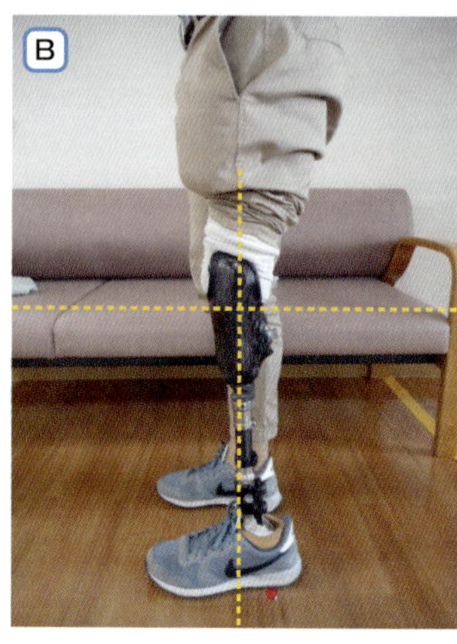

図15　スタティックアライメント
A）前額面．B）矢状面．

- ソケット前壁上縁に膝蓋骨下縁が，両側壁上縁が大腿骨内外顆前方の上縁にかかっており，断端は適切にソケット内に収まっていた．
- 断端とソケットとの間に隙間はなかった．
- 走ることを希望していたため，大腿四頭筋を積極的に鍛える目的で，義足走行練習の進行具合に合わせて，ソケットの初期屈曲角を10°から5°に徐々に減少させた．
- 短断端でＦＴＡ（大腿脛骨角）が外反168°であったため，初期内転角を－5°に設定した．重心が想定通り内側に落ちた．
- ソケットの前・後壁，内・外壁に疼痛・不快感・違和感などは感じなかった．

5 ダイナミックアライメント

- 立脚期，遊脚期ごとにおかしな点はなく，正常歩行がみられた．

6 義足を脱いだ後の断端確認

- 現象：断端末や腓骨頭部に軽度の発赤を認めた．
- 症状：表皮剥離はなく痛みとしても感じていないが，長距離歩行や義足走行では断端への負担が増大し傷になる可能性が高い．
- 対応：後壁および前脛骨筋部でより多く荷重を受けることで，断端末などの局所にかかる荷重圧力を分散する必要があった．そのため免荷用の素材（P-ライト）を貼付しソケット適合調整を図った（図16）．

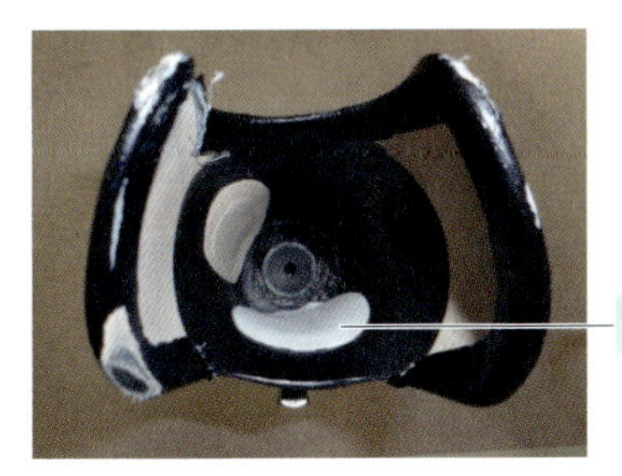

図16　後壁および前脛骨筋部への免荷素材の貼付

5）義足装着練習

1 ディスタルカップおよびシリコーンライナー装着練習

- ディスタルカップを細かく折り返し丸め，断端末に密着させロールオンする．次いで，シリコーンライナーを裏返し，底中央部を断端末に密着させ，空気が入らないようにロールオンする．断端袋を被せる．
- シリコーンライナーの先端にあるピンが適切な位置にあるか確認する．

2 ソケット装着練習

- ソケット装着の際には，上端を少し開き断端をソケット内に収める．
- ソケット内にしっかり収まっているか（前壁上縁に膝蓋骨下縁が，両側壁上縁が大腿骨内外顆前方の上縁にかかっているか）切断者自身で確認できるように指導した．

6）理学療法プログラム（義足製作後）

1 断端の植皮部（瘢痕癒着）への軽擦法および強擦法

- 義足走行練習前後で継続的に実施した．

2 職業関連動作練習（図17）

- 製作した義足が，仕事に必要な動作の阻害因子とならないか確認した．

3 ステップ練習

- 前後内外へのステップ練習を平行棒内などの安全な環境下で実施した．

4 小走り練習

- 前足部荷重で，リズムに合わせた小刻みかつスピーディな足踏みから開始し，徐々に速歩から小走りに移行させた．

5 トレッドミルにて走行練習（図18）

- トレッドミルで徐々に傾斜（5°～10°）をつけ，前足部での蹴り出しを意識させることでストライドを伸ばした．
- 安全面への配慮として，免荷式トレッドミル歩行トレーニング（body-weight supported treadmill training：BWSTT）と併用して10％～20％の体重免荷状態から練習を開始した．
- 義足走行練習後は疼痛を訴えていた箇所を中心に入念な断端観察を実施した．

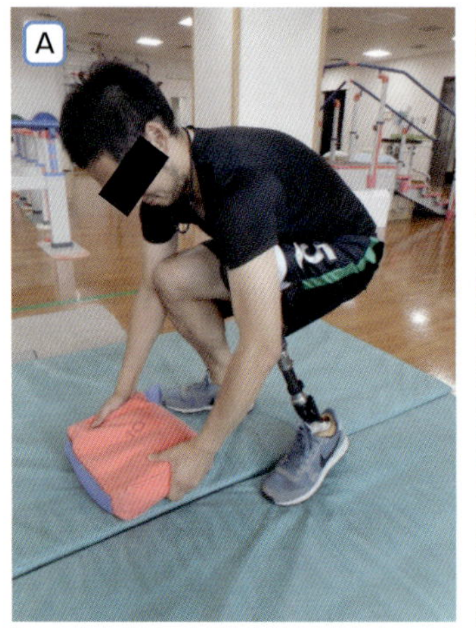

図17　職業関連動作練習

A）しゃがみ動作．B）重量物を持って移動．

図18　トレッドミルで傾斜面を走行する練習

図19　障害者スポーツへの参加

A）幅跳び．B）短距離走．

6 他の切断者からの情報収集

- 日々進歩している義足のパーツやデザイン，趣味やスポーツへの参加などさまざまな情報交換ができる場として，週3回実施している義肢装具外来を紹介した．

7）障害者スポーツへの参加（図19）

- 現在では，某切断者スポーツクラブに所属し短距離走・幅跳びなどのスポーツ大会競技に参加するほか，今後はトライアスロンにも挑戦する予定である．

症例3 交通外傷による両側大腿切断

性別・年齢 男性　30歳代前半

診断名 **両側下肢多発開放骨折**（右大腿骨骨幹部開放骨折，右膝関節前方脱臼，膝蓋骨開放骨折，右脛・腓骨開放骨折，左腓骨開放骨折）

現病歴 平成XX年6月中旬　トラックを運転中の交通事故でA医療センターに救急搬送．両下肢の高度挫滅，多発開放骨折を認め，洗浄・デブリードマンをくり返すも壊死進行．

6月下旬　右大腿切断術（洗浄・ドレナージ継続）

6月下旬　左大腿切断術（同上）

7月上旬　左断端形成術

7月下旬　右断端形成術

8月上旬　同医療センターにて義足装着前の理学療法開始

8月中旬　MRI上の感染所見なし

9月中旬　義足製作およびリハビリテーション目的で転院．理学療法開始

既往歴 なし

合併症 なし

ホープ 二足歩行による職場復帰

切断高位 **両側大腿切断　右（短断端）　左（長断端）**（図20）

リハビリテーション期間の設定(医療制度による) 6カ月

職業 建築作業員

保険 国民健康保険

身体障害者手帳 1級

家族構成 父，母との3人暮らし

家屋状況 埼玉県内の一軒家（車椅子使用不可）

自宅周辺の環境 不整路面（坂道）が多い

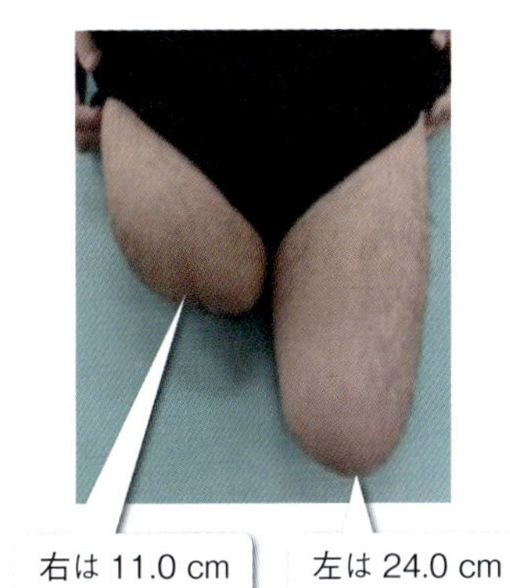

図20　**本症例の断端形状**

1）義足製作前の理学療法評価とオリエンテーション

1 理学療法評価（参照）

参照
下肢切断の理学療法評価は第Ⅰ章2参照

①**心理状態**：未来のみえない状況に不安な様子あり．リハビリテーションへの意欲や期待が大きい

②**形態測定**

- 断端長：右11.0 cm，左24.0 cm（図20）
- 受傷前身長：166 cm
- 本症例は，身長から推測して右断端は短断端，左断端は長断端と推察される．

③**関節可動域（表記以外は問題なし）**

- 左下肢：股関節伸展10°
- 右下肢：股関節屈曲70°，伸展－5°

④筋力（表記以外は問題なし）

- 左右股関節伸展・外転・内転筋群徒手筋力検査：MMT4

⑤日常生活活動（ADL）

- 前病院にて車椅子移乗動作練習済み，上肢全般の筋力強化を経て体位変換およびプッシュアップ台を用いた車椅子への移乗動作は自立している．

⑥X線所見

- 右断端末後部・内側に小さな異所性骨化あり

⑦断端評価

- 皮膚
  - 移植などなし
  - 適度な軟部組織の量による柔軟性の保たれた皮膚状況
- 感覚
  - 表在感覚，深部感覚ともに問題なし
- 疼痛
  - 左断端：神経障害性疼痛（NP）
  - 右断端：断端末を強く圧迫する際に痛みが出現するが自制内

＊疼痛は，①伸展・外転方向を想定した骨端への徒手抵抗，②荷重を想定した軟部組織の圧迫（遠位⇒近位に動かす）によって確認した．

- 幻肢および幻肢痛
  - 足関節周囲のみ体性感覚が残っているが痛みなし

2 理学療法プログラム実施にあたってのオリエンテーション

- 理学療法プログラムの実施にあたって，切断者との間で共有認識をもって臨めるよう①〜③を行った．

①説明と同意とゴール設定

- 当事者の希望を確認（二足歩行による職場復帰）
- ゴール設定のための客観的事由（自宅周辺・職場環境や就労条件）の抽出
- リハビリテーションに費やす時間・労力・費用の共通理解
- 二足歩行可能と評価する医療チームの判断

＊両側大腿切断は，リハビリテーションに費やすものが大きく（時間・労力・義足費用が2倍），得られる成果が期待よりも小さい場合がある．高いゴール設定には多大な努力を要することを本人に理解してもらう．

②社会復帰に向けた方向性の整理

- 車椅子利用も含めた生活像の共有
- 地域間移動で車を利用するための準備（購入・改造）
- 新たな職業技術を身に付ける必要性の確認

③モチベーション維持（段階的な課題の提示）

- **スタビー義足**（図21）使用での段階的な変化（義足長・パーツ変更）を2週間を目安に行う

＊スタビー義足は両側切断者のリハビリテーションに特化した義足部品であり，安全性の高い環境で動作習熟を図ることが可能である．《舟底型の利点》前部：前方推進が円滑，底面：静止立位が簡便，後部：両脚支持期に基底面として機能．《後方の支持基底面が広いことの利点》後方にバランスを崩すことに対して両側切断者は恐怖感をもつので，後方の安定性が重要となる．

- 短中期課題（〜8週）：身長と同等の義足長で屋内二足歩行と坂道歩行の達成

- 中長期課題（～12週）：遊動膝への変更と歩行の実用化
- 長期課題（～20週）：家屋および職場の改修と制度の説明など
- パーツ選定：ゴールを見据えた場合の膝継手（高機能群）の機能と費用の説明

＊当事者に経験や情報がないことで「先々のビジョン」が整理できないことによる不安が大きいと考える．義足装着を迎える段階では，医療チームとして明快な方向性の提示が重要となる．

2）両側大腿切断者の場合の留意事項

- 片側大腿切断との違いを具体的にイメージすることが，両側切断における効果的な理学療法を行うために必要不可欠であるため要点を特筆する．

1 片側大腿切断との比較（表4）

①歩行速度の調整

- 非切断肢側で調整可能な片側切断者に対して，両側切断者は**義足で減速**する．
- 大腿切断者の動作は股関節伸展の随意制御で行われるため，義足によって減速する術をもたなければ，加速はできても減速はできない．

②傾斜における両脚支持期の安全確保

- 片側切断者は，義足接地のときに非切断肢側の膝と足関節がサスペンションとなり，減速と衝撃緩和に作用する．非切断肢側接地では，義足立脚後期の不安定を非切断肢の接地によって支持する．
- 両側切断者の両脚支持期では，傾斜で生じる義足長の不均衡を**膝継手屈曲で調節**するしか方法がない．股関節の運動に頼った減速は難しく膝継手に依存せざるを得ない．

2 身体機能向上以外に考慮しておくべき要素

①障壁となる環境と難渋する動作

- 手すりなどの支持物がない屋外の坂道や車道
- 傾斜や階段の降りなど大腿四頭筋の遠心性収縮が必要な場面

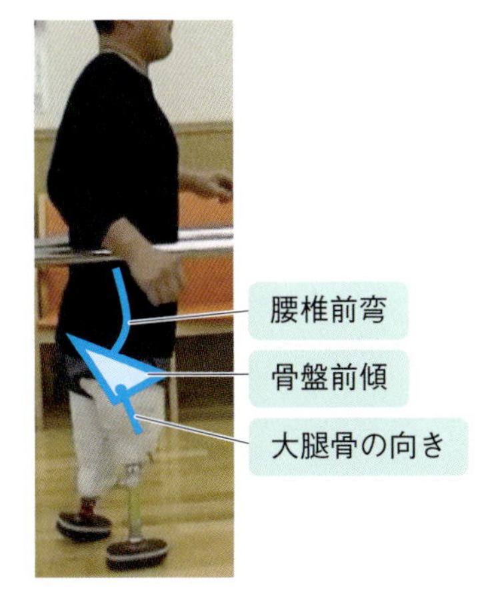

図21　両大腿切断者の立位姿勢の傾向

写真はスタビー義足を装着した例．

表4　片側大腿切断と両大腿切断の比較

	片側切断	両側切断
静止立位	非切断肢が静止立位保持に貢献	長時間の保持困難
平地歩行	切断肢側留意で安全を確保	右立脚期＝左遊脚期（常に２つの課題）
歩行（ブレーキ動作）	非切断肢で減速	義足で減速
方向転換（180°）	非切断肢を軸足に一動作で可能	小刻みにステップ
坂道の降り	速度調整は非切断肢で行う	速度調整は義足で行う
指定された場所に接地（エスカレータ，電車乗降）	正確性を求められる場合は非切断肢で行う	義足で接地

②恐怖感への配慮（遊動膝継手での平地歩行を例とした場合）

- 両側切断者は**膝折れが即転倒**につながる．これは**初期接地**時に膝継手が完全伸展せず接地する場合の転倒が多い．早期に完全伸展を完了できる遊脚期特性が望まれる．
- 初期接地時は膝完全伸展を合図にして足部接地するので，継手屈曲によるクリアランスの保持と良好な振り出しの両立が求められる．遊脚期において膝継手は円滑な屈曲とすばやい振り出しを両立できる製品が限られる（参照）．

参照
膝継手は第Ⅰ章12参照

③求められる膝継手の機能

- 膝継手屈曲を伴いながら階段・坂道降りを可能にする機能（立脚期）
- 歩行中に義足で減速を可能にする機能（立脚期）
- 膝継手屈曲によるクリアランス確保と早期の膝継手伸展完了が両立する機能（遊脚期）

3）義足装着後の動作評価とプログラム

1 義足のパーツ選択について

- 断端の変化，義足の習熟度に応じて膝継手，足部，装着方法を適宜変更したり，もとに戻したりする．トレーニングの間は，ソケット適合をより綿密にチェックする．
- 本症例のトレーニングの経過と義足パーツの選択について，表5に示す．
- 膝継手：固定膝と遊動膝を適宜変更．立脚期の安定性，遊脚初期の円滑性，遊脚後期の追随性，完全伸展保持などを考慮する．
- 足部：可動性（mobility）と制動の安定性（stability）を考慮する．
- 装着方法：荷重方法と懸垂方法の組合わせを考慮する．

表5　本症例における練習経過（2週間ごとに推移）

<table>
<tr><th colspan="4">義足設定の変遷</th><th rowspan="2">経過期間</th><th colspan="5">移動範囲</th></tr>
<tr><th>足部</th><th>膝継手</th><th>装着方法</th><th>義足長</th><th>屋内歩行</th><th>屋内用歩行
屋外中距離歩行</th><th>屋外持続歩行</th><th>階段昇降</th><th>公共交通機関</th></tr>
<tr><td rowspan="2">舟底型
（スタビー義足）</td><td rowspan="4">使用せず</td><td rowspan="5">キャッチピン</td><td>—</td><td>2週</td><td>→</td><td></td><td></td><td></td><td></td></tr>
<tr><td>約10 cm</td><td>4週</td><td>→</td><td>→</td><td></td><td></td><td></td></tr>
<tr><td rowspan="3">SACH足部＆
エネルギー蓄積型
（適宜交換）</td><td>約20 cm</td><td>6週</td><td>→</td><td>→</td><td></td><td></td><td></td></tr>
<tr><td>約30 cm</td><td>8週</td><td>→</td><td>→</td><td>→</td><td></td><td></td></tr>
<tr><td>固定膝継手</td><td>約40 cm</td><td>10週</td><td>→</td><td>→</td><td>→</td><td></td><td></td></tr>
<tr><td>右：SACH足部
左：低床エネルギー蓄積型（Lo-Rider）</td><td>右：固定膝継手
左：C-Leg</td><td>右：キャッチピン
左：キスシステム</td><td rowspan="5">約40 cm
（受傷前と同じ身長）</td><td>12週</td><td>→</td><td>→</td><td>→</td><td>→</td><td></td></tr>
<tr><td rowspan="2">低床エネルギー蓄積型（Lo-Rider, VariFlex LP, J-FootL を適宜交換）</td><td>C-Leg</td><td>両：キスシステム</td><td>14週</td><td>→</td><td>→</td><td>→</td><td>→</td><td></td></tr>
<tr><td rowspan="3">C-Leg
（他の膝継手も試着）</td><td rowspan="3">右：キャッチピン
左：キスシステム</td><td>16週</td><td>→</td><td>→</td><td>→</td><td>→</td><td>→</td></tr>
<tr><td rowspan="2">低床エネルギー蓄積型（J-FootL）</td><td>18週</td><td>→</td><td>→</td><td>→</td><td>→</td><td>→</td></tr>
<tr><td>20週</td><td>→</td><td>→</td><td>→</td><td>→</td><td>→</td></tr>
</table>

表6　義足装着開始から固定膝継手の使用開始までのプログラム

プログラム	目的
義足荷重練習	・全体重を左右義足に荷重することを達成する（この際に疼痛の有無も評価する）
座位による装着方法の検討（装着練習）	・自己装着の習得
義足装着での立位保持と歩行練習（二足を理想とする）	・骨盤周囲筋群や全身体力の活性と筋力向上 ・歩行の感覚を再獲得（左右断端を活用した前方推進の獲得） ・歩行を利用した関節機能改善
床上での関節可動域改善と徒手筋力強化	・義足動作で補えない機能の向上（疼痛の評価も兼ねる）

2 義足装着開始から固定膝継手の使用まで（1～10週め）（表6）

- リハビリテーション初期（固定膝）：大腿義足歩行の方法に慣れる練習やそれに必要な身体機能改善（筋力向上や可動域改善）が不十分な状況では，立位安定性と安楽な歩行経験を目的として下記に留意する．
  - 《矢状面》①ソケット初期屈曲角は大きめに設定，②支持基底面（足部）は荷重線に対してより後方に設定．
  - 《前額面》支持基底面（足部）は荷重線に対してより外側に設定．
- 平地と坂道の屋内二足歩行自立という短期目標を設定．
- **シリコーンライナー（キャッチピン式）**を選択．
  - 吸着式ソケットは装着習熟が達成されればパフォーマンスは良好だが，座位装着で良好な装着を得るには時間を要する．また，短断端においては，吸着式では空気が入りやすく懸垂性が保証されないため，シリコーンライナーのピンロック式を選択した．
  - 装着練習：シリコーンライナー装着，ハードソケットの適合．
- **スタビー義足**による歩行練習の導入（図22）．
  - スタビー義足により，安定した低重心での歩行動作習熟が可能．両脚支持期への移行が円滑．
- スタビー義足による二次障害を考慮した歩行練習．
  - 両側切断では，非切断肢に頼れる片側切断とは異なり，左右の坐骨荷重によって骨盤前傾から腰椎前弯が助長されやすい（図21）．予防には，①立位保持しやすい矢状面アライメント，②早期の股関節機能改善が必要となる．
- スタビー義足による傾斜歩行練習．
- スタビー義足による屋外歩行練習．
  - 低重心な設定は安全だが，大きな歩幅を取ることは難しい．本症例では義足長を20 cm長くしてから屋外歩行練習を開始した．
- 固定膝継手を用いた歩行練習（図23）．
  - 固定膝継手では，立脚後期に股関節への負担が大きい．また遊脚期にトウクリアランス不良を回避する分回しが出現する（図23）．
  - 固定膝継手では，断端末が遊脚初期にソケット前壁と接触しやすく，歩行時に疼痛が生じる可能性がある．

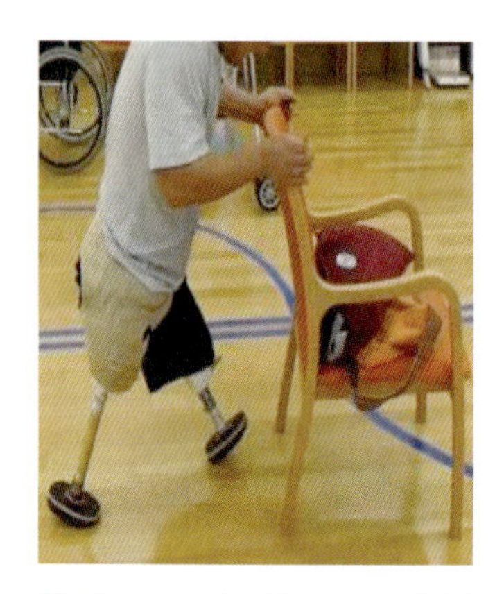

図22　スタビー義足による歩行練習

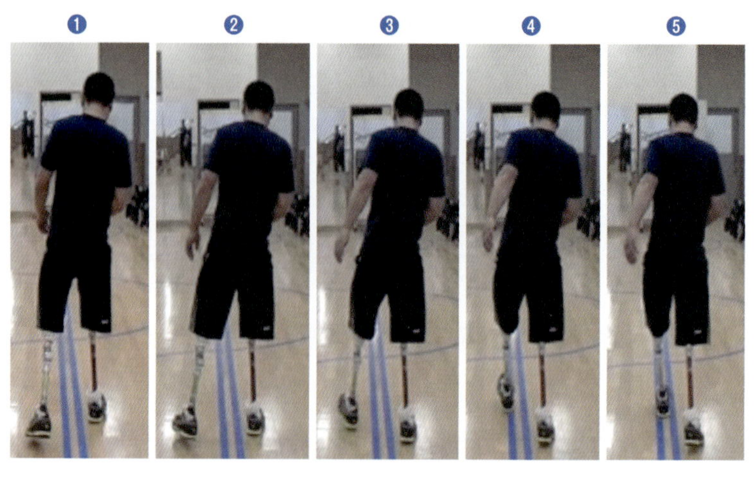

図23　固定膝継手を用いた歩行練習

クリアランスを意識して左右の重心移動が大きくなると右立脚期の体幹側屈が目立ち（❶～❹），左遊脚期の分回しは顕著になる（❷）．

表7　遊動膝継手使用から応用動作習熟までのプログラム

プログラム	目的
義足歩行練習	・遊動膝の習熟（随意制御の意識付け） ・歩行速度・持久性・歩容の向上
歩行以外の動作の習熟	・平行棒を使用しない立ち座り ・床からの立ち上がり ・義足の終日装着
応用動作練習	・立脚期油圧制御の習熟（傾斜や段差の降り・制動） ・狭い動線・視野の確保・他者との同調・荷物をもつ，など ・公共交通機関の利用
義足パーツに関する検討（適宜）	・ソケット適合（主に緩みの改善） ・膝継手（アライメント・油圧抵抗など） ・装着方法の検討（荷重・懸垂） ・足部パーツの変更

3 遊動膝継手使用から応用動作習熟まで（11～20週め）（表7）

- 遊動膝継手変更後：歩行相遊脚移行期の膝継手屈曲とイールディング機構を活かすために下記を考慮する（参照）．
  - ▶《矢状面》平地歩行ではイールディング機構が作動せず，傾斜でイールディング機構が作動する位置関係（膝継手の調整と並行して行う）．
  - ▶《前額面》左右支持基底面（足部）に対して鉛直に荷重できる位置関係．
  - ▶《水平面》立脚後期からつま先離地の際に，足部が前方を向く位置関係．
- 平地歩行の質向上の練習（速度・持久性・歩容・加速・制動・エネルギー効率など）．
  - ▶コンピュータ制御遊動膝継手（C-Leg，後述）の選択，足部パーツの適宜変更（参照）．
  - ▶各種の路面に対して最適な歩行方法を練習．

参照
イールディング機構は第Ⅰ章12，13参照

参照
膝継手，足部パーツは第Ⅰ章12参照

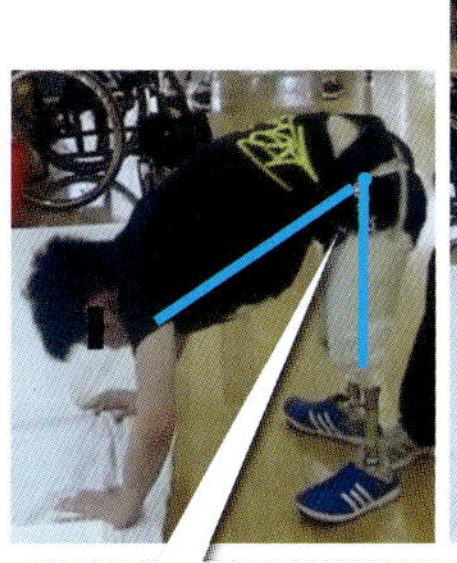
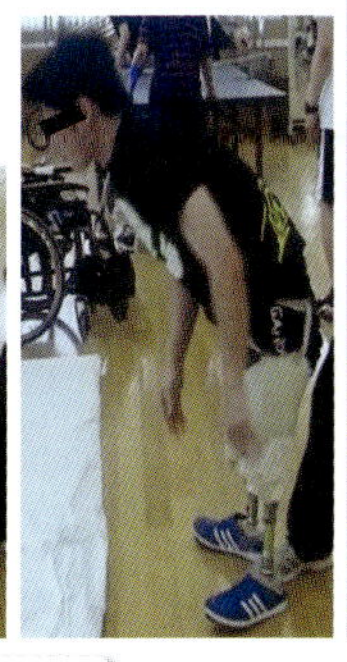
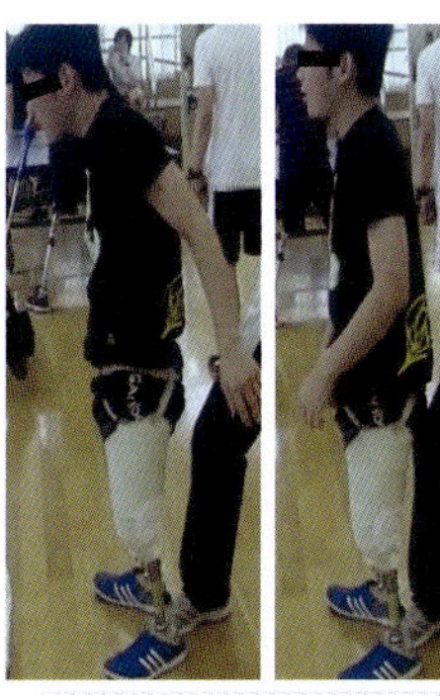

図24　床からの立ち上がり自立練習
膝継手を組み込む以前から動作習熟することが望まれる．なお，この写真は本症例ではないが，動作の例として取り上げた．

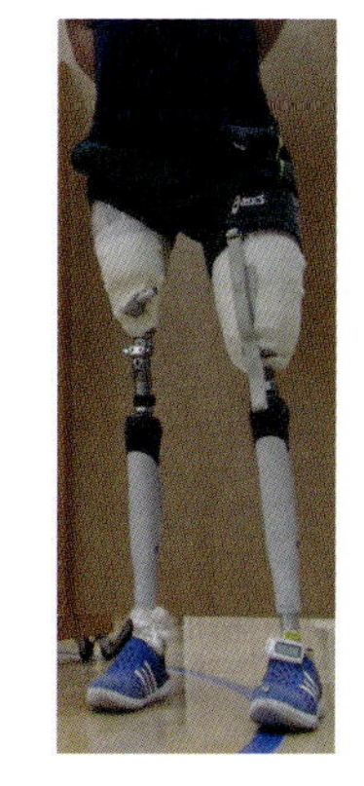

図25　左義足にキスキット（Ottobock社）を装着

▶遊動膝継手の導入は片側→両側の手順で行う．片側から導入することで安全性を損なわず，一方のみを意識して習熟が図れる．本症例では可動域・筋力ともに優れる左断端から遊動膝継手に変更した．

＊パーツ選択では機能や費用などの情報提供を事前に行う．

- 方向転換や立ち座りなどの練習．
- 床からの立ち上がりの自立練習（図24）．
  - ▶最終的には，図24の動作が無理なく行える範囲で義足長の上限を決定する．
  - ▶図24の動作には，体幹前屈の柔軟性が重要である．体幹屈曲の可動域が確保できれば，両手を床についた状態から楽に立ち上がりが可能である．
- 応用歩行・屋外歩行の練習．
- 公共交通機関を利用した地域間移動の経験．
- 遊動膝継手の導入による装着方法変更の検討．
  - ▶キャッチピン式の懸垂は，ピンロックアダプターのスペースが必要で，膝継手が下方に位置する．そのため，左義足にキスキット（Ottobock社）を選択した（図25）．
- 遊動膝継手の導入に伴う足部の変更．
- 終日装着を達成するためのソケットの検討．
  - ▶立位と歩行を優先すればソケット壁は高く，座位を優先すれば低くなるため，すべての生活状況に最適な適合は得にくい．
  - ▶本症例における装着者の工夫：右短断端は前壁を高くしてソケット適合を保つ必要が生じるため，座位時はキャッチピンを最終域まで挿入せず，前壁との接触を和らげる工夫を行った．

4 リハビリテーションを目的とした部品選択

①膝継手としてC-reg（コンピュータ制御遊動膝継手）を選択

- 選択した理由
  - ▶細微な調整が可能で，制限の多い両側切断者の動作達成を助ける可能性があった．

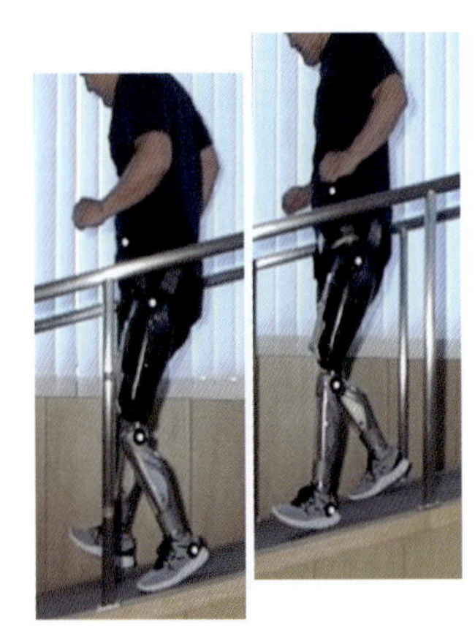

図26　C-Legを組み込んだ両側大腿義足の傾斜降り

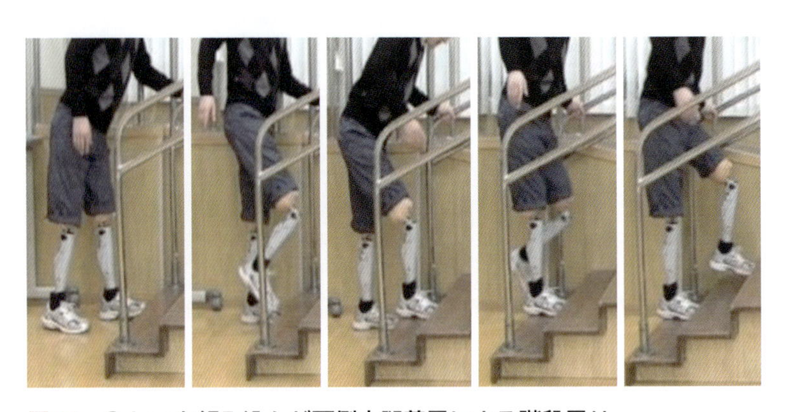

図27　C-Legを組み込んだ両側大腿義足による階段昇り
積極的につま先荷重を行い，油圧抵抗を解除した状態で断端を前方に振ることで継手を軽く曲げることができる．

図28　本症例で用いたエネルギー蓄積型足部の1つ〔Vari-Flex® LP（オズール社）〕

- 今後，厚生労働省認可の可能性があり，更生用義足を公費支給で入手できる可能性を考えた．
- 傾斜降り（図26）および屋外歩行を二足で行えるのはC-Legのみであった．

● C-Legのしくみ
- 強力な油圧抵抗を発揮する「立脚期モード」と，容易に屈曲が起きる「遊脚期モード」に分かれる．
- 座り動作・階段昇りでは，椅子や手すりを把持して，膝伸展位の状態で意図的につま先部を踏みつけ，油圧抵抗を解除した状態で断端を前方に振ることで継手を軽く曲げることができる（図27）．
- 遊脚期屈曲抵抗は自動的に制御される．

②足部はSACH足部，エネルギー蓄積型足部を適宜選択

● 初期はSACH足部，習熟過程でエネルギー蓄積型足部を使用．

● C-Leg取り付け後は，低床型のエネルギー蓄積型足部を選択（図28）．

● 選択の理由
- 可撓性の低いSACH足部は静的安定性に長所があり，スタビー義足から変更しやすかった．また，エネルギー蓄積型足部は，①エネルギー効率の改善，②路面への順応を考えた．

▶通常の足部とC-Legの組合わせでは重心が高くなる問題が生じるが，低床型足部はエネルギー蓄積の機能を損なわず動作の安定性を保つことが考えられた．

参照
義肢装具の支給制度は第Ⅱ章14参照

5 部品の決定・環境整備・制度の情報提供（21～24週め）（参照）

- 他の種類の膝継手や足部の試着を適宜行う．
- 価格・公費支給の有無・保障などの情報を提供する．
- 自宅に復帰後の実生活像を想定して，必要に応じて対策を立てる．
  - ▶本症例では家族の存在により，当面は独力による家事の必要性がない．
  - ▶必要以上のコストを抑えるために，工夫することで可能となることを列挙する．
  - ▶義足装着者の生活実態を知っておく（例えば，仕事から帰宅後は義足を装着しない者が多い）．
- 自宅復帰後の生活のための家屋改修のポイントを整理する．
  - ▶生活の基軸をワンフロアにまとめる（寝室・食事・水回りなどを1階にする）．
  - ▶車椅子の動線を確保する（幅の確保・段差の解消など）．

  ＊自宅では休養のためにも車椅子併用が望ましい．
  - ▶玄関に椅子を置いて靴の脱ぎ履きを行いやすくする．
- 医療制度以降の更生用義足（本義足）製作のしくみと義足メンテナンスに関する情報を提供する．
  - ▶居住地域の障害福祉課に連絡を入れて行政の判定を受ける．
  - ▶ソケットのトラブルは製作所の，膝継手のトラブルは製作所あるいは製作所を通じてメーカーの保障を受けられる．
- 社会復帰後の体調維持や義足メンテナンス，良好な装着状況の保持について指導する．
  - ▶両側大腿切断者は，活動量が低下しがちであり，体重の増量による義足不適合が想定されるので，体重管理と義足適合を確認する機会が必要である．
  - ▶断端変化によるソケット不適合に対して，断端袋で良好な適合を保持するセルフマネジメントを指導する．

4）本症例における理学療法のポイント

- 本症例においては，初期段階で**スタビー義足**による股関節周囲筋群の強化に十分な時間を割いた．遊動膝継手へ変更した後は，膝継手の特徴や機能を切断者によく理解してもらい，トレーニングにより動作習熟を図った．
- 下肢切断者のリハビリテーションにおいて重要なことは，良好なソケット適合の継続，疼痛管理，身体状況や習熟度に応じたアライメント設定，実生活で障壁となる環境を想定した課題提示，義足パーツの情報提供，そしてこれらを考慮し十分な練習を重ねることである．
- 下肢切断者のリハビリテーションにおいて，理学療法士はマネジメントの中心になるとともに，切断者との共通理解をもって最終的な成果に対する意義を見出さねばならない．なぜなら義足歩行は社会的自立を果たすための手段の1つに過ぎないからである．

15 上肢切断のリハビリテーション

学習のポイント

- 上肢切断の特徴について学ぶ
- 義手の種類と特徴・構造を学ぶ
- 能動義手と筋電義手の作業療法を学ぶ
- 義手が生活のなかでどのように使われているかを学ぶ

1 上肢切断の特徴

1）切断部位による分類

- **肩甲胸郭切断**（肩峰より近位で切断）・**肩関節離断**（腋窩より近位で切断）・**上腕切断**（上腕長90％より近位で切断）・**肘関節離断**（上腕長90～100％残存）・**前腕切断**（前腕長90％より近位で切断）・**手関節離断**（前腕長90～100％残存）・**中手骨離断**・**指切断**に分類される（参照）.

参照
上肢切断は第I章1も参照

2）義手装着のポイント

- 日常生活活動（ADL）の7割は片手動作で可能といわれている．切断者のニーズや残存能力に合わせ，義手の種類や部品を選択し，操作練習を通して仕事や日常生活に義手が役立つ体験を重ねることが，義手装着のポイントとなる．

2 義手の種類

- 切断部位に合わせて，**肩義手**（肩甲胸郭切断・肩関節離断）・**上腕義手**（上腕切断）・**前腕義手**（前腕切断）・**手義手**・**手部義手**・**手指義手**が対応する．
- リハビリテーションの対象は主に肩義手，上腕義手，前腕義手であり，なかでも前腕，上腕切断における**能動義手**，**筋電義手**が大半を占めている．

1）装飾用義手（図1）

- 本物の手に似せてつくられた義手．

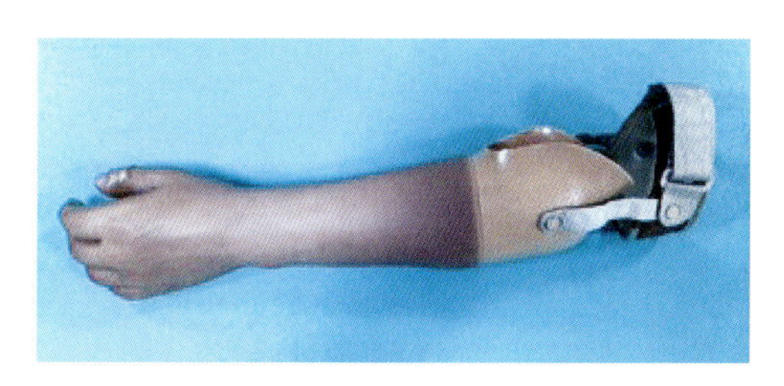

図1　装飾用義手
サイズや色はある程度，選択できる．手の部分の材質は塩化ビニル樹脂とシリコン樹脂の2種類がある．

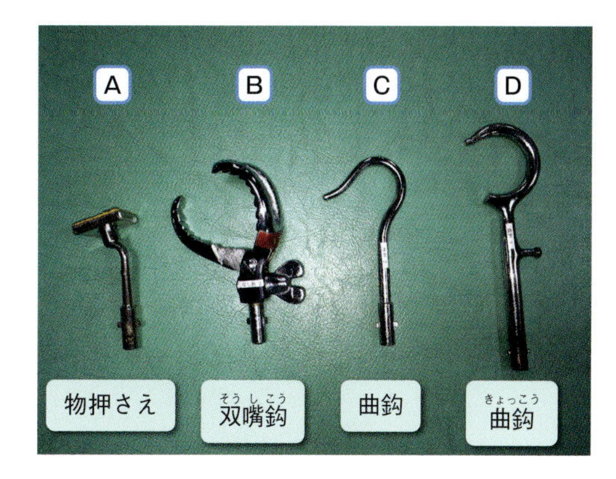

図2　作業用手先具
A）物押さえ．対象物を動かないように押さえつける机上作業用．B）双嘴鈎．母指に相当する可動鈎を他動的に開閉することで握りができる．C）D）曲鈎．C字型をした手先具．農業その他に最もよく用いられる．

- 爪や血管などリアルに表現されている．
- 物の把持は困難だが，他動的に手指の屈曲が可能な手先具もある．
- 製作される義手の8～9割を占める．

2）作業用義手

- 特定の作業をするためにつくられた義手．
- 作業内容に応じて手先具を差し替えられる（図2）．
- 手の形はしていない．

3）能動義手（体内力源義手）

動画①

動画②

動画③

- 肩甲帯の挙上や下制，肩甲骨の外転や切断肢側の肩関節を屈曲・外転・伸展方向に動かすことで，ハーネスを介してケーブルが牽引され，手先具や肘継手を随意に動かすことができる（動画① 前腕能動義手，物の移動，後面）．ただし，ハーネスの煩わしさ，頭上や背中側での把持が困難といった欠点もある（動画②③ 前腕能動義手，上の物をとる，背中での手先具開閉）．

1 上腕能動義手（図3）

- コントロールケーブルシステムを用いて，肘継手の屈伸と手先具の開閉という2つの動きを操作する．
- 1本のケーブルで2つの動きを操作する（複式コントロールケーブルシステム）．
- 8字ハーネスを用いることが多い．肩甲骨や肩関節の動きをケーブルに伝えている．
- ケーブルに緊張が加わると，肘継手が固定されていない場合は肘が屈曲し，固定された場合は手先具が開閉する仕組みである．
- 肘継手のロック・アンロックは肘継手ロックコントロールケーブルで操作する．
- 各部品の役割
  - **8字ハーネス**：義手の懸垂とケーブルシステムの力源

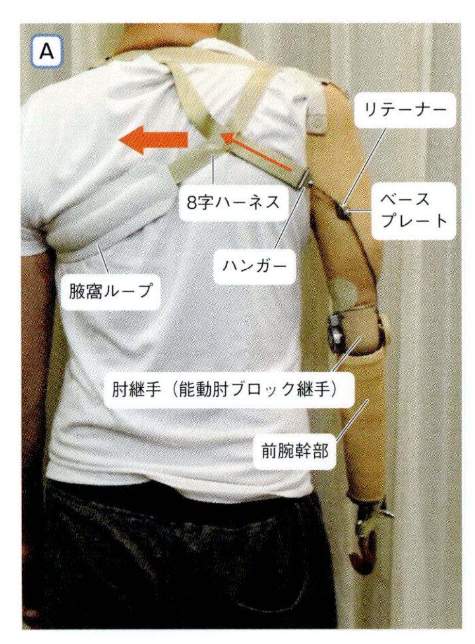

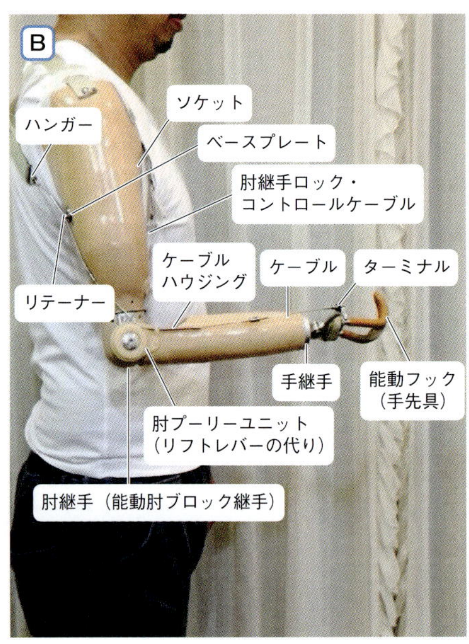

図3　上腕能動義手

A）前額面．肩甲骨が外転されると矢印の方向にケーブルが牽引される．B）矢状面．

- **ソケット**：切断端の長さを代償
- **ハンガー**：ケーブルとハーネスをつなぐ
- **リテーナー**：上腕部のケーブル走行の支点
- **ベースプレート**：リテーナーを固定する
- **肘継手**：肘関節の代償
- **前腕幹部**：前腕部の代償
- **リフトレバー**：前腕部のケーブル走行の支点．図3ではリフトレバーの代りにプーリーユニットを使用
- **ケーブルハウジング**：ケーブルの保護
- **ケーブル**：力を手先具まで伝える
- **手継手**：手関節の代償
- **ターミナル**：手先具にケーブルをつなぐ
- **手先具**：手の代償

2 前腕能動義手（図4）

- コントロールケーブルシステムを用いて手先具の開閉のみ操作する（動画④⑤ 前腕能動義手，物の移動，前面・側面）．
- 1本のケーブルで1つの動きを操作する（単式コントロールケーブルシステム）．
- 各部品の役割
  - **9字ハーネス**：義手の懸垂とケーブルシステムの力源
  - **ソケット**：切断端の長さを代償
  - **ケーブル**：力を手先具まで伝える

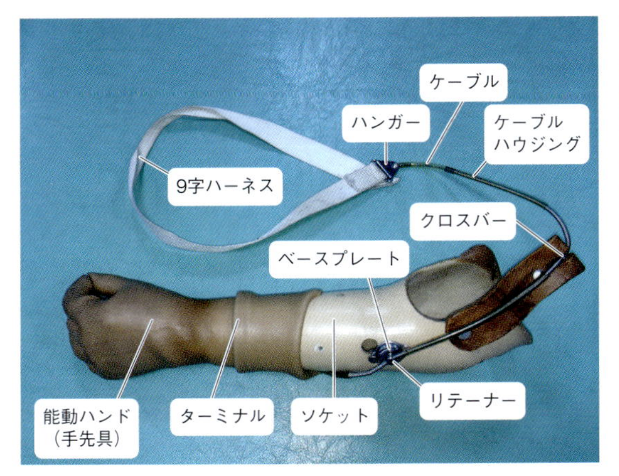

図4　前腕能動義手（能動ハンド）

前腕短断端に主に用いられるミュンスター型前腕能動義手である．ソケット側面上縁は深く，上腕骨内外両顆の中枢部まで覆う．自己懸垂性があり，ハーネスの簡略化が可能になる．

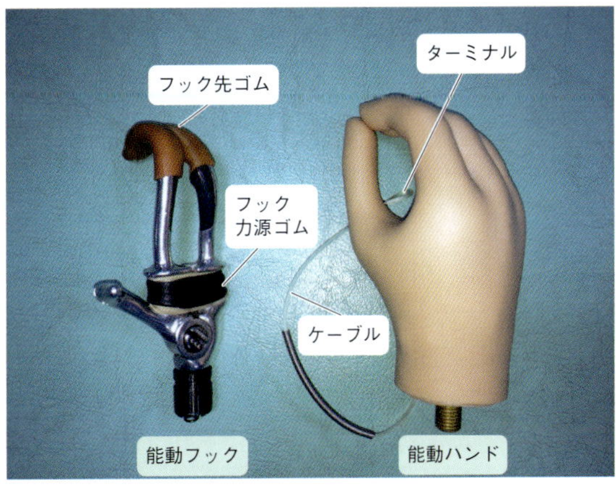

図5　能動フックと能動ハンド

健康保険や公的支給制度上，仮義手，本義手ともに1本の義手に1つの手先具しか支給されない．そのため，いずれかを選択する必要がある．

- **ケーブルハウジング**：ケーブルの保護
- **ハンガー**：ケーブルとハーネスをつなぐ
- **クロスバー**：ケーブル走行の中継点
- **リテーナー**：前腕部のケーブル走行の支点
- **ベースプレート**：リテーナーを固定する
- **ターミナル**：手先具にケーブルをつなぐ
- **手先具**：手の代償

3 手先具の種類と特徴

- 手先具には能動フックと能動ハンドがある（図5）．
- 能動フックは2本の金属鈎で見かけは悪いが，多用途に対応できる．
- 能動ハンドは手の形をなし，母指，示指，中指が可動軸で把持機能がある（図6）．
- 能動ハンドは細かい物の把持や力の調整について，能動フックには劣る．
- 能動フックと能動ハンドの特徴（表1）を理解し，対象者に適したものを選択する必要がある．

4）筋電義手（体外力源義手）

1 筋電義手の概要

- 断端部に残る**屈筋と伸筋の分離収縮（使い分け）**ができ，**十分な筋出力を得られることが筋電義手を操作できる条件**である（動画⑥ 前腕切断，筋収縮練習）．
- 筋電義手はバッテリーで動く．スイッチを入れ，断端の筋の活動電位を感知し増幅させ，モーター駆動で手指の把持動作を行う（図7）（動画⑦⑧ 筋電義手の装着，取り外し）．

動画⑥

動画⑦

動画⑧

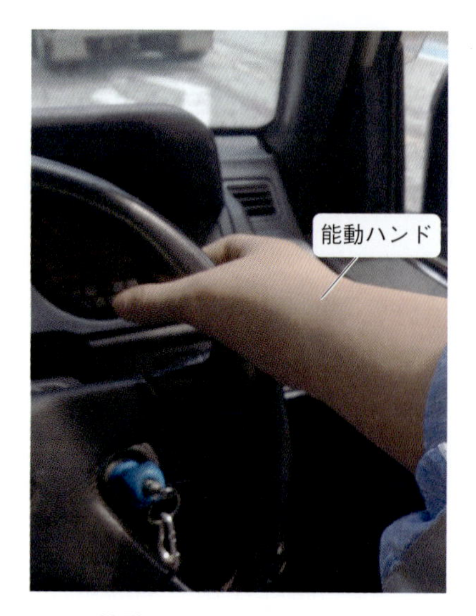

図6　能動ハンドで車の運転

右上腕能動義手の対象者．能動ハンドは車の運転時に便利だそうである．

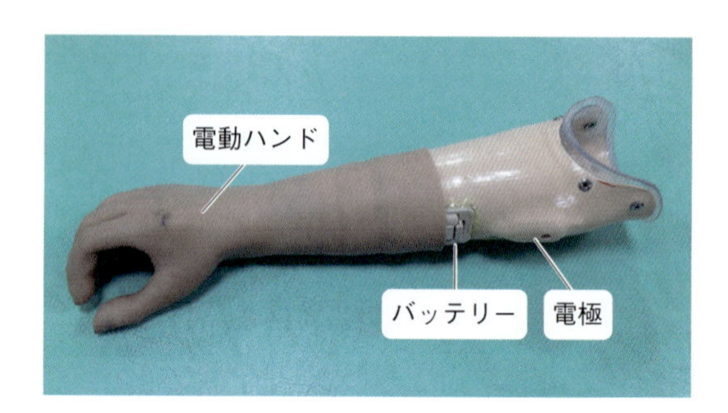

図7　筋電義手

筋電義手では電動ハンドを選択する対象者が多い．

表1　能動フックと能動ハンドの比較

	能動フック	能動ハンド
外観	・2本の弯曲した金属性の指	・硬いハンドに装飾用手袋を装着しており，手の形をなしている
機能	・中指に相当する鈎は固定し，示指に相当する鈎が根元にある回転軸を中心に開閉する ・先ゴムの装着により，2本の弯曲した鈎の内側面での把持や外側面，先端部での固定が可能	・母指，示指，中指の3指の開閉・把持が可能
力源調整	・力源ゴムの枚数により自己で容易に調整	・業者に調整を依頼

動画⑨

- 上肢の失った部分に最も近い関節を屈曲させるように筋肉を動かすと手先具が閉じ，伸展させるように動かすと手先具が開く（動画⑨ 筋電義手，手先具の開閉）．
- 断端の安定した筋収縮が必要であり，テスターを使用し筋収縮練習を行う．図8に練習用システムの一例を示す．

2 筋電義手の種類と特徴

動画⑩

- 筋電ハンドは開閉スピードと力が筋電シグナルに比例するもの，スピードが従来の2〜3倍速いもの，母指部にセンサーのあるもの，5指が独立して動く高機能・高額なもの，3Dプリンターで作製されたもの，屈曲リストと他動的な回内，回外機能の備わった作業用ハンド（図9）など，さまざまなものがある．
- 電動ハンドや作業用ハンドの掴む力は約10 kgある．
- 頭上，口元，足元，背中での作業ができる（動画⑩⑪ 筋電義手，頭上での作業，背中での開閉）．
- 筋電義手は障害者総合支援法では**特例補装具**である．そのため，法にもとづき支給されるが各市町村，都道府県により格差があり，認められないこともある．申請時に能動義手で

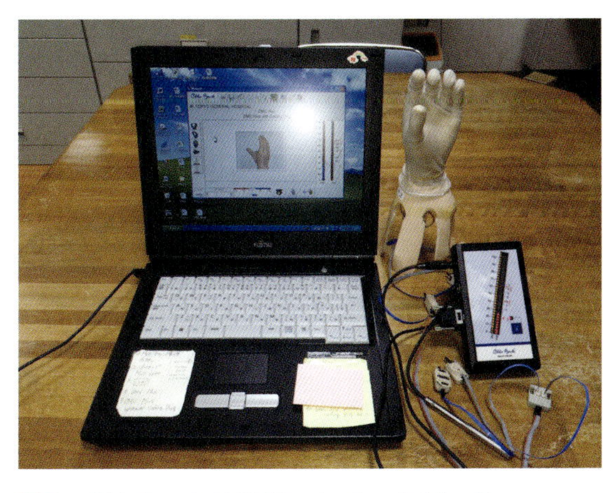

図8　Ottobock社のMyotesterとMyoBoy

筋電位がグラフや画像で表され，筋収縮練習がイメージしやすいように工夫されている．

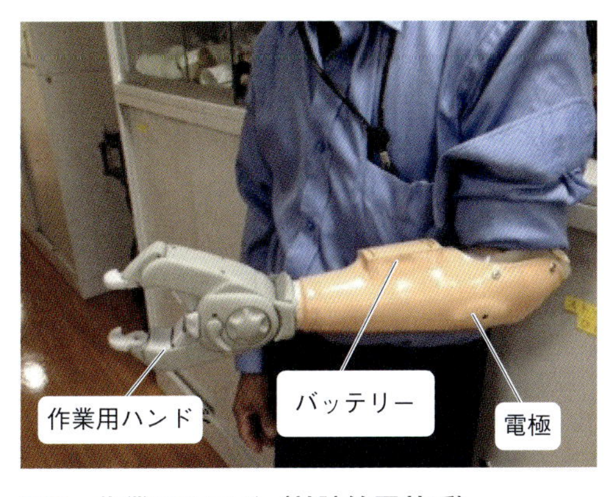

図9　作業用ハンド（前腕筋電義手）

荷物をもつ動作，手先の細かな作業，精密な把持動作に有効である．

表2　能動義手と筋電義手の比較

	能動義手	筋電義手
メリット	・水に強い ・筋電義手と比べて重量が軽い ・タイムリーな手先具操作ができる ・修理が容易 ・バッテリーが不要 ・公的支給の対象	・手の形をしている ・力が強い（最大約10 kg） ・薄いもの（ナイフやフォークなど）を強くつかめる ・背中や頭上，足元など，どこでも動かせる ・前腕の場合ハーネスが不要
デメリット	・能動フックの見かけが悪い ・ハーネスが煩わしい ・頭上や背中での把持操作は困難	・重量が重い（電動ハンドのみで約500 g） ・水に弱い ・高価格 ・公的支給が難しいと自己負担で製作

はできないが，**筋電義手ではできること**を具体的に示すことで支給に有利に働くことが多い．

- 労災保険において，2013年5月より「義肢等補装具費支給要綱等の改正」で一定の条件を満たす片側上肢切断者に対しても支給が拡大された．

5）義手の選定

- 医師より義手の処方を受けたら，入院中に使用する治療（練習）用仮義手を製作し，義手操作練習を行った後，日常生活向上を目的とする更生用として本義手を申請する．
- JR東京総合病院を例にあげると，障害者総合支援法で義手を製作する場合，能動仮義手と筋電仮義手，両方の試用練習を行った後，本人とリハビリチームで検討し，いずれかの本義手を選定することが多い．
- 能動義手と筋電義手にはそれぞれメリット，デメリットがあり，それらを理解したうえで選択する必要がある（表2）．

3 能動義手，筋電義手の作業療法

JR東京総合病院の例を取り上げて実際の流れを説明する（表3）.

表3 義手リハビリテーションの流れ（入院が基本）

①オリエンテーション
②評価
③義手装着前練習
④仮義手タイプの選定
⑤筋電採取・収縮練習（筋電義手の場合のみ）
⑥仮義手の製作（ソケットの製作・仮義手の組立）・修正
⑦仮義手の基本操作練習
⑧仮義手の応用操作練習
⑨日常生活活動（ADL）練習

能動義手，筋電義手を想定したＪＲ東京総合病院の例を取り上げている．なお，すべての行程が終わり，義手操作に切断者が習熟したら退院となる．

1）オリエンテーション

- 映像や実物を提示しながら，リハビリテーションの流れや義手について説明をする．
  - 義手の操作の動画を視聴し，義手がどのように使えるかイメージさせる．
  - 各義手のメリット，デメリットを説明する．
  - 本人，あるいは家族のニーズを確認する．
  - リハビリテーションの流れ（何をするのか，どれくらい期間がかかるのか）を説明する．
  - 健康保険や公的支給制度を説明し，費用についても理解してもらう．

2）上肢切断の評価

1 全体像の評価

- 切断肢以外のことも含めて，切断者の以下のような情報を把握する．
  - 年齢，性別，切断原因，断端長，関節可動域，姿勢，筋力，感覚，幻肢，幻肢痛の有無，日常生活活動（ADL），心理状態など．
  - 家族構成，仕事内容，経済状態など．
  - 主訴：困っていること，今後どんな生活をしたいのか，義手に対するイメージ，義手のニーズなど．
  - 公的支給制度（参照）は何を使うのか（義手製作にあたり，どの保険制度を使うかで自己負担の金額やリハビリテーション期間が変わってくることもある）．

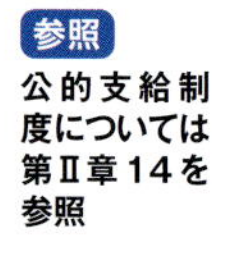
参照 公的支給制度については第Ⅱ章14を参照

2 切断肢（断端）に関連した評価

- 義手装着に向けて切断肢（断端）に関する以下の情報を把握する．

断端長

  - 上腕切断の場合，肩峰から断端末，腋窩から断端末を測定する（図10）．
  - 前腕切断の場合，上腕骨外側上顆から断端末，上腕骨内側上顆から断端末を基準点に測定する．

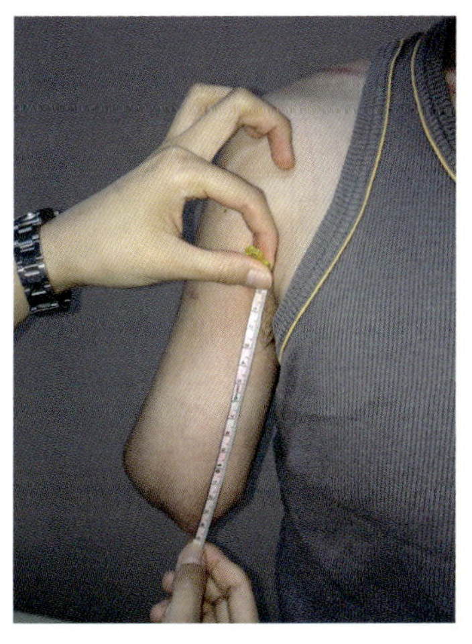

図10　上腕切断の断端長の計測

臨床では，断端長は肩峰から断端末までと，腋窩から断端末までの両方を計測している．写真は腋窩から断端末までの測定の様子．

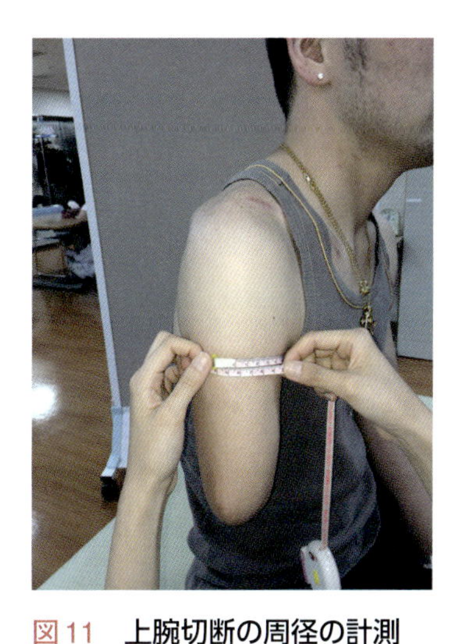

図11　上腕切断の周径の計測

毎日周径を測定し変化を確認する．測定した周径に2週間ほど変化がみられないようになったら，断端が安定してきたと臨床ではみなしている．

周径

- 上腕切断の場合，通常，腋窩を起点として断端末端部まで2.5 cmずつの間隔で巻尺を巻いて測定する（図11）．
- 前腕切断の場合は，内側上顆より遠位方向で2.5 cmごとに測定する．

関節可動域検査

- 義手操作をするうえで関節可動域の保持は重要である．肩関節，肩甲帯の運動，前腕回内外に注意する．
- 義手なしのADLをするうえで，脊柱や股関節周囲の柔軟性を評価する．
- 肩の高さは水平か，切断による姿勢の変化を評価する．

徒手筋力検査：義手操作に必要な筋力を評価する．

- 上腕切断の場合，肩甲骨の外転筋群と肩関節の屈筋群，肩甲骨の下制筋群と肩関節の伸筋群，上腕二頭筋と上腕三頭筋（筋電義手に対応）．
- 前腕切断の場合，肩甲骨の外転筋群と肩関節の屈筋群，手関節背屈筋群と手関節掌屈筋群（筋電義手に対応）．
- 1日の生活で義手を使い続ける持久力．

感覚検査：表在感覚を評価する．

- 知覚過敏や異常感覚の有無を評価する．
- ソケット装着時の不快感を予測する．

疼痛

- 安静時や運動時痛，圧痛のポイントを評価する．

幻肢

- 幻肢の長さや肢位，痛みの有無や状態を評価する．

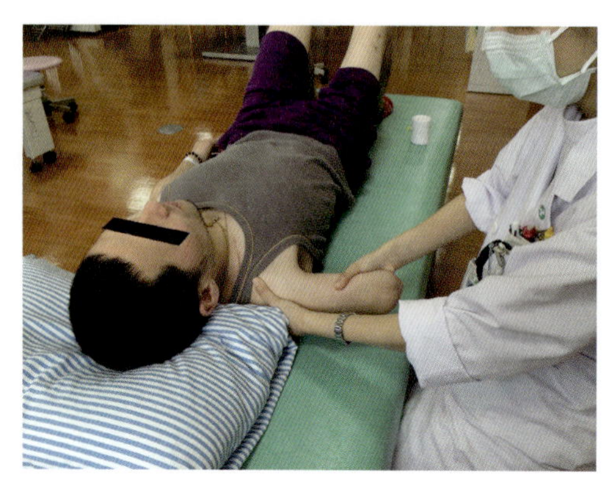

図12　上腕切断の関節可動域練習
関節可動域の維持，拡大をすることは後々に良好な結果をもたらす．積極的に進めることが望ましい．写真は作業療法士が，肩関節を外転しているところ．

3）義手装着前練習

1 断端成熟の促進（断端の形状を整える）

- 弾性包帯を利用し，良好な紡錘形の断端をつくる．

2 関節可動域の維持，あるいは改善

- 良好な関節可動域の確保が，ハーネスを利用した能動義手操作や片手でのADLに有効である（図12）．

3 筋力の維持増強

- 入院や手術により全身の体力が低下していることが多いので，全身の耐久力の向上をめざす．
- 義手操作に必要な体幹，肩甲骨から上肢帯，頸部の筋力強化に重点をおく．

4 良好な姿勢の確保

- 切断により，肩甲帯が挙上し，反対側への側屈を起こしやすい．
- 左右両側の運動，さまざまな体操，体幹の筋力強化がのぞまれる．

5 ADLの自立

- 義手を使わない状態でのADLに着目し，ループ付きタオルや長柄のブラシ，台付き爪切りなどの自助具も必要に応じて紹介，製作する．

6 心理的支持

- 対象者の心理状態に寄り添い，リハビリテーションを進行する．

4）仮義手タイプの選定

- 医師，義肢装具士，作業療法士，理学療法士，本人，家族で話し合い，総合的に判断する．

5）筋電採取・収縮練習

- テスターで活動電位を感知しやすい場所を探索，特定し，電極を取り付ける（動画⑫ 電極の取り付け）．

1 筋電を採取する筋肉

- 前腕切断の場合，手関節の掌屈筋群，背屈筋群を使う．
- 上腕切断の場合，肘関節の屈筋群，伸筋群を使う．

2 筋電採取の手順

- 筋の収縮と弛緩を触診する．
- 十分な筋収縮練習を行い，最適な電極位置を決定する．
- 筋疲労に注意し，休憩を挟みながら行う．
- 切断術後は筋の損傷や萎縮などが生じ，十分な筋収縮を得るまでに時間を要する場合もある．

6）能動仮義手製作後の適合検査

- 能動仮義手の完成後，義肢装具士や作業療法士により，適合検査を行い，不具合を確認し，義手を修正する．各検査には標準値が設けられている．
- 上腕義手・肩義手の適合検査を表4に，前腕義手の適合検査を表5に示す．
- 義手の長さは，義手の手先具先端と非切断肢の母指先端を同じ長さにする．

7）仮義手の基本操作練習

動画⑬

1 装着練習

- 装着：ソケットを断端にはめ，ハーネスを通す（動画⑬ 前腕能動義手の装着）．
- 脱ぐ：ハーネスを外し，ソケットを外す（動画⑭ 前腕能動義手を外す）．

動画⑭

2 操作練習

- 上腕義手：肘継手のロック・アンロック練習．手先具の開閉操作練習．
- 前腕義手：手先具の開閉操作練習．

表4　上腕義手・肩義手の適合検査

検査項目	標準値
①義手装着時の断端の可動域	肩関節：屈曲90°，伸展30°，外転90°，回旋45°以上
②肘継手の他動屈曲角度	肘継手：屈曲135°以上
③肘継手の最大自動屈曲角度	肘継手：屈曲135°以上
④肘継手を最大自動屈曲するときの肩の屈曲角度（図13）	肩関節：屈曲45°以下
⑤肘継手を屈曲するのに必要な力	4.5 kg以下
⑥コントロールケーブルの効率	50％以上
⑦肘90°屈曲位でのフックの開大率	100％
⑧口元および肘伸展位でのフックの開大率	50％以上
⑨回旋力に対するソケットのねじれの安定性	1 kgの内外方向の力に抵抗できること
⑩ソケットの下垂力に対する安定性	20 kgの牽引力に対して10 mm以下のすべり距離
⑪ソケットの適合と圧迫時の装着感（図14）	不快感や疼痛がない．断端に変色，刺激などがない

コントロールケーブルの効率とは，肘90°屈曲位で手先具に木片を挟み，木片が落ちたときの手先具の力をハンガーにかかる力で割ったものである．

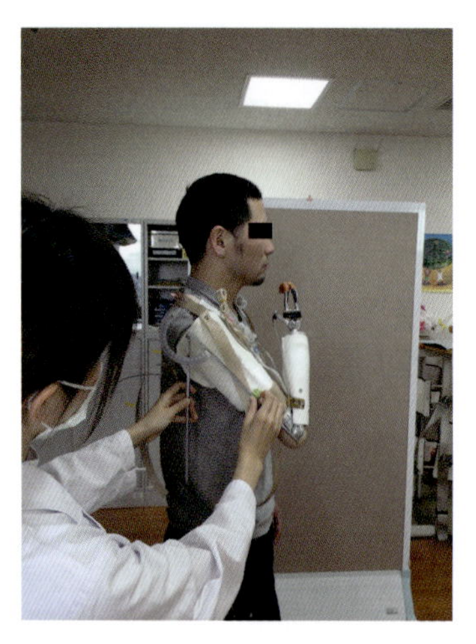

図13　上腕義手の適合検査①
肘継手の最大屈曲に要する肩の屈曲角度
対象者に肘を最大屈曲するように促し，そのときの肩の角度を測定．

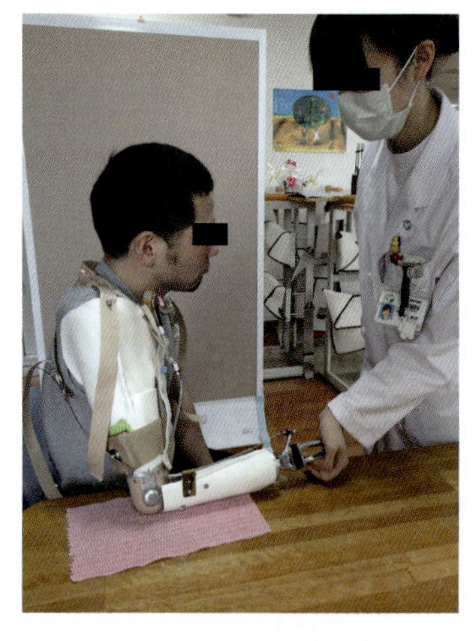

図14　上腕義手の適合検査②
ソケットの適合
フックの先端に前方から圧迫を加え，痛みの有無を確認．

表5　前腕義手の適合検査

検査項目	標準値
①義手装着時・除去時の肘関節屈曲角度	装着，除去時も同じ
②義手装着時・除去時の前腕回旋角度	装着時は除去時の50％
③コントロールケーブルの効率	70％以上
④肘90°屈曲位でのフックの開大率	100％
⑤口元および肘伸展位でのフックの開大率	70％以上
⑥下垂力に対する安定性	20 kgの牽引力に対して10 mm以下のすべり距離
⑦ソケットの適合と装着感	不快感や疼痛がない．断端に変色，刺激などがない

コントロールケーブルの効率は肘90°屈曲位で手先具に木片を挟み，木片が落ちるときの手先具の力をハンガーに加えた力で割ったものである．

3 把持動作練習（段階づけながら実施）

- ペグや木片などの硬いものからスポンジ，紙コップなど柔らかいものへ．
- 直径1 cm大のペグ→直径3 cm大のペグ→5 cm大の積木など．
- 立位での机上作業→座位での机上作業→挙上位での作業，足元での作業．
- 動かないものから動くものの把持（転がったボールをつかむ）．

8）仮義手の応用操作練習（両手動作やADLを中心に実施）

- ADL練習：病棟の更衣（ファスナーや靴下）や食事場面（お皿の把持など）での義手の使用，病棟でのADL動作練習．

表6　義手での作業課題例

・カッター・定規の使用	・ハサミの使用	・紐結び	・ラップをかける
・小銭・紙幣の取り出し	・ペットボトルを開ける	・掃除	・服をたたむ
・本をめくる	・布団の上げ下ろし	・傘の使用	・タオル絞り
・袋開け	・両手鍋移動	・梱包	・メジャーで採寸
・高いところの物をとる			

- 練習時間以外にも義手を装着し，長時間の装着に慣らしていく．違和感がないか確認する．
- 義手がどういった作業に使用できるか，さまざまな作業を通して，自分に合った使い方を練習する（表6）（動画⑮〜⑱ アイロンかけ，お茶パックをつくる，髪留め，本をめくる）．

動画⑮

動画⑯

動画⑰

動画⑱

9）ADL・IADL練習（家や職場での使用練習）

- 入院中であってもできれば自宅に外泊し，あるいは職場に行き，実際の場でどの程度義手が使えるかを試すことが大切である（動画⑲⑳ ペットボトルの開閉，お菓子の袋開け）．
- 調理動作，家事動作，仕事に即した作業を通し，生活のなかで義手がどのように使えるか，切断者自身がイメージできるようにかかわる．
- 筋電義手は数種類の電動ハンドをレンタルし，対象者に合った電動ハンドの選定を行う．

動画⑲

動画⑳

症例紹介　左前腕切断（長断端）（図15）

一般情報 60歳代半ば，男性，左前腕切断（長断端），労災．
家族：妻・娘と3人暮らし．
主訴：仕事で義手を使いたい．娘に迷惑をかけないようにしたい（妻は病気がちで何かと娘を頼りにしている）．
趣味：庭の植木の手入れ（剪定・肥やしづくりなど）．

切断原因 ○年11月△日，工場作業中，ローラーに引き込まれ受傷．

現病歴 同日，A病院にて緊急切断手術施行．術後，経過は良好．皮膚トラブルなし．
幻肢痛，断端痛も内服なしで落ち着いている．
労災治療用の能動義手製作目的に翌年2月に当院転院．

身体所見 意識クリア．認知面問題なし．断端長20 cmの長断端（図15）．

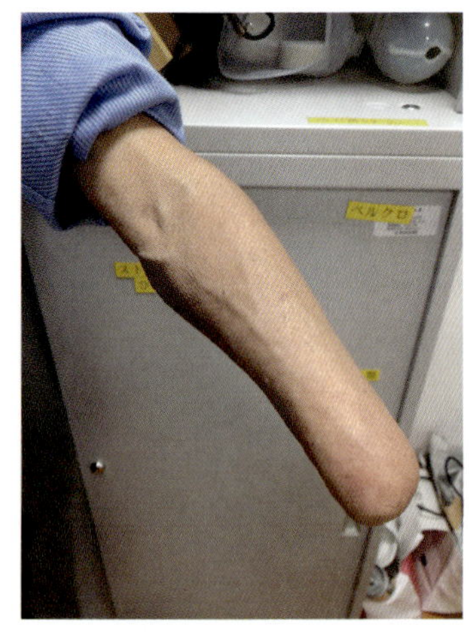

図15　左前腕切断（長断端）

断端皮膚状態良好，幻肢痛なし，断端痛なし．
関節可動域：右上肢問題なし，左肘関節屈曲120°（痛み），伸展制限5°，回内外制限あり．
筋力：徒手筋力検査（MMT）　5レベル
幻肢：切断直後は握りこぶしやチョキなどがあったが，入院当初は消失．
しびれ：断端末に常時あり．気候（特に寒さ）によって増強．

治療方針 労災治療用の能動義手製作・練習を行う．

治療経過 能動仮義手を製作し，基礎から応用，日常生活活動（ADL）練習を行った．
仮義手の調整を適宜行いながら，能動フックの力源ゴムを2枚から3枚に増やし，手先具の角度調整の方法やベッドサイドでのADL練習など，順調に能動義手の操作方法を獲得していった．仕事で使う工具を使用してのネジ締め作業など，生活，仕事場面を想定して具体的に進めた．
切断者は意欲が高く，一度の試行で動作可能となることが多かった．
上肢関節可動域練習や体幹ストレッチ，筋力強化練習も並行して行った．
ADLではループ付きタオルや爪切りの自助具を紹介した．
義肢装具士より，本義手に至るまでの経緯や筋電義手などの説明を受け，しっかり練習ができる入院期間に筋電採取や収縮練習を行うこととなった．
屈筋，伸筋の分離ができ，十分な筋収縮が得られたため，筋電仮義手を製作した．
上方・下方・前後・左右など肢位をいろいろ変えての操作練習を実施した．
能動仮義手の操作と筋電仮義手の操作を取得し，退院となった．
1カ月後に医師の外来予約，本義手の判定後，作業療法を外来にて再開となった．

参考図書

- 森田千晶：義手の訓練方法のポイントと指導のコツ：上腕能動義手．日本義肢装具学会誌，29：227-231，2013
- 「筋電義手訓練マニュアル」（陳 隆明／編），全日本病院出版会，2006
- 「義肢装具のチェックポイント第9版」（日本整形外科学会，日本リハビリテーション医学会／監，伊藤利之，他／編），医学書院，2021
- 「作業療法学全書 改訂第3版 第9巻 作業療法技術学1 義肢装具学」，（日本作業療法士協会／監，古川 宏／編），協同医書出版社，2009
- 大庭潤平，他：30巻記念企画 動画で学ぶ義足・義手 チャプター4「筋電義手」．日本義肢装具学会誌，30：205-208，2014
- 「切断と義肢 第2版」（澤村誠志／著），医歯薬出版，2016

第Ⅱ章

装具学

1 装具学総論

学習のポイント

- 装具の目的と分類について理解する
- 装具の力学の基礎について理解する
- 装具による３点固定の原理について理解する

1 装具の定義

- 装具は，JIS規格用語[1]では「四肢・体幹の**機能障害の軽減**を目的として体表に装着して，機能を**補助する器具**」と定義されている．
- 公益財団法人テクノエイド協会の福祉用具の分類では，大分類の「義肢・装具」の説明で「装具は身体の一部を固定あるいは支持して**変形の予防や矯正**をはかったり，**機能の代用**を行うものである．生体内に埋め込まれる補填材料（人工骨，人工関節など）は含まない」[2]とされている．
- 英文表記では，brace（支柱，添え木の意），apparatus（器具，装置の意），splint（副木，当木の意）などが用いられていたが，最近はJIS規格用語における対応外国語であるorthosis（真っ直ぐにすることの意）が国際的にも共通語として用いられている．
- 装具の対象者は，多岐にわたっており，疾患別にみると①**脳疾患**（脳血管障害，脳性麻痺，運動失調，不随意運動など），②**末梢神経疾患**（腕神経叢損傷，分娩麻痺，腓骨神経麻痺，橈骨神経麻痺など），③**脊髄性疾患**（脊髄損傷，脊椎披裂など），④**神経筋疾患**（急性灰白髄炎，筋ジストロフィーなど），⑤**骨関節疾患**（骨折，骨関節炎，変形性関節症，脊柱側弯症，関節リウマチ，脊椎術後，ペルテス病など）があげられる（参照）．

参照
疾患別の装具療法は第Ⅱ章4～11参照

- また，上下肢体幹を含めた装具の処方数に関する報告は皆無に等しいが，理学療法士が所属する脳血管および運動器障害のリハビリテーション施設においては，処方された下肢装具の85％を短下肢装具が占め，長下肢装具を含むその他の下肢装具は15％であった[3]．

2 装具の機能的目的と代表例

1）局所の固定と制限

- 関節運動を制限し，痛みの生じない角度までしか動かないようにする．あるいは症状が収まるまで動かないようにする．
- 頸椎・体幹装具，靴型装具などがこの目的で使われる．

2）体重の支持と免荷

- 脳梗塞などで脚部に力の入りにくい症例や頸椎ヘルニア手術後などの自重支持の補助，自重の免荷など．
- 脊髄損傷用下肢装具，PTB免荷装具，ペルテス病装具，LCC装具などがこの目的で使われる．

3）変形の予防と矯正

- 安静長期化による変形発生を抑制し，初期の変形を矯正する．
- 拘縮治療用装具，内外反膝装具，反張膝装具，側弯症装具などがこの目的で使われる．

4）関節運動の制御（方向と力）

- 脳血管障害（脳卒中）による麻痺などの運動機能の補完・代償・制御などを行う．
- 歩行用装具，機能的把持装具などがこの目的で使われる．

3 装具の分類

装具は，JIS規格用語に準じて法制度，機能，目的，対象部位により以下のように分類される．

1）法制度上の分類[4)]

- **治療用装具**：医学的治療が完了する前に使用する装具，または医学的治療の手段の1つとして使用する装具．
- **更生用装具**：医学的治療が終わり，変形または機能障害が固定した後に日常生活活動（ADL）などの向上のために使用する装具．

2）対象部位による分類

- **上肢装具**：上肢に用いる装具の総称．肩甲帯から手部までを対象部位とする装具をいう（図1）．したがって，肩鎖関節脱臼や鎖骨骨折に対する装具も含まれる．
- **体幹装具**：体幹に用いる装具の総称．基本的には脊椎の運動を制御する（図2）．頸椎の動きを制御するために頭部まで覆うような装具も含まれる．
- **下肢装具**：下肢に用いる装具の総称（図3）．基本的には股関節から足部までが対象部位となるが，構成上は腰仙椎部までにおよぶものもある．

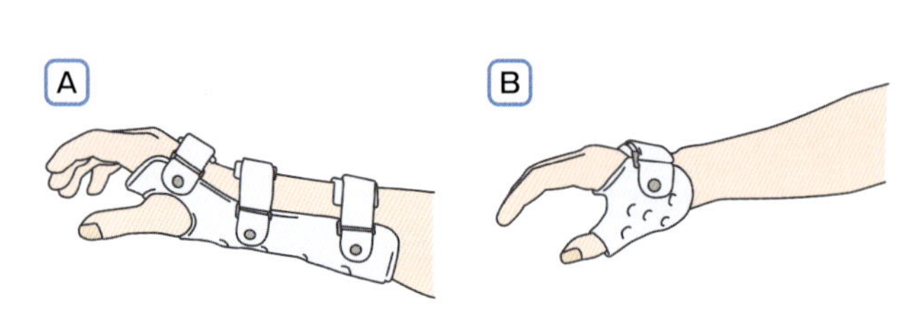

図1　上肢装具

A）手関節背屈装具（カックアップスプリント）．B）短対立装具．第Ⅱ章8参照．

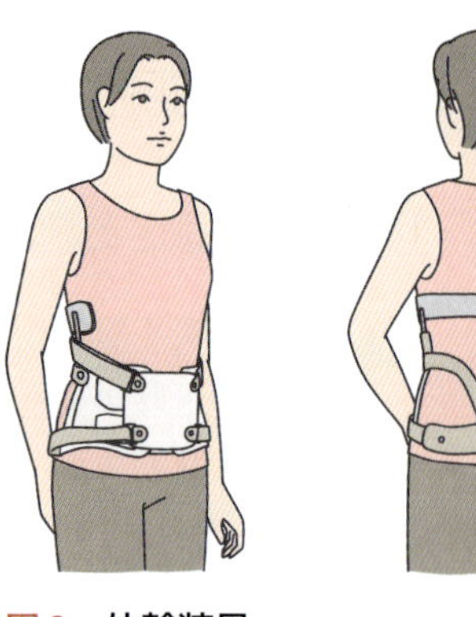

図2　体幹装具

ウィリアムス型腰仙椎装具．第Ⅱ章7参照．

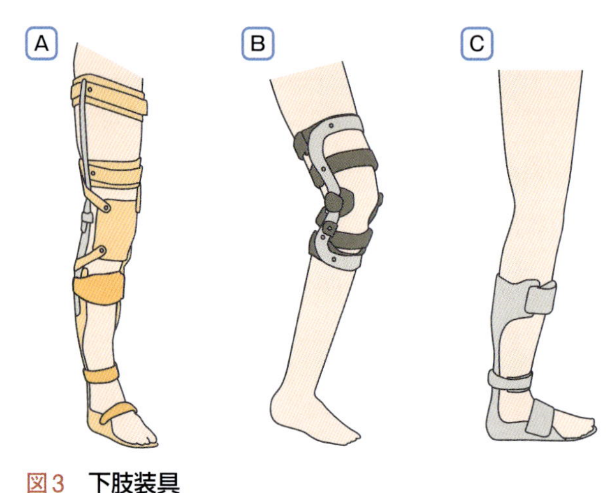

図3　下肢装具

A）長下肢装具．B）膝装具．C）短下肢装具．第Ⅱ章4参照．

3）機能的分類

機能的には，**静的装具**と**動的装具**という分類があり，主に上肢の前腕から手指にかけて適用される装具にあてはまる[5]．

- **静的装具**：装着部位内の関節運動を許さない場合に適用し，関節・肢節の安静および固定，一定肢位の保持，拘縮や変形の予防または矯正，不安定関節の支持や保護を目的とする装具をいう．
  - 安静副子，夜間副子または**固定装具**ともよばれ，継手のないものが多い．
  - 骨・関節（靱帯を含む），腱・筋，皮膚に問題がある場合や，神経・血管の損傷・修復後の治療促進に用いられる．具体的な適応には，脳血管障害（脳卒中）による痙性片麻痺上肢の手部の良肢位保持，橈骨神経麻痺の回復待機中の手関節背屈位保持や正中神経麻痺の母指対立位保持，関節リウマチ手指の関節変形〔MP（中手指節間）関節の尺側偏位，スワンネック変形など〕の進行予防などがあげられる．
- **動的装具**：装着部位内の関節運動を許す，あるいは装具によって運動を起こすことで瘢痕や癒着を予防，拘縮を矯正，術後の筋や腱機能を再教育，麻痺筋を代償することを目的とする装具をいう.

▸運動の力源には，装具に取り付けられたピアノ線，コイルスプリング，アウトリガーからのゴムによる牽引などが用いられ，装具自体が弾性を利用した動きを活用するので**弾性装具**ともよばれる.

▸神経，筋，関節などの運動器系に原因があるものに適応が多い．具体的な適応には，手指の外傷性拘縮の改善を目的とすることが多く，骨折および腱縫合術後などの癒着による指節間関節の伸展位あるいは屈曲位拘縮の予防と改善があげられる.

4) 目的による分類

- **固定保持用装具**：ある一定肢位に身体の一部を固定または保持するために使用する装具.
- **矯正用装具**：変形を矯正するために使用する装具.
- **免荷装具**：下肢にかかる体重を減少させるために使用する装具.
- **牽引装具**：牽引を目的に使用する装具.
- **筋緊張緩和装具**：脳性麻痺や脳血管障害（脳卒中）片麻痺などの痙性（筋の緊張や急な収縮，痙れんなどの麻痺に伴う筋の不随意収縮）を柔らげることを目的とした装具.
- **夜間装具**：変形の予防や矯正のために夜間就寝時またはベッド上の安静時に使用する装具.
- **立位保持用装具**：起立のために使用する装具．移動が可能なものもある.
- **交互歩行用装具**：対麻痺者の交互歩行を目的に股継手部を工夫した装具.
- **スポーツ用装具**：スポーツのときに用いる装具.

5) 装具の構成，材質，製作過程などにもとづく分類

- **即席装具**：簡単な材料を用いて短時間でつくることのできる治療用装具.
- **組立式装具**：必要な部品を組合わせて短時間で完成させる装具.
- **プラスチック装具**：プラスチックを主材料としてつくった装具.
- **金属枠装具**：金属フレーム構造の装具．主として体幹装具に用いる.
- **軟性装具**：軟性材料（布，革など）でつくった装具の総称.
- **硬性装具**：硬性材料（金属，合成樹脂など）でつくった装具の総称.
- **モールド装具**：陽性モデル（患部と同じ形の模型）を用いてプラスチック材をモールド（鋳型）成形した装具.
- **モジュラー装具**：単元化した部品を選択し結合することによって組み立てる装具．原則として部品は標準化され，互換性をもっている.
- **動力装具**：外部力源によって作動する装具で，力源として電気・空圧・油圧などを利用する.
- **ハイブリッド装具**：2種以上の異なった系統の装具などを組合わせて用いる装具．従来の装具と機能的電気刺激装置を組合わせたりする.

4 装具の部位別名称と外国語表記

- 装具の名称は，一般的には考案者，あるいは開発にあたった施設名や地域名，装具の有する機能に由来する名称など，統一性に欠ける．1975年に後述の**AAOS**は合理的な名称統一によって医師，理学療法士と装具製作者の意思疎通の向上をはかり，より有意義な処方を可能にした．
- **アメリカ整形外科学会**（american academy of orthopaedic surgeons：AAOS）の分類による名称には，装具による制御の対象となる関節や部位を表記する方式が採用されている．
- 例えば，下肢装具による制御対象となる関節および部位は，足部をF（foot），足関節をA（ankle），膝関節をK（knee），股関節をH（hip）で表し，装具のO（orthosis）と組合わせて表記する．
- 日本語での名称である短下肢装具（short leg brace：SLB）は**AFO**，長下肢装具（long leg brace：LLB）は**KAFO**，膝装具（knee brace：KB）は**KO**と表現される．
- JIS規格による装具の部位別名称を項目レベルで取り上げ，その番号，用語，定義および対応外国語を表に示す[1]．表中の番号は，大分類－中分類－項目を示す．対応外国語は，前述のAAOSの表記法を採用したISOに準拠している．

5 装具の力学的な基礎

1）3点固定の原理

- 装具における**3点固定**の原理とは，装具が生体に力をおよぼすとき，作用させたい1点（F3）と，その点を挟む離れた2点（F1・F2）の逆方向からの力のつりあいによる3点で関節が固定されることをいう．力学的には梃子（てこ）の原理にもとづいている[6]．以下に長下肢装具，短下肢装具，側弯症装具の3点固定の例を示す．
  - 長下肢装具の膝折れに対する固定部位は，F1の大腿近位部後面とF2の踵後面に対するF3の膝関節前面の3点である（図4）．F3にはF1とF2の和の力がかかる．長下肢装具では，膝折れに対するほかに，反張膝，内反膝，外反膝などに対しても3点固定の原理を適用する．
  - 短下肢装具の下垂足および尖足に対する固定部位は，F1の下腿近位部後面とF2の前足部足底面に対するF3の足関節前面の3点である（図5）．短下肢装具では，他に踵足，内反足や外反足におけるストラップの働きなどにも3点固定の原理が適用されている．
  - ボストン型側弯症装具の腰椎部右凸に対する固定部位は，F1の胸椎部とF2の骨盤部に対するF3の凸側腰椎部の3点である[7]（図6）．

2）レバーアームと力のつり合い

- 前述のように関節の固定，あるいは変形の矯正には梃子（てこ）の原理にもとづく3点固定の原理が応用されている．図7は短下肢装具における下垂足あるいは尖足に対する装具の3点の力の大きさを示す．

表　装具の対象部位別名称・定義（JIS規格）と対応外国語表記

番号	用語	定義	対応外国語
下肢装具			
3201	足装具	足部に装着する装具の総称．足アーチの支持，足部変形の防止，および矯正などを目的とする．アーチサポート，靴インサート，整形靴などがある．	foot orthosis（FO）
3202	短下肢装具	下腿部から足底におよぶ構造をもち，足関節の動きを制御する装具の総称．支柱付き短下肢装具，プラスチック短下肢装具，PTB免荷装具などがある．	ankle foot orthosis（AFO）
3203	膝装具	大腿部から下腿部におよぶ構造をもち，膝関節の動きを制御する装具の総称．支柱付き膝装具，軟性膝装具，プラスチック膝装具などがある．	knee orthosis（KO）
3204	長下肢装具	大腿部から足底におよぶ構造をもち，膝関節と足関節との動きを制御する装具の総称．支柱付き長下肢装具，プラスチック長下肢装具，坐骨支持免荷装具などがある．	knee ankle foot orthosis（KAFO）
3205	股装具	骨盤から大腿部におよぶ構造をもち，股関節の動きを制御する装具の総称．	hip orthosis（HpO）
3207	骨盤帯長下肢装具	骨盤から足底におよぶ構造をもち，股関節・膝関節・足関節の動きを制御する装具の総称．内側または外側股継手付き長下肢装具も含まれる．	hip knee ankle foot orthosis（HKAFO）
上肢装具			
番号	用語	定義	対応外国語
3208	指装具	指関節の動きを制御する装具の総称．指固定装具，IP屈曲補助装具，IP伸展補助装具などがある．	finger orthosis（FO）
3209	手装具	手部およびMP関節の動きを制御する装具の総称．MP固定装具，MP屈曲補助装具（ナックルベンダー），MP伸展補助装具，短対立装具などがある．	hand orthosis（HdO）
3210	手関節装具	手関節の動きを制御する装具の総称．手関節固定装具，手関節背屈保持装具（カックアップスプリント），トーマス型懸垂装具などがある．	wrist hand orthosis（WHO）
3211	手関節指装具	手関節および指の動きを制御する装具の総称．手関節指固定装具（パンケーキ型など），長対立装具（ランチョ型，エンゲン型など），把持装具（フレクサーヒンジスプリント）などがある．	wrist hand finger orthosis（WHFO）
3212	肘装具	肘関節の動きを制御する装具の総称．肘固定装具，肘屈曲補助装具，肘伸展補助装具，タウメル継手付き肘装具などがある．	elbow orthosis（EO）
3213	肘手関節装具	肘関節，および手関節の動きを制御する装具の総称．前腕回内保持装具がある．	elbow-wrist-hand orthosis（EWHO）
3214	肩装具	肩関節の動きを制御する装具の総称．主に肩関節の固定および安静を目的とする．	shoulder orthosis（SO）
3215	肩肘装具	肩関節，および肘関節の動きを制御する装具の総称．アームスリングが含まれる．	shoulder-elbow orthosis（SEO）
3216	肩肘手関節装具	肩関節・肘関節・手関節の動きを制御する装具の総称．肩外転装具，腕保持用装具（PSB，BFO，アームサポートMOMO）などがある．	shoulder-elbow-wrist-hand orthosis（SEWHO）
体幹装具			
番号	用語	定義	対応外国語
3217	仙腸装具	骨盤を包み，仙腸関節の動きを制御する装具の総称．仙腸ベルト，大転子ベルトなどがある．	sacro-iliac orthosis（SIO）
3218	腰仙椎装具	骨盤から腰部におよび，腰椎と仙腸関節の動きを制御する装具の総称．軟性腰仙椎装具，硬性腰仙椎装具（ナイト型，ウィリアムス型，モールド型など）がある．	lumbo-sacral orthosis（LSO）
3219	胸腰仙椎装具	骨盤から胸背部におよび，胸椎・腰椎・仙腸関節の動きを制御する装具の総称．軟性胸腰仙椎装具，硬性胸腰仙椎装具（ジュエット型，テーラー型，スタインドラー型，モールド型など），側弯症装具（アンダーアーム型）がある．	thoraco-lumbo-sacral orthosis（TLSO）
3220	頸椎装具	胸郭上部から頭蓋におよび，頸椎の動きを制御する装具の総称．頸椎カラー，フィラデルフィアカラーなどがある．	cervical orthosis（CO）
3221	頸胸椎装具	胸郭から頭蓋におよび，頸椎および胸椎の動きを制御する装具の総称．SOMI装具，ヘイロー式装具，モールド式装具などがある．	cervico-thoracic orthosis（CTO）
3222	頸胸腰仙椎装具	骨盤から腰部・胸背部・頸部まで，および，頸椎・胸椎・腰椎・仙腸関節の動きを制御する装具の総称．側弯症装具（ミルウォーキー型）がある．	cervico-thoraco-lumbo-sacral orthosis（CTLSO）

番号・用語・対応外国語については文献1から引用し，定義は著者が作成した．対応外国語のうち用語“手関節指装具”の“wrist hand finger immobilization orthosis”は，ISOなどの資料を参考に“wrist hand finger orthosis（WHFO）”と記載した．

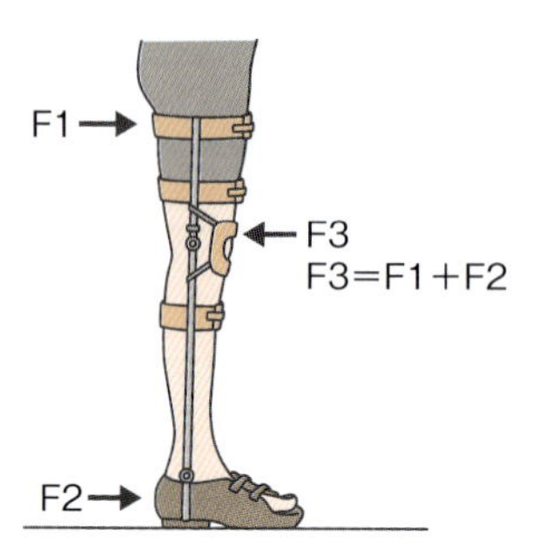

図4　長下肢装具（KAFO）による膝折れに対する3点固定

固定部位と装具の対応部位は，F1は大腿近位部後面を大腿近位カフで，F2は踵後面を靴カウンター後部で，F3は膝関節前面を膝当てでそれぞれ支持することで膝は固定され，膝折れを防止する．

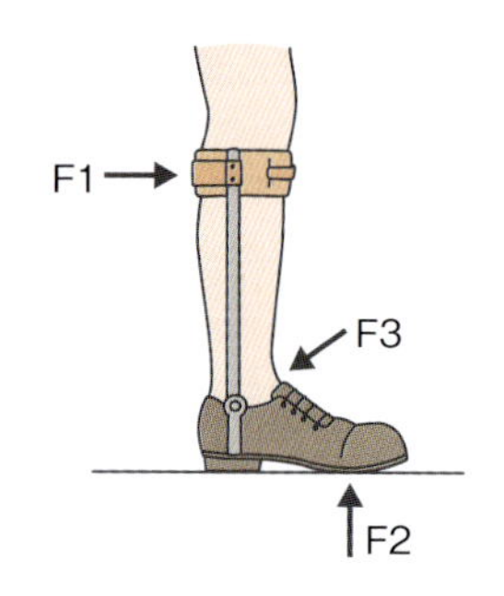

図5　短下肢装具（AFO）による下垂足あるいは尖足に対する3点固定

固定部位は，F1の下腿近位部後面とF2の前足部足底面に対するF3の足関節前面である．

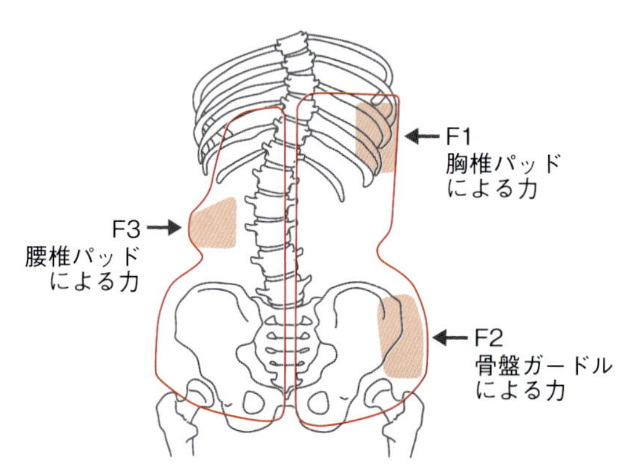

図6　ボストン型側弯症装具の腰椎部右凸に対する3点固定

固定部位は，F1の胸椎部とF2の骨盤部の支持に対し，F3は凸側腰椎部を支持する．文献7をもとに作成．

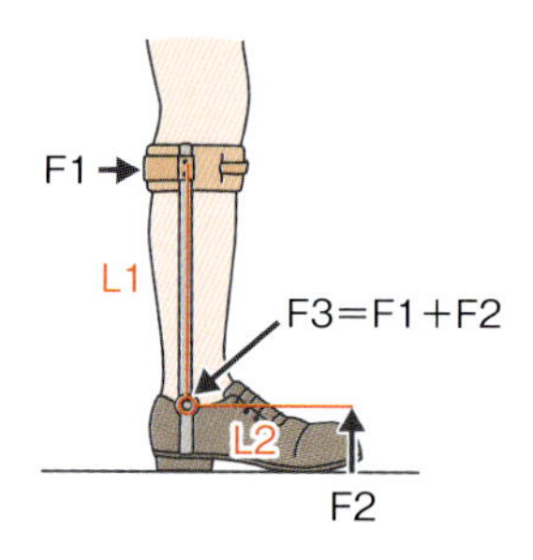

図7　短下肢装具のレバーアームと下垂足あるいは尖足の矯正力

図中L1ならびにL2は，足継手から下腿支持部（下腿カフ）および靴底足尖部までのレバーアームの長さを示す．またF1ならびにF2は下腿支持部（下腿カフ）ならびに靴底足尖部に作用する力，F3は足関節部を固定するために必要な力の大きさを示す．

- このとき，L1 × F1，L2 × F2はそれぞれ下腿の前傾モーメントならびに足部の背屈を示し，L1 × F1 = L2 × F2となったときに力がつり合う．
- 装具の処方に際しては，基本的にはF3の力をF1とF2で同等に分担するために，L1とL2を同じ長さにするように考える．
- しかし一般的に，短下肢装具はL2にあたる足底支持部に比べてL1の下腿支持部が長いことが多い．
- 一方，プラスチック短下肢装具などで多くみられる下腿支持部のレバーアームの長さ（L1）を短くした場合（例えばL1を1/2にした場合），足部の背屈モーメント（L2 × F2）につり合うためには下腿支持部には約2倍の力が作用することになる．
- なお，強い痙性を伴う尖足では下腿支持部を標準より短くすることは困難だが，足部の重さによる弛緩性の下垂足の場合はF2が小さくなり，結果的にF1，F3も小さくてすみ，同時にレバーアームL1を短くできるという検討の余地も生まれてくる．

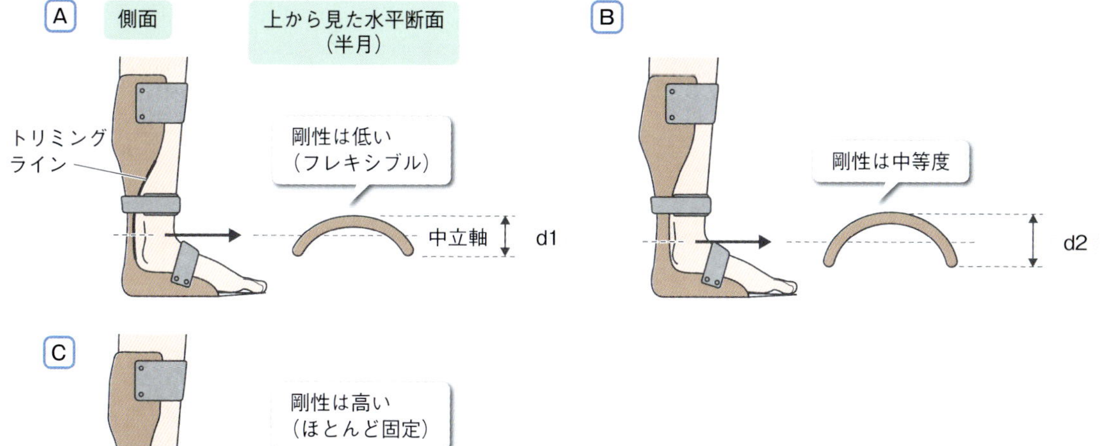

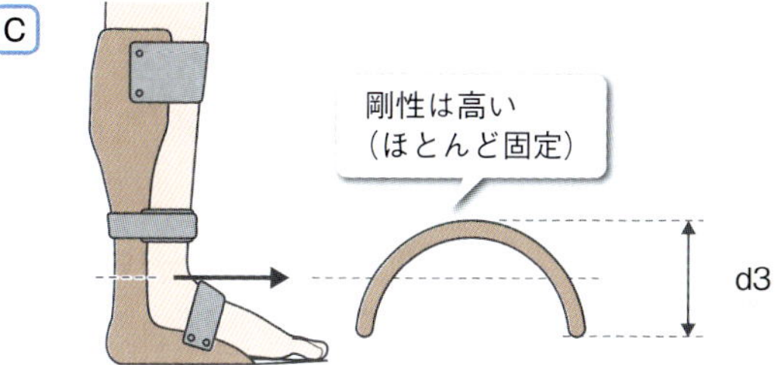

図8　プラスチック後方支柱の水平断面と剛性の関係

d1～d3：支柱断面の厚さ．文献5，7をもとに作成．

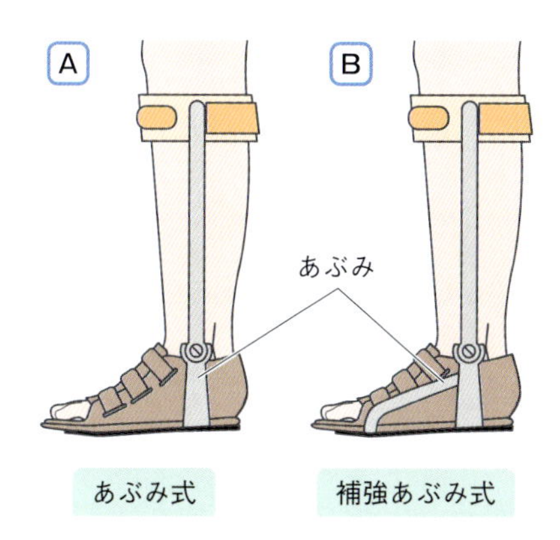

図9　両側金属支柱靴付き短下肢装具

3）装具の剛性と強度

- 装具による3点固定の確実性は，**装具自体の剛性**（物体に力を加えた際に生ずる変形に抵抗する性質）によって保証される．
- 特にプラスチック短下肢装具では，足関節部後方の後方支柱部分のトリミングによって「たわみ」の剛性の強さと方向を変えることができる．後方支柱の水平断面と剛性の関係を図8に示す[5]．図8Aのようなトリミングによって支柱の幅を狭くすると剛性は低下する．図8Cは図8Aよりも幅は広く，剛性が高いといえるが，同時に支柱断面の厚さも図8Cのd3は図8Aのd1より大きいことがわかる．後方支柱の剛性の高さは，幅よりもこの支柱断面の厚さに比例するとされている[5]．
- 材質的にプラスチックに比べて金属の剛性は高く，図9Aの金属製のあぶみ（鐙）を使用した両側金属支柱靴付き短下肢装具はプラスチック成型の短下肢装具より剛性が高い．さらに図9Bの補強部材をあぶみと足底の間に溶接した両側金属支柱靴付き短下肢装具は剛性，強度ともに最も高いといえる[5]．

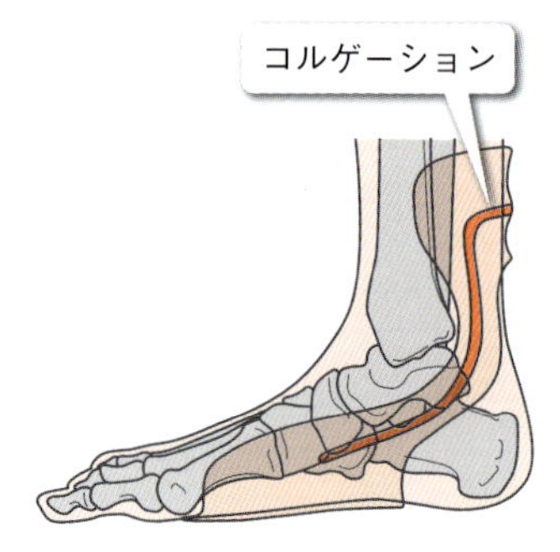

図10 オルトップ短下肢装具のコルゲーション

- また，プラスチック製装具の剛性を高める製作上の方法としてコルゲーションといわれる工法がある．特に，薄めのプラスチックを使用し，レバーアームの短い短下肢装具（オルトップ短下肢装具など）に採用されることが多く，トリミングラインに沿ってプラスチックの一部を波状に浮き立たせるような加工を施すことでたわみ難く剛性を高めることができる（図10）[8]．

文献・URL

1）日本産業規格：福祉関連機器用語－義肢・装具部門 JIS T 0101：2015，日本規格協会，2015
2）「福祉用具の選び方使い方情報：大分類選択ページ」（http://www.techno-aids.or.jp/howto/db-select.shtml），テクノエイド協会
3）廣川琢也，他：鹿児島県の理学療法士が所属するリハビリテーション施設における下肢装具処方のアンケート調査．日本義肢装具学会誌，31：173-179，2015
4）「理学療法テキスト 装具学 第2版（15レクチャーシリーズ）」（石川 朗／総編集，佐竹將宏／責任編集），中山書店，2020
5）「義肢装具のチェックポイント 第9版」（日本整形外科学会，日本リハビリテーション医学会／監），医学書院，2021
6）「義肢装具学テキスト 改訂第3版（シンプル理学療法学シリーズ）」（細田多穂／監，磯崎弘司，他／編），南江堂，2018
7）「装具学 第4版」（日本義肢装具学会／監，飛松好子，高嶋孝倫／編），医歯薬出版，2013
8）西野誠一：リハ医として知っておきたい短下肢装具－オルトップAFO．JOURNAL OF CLINICAL REHABILITATION，22：840-844，2013

2 下肢装具の構成部品とそのチェックアウト

学習のポイント

- 下肢装具の代表的な構成部品の名称と機能特徴について理解する
- 下肢装具の代表的な構成部品の適切な装着位置，基本的なチェックアウトについて理解する

1 下肢装具について

- 112万人いると推定される脳血管疾患患者や2,800万人いると推定される腰痛患者の多くは下肢装具やコルセットなどの体幹装具を使用している．つまり，装具は理学療法において重要な治療アイテムであり，理学療法士はその種類や構造，適応などを理解・熟知していることが求められる（参照）．

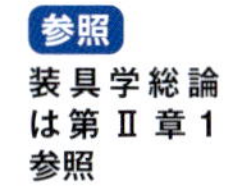

参照
装具学総論は第Ⅱ章1参照

- 本項では下肢装具を構成する部品やそのチェックアウトについて記載する．これは装具を学ぶうえでのベースとなるのでよく理解して欲しい．

2 代表的な構成部品（支柱・半月とベルト・継手・足部・付属品）

- 装具には多くの部品がある．下肢装具にはこれらを組合わせたさまざまな種類のものが存在する．主な部品としては**支柱**，**半月とベルト**，**継手**，**足部**，**付属品**となる（図1）．ここではそれぞれの代表例を紹介する．

1）支柱

- 下肢装具を支えるフレームのことで，金属支柱は主にアルミニウム合金であるジュラルミン，プラスチック支柱は主にポリプロピレンやサブオルソレンなどが用いられる．最近では炭素繊維強化プラスチックやマグネシウム合金なども用いられる．
- 下肢の内外側両方に支柱を設置するものを**両側支柱**という（図2A）．
- 下肢の内側または外側の片方に支柱を設置するものを**片側支柱**という（図2B）．
- 下肢の背側に設置するものを**後方支柱**または**後面支柱**という（図2C）．
- 下肢の腹側に設置するものを**前方支柱**または**前面支柱**という（図2D）．
- 下肢に巻き付けるように設置するものを**らせん支柱**という（図2E）．

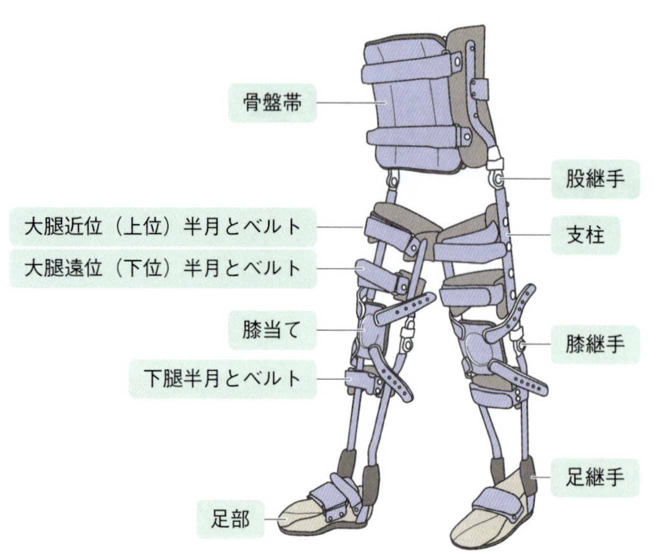

図1　下肢装具の構成部品と名称

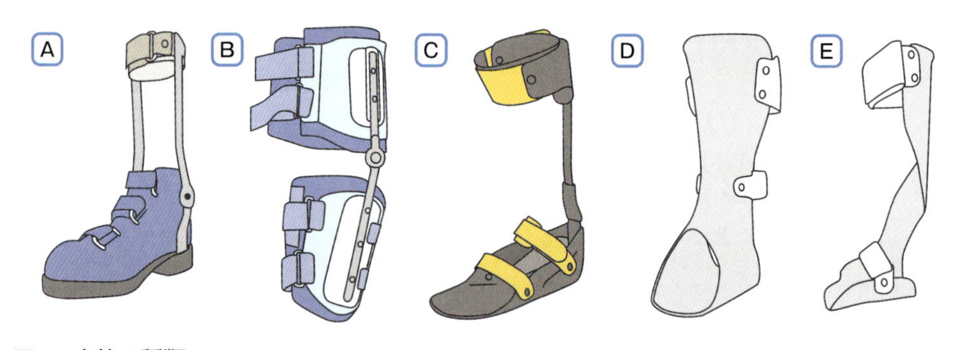

図2　支柱の種類

A）両側支柱AFO．B）片側支柱（股装具）．C）後方支柱（TAPS）．D）前方支柱（湯の児式）．E）らせん支柱（Hemi Spiral）．

2）半月とベルト

- 半月はその名の通り，半月の形をしている．
- 半月には，支柱と連結して装具の**剛性**（変形のしにくさ）**を高める役割**と，ベルトで生体と装具を密着させて**力を装具に伝える役割**がある（参照）．

> 参照
> **剛性は第Ⅱ章1参照**

- 大腿部の半月は通常，**大腿近位半月**（または**大腿上位半月**）と**大腿遠位半月**（または**大腿下位半月**）の2カ所，下腿部は**下腿半月**の1カ所である．
- プラスチック短下肢装具（後述の図5H参照）は半月と支柱の一体型と捉えることができる．

3）継手

- 継手とは装具における関節部分のことである．さまざまな形状，構造，特徴がある．ここでは代表的な継手を紹介する．

1 股継手・膝継手

- 股継手および膝継手には大きな力がかかるため金属製が基本である．
- 運動方向が屈曲伸展のみなので，内外転や内外旋は制限される．

①伸展制限付継手（図3A）

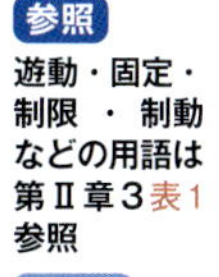

参照 遊動・固定・制限・制動などの用語は第Ⅱ章3表1参照

- 屈曲方向は遊動（参照），伸展0°から伸展方向は制限される構造であり，反張膝を防止する機能がある．ロック機構はない．

②リングロック継手（図3B）（動画①）

動画①

- 伸展制限付継手にリングを取り付けたような構造である．
- リングは上下2段式になっており，リングを上段にすると伸展制限付継手と同じ屈曲遊動となる．リングを下段にすると伸展位で固定できる構造になっており，立位時の膝折れを防止する効果がある．

③スリーウェイ膝継手（図3C）（動画②）

動画②

- リングロック継手に似ているが，リングが上中下3段式である．
- リングの上段と下段の効果はリングロック継手と同じである．
- リングを中段にすると20°まで屈曲することができる．
- 図3C左の継手の場合，継手軸の前下方にある丸いパーツで任意の屈曲角度に調整することができる．設定した角度または20°よりも屈曲方向は制限される．
- 図3C右の継手の場合，角度設定はできない．
- 急性期の脳血管疾患などの疾患に対して，立位・歩行時の膝関節コントロールのトレーニングをすることができる．

④ダイヤルロック継手（図3D）（動画③）

- リングロック継手は基本的には完全伸展位がとれることが必要だが，ダイヤルロック継手は屈曲拘縮がある症例でも拘縮角度に合わせてリングロック継手同様の効果が得られる構造である．
- 屈曲拘縮角度よりもやや伸展位に角度設定することで，持続伸長による可動域改善効果も期待できる．
- 効果はダイヤルロック継手と同じだが，丸いダイヤル状ではなく扇状のファンロック継手というものもある．継手に穴が並んでいるのはダイヤルロック継手と同じである．

⑤オフセット膝継手（図3E）（動画④）

動画④

- 支柱の長軸に対して継手軸を後方にずらしてある．
- 膝関節軸よりも後方に継手軸が位置しているため，立位時の床反力が継手軸の後方を通りにくく，膝折れが起こりにくくなる．
- 膝伸展するとき，床反力が継手軸の前を通ると膝伸展補助に働くので膝が伸展しやすくなる．

⑥SPEX（spring extension）継手（図3F）

- 基本的構造はオフセット膝継手と同じ．
- その名の通り，継手前下方にバネを入れ，膝伸展補助ができるのが特徴である．
- 膝関節屈曲0°～60°の範囲で機能する．
- バネの代わりにロッドを入れ，屈曲制限をすることもできる．

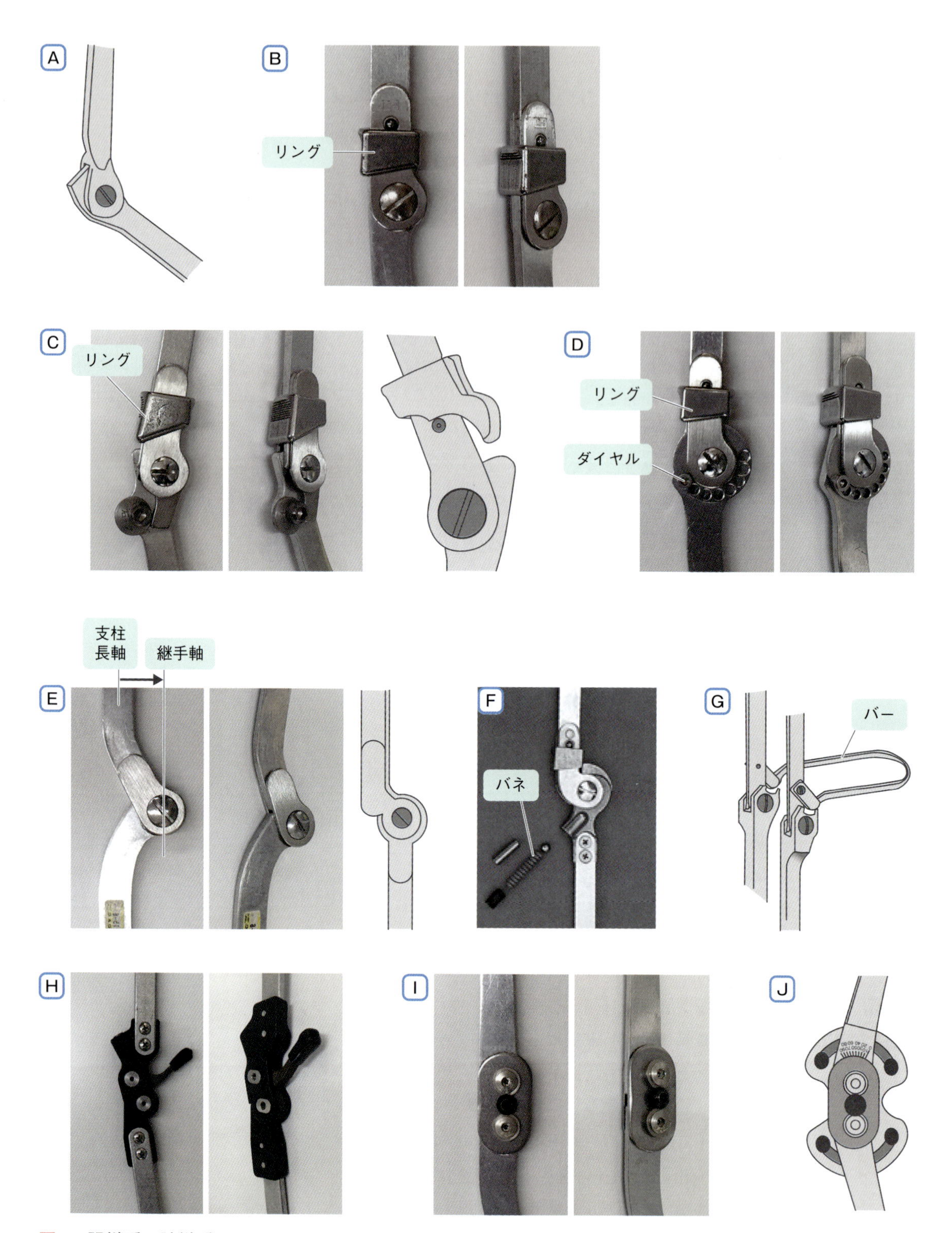

図3　股継手・膝継手

A）伸展制限付継手．B）リングロック継手．C）スリーウェイ膝継手．D）ダイヤルロック継手．E）オフセット膝継手．F）SPEX 継手．G）スイスロック膝継手．H）ステップロック膝継手．I）二軸膝継手．J）レーマン膝継手．

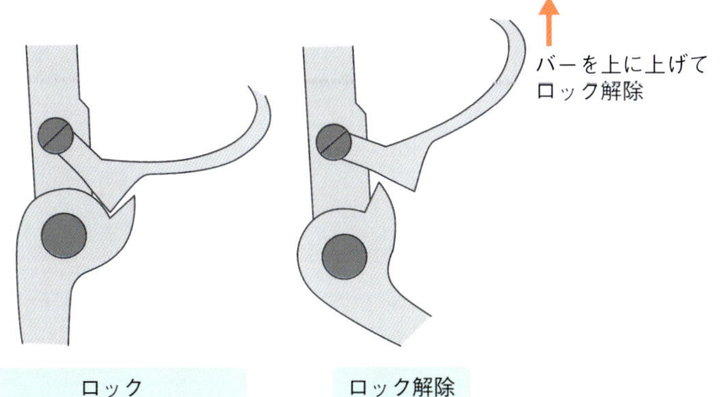

図4　スイスロック膝継手のロックと解除

動画⑤

⑦スイスロック膝継手（図3G）（動画⑤）

- ロックは膝伸展時に自動的にかかる構造である（図4）.
- 内外側のロック機構を1本のバーで結合し，自分の手でこのバーを上方に引っ張り上げる，または椅子の座面に引っ掛けるようにしてロックを解除する.

動画⑥

⑧ステップロック膝継手（図3H）（動画⑥）

- ラチェット機構を取り入れた継手である.
- ラチェット機構とは工具のドライバーやレンチなどのように一方向の動きを制限する機構のことで，継手の場合，伸展方向は段階的に動かすことができるが，屈曲方向には制限されるようになっている．立ち上がり時の急な膝折れ防止に効果がある.
- 継手後方にあるレバーを上げると遊動になる．レバーを下げるとラチェット機構が有効になる.

動画⑦

⑨二軸膝継手（図3I）（動画⑦）

- 2つの継手軸が歯車で連結されており，膝関節の生理的関節軸に近い構造である．そのため大きな屈曲角度を確保することができる.
- 靱帯損傷などの膝関節疾患の場合は二軸構造の膝継手を用いるのが基本である.

⑩レーマン膝継手（図3J）

- 基本構造は二軸膝継手と同じだが，伸展・屈曲それぞれ任意の関節可動域に設定できるのが特徴である.
- 膝関節の手術後など可動域制限が必要な場合などに用いる.

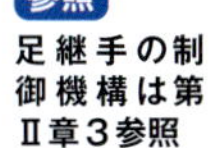
足継手の制御機構は第Ⅱ章3参照

2 足継手（参照）

- 足継手には金属製，プラスチック製，ウレタン製などさまざまな材質のものがある.
- それぞれの支持性や可撓性（変形のしやすさ）を利用し，足関節を制御している.
- 非常にたくさんの種類の足継手があるが，ここでは代表的なものを紹介する.

①遊動式足継手（図5A）

- 底屈・背屈ともに遊動となるが，その角度は矢印で示したあぶみ（鐙）部分の削り量で調整する.
- このような継手の構造は，運動方向が底背屈のみなので内外転や内外旋は制限される.

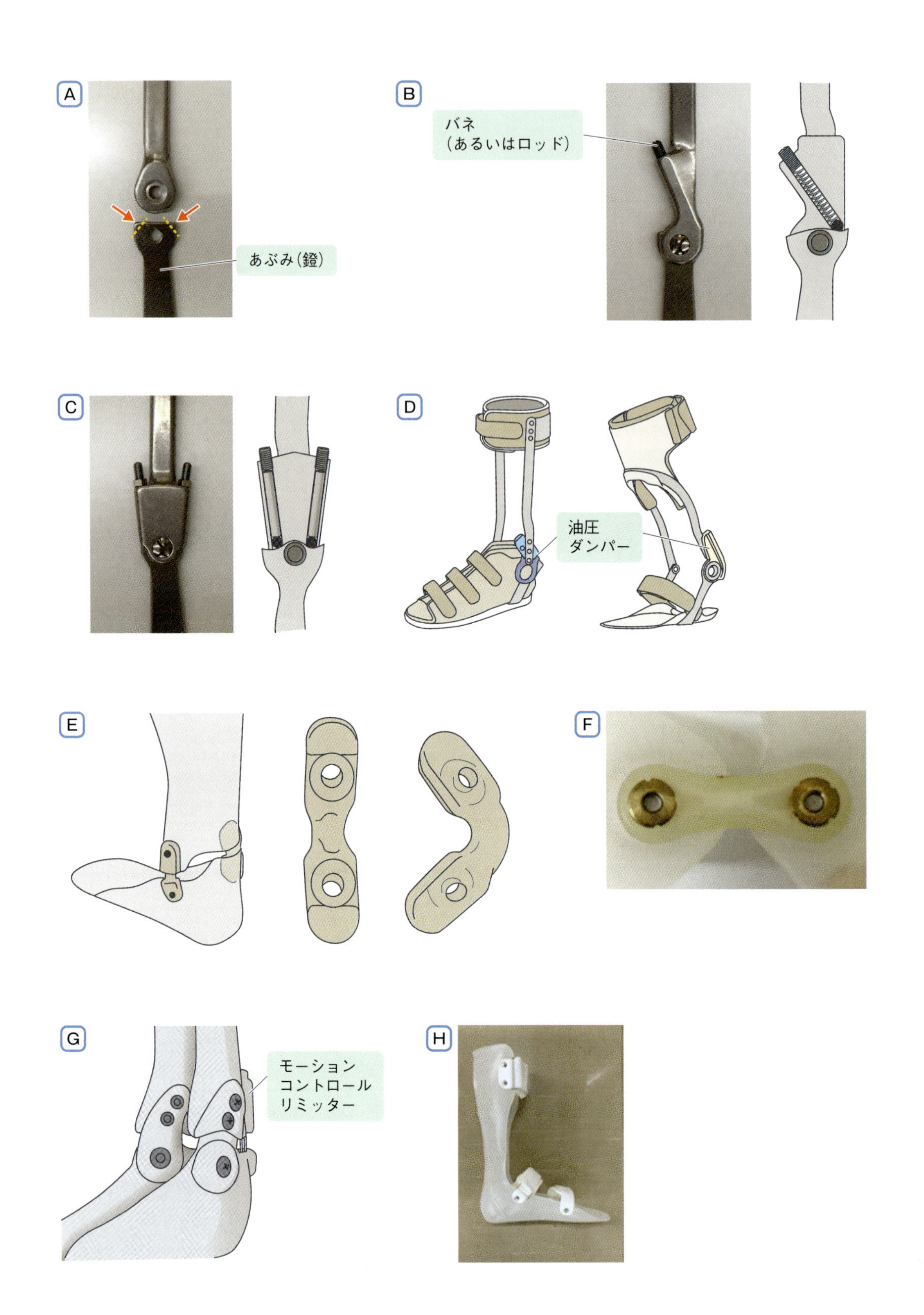

図5　足継手

A）遊動式足継手．B）クレンザック継手．C）ダブルクレンザック継手．D）油圧式足継手．E）ジレット継手．F）タマラック継手．G）オクラホマ継手．H）たわみ（撓み）式．

②クレンザック継手（図5B）*

- 支柱の前方から後方に向かってバネが挿入されている構造であり，底屈制動・背屈補助するものである．前後反転して支柱の後方から前方に向かってバネを挿入する構造のものを逆クレンザックといい，背屈制動・底屈補助するものである．
- 設定した角度から底屈方向は制動，制動された分（底屈位から設定した角度まで）は背屈補助される．設定した角度から背屈方向は遊動となる（図6A）．
- 角度は遊動式足継手同様，あぶみの削り量で調整する．バネ上部のネジを緩めたり締めたりすることでバネの反発力を調整することができるが，バネで発生できる力は大きくないため，痙性・筋緊張が高い症例は適応でない．
- 脳血管疾患など尖足をきたす疾患の場合は，バネの代わりに金属製のロッドを入れ，底屈制限継手として用いるのが一般的である（図6B）．
- 腓骨神経麻痺などの背屈補助が必要な下垂足の症例に適応がある．

③ダブルクレンザック継手（図5C）*

- クレンザック継手と似ているが，ダブルクレンザック継手は底屈・背屈それぞれ独立して制御することができる構造である．
- ダブルクレンザック継手は金属製ロッドを入れて使用するのが一般的である．
- 前後のロッドの出し入れ量を調整することで，任意の角度に固定することもできるし，可動域制限をすることもできる．
- ダブルクレンザック継手は金属支柱用の継手だが，同じ構造をもつプラスチック製の下肢装具用のPDC（plantar dorsiflexion control）継手というものもある．

＊クレンザック継手・ダブルクレンザック継手のボール：バネの下に金属製のボールが挿入されており，このボールがバネの力であぶみを押す構造となっている．このボールは磨耗すると脱落することがあるが，脱落するとあぶみにバネの力が伝わらなくなるので注意が必要である．

④油圧式足継手（図5D）

- 踵接地から立脚中期までの底屈を制動し，自然な歩行獲得を目的とした継手である．
- **油圧ダンパー**により底屈制動をする構造である．
- 制動力は半固定から遊動に近い状態まで無段階的に調整することができる．

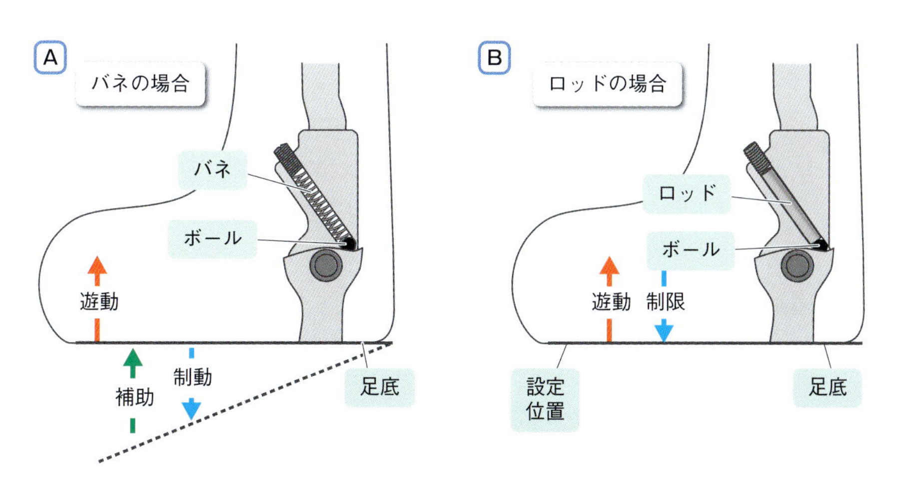

図6　クレンザック継手の制御機構

A）バネ挿入時の力のかかり方．B）ロッド挿入時の力のかかり方．

- 制動された分（底屈位から初期角度まで）はバネにより背屈補助される．
- 初期角度から背屈方向は遊動である．
- 図5D左は両側金属支柱付き短下肢装具に取り付けてあるが，プラスチック製の下肢装具に取り付けることもできる．
- 図5D右は既製品であるゲイトソリューションデザイン（パシフィックサプライ社）だが，この継手は専用の継手で通常の継手よりもコンパクトになっている．

動画⑧

⑤ジレット継手（図5E）（動画⑧）

- プラスチック短下肢装具に使用するウレタン製継手の1つである．
- 底屈または背屈に動かすときに制動，底屈または背屈に戻るときに補助の力が働く．
- 継手が90°曲がった背屈補助をメインにしたタイプもある．
- 継手が発生する力は非常に弱いので，しっかりした制動や補助が必要な症例には適応でない．
- このような継手の場合，継手自身に制限機能がない．底屈制限が必要な場合は，二重にして厚みをもたせたプラスチック同士がぶつかることで底屈を制限できるモーションコントロールリミッターを付加する必要がある．

⑥タマラック継手（図5F）

- ジレット継手に似ているが，継手中心部に芯材が入っており，ジレット継手よりも強度があるので長時間歩行する症例に適応がある．
- ジレット継手同様，ストレートタイプと背屈補助タイプがある．
- このような継手の場合，継手自身に制限機能がない．底屈制限が必要な場合は，二重にして厚みをもたせたプラスチック同士がぶつかることで底屈を制限できるモーションコントロールリミッターを付加する必要がある．

動画⑨

⑦オクラホマ継手（図5G）（動画⑨）

- プラスチック製の継手である．
- タマラック継手やジレット継手のようなウレタン製ではないので，より側方安定性がある．
- 遊動式の継手なので制動や補助，制限などの機能が必要な場合は，別にその機能を有するものを付加する必要があるが，継手が大きいため継手付近には付加しにくく，モーションコントロールリミッターなどを装具後面に付加するのが一般的である．

動画⑩

⑧たわみ（撓み）式（図5H）（動画⑩）

- 継手は存在せず，装具の可撓性を利用し，底背屈に制動・補助をかける構造になっている．
- 継手に相当するであろう部分を仮想継手とよぶ場合もある．このようなたわみ式の装具は多数存在する．代表的なものとしては，靴べら型プラスチック短下肢装具（シューホーンブレース：SHB），Saga plastic AFO（佐賀プラスチック短下肢装具），ORTHOP（オルトップ）AFOなどがある．

4）足部

- 金属支柱付の下肢装具の足部には大きく分けて以下の3タイプがある（図7）．

1 整形靴タイプ（図7A）

- 採寸・採型により製作された靴が付属している．
- 主に屋外用として使用する装具に用いられる．

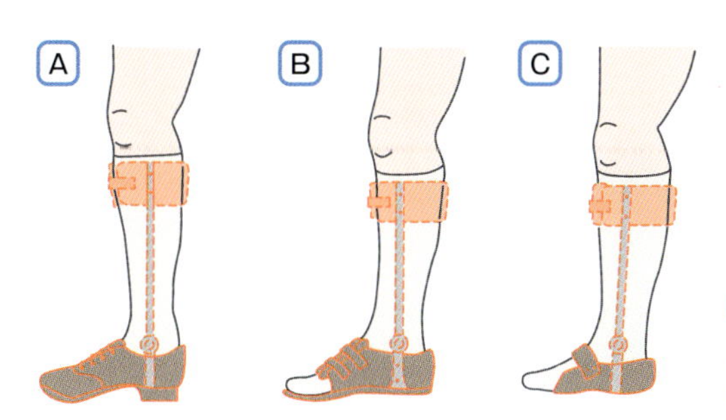

図7 足部の種類
A）整形靴タイプ．B）足部覆いタイプ．
C）プラスチック足部タイプ．

- 基本的には外羽根式（ブラッチャー）または外科開き式を採用する．

2 足部覆いタイプ（図7B）

- 開口部が大きく取れるので整形靴よりも着脱が容易だが，つま先が覆われていない．
- 足先部分が覆われていないタイプなので屋外には不向きである．
- 主に病院内や施設内で使用する装具に用いられる．

3 プラスチック足部タイプ（図7C）

- プラスチック短下肢装具の足部を切り出したようなタイプで，屋内外ともに使用できるので幅広い症例に適応がある．
- 屋内ではそのまま，屋外では上から靴を履き使用する．
- 立位・歩行が安定している症例はMP関節（中足趾節間関節）より前方をカットすると靴の着脱が容易になる．

5）付属品

参照
ストラップと膝当ては第Ⅱ章4も参照

1 ストラップ（参照）

- TストラップやYストラップは支柱に巻きつけて足部を矯正するものなので，装着する下肢装具は金属支柱の側方支柱タイプのものである必要がある．

①外側ストラップ（図8A）

- **内反足**の矯正に使われる．
- 外果にストラップを当て，内側支柱に巻きつけて使用する．
- 外側ストラップとして「Tストラップ」を用いることが多い．
- 「Tストラップ」とは，開いた形がT字のストラップをいう．

②内側ストラップ（図8B）

- **外反足**の矯正に使われる．
- 内果下方にストラップを当て，内果を引き上げるようにしながら外側支柱に巻きつけて使用する．
- 内側ストラップとして「Yストラップ」を用いることが多い．
- 「Yストラップ」とは，開いた形がY字のストラップをいう．

＊内側ストラップにも見た目がT字状のものがあるが，形状とは違ってそれら「Yストラップ」とよばれる．

2 膝当て（膝パッド）

- 膝蓋骨を覆い，3点固定の原理により膝折れを防止する効果がある．
- 主に長下肢装具や膝装具に用いられる．

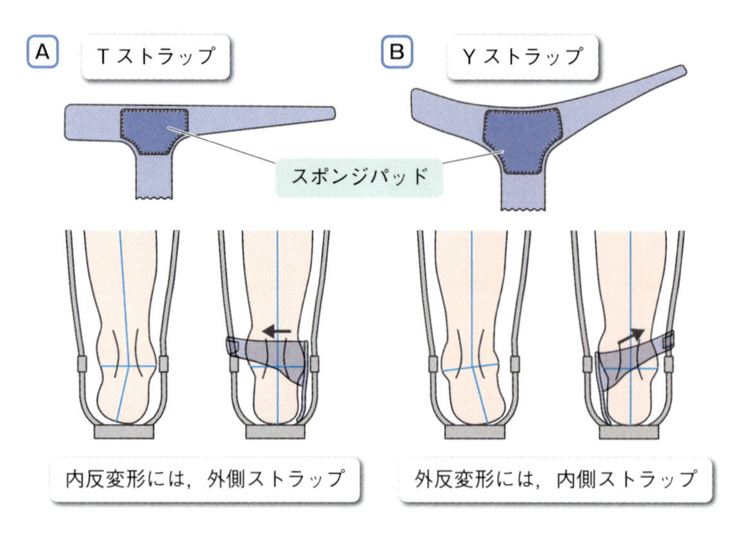

図8　TストラップとYストラップの効果
文献1より引用.

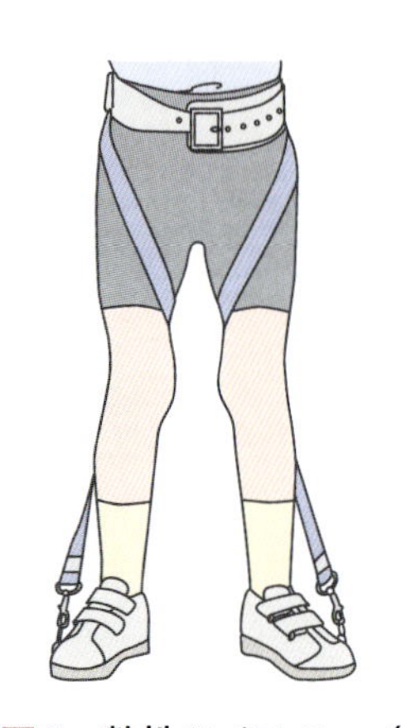

図9　軟性ツイスター（左）と硬性ツイスター（右）

図10　硬性ツイスターの巻き方向

3 ツイスター（動画⑪）

- 下肢の回旋を矯正・制御するためのもので，軟性（ゴム）と硬性（鋼線）がある（図9）.
- 下肢への巻き方向で（図10），回旋の矯正・制御方向を変える.
- ツイスターは脳性麻痺だけでなく脳血管疾患に用いる場合もある.

4 鐙（あぶみ）

- あぶみは金属板をコの字に曲げ加工し，足部を接合する（図11）.
- あぶみの両端と金属支柱の内外側の遠位端とをつなげて足継手を構成する（図12）.
- 通常は図11のサイズの足板を使用するが，内反尖足がある場合などには図13のような長い足板を使用して矯正を行う．強い内反尖足の症状がある場合は図13の点線で示した接合部に強い力がくり返し加わることで折れてしまうことがある．その場合は図14に示すような，あぶみと足板を斜めに接続するトラス構造（補強あぶみ式）とよばれる構造にする.

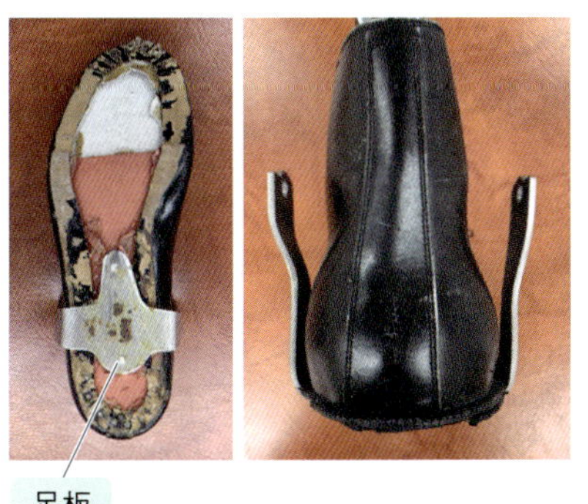

図11　鐙（あぶみ）の加工

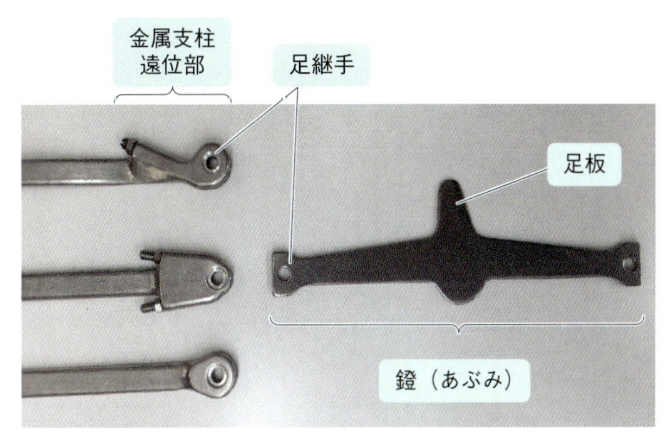

図12　鐙（あぶみ）と金属支柱端

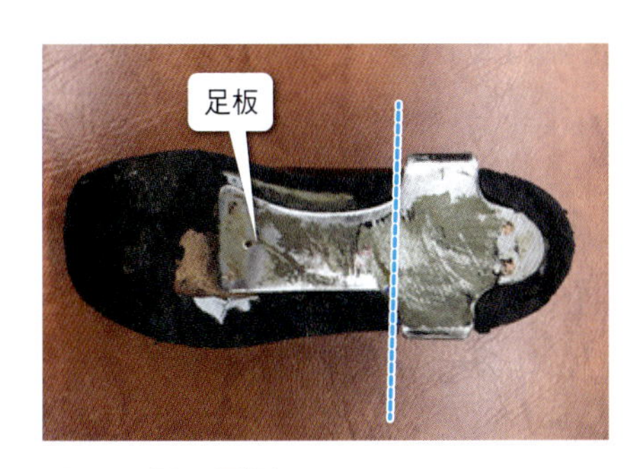

図13　長い足板

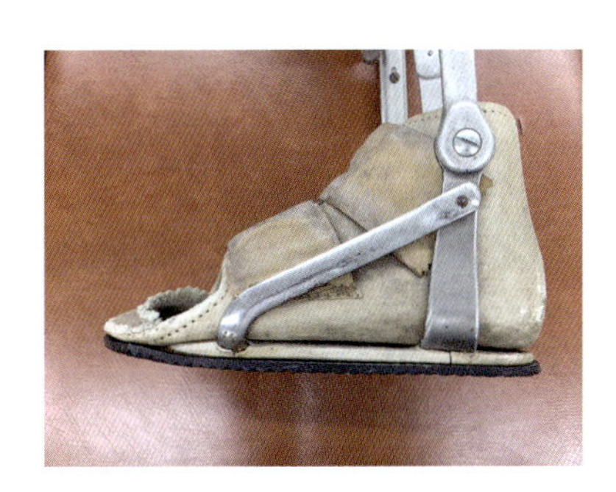

図14　トラス構造（補強あぶみ式）

3 下肢装具のチェックアウト

1）継手・半月の設定位置

- 半月・継手の設定位置を図15に示す．これは装具の処方においてとても重要であり，国家試験でも問われることが多いのでしっかりと理解すること．

1 継手の位置

股継手

- 左右の継手を結んだ線が床に平行になる．
- 前額面：大転子の上方2～3 cm.
- 矢状面：大転子の前方2～3 cm.

膝継手

- 左右の継手を結んだ線が床に平行になる．
- 前額面：膝関節裂隙と内転筋結節の中間．
- 矢状面：膝蓋骨を含む膝関節部最大前後径の中央点（1/2点）と，3等分した前後径の後方1/3点との中間点．

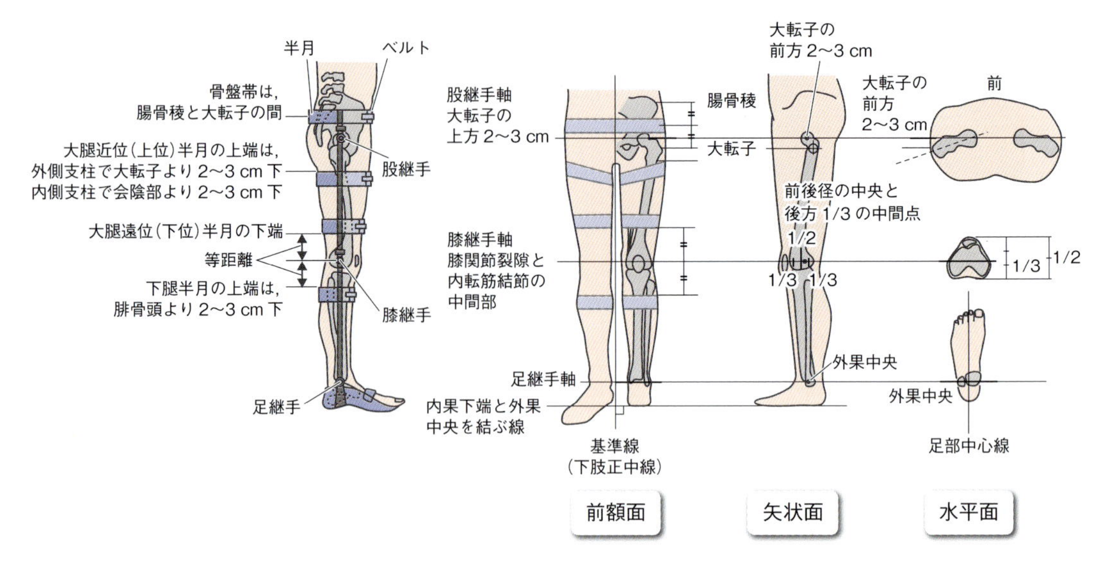

図15　半月・継手の位置
文献2をもとに作成.

足継手

- 前額面：内果下端と外果中央（最突出部）を結んだ床に平行な線.
- 矢状面：外果中央（最突出部）.

2 骨盤帯と半月の位置

骨盤帯

- 前額面：腸骨稜と大転子の中間.

大腿近位半月（大腿上位半月）

- 外側支柱：上端が大転子の下方2〜3 cm.
- 内側支柱：上端が会陰部の下方2〜3 cm.

大腿遠位半月（大腿下位半月）

- 前額面：膝継手から大腿下位半月下端までの距離が，膝継手軸から下腿半月上端までの距離と等しい（基本的には下腿半月位置が決まってから設定する）.

下腿半月

- 前額面：下腿半月上端が腓骨頭の下方2〜3 cm. 膝継手軸から下腿半月上端までの距離が，膝継手軸から大腿遠位半月下端までの距離と等しい.

2）チェックアウト

- 完成した装具は装着前と装着後にチェックすることが必要である.

1 装着前

①処方通りの装具であるか

- どんな装具にもいえることだが，完成した装具が**処方通りの材料・部品で製作されているか**どうかを確認する.

②両側金属支柱付長下肢装具のチェックアウト

- 支柱の端が滑らかに研磨されているか.
- 膝関節・足関節の継手位置は矢状面，前額面ともに適切か.
- 継手の動きはスムーズか.
- ロック機構がある継手の場合，しっかりロックできるか.
- 制動・補助など継手が生む力が弱すぎたり強すぎたりしていないか.
- 支柱が下肢のカーブに合っているか.
- 支柱と下肢の隙間が一横指（1.5 cm）程度確保されているか.
- 半月（カフ）の位置は適切か．特に大腿遠位（下位）半月と下腿半月の位置関係は適切か.
- 半月（カフ）の深さが適切か（矢状面からみて支柱が下肢の中心になっているか）.
- 半月（カフ）の幅が太すぎたり細すぎたりしていないか（通常は4 cm程度）.
- 半月（カフ）ベルトが長すぎたり短すぎたりしていないか.
- Tストラップや Yストラップが付属している場合は，外果・内果に当たる部分に徐圧のためのパッドが付いているか，ベルトの長さが長すぎたり短すぎたりしていないか.

③プラスチック短下肢装具のチェックアウト

- 装具単体で自立できるか.
- プラスチックの端が滑らかに研磨されているか.
- プラスチック表面に皺やヒビがないか.
- 足継手がある場合，継手位置は矢状面，前額面ともに適切か，また動きはスムーズか.
- ベルト位置は適切か.
- ベルトが長すぎたり短すぎたりしていないか.
- ベルトを止める位置が端過ぎないか.
- 腓骨頭，内果，外果，舟状骨粗面，第1中足骨頭，第5中足骨頭，第5中足骨粗面，踵骨隆起などの骨突起部の圧迫がないか.

④靴型装具のチェックアウト

- 足長や足囲は適切か.
- 靴の開口部は確保されているか.
- ベルトが長すぎたり短すぎたりしていないか.
- 踏み返し部分は硬すぎないか.

⑤プラスチック足部のチェックアウト

- 足部の側壁が皮膚に食い込んでいないか.
- 足先まである場合，足趾まで覆われているか.
- MP（中足趾節間）関節より前方をカットする場合，カットする位置は適切か.

2 装着後のチェックアウト（各種の下肢装具に共通）

- 皮膚や骨突起部に発赤など強く圧迫された部分がないか．痛みが出ていないか.
- 装着時に違和感はなかったか.
- 継手の機能は適切であったか.

● その他（メンテナンスとして）

▶ クレンザック継手，ダブルクレンザック継手内のボールが摩耗により欠落していないか．

▶ プラスチック製装具の場合，足関節部やベルト固定部などにひび割れがないか．

▶ ベルトのマジックテープの接着固定力は弱くなっていないか．

文献

1）「理学療法テキスト 装具学（15レクチャーシリーズ）」（石川 朗／総編集，佐竹将宏／責任編集），中山書店，2011

2）「装具学 第3版」（日本義肢装具学会／監，加倉井周一／編），医歯薬出版，2003

3 足継手の制御機構

学習のポイント

- 足継手の種類と機構・機能がわかる
- 足継手による足部関節の制限・制御のメカニズムがわかる
- 疾患（症状）ごとに適応する足継手の選択ができる

1 足関節の運動と足継手の動き

- **足関節**は，**距腿関節**と**距骨下関節**からなり**底屈・背屈**，**内返し・外返し**，**外転・内転**の運動が可能であるが，一般的に**足継手**で可能な動きは**底屈・背屈**のみであり，他の運動は行えない．
- 底屈・背屈の運動に対する制限・制御の機能によりさまざまな機構の足継手がある．
- 足継手の基本的な機能を表1に，機能と適応例を表2に示す（参照）．

参照
足継手の概要は第Ⅱ章2も参照

表1 足継手の基本的な機能

機能		説明
固定		・全く動きがない ・底屈・背屈運動を拘束し可動性をもたない
遊動		・抵抗なく自由に動く ・底屈・背屈運動を制限しない
制御	制限（制限可動）	・特定方向の動きを制限 ・底屈または背屈を一定の角度で制限する（止める）
	補助	・おもに圧縮されたバネの反発力を利用し，底屈または背屈運動の初動を補助する
	制動（弾力制動）	・底屈または背屈運動を，バネや油圧ダンパーにより抵抗（ブレーキ）を与えながら制御する

表2　足継手の機能と適応例

足継手の機能	適応例
底・背屈固定	・足関節筋力ゼロの例 ・足関節バランス不良の例 ・足関節不安定（frail ankle）例 ・足関節を固定したい例
底・背屈遊動	・底背屈の筋力バランスはよいが，内外反にアンバランスがある例 ・足関節捻挫 ・外反扁平足
底屈制限・制動（背屈遊動）	・下腿三頭筋の痙性例 ・背屈筋力低下の著しい例 ・尖足傾向例 ・反張膝傾向例 ・腓骨神経麻痺
背屈制限・底屈遊動	・背屈筋の痙性例 ・膝折れ傾向例 ・踵足変形の傾向例 ・底屈筋力低下の著しい例 ・脛骨神経麻痺 ・L4対麻痺

足継手の機能	適応例
底・背屈部分的制限（制限可動）	・足関節筋力低下の著しい例 ・足関節不安定（frail ankle）例 ・坐骨神経麻痺 ・L3対麻痺
背屈補助（底屈弾力制動）	・下垂足例 ・背屈筋力低下例 ・腓骨神経麻痺 ・反張膝
底屈補助（背屈弾力制動）	・踵足 ・底屈筋力低下例 ・脛骨神経麻痺 ・L4対麻痺 ・膝折れ
底・背屈補助（底・背屈弾力制動）	・底背屈筋力ともに低下例 ・足関節（frail ankle）例 ・坐骨神経麻痺 ・L3対麻痺 ・足関節初期設定角度の変更により種々の病態に適応

文献1より引用.

2　金属支柱付き装具用の足継手

1）固定足継手（図1）

- あぶみ（鐙）と金属支柱がしっかりとかみあって足継手には**可動性がない**.

2）遊動足継手（図2）

- 足継手の可動域に特に制限はない.
- **側方の安定性**のみを必要とする場合に適応.

3）制限足継手（図3）

- あぶみの上端を削り，可動域を調整（図4）.
- 底屈・背屈可動域を**任意の角度で制限**する.

4）クレンザック継手（図5）（動画①〜⑤）

- 足関節の底屈を制動.

動画①

動画②

動画③

動画④

動画⑤

- 足関節の背屈運動をバネの力で補助（図6）.
- 底屈の制限角度，背屈の補助力はネジにより調節可能.
- バネ端があぶみ上端に当たり破損することを防ぐため，ボール（鉄球）を挿入する.
- ボールは足継手軸の後方であぶみ上端に当たる（底屈制限）（図7）.

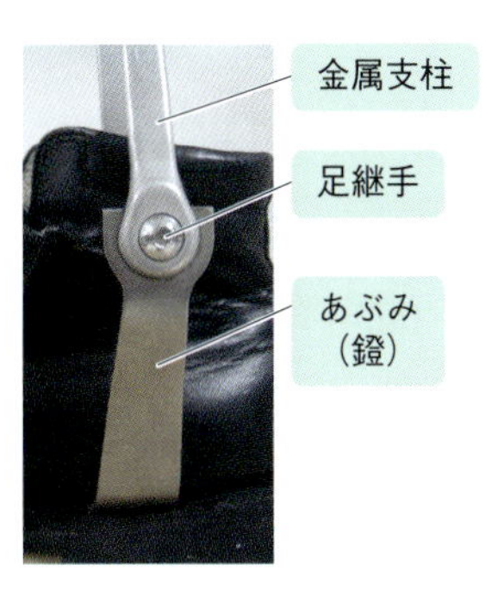

図1　固定足継手

図2　遊動足継手

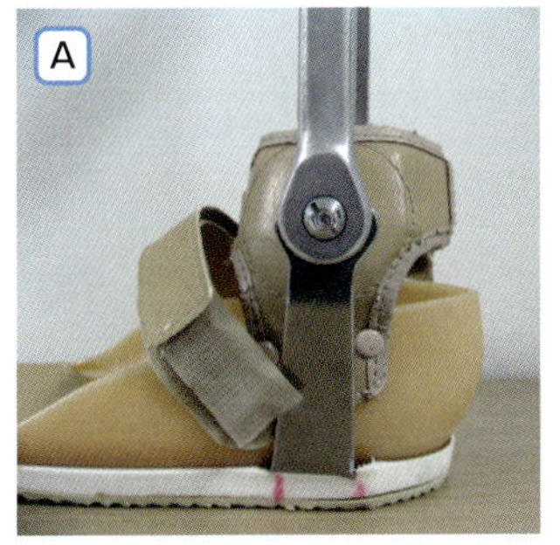

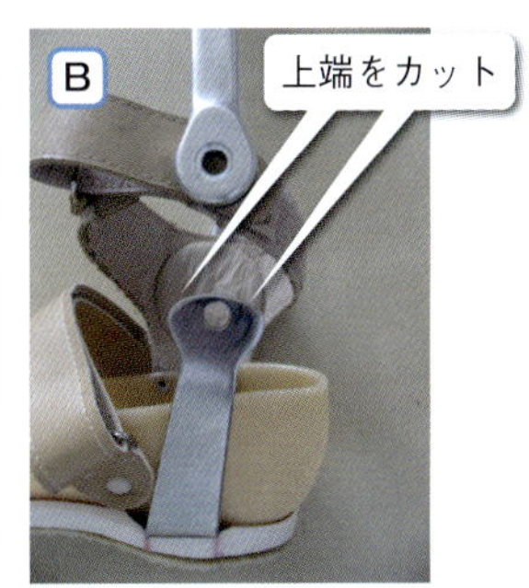

図3　制限足継手

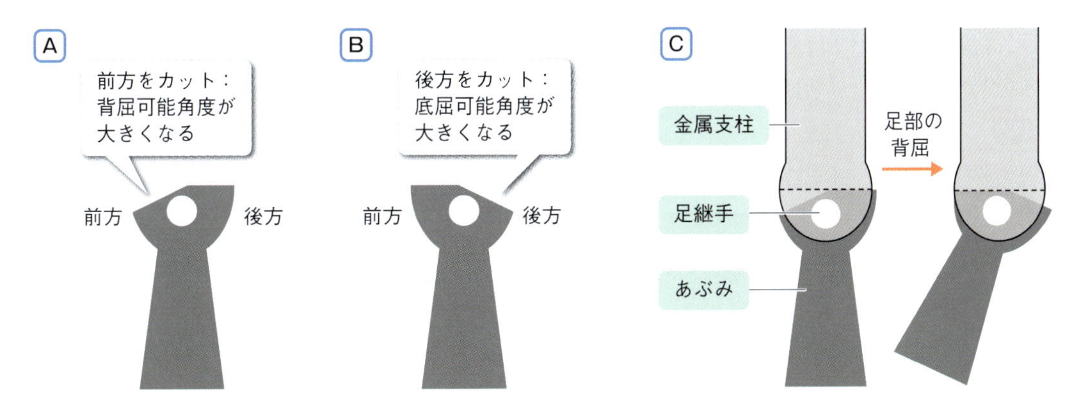

図4　制限足継手による背屈・底屈可動域の調整

あぶみ上端の前方をカット（切削）することにより背屈可動域を拡大させることができ，後方をカットすることにより底屈可動域を拡大させることができる．一度カットしてしまうと再調整はできないため，事前に十分な評価が必要.

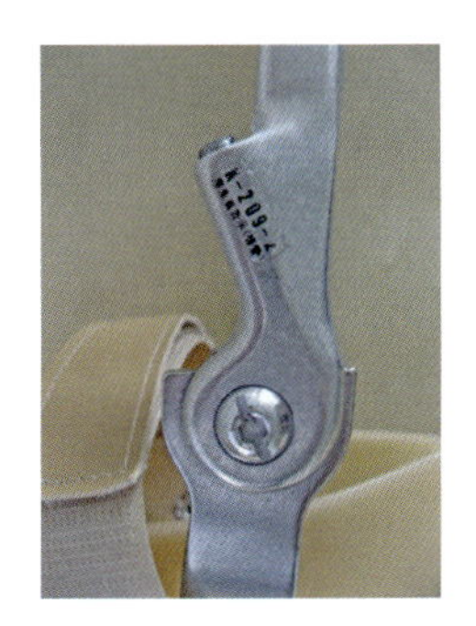

図5　クレンザック継手

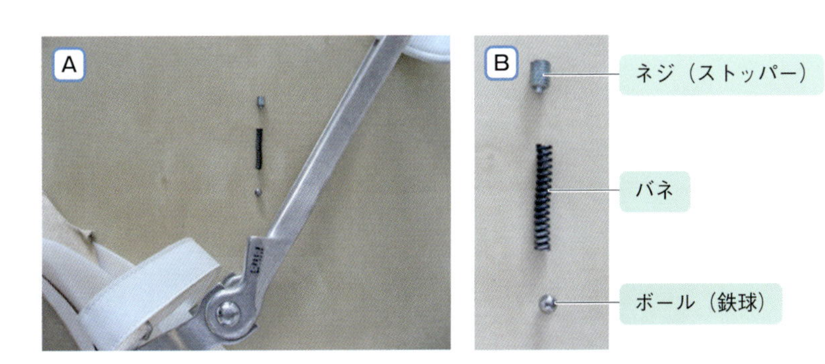

図6　クレンザック継手の構造（底屈制動・背屈補助の場合）

底屈制限の場合は，ネジとバネとボールではなく，ロッドとナットを使う.

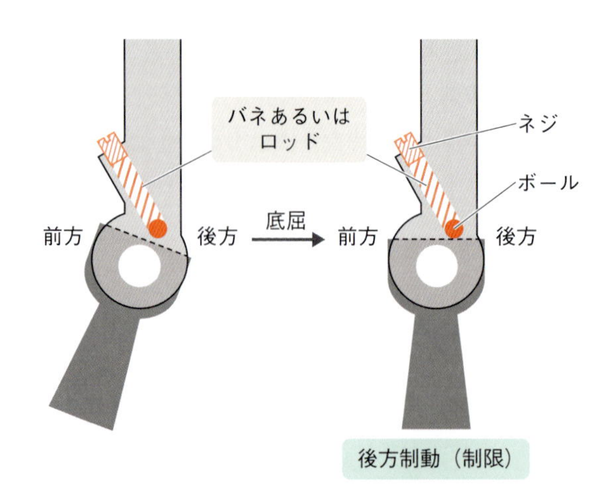

図7　クレンザック継手による後方制動（制限）〔底屈制動（制限）〕

バネの場合は後方制動．ロッドの場合は後方制限となる．

5）ダブルクレンザック継手（図8）（動画⑥〜⑨）

動画⑥

動画⑦

動画⑧

動画⑨

- バネまたはロッドにより足継手の**底屈・背屈を制御**.
- バネは底屈・背屈を制動し，反対方向の動きを補助する（図9）.
- ロッドは底屈・背屈の動きを制限する（図10）.

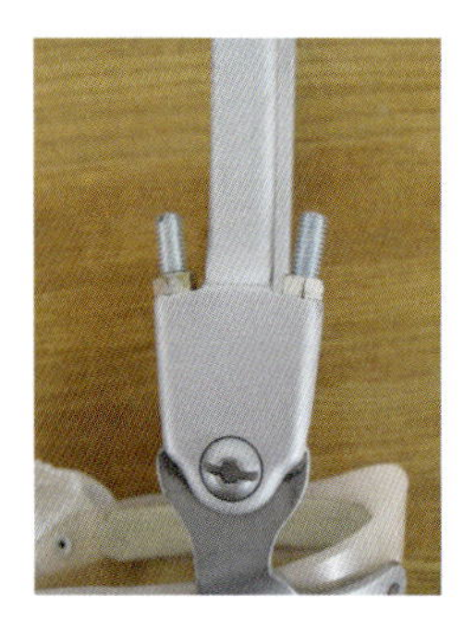

図8　ダブルクレンザック継手

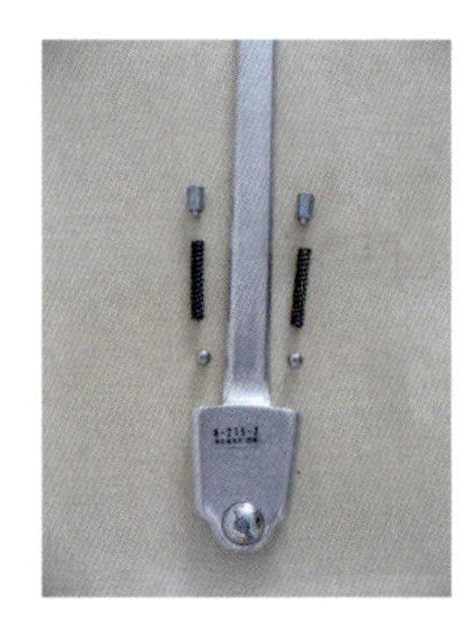

図9　バネによる制御（制動・補助）

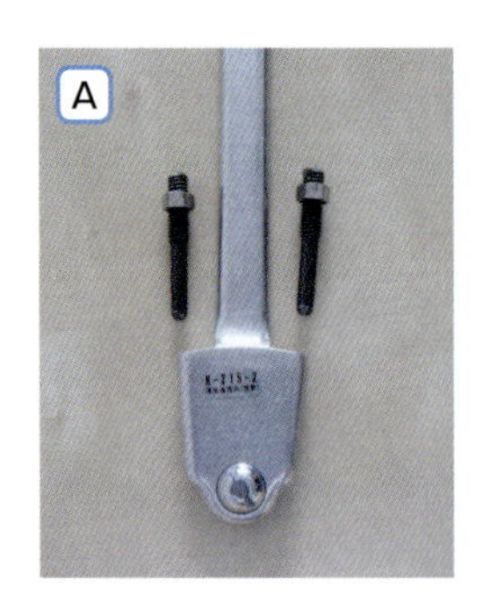

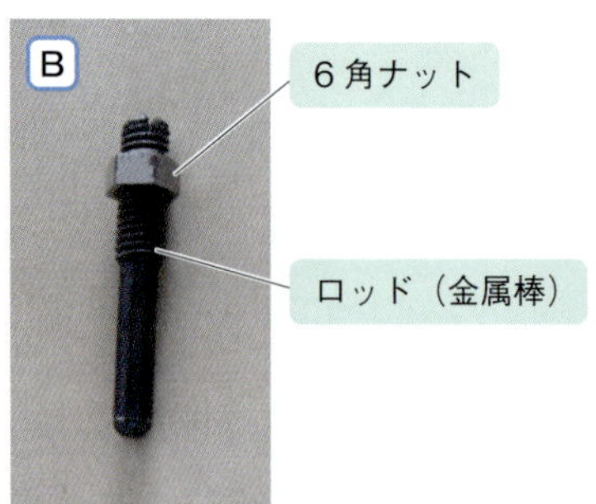

図10　ロッドによる制御（制限）

3 底屈制御と背屈制御

1）後方制動（底屈制動・背屈補助）（図11A，12A）

- バネを挿入したクレンザック継手またはダブルクレンザック継手を用いて，足継手軸の後方であぶみ後上端の動きを制動する（**底屈角度を制御**）．
- バネの反発力で底屈位から背屈運動の初動を補助する機能も併せもつ．

2）前方制動（背屈制動・底屈補助）（図11B，12B）

- バネを挿入したダブルクレンザック継手を用いて，足継手軸の前方であぶみ前上端の動きを制動する（**背屈角度を制御**）．
- バネの反発力で背屈位から底屈運動の初動を補助する機能も併せもつ．
- ロッドを挿入したクレンザック継手あるいはダブルクレンザック継手，または制限足継手を用いた場合は，「後方制限」や「前方制限」と考えられるが，その呼称は一般的ではない．

3）後方制限（底屈制限）（図11A，13A）

- ロッドを挿入したクレンザック継手またはダブルクレンザック継手を用いて，足継手軸の後方であぶみ後上端の動きを制限する（底屈角度を制限）．

4）前方制限（背屈制限）（図11B，13B）

- ロッドを挿入したダブルクレンザック継手を用いて，足継手軸の前方であぶみ前上端の動きを制限する（背屈角度を制限）．

5）油圧ダンパーを組み込んだ足継手（図14）

- 油圧による**底屈制動**の足継手．
- 速度依存性の抵抗（底屈速度が速いほど抵抗は大きくなる）．
- 初期接地（イニシャルコンタクト）から立脚中期（ミッドスタンス）までの底屈運動を制動し，滑らかな重心移動（ロッカー機能）を導く．

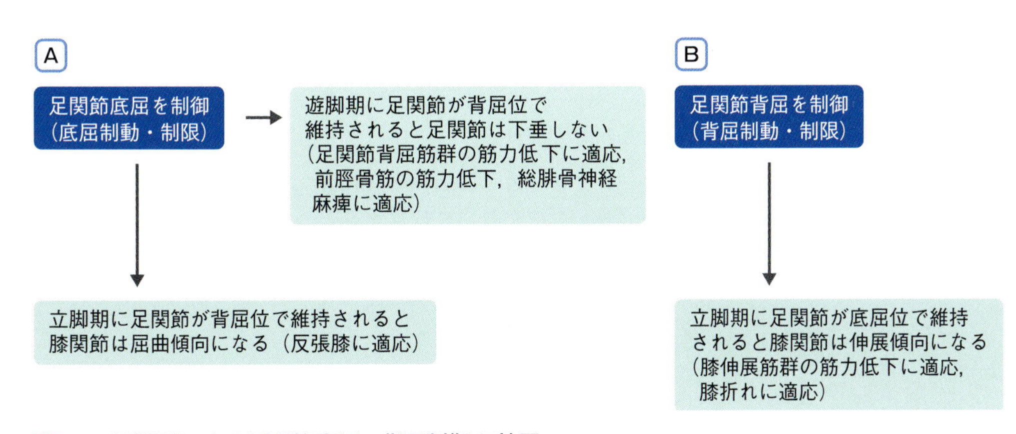

図11　足継手による足関節底屈・背屈制御の効果

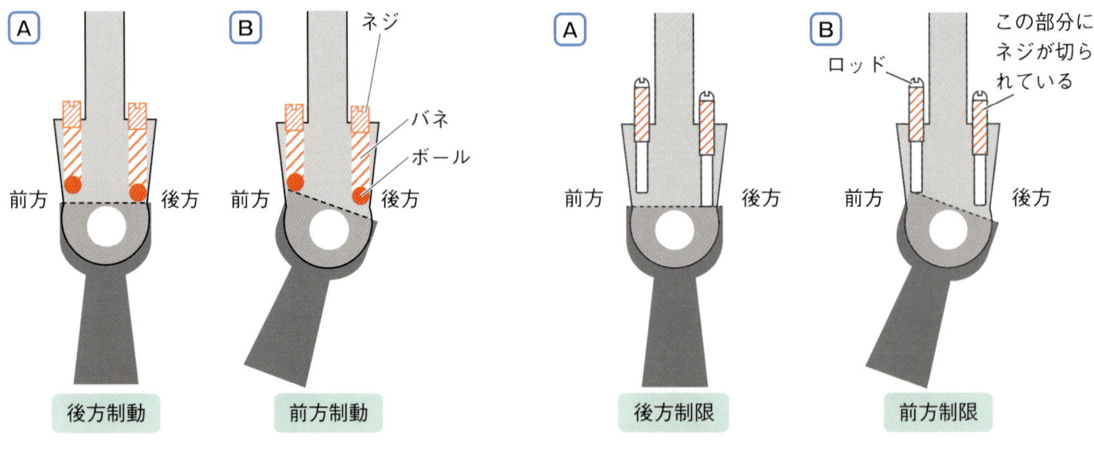

図12　ダブルクレンザック継手による後方制動（底屈制動）と前方制動（背屈制動）

図13　ダブルクレンザック継手による後方制限（底屈制限）と前方制限（背屈制限）

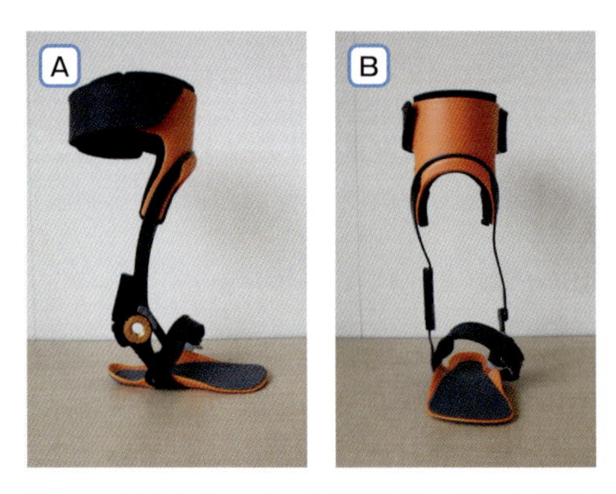

図14　油圧ダンパーを足継手に用いた短下肢装具

A）矢状面．B）前額面．ゲイトソリューションデザイン（パシフィックサプライ社）など．

4 プラスチック短下肢装具の足関節機構（動画⑩）

1）シューホーンブレース（SHB）（図15）

- 靴べら式短下肢装具ともよばれる．
- 一般的なシューホーンブレース（shoe horn brace：SHB）は足継手をもたず，足関節の運動は装具の可撓性（たわみやすさ）に依存する．
- トリミングラインを深くすることで可撓性はあがり，足関節の可動性は向上する．

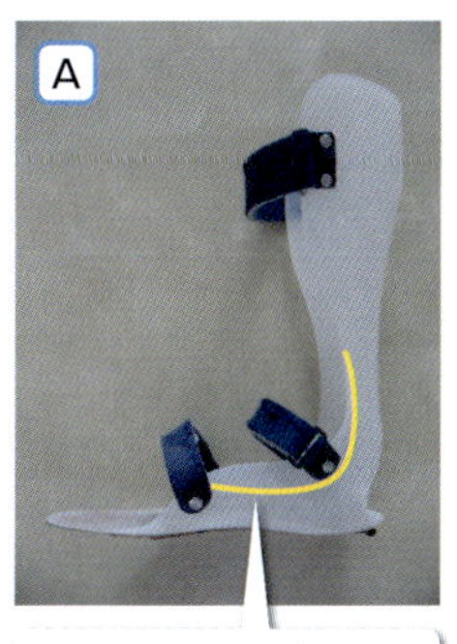

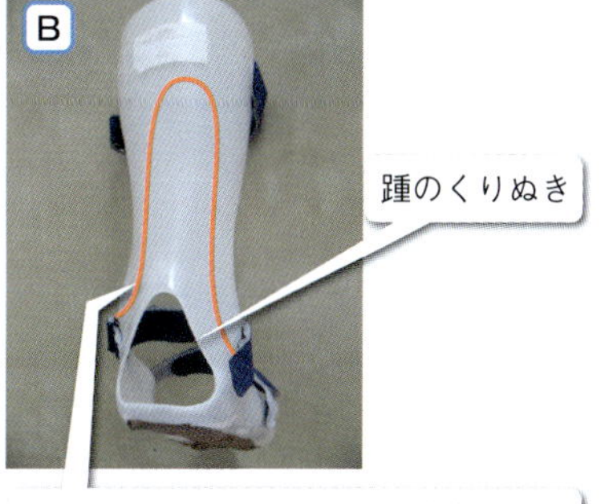

図15　シューホーンブレース（SHB）

A）矢状面．B）前額面（後方）．足関節部のトリミングライン，踵部くりぬきの有無や大小，コルゲーション（波状の凹凸）加工などによって背屈の可撓性（たわみやすさ）を調節．底屈の可動性はほとんどなく，制限される．写真のトリミングラインは浅め．

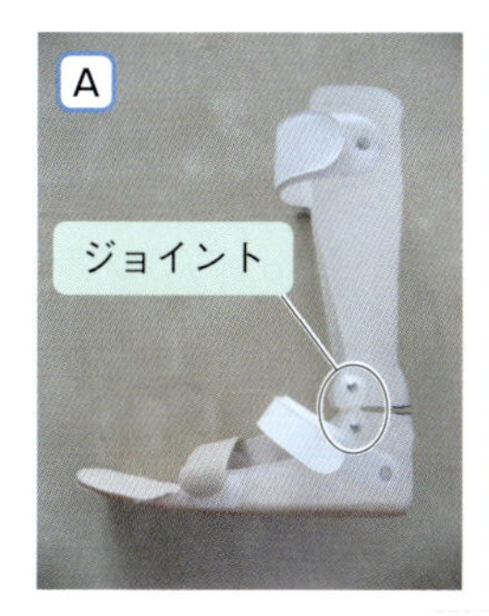

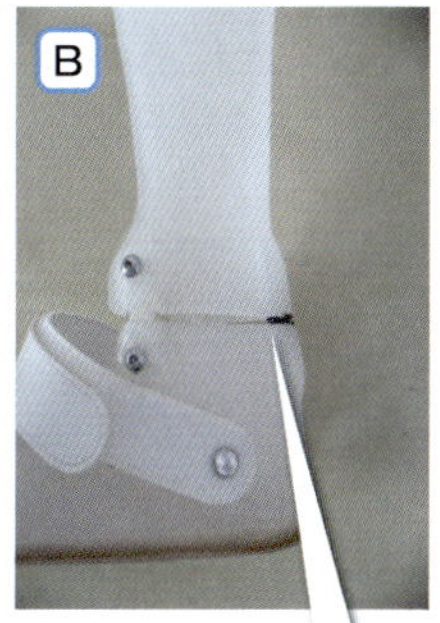

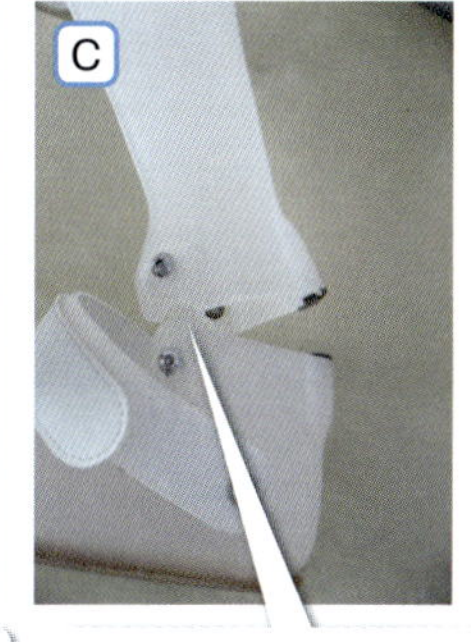

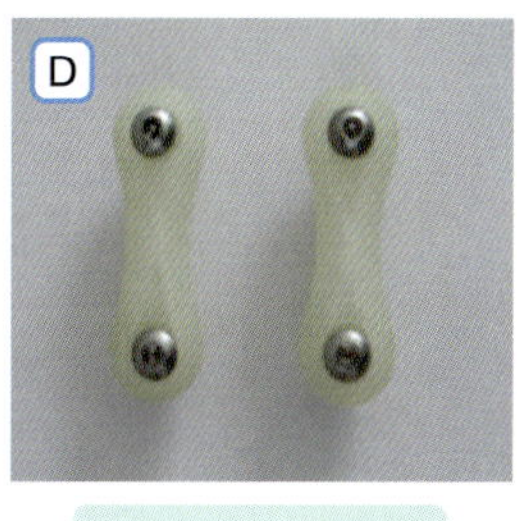

図16　ジョイント付きプラスチック短下肢装具

写真はたわみ式のタマラック継手．A）全体像．B）C）ジョイント部の拡大．D）ジョイント部品の例．

2）プラスチック短下肢装具に用いられる足継手

- 継手をジョイントとよび，以下のような種類がある．
  - たわみ式：ジレット，タマラック（図16）など．
  - 摺動式　：ギャフニー，オクラホマなど．
  - 制限・制動要素をもつ継手：セレクトアングル，PDCなど．

5 足継手が膝関節へ与える効果

- 足継手が膝関節へ与える効果には以下の2つがある．

1）膝折れ防止

- 膝折れの原因は，主に**膝関節伸展筋の張力不足**である．
- 膝折れ防止のために，**ダブルクレンザック継手**または**背屈制限足継手**を使用する．
- 膝折れ防止のために，足継手の調節によりSVA（shank to vertical angle）※を小さくし，足関節の背屈角度を小さくする．
- 足関節の背屈を制限すると，歩行時の下腿前傾が起こりにくい．
- 底屈制動付足継手を使用する場合は，底屈制動の強さは強すぎないこと．
- 重心の前方移動は，体幹前傾で代償される．
- 床反力は膝関節軸の前方に移行し，膝関節には伸展方向の力がかかる．
- 下腿のカフには前方より後方に押す力が働き，膝折れを防止する．

※　SVA（shank to vertical angle）
・靴底のシャンク（shank）と垂直線がなす角度であり，下腿前傾角を表す
・SVAは背屈方向をプラスで表し，底屈方向をマイナスで表す

参照 反張膝防止は第Ⅱ章4 5 も参照

2）反張膝防止（参照）

- 反張膝が発生するのは，初期接地から立脚中期の間である．
- 反張膝防止のために**クレンザック継手**，**ダブルクレンザック継手**または**底屈制限足継手**を使用する．
- 反張膝防止のために足継手の調節によりSVAを大きくし，足関節が底屈位にならないように調節する．
- 基本的には背屈はフリーとする．
- 足継手の後方制限で足関節がそれ以上底屈位にならないよう調整（底屈－5°程度までで制限）．
- 足関節が底屈位にならないように設定すると，踵接地から立脚中期にかけて下腿の前傾が早く，大きく起こる．
- 床反力は膝関節軸の後方に移行し，膝関節には屈曲方向に力がかかる．
- 下腿のカフには後方より前方に押す力が働き，膝は屈曲傾向となる．

文献

1）「装具学 第4版」（日本義肢装具学会／監，飛松好子，高嶋孝倫／編），医歯薬出版，2013

4 疾患別の装具療法① 脳血管障害片麻痺の装具

学習のポイント

- 脳血管障害片麻痺用の装具の名称と症状ごとの適応について理解する
- 脳血管障害片麻痺用の各装具の機能特徴とそのメカニズムについて理解する
- 処方した脳血管障害片麻痺用の装具のチェックアウトについて理解する

1 脳血管障害片麻痺について

- **脳血管障害**（cerebral vascular disorder：CVD）による**片麻痺**では，脳の病変部位とその大きさにより**運動麻痺**や**感覚麻痺**などさまざまな様相を示す.
- 合併する高次脳機能障害の程度も装具処方に大きな影響を与える.
- 歩行時にみられる問題には以下のものがある.
  - 立脚期の問題：前足部接地・外側接地，背屈困難，膝折れ，**反張膝**
  - 遊脚期の問題：振り出し困難，背屈困難，内反尖足，つまずき

2 長下肢装具（金属支柱付き長下肢装具）（図1）（動画①）

1）適応

- 股関節，膝関節の支持性が低い状態であるBrunnstrom法*ステージ Ⅰ～Ⅱは長下肢装具（KAFO）の適応となることが多い.
- 脳血管障害片麻痺による**下肢の支持性の低下**に適応する.
- **立位練習**，平行棒内での**歩行練習**に使用する.
- 脳血管障害片麻痺に対する使用目的は以下の通りである.
  - 立位の安定性確保
  - 正常歩行パターンの獲得
  - 遊脚期のつま先離れの改善
  - 高次脳機能障害の治療
  - 変形の矯正

* Brunnstrom（ブルンストローム）法は，脳血管障害における運動麻痺の回復過程を判断するための尺度である．ステージⅠ～Ⅵの6段階で評価され，数が大きくなるほど，随意性が高いと判断する.

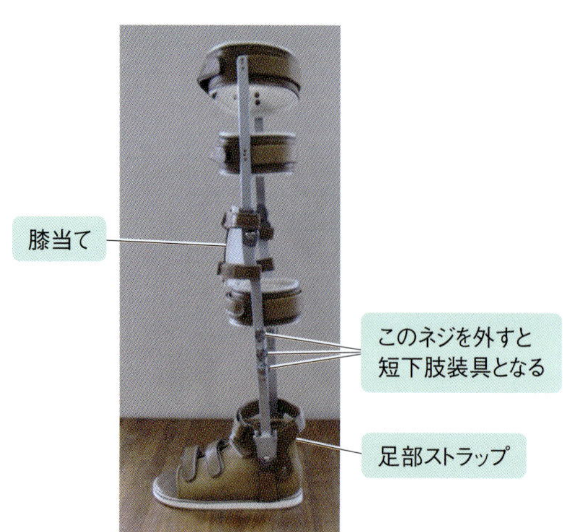

図1　長下肢装具（金属支柱付き長下肢装具）

2）機能特徴

- 長下肢装具は大腿部から足部にわたり，膝関節と足関節をコントロールする装具である．
- **急性期の重度歩行障害**に対する**歩行練習用装具**として処方することがほとんどである．
- 大腿支柱，下腿支柱，大腿半月，下腿半月，膝継手，足継手，膝当て，足部ストラップなどで構成される．
- 長下肢装具は主に**金属支柱**のものが処方される．
- 脳血管障害片麻痺の場合，回復過程を考慮し，大腿部を取り外すと短下肢装具になるタイプを処方するのがよい．
- 膝継手は通常リングロック（手動でリング状の金具を下げてロックする）を使用する（参照）（動画①）．

参照
リングロック膝継手は第Ⅱ章2参照

動画①

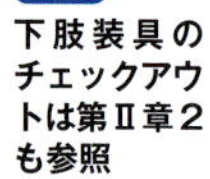

3）チェックアウト（参照）

参照
下肢装具のチェックアウトは第Ⅱ章2も参照

患者に装着し，立位をとらせて以下のチェックを行う（図2）．

- 体重をかけて立ったとき，支柱と皮膚が当たらない．
  - 膝継手，足継手部分皮膚との間に8～10 mmの間隔がある．
  - 支柱と大腿・下腿の間に3～5 mmの間隔がある．
- 外側支柱の上端の高さは，大転子より2～3 cm下である．
- 内側支柱の上端の高さは，会陰部より2～3 cm下である．
- 大腿近位（上位）半月の高さは，支柱の上端の高さと同じである（外側より内側が低い）．
  - 外側は，大転子より2～3 cm下である．
  - 内側は，会陰部より2～3 cm下である．
- 膝継手の位置は，大腿骨下部の最も幅の広い位置（内転筋結節と膝関節裂隙の中間点）で，前後径の1/2の点と1/3に分けたときの後方1/3の点との間である．
- 膝継手軸は進行方向と直行し，床面に平行である．
- 足継手の位置は，内果下端と外果中央を結ぶ線の高さで，床面に平行である．
- 下腿半月の上端は，（総）腓骨神経を圧迫しないように腓骨頭より2～3 cm下である．

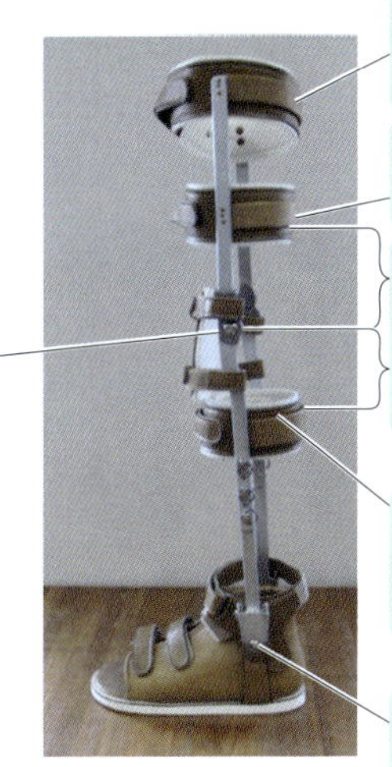

図2　長下肢装具のチェックアウト

- 膝継手と下腿半月までの距離と，膝継手と大腿遠位（下位）半月までの距離は同じである．
- 大腿遠位（下位）半月と下腿半月はどちらも床面に平行である．

3 金属支柱付き短下肢装具（図3）（動画②③）

1）適応

動画②

動画③

参照
杖は第Ⅱ章13参照

- 足部の痙性が強いBrunnstrom法ステージ Ⅲに適応する．
- 脳血管障害片麻痺でみられる内反尖足，膝折れ，反張膝，足関節背屈障害などに適応する．
- 杖（T字杖）とともに**歩行練習**や**日常歩行**に用いられる（参照）．

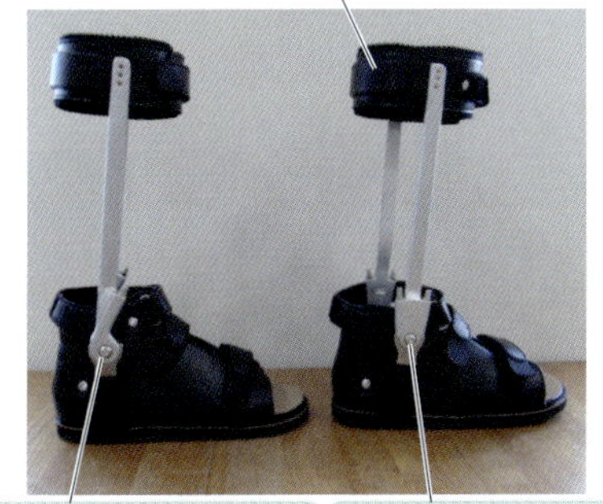

図3　金属支柱付き短下肢装具

2) 機能特徴

参照
3点固定の原理は第Ⅱ章1参照

- 金属支柱付き短下肢装具（AFO）は下腿部から足部にわたり，**3点固定の原理**（参照）を用いて足関節の動きをコントロールする．
- **足関節**のコントロールを通じて上位関節の**膝関節**もコントロール可能である．
- 足関節の運動を制御または固定する．
- 足関節および足部の安定化をはかる．
- 脳血管障害片麻痺でみられる**反張膝**，**膝折れ**を抑制する．
- 足継手には固定式足継手，遊動式足継手，クレンザック継手，ダブルクレンザック継手を用いる（参照）．
- 内反矯正には外側ストラップを用いる．外反矯正には内側ストラップを用いる（後述）．
- 底屈を制限することで尖足および反張膝をコントロールする．
- 背屈を制限することで膝折れをコントロールする．

参照
足継手の種類は第Ⅱ章2，3参照

3) チェックアウト（参照）

参照
下肢装具のチェックアウトは第Ⅱ章2も参照

患者に装着し，立位をとらせて以下のチェックを行う．

- 体重をかけて立ったとき，支柱と皮膚が当たらない．
  - 足継手部分と皮膚の間に8～10 mmの間隔がある．
  - 支柱と下腿の皮膚の間に3～5 mmの間隔がある．
- 外側支柱の上端の高さは，腓骨頭より2～3 cm下である．
- 足継手の位置は，内果下端と外果中央を結ぶ線の高さで，床面に平行である．

4 プラスチック短下肢装具（図4）（動画④）

1) 適応

- 脳血管障害片麻痺でみられる軽度の内反尖足，膝折れ，反張膝，足関節背屈障害などに適応する．
- 足部の痙性が軽度のBrunnstrom法ステージ Ⅳ～Ⅴに適応する．
- 必要であれば杖（T字杖）を併用し，**歩行練習**や**日常歩行**に使用できる．

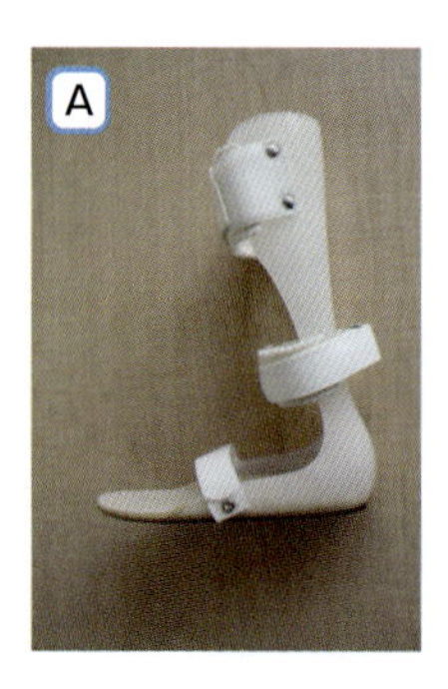

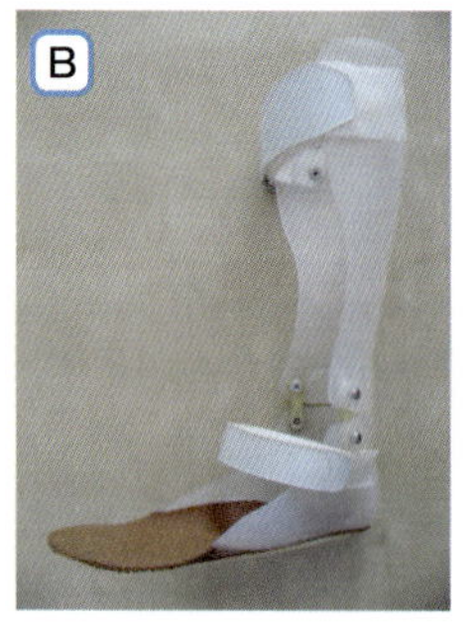

図4 プラスチック短下肢装具
A）足継手なし（SHB），B）足継手付き（ジレット）．

2）機能特徴

- プラスチック短下肢装具（AFO）は下腿部から足部にわたり，**3点固定の原理**を用いて**足関節**の動きをコントロールする．
- 足継手をもたない**シューホーンブレース**（SHB）（図4A）と継手をもつもの（図4B）がある．
- 足関節のコントロールを通じて上位関節の膝関節もコントロール可能である．
- 底屈を制限することで尖足および軽度の反張膝をコントロールする．
- 通常靴が使用できる．
- 屋内（裸足）でも使用できる．

参照 下肢装具のチェックアウトは第Ⅱ章2も参照

3）チェックアウト（参照）

患者に装着し，立位をとらせて以下のチェックを行う．

- **トリミングライン**は適切か．患者の症状にあわせた剛性を確保しながら，患者の能力，簡便性（特に靴を履く際）を考慮してプラスチックのカットラインを決定する．
  - 上端の高さ：腓骨頭下端から2～3 cm下を限度とする（長いほど底屈を制動する力は大きくなる）．
  - 内外果下方部分：深くトリミングすると足関節部の可撓性が向上し背屈が容易になる（底屈を制動する力は弱くなる）．
  - MP関節部分：踏み返しの向上，足趾の蹴り出しの向上を目的とする場合，MP関節のやや後方（トウブレーク）までトリミングする〔痙性が強い場合，槌趾（ハンマートウ）を誘発する可能性があり要注意〕．
  - 踵のくり抜き：感覚フィードバックを容易にするため踵部分をくり抜く．
  - トリミングラインを大きくとった場合，コルゲーション（盛り修正によるプラスチックの紐状の盛り上がり）を併用して強度を確保することがある（参照）．

参照 コルゲーションは第Ⅱ章1，3参照

- 足部に均一に接しており，局所的に圧迫している部位はないか．
- 骨突起部が圧迫されていないか〔舟状骨内側，踵骨後部，第5中足骨頭，第1中足骨MP関節（中足趾節関節）部など〕．
- **足関節角度の設定***は適切か．
- ベルトの締め付けは適切か．
- 装着感はよいか．

＊足関節底背屈0°が基本であるが，靴の種類や踵の高さを考慮して角度を決定する．脳血管障害片麻痺の場合，やや背屈位（背屈5°程度）に設定することが多い．

4）短下肢装具装着時の注意点

- 短下肢装具の装着を指導する際には，以下の点に注意し指導する．
  - 一連の動作として装着動作ができるよう指導する．特に，体幹の前後屈動作が少なくてすむように．
  - 内反尖足があり，足部（特に踵部）が装具に収まりにくい症例が多いことに注意．
  - 転倒リスクに注意．

● 手順

▶①座位で装着する.

▶②体幹を前屈し，足関節部のストラップを締め，踵を装具内に収める.

▶③体幹前屈のまま，足部のストラップを締める.

▶④体幹を起こし，下腿部のストラップを締める.

▶⑤立位になり，足部の固定を確認する.

5 反張膝防止装具

1）脳血管障害片麻痺と反張膝

● 脳血管障害片麻痺でみられる**反張膝**は，主に下肢の痙性亢進によるもの.

● 反張膝は初期接地から立脚中期でみられる.

● 下肢伸展共同運動パターンが強い場合は，随意的な足関節背屈と膝関節軽度屈曲位での体重支持が困難.

● 足関節尖足位（底屈位）で接床すると，下腿は後傾位をとり骨盤は後方回旋している.

● 重心線は膝関節の前方を通り，膝関節は完全伸展位となる.

● この歩行をくり返していると，やがて膝関節は伸展0°を超え，**過伸展位**をとるようになる.

● 過伸展の予防には以下2つの方法が考えられる.

▶歩行時に膝関節が完全伸展位とならないようにする

▶初期接地時に足関節が尖足位（底屈位）にならないようにする

2）膝装具を用いた反張膝の予防

1 スウェーデン式膝装具（図5）

● スウェーデン式膝装具は膝関節屈曲時に両端の金属部が突出するため，床上に座ることがある和式生活では使用が難しい.

● 3点固定の原理で膝関節の過伸展を予防する.

2 金属支柱付き膝装具（図6）

● 膝継手はリングロックまたはダイヤルロック*（参照）.

参照
膝継手は第Ⅱ章2参照

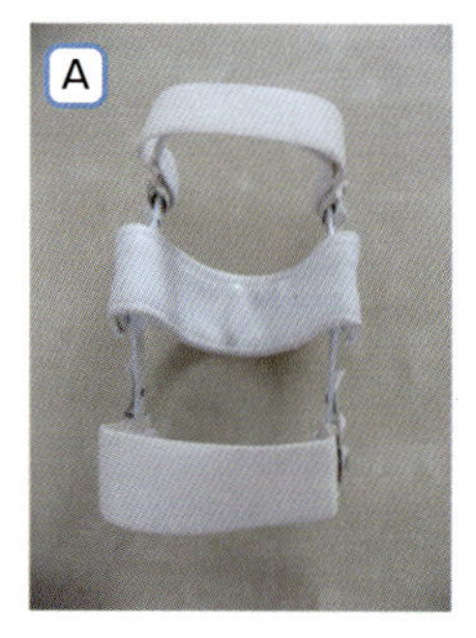

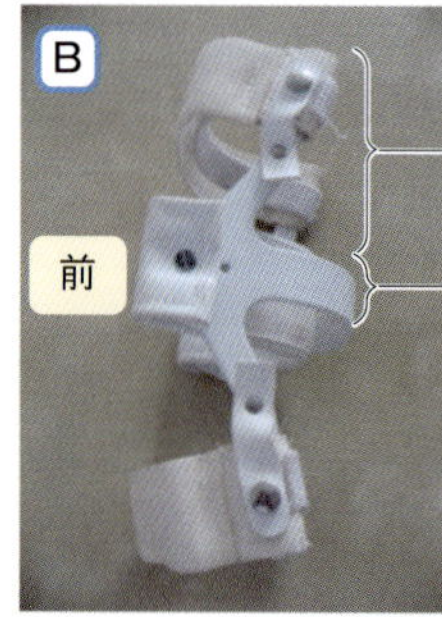

図5 スウェーデン式膝装具

A）前額面（前側）．B）矢状面（左側）.

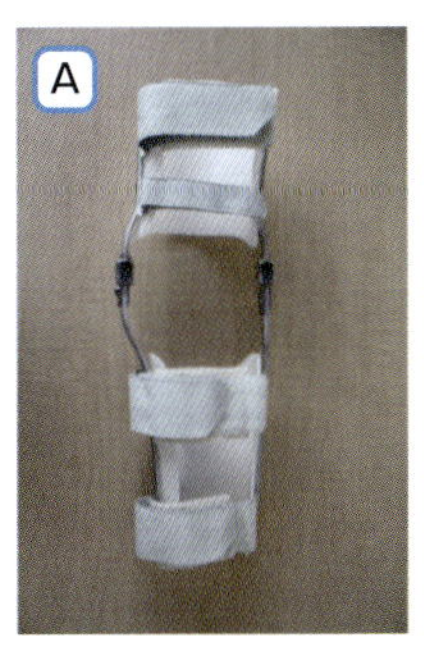

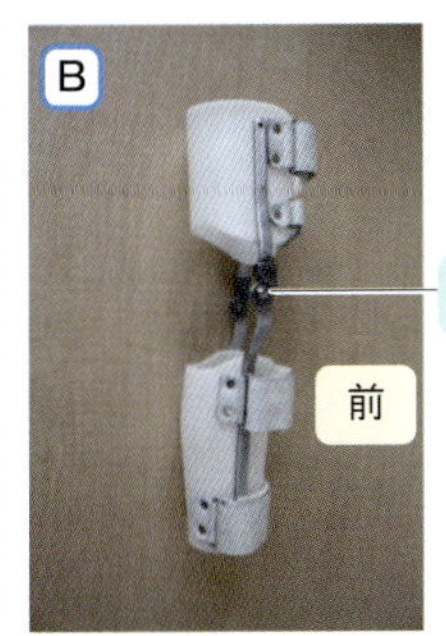

図6　金属支柱付き膝装具

A）前額面（前側）．B）矢状面（右側）．

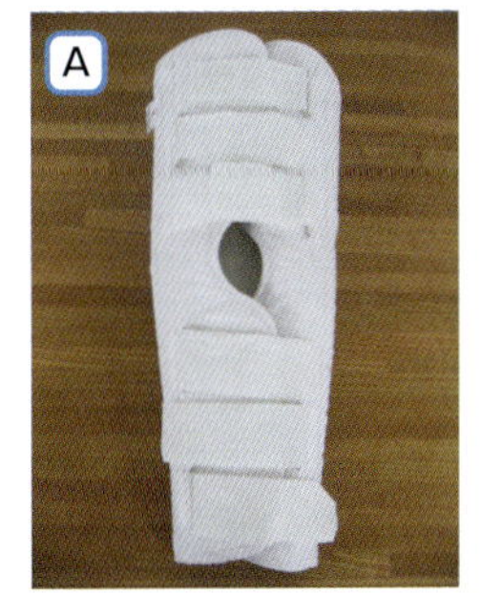

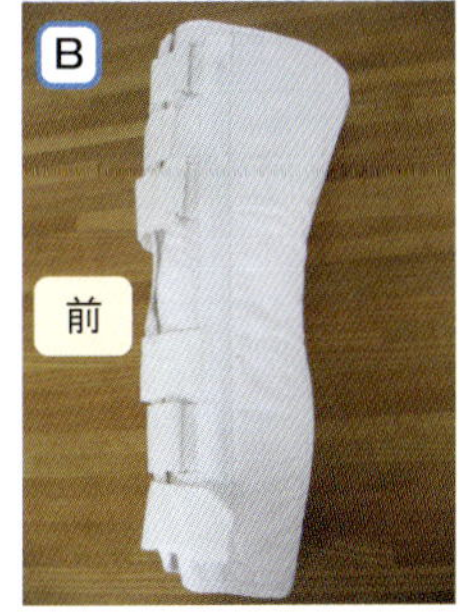

図7　ニーブレース（knee brace）

A）前額面（前側）．B）矢状面（左側）．

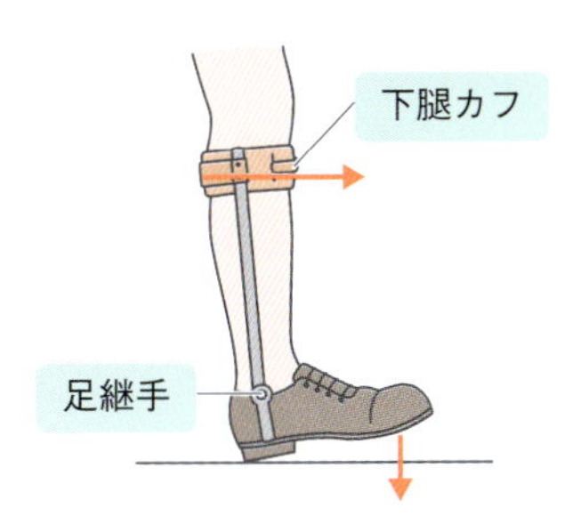

図8　短下肢装具を用いた反張膝の予防

装具により足関節の底屈角度が－5°～－10°で制限されるように設定されていると，初期接地から立脚中期にかけて下腿の前傾角が大きくなる．また同時に下腿のカフに前方への力が働き，膝は屈曲傾向となる．このことによって反張膝を予防することができる．

- 膝関節が完全伸展位とならないよう膝継手を調節する．
- 3点固定の原理によって過伸展を防止する（参照）．

＊ダイヤル上の円板に固定ネジを挿入することで，可動域制限や任意角度での固定が可能．

参照
3点固定の原理は第Ⅱ章1参照

3 ニーブレース（図7）

- 布製の軟性装具で，両側，背面に金属支柱が挿入されている．
- 前面で面ファスナーによって装着する．
- 膝継手はなく，膝関節は伸展位で固定するため，膝折れ，反張膝に適応する．
- 簡易的な**練習用装具**として，立位練習や歩行練習に用いる．

3）短下肢装具を用いた反張膝の予防（図8）

- 足関節から反張膝を予防．
- 金属支柱付き短下肢装具の足継手にクレンザック継手またはダブルクレンザック継手を使用（参照）．
- 足継手の底屈制限で足関節を底屈－5°以上で調整する．

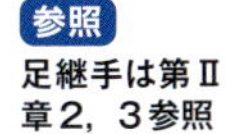

足継手は第Ⅱ章2，3参照

6 ストラップと膝当て（参照）

参照
ストラップと膝当ては第Ⅱ章2も参照

1）外側ストラップ（図9A）

- 内反変形を矯正するためのストラップ．
- 外果部に**Tストラップ**をかけ，内側支柱に引き寄せる．

2）内側ストラップ（図9B）

- 外反変形を矯正するためのストラップ．
- 内果部にストラップをかけ，外側支柱に引き寄せる．
- 外上方に引き寄せるためストラップには**Yストラップ**が適している．

3）膝当て（図10）

- 膝継手を挟んだ上下の支柱にベルトをかけ，膝の前面を押さえて加重時の**膝折れ**を防ぐ．
- 3点固定の原理の支点となる．
- 中央部を丸くくりぬくか，または柔らかい素材を使用したりして，**膝蓋骨**への圧迫を軽減している．

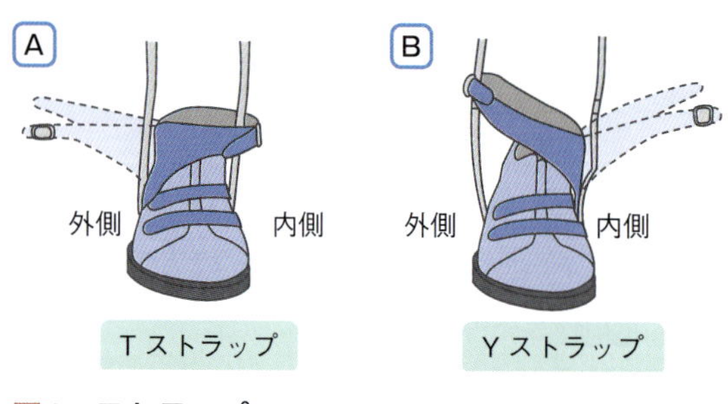

図9 ストラップ

A）外側ストラップ．T字型のストラップを使用する．B）内側ストラップ．Y字型のストラップを使用する．文献1より引用．

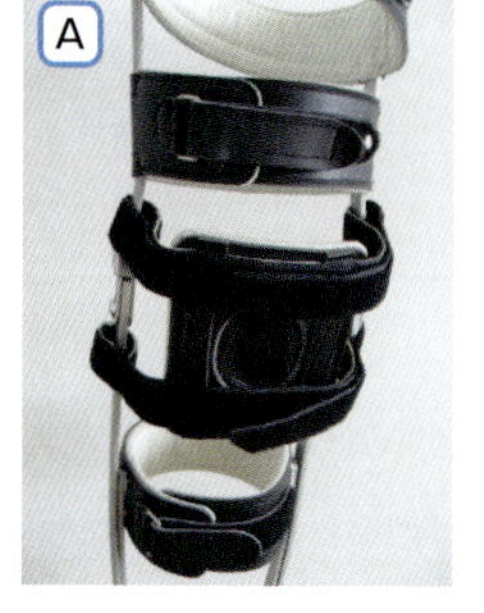

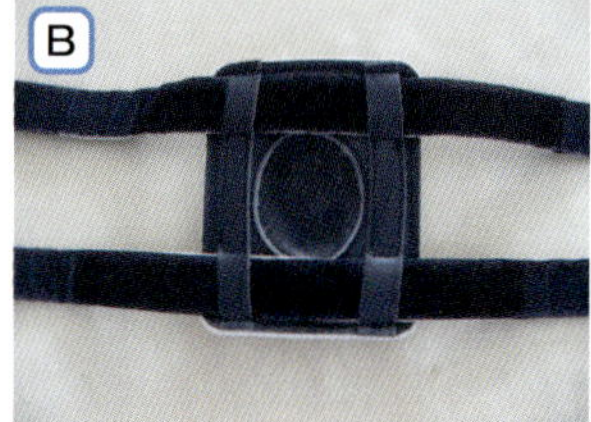

図10 膝当て

A）金属支柱付き長下肢装具に取り付けた状態．B）膝当てを正面から見たところ．

文献

1）「義肢装具学テキスト 改訂第2版（シンプル理学療法学シリーズ）」（細田多穂／監，磯崎弘司，他／編），南江堂，2013

5 疾患別の装具療法② 脊髄損傷の装具

学習のポイント

- 脊髄損傷の上下肢装具の使用目的と残存機能レベルに応じた適応について理解する
- 脊髄損傷に適応する上下肢装具の機能と特徴について理解する
- 脊髄損傷に適応する上下肢装具の使用法とチェックアウトについて理解する

- 脊髄損傷とは脊柱管内の脊髄神経が，転倒・転落などによる外力，あるいは炎症や腫瘍，血管障害による病変によって損傷される**脊髄性疾患**である．
- 脊髄損傷による機能障害は，損傷髄節以下の感覚と運動障害のほか，随伴症として自律神経障害，排泄障害，呼吸障害などが発生する．特に血圧や体温の調節障害は上部胸髄損傷以上に強く発現する．
- 感覚と運動機能の障害の範囲は，頸髄損傷では両上下肢におよぶ**四肢麻痺**，胸髄損傷，腰髄損傷と仙髄損傷では両下肢障害の**対麻痺**となる．
- 感覚と運動機能の残存状態によって障害の程度が**完全麻痺**と**不完全麻痺**に分類される．
- 脊髄損傷に適用される上下肢装具について，本項では，頸髄損傷完全四肢麻痺者に適用する**上肢装具**と，胸髄損傷以下の完全対麻痺者に適用する立位保持と歩行を目的とした**下肢装具**について述べる．

1 頸髄損傷四肢麻痺者の上肢装具

1）頸髄損傷四肢麻痺者における上肢装具の目的[1)]

- **失われた上肢機能を補ってADLを改善する**ことが，頸髄損傷者の上肢装具の最大の目的である．
- 対象となる具体的な上肢機能とは，**腕保持**（肘および手部使用時の肩屈曲・外転位保持），**肘伸展位保持**，**前腕回内位保持**，**物の把握と保持固定**である．
- 頸髄損傷，特に完全四肢麻痺者では残存髄節の高位に応じて表1のような関節拘縮が生じやすく，これらの予防・矯正も上肢装具使用の目的となる[1)]．

2）頸髄残存髄節機能と適応装具

- 表2にC3からT1までの残存髄節ごとの主な残存筋，実用的な自動運動と適応装具を示す．

表1　残存髄節ごとの関節拘縮例

C4	肩甲骨挙上位	肩甲骨内転位
C5	肩甲骨挙上位 肩関節外転位 前腕回外位	肩甲骨内転位 肘関節屈曲位 手指伸展位
C6	肩関節外転位 肘関節屈曲位 手関節背屈位	肩関節外旋位 前腕回外位 手指屈曲位
C7	手指伸展位	

文献1をもとに作成.

表2　残存髄節ごとの主な残存筋，関節運動と適応装具

残存髄節	主な残存筋		実用的な自動運動	Zancolliの分類と適応する上肢装具	
C3	胸鎖乳突筋	僧帽筋	肩甲骨挙上	適応なし	
C4	肩甲挙筋			腕保持用装具	
C5	三角筋 棘上・棘下筋 上腕筋	菱形筋 上腕二頭筋 腕橈骨筋	肩屈曲・伸展 肩外転 肘屈曲 前腕回外	C5A	腕保持用装具
				C5B	肘伸展保持装具 長対立装具 手関節背屈位保持装具 把持装具（体外力源・肩駆動） 前腕回内保持装具
C6	大胸筋 肩甲下筋 広背筋 回外筋	前鋸筋 大円筋 長・短橈側手根伸筋 円回内筋	肩甲骨下制 肩内転	C6A	肘伸展保持装具 手関節背屈位保持装具 把持装具（体外力源・肩駆動） 前腕回内保持装具
			肩内・外旋 前腕回内 手背屈	C6B Ⅰ	手関節駆動式把持装具 長・短対立装具
				C6B Ⅱ・Ⅲ	（ユニバーサルカフ）
C7	上腕三頭筋 橈側手根屈筋 小指伸筋	尺側手根伸筋 指伸筋	肘伸展 手屈曲 手指伸展	C7A	（ユニバーサルカフ） ナックルベンダー
				C7B	短対立装具
C8・T1	方形回内筋 浅・深指屈筋 長・短母指伸筋 示指伸筋 母指対立筋	尺側手根屈筋 虫様筋 長・短母指外転筋 掌・背側骨間筋 小指外転筋	手指屈曲 示指伸展 母指伸展 母指対立 手指外転	C8A	短対立装具
				C8B Ⅰ・Ⅱ～T1	適応なし

文献1，2をもとに作成.

- 適応装具について，C5からC8まではZancolliの分類に沿って適応すると考えられる上肢装具をあげた.
- C3レベルでは肩関節の運動に直接かかわる残存筋が少なく，C8B Ⅰ・ⅡとT1レベルは手内筋の一部の麻痺は存在するが実用的運動の問題は少なく，ともに現存する上肢装具の適応はない．

▸C6B Ⅱ・Ⅲ とC7A レベルのユニバーサルカフはスプーンや筆記具などの保持・固定を目的とした用具として単独に，あるいは手部の装具に取り付けて使われる自助具の範疇であるため，括弧でくくり上肢装具に準ずる扱いとして記載した．

2 頸髄損傷四肢麻痺者の上肢装具の機能と特徴

頸髄損傷四肢麻痺者の上肢装具について「**机上動作遂行のための腕保持用装具**」「**把握・把持機能の補助と向上のための装具**」「**機能的肢位保持と可動域改善のための装具**」の3つの目的別に機能と特徴を述べる．

1）腕保持用装具の機能と特徴

- C5残存レベルでは，肩甲骨周囲筋，特に前鋸筋などの肩甲骨を胸郭に固定する働きをもつ筋の活動が不十分で，食事やパソコン操作などで上肢を前方挙上位に保持し続けることが困難であることが多い．
- 特にC5Aではこの傾向が著明で，腕保持用装具を最も適応するレベルである．また，肩関節周囲の筋活動がほとんど望めないC4レベルにも適応することがある．
- 腕の保持法による分類には，上方支持型と下方支持型がある．
  - ▸上方支持型はフレームから垂らしたストラップで腕を吊るして支えるタイプで，代表的なものに**PSB（portable spring balancer）**がある．
  - ▸下方支持型の腕保持用装具には，**BFO（balanced forearm orthosis）**がある．これはときにball bearing feeder orthosis，あるいはMAS（mobile arm sling）ともよばれている．最近，下方支持型BFOの類型として製品名：**アームサポートMOMO**が登場した．

❶ PSB（portable spring balancer）の機能と特徴

- PSBは以前から頸髄損傷者への適応が試行されていたMAS（BFO）およびPOHAS（portable over head arm sling）の経験をもとに，1986年からわが国で開発が進められた．
- 図1にPSB（ベッド用）のパソコン操作適応例，図2にPSB（テーブル用）の構成部の名称を示す．
  - ▸ブラケットはテーブル用，車椅子用およびベッド用の3種類が用意されている．テーブル用は，体側から25〜30 cmほど外方のテーブルの縁に取り付ける．
  - ▸遠位アームの先に2つのカフが取り付けられており，遠位のカフは手関節部，近位のカフは肘部を支持している．
  - ▸支柱の中にスプリングが内蔵され，補助力調整ハンドルを回すことによって，腕の挙上に働くスプリングの補助力の強さを調整している．
  - ▸カフ調節棒の支点からの距離を調節することで，手先の挙上と下降のしやすさを調整できる．
- 使用状況調査結果をもとに，肩屈筋群と肘屈筋群の筋力がMMT2以上であること，関節可動域が肩外転・屈曲が90°以上，肘屈曲が110°以上であること，および痙性が中等度以下であることが，PSB適用の機能的基準とされている[3]．

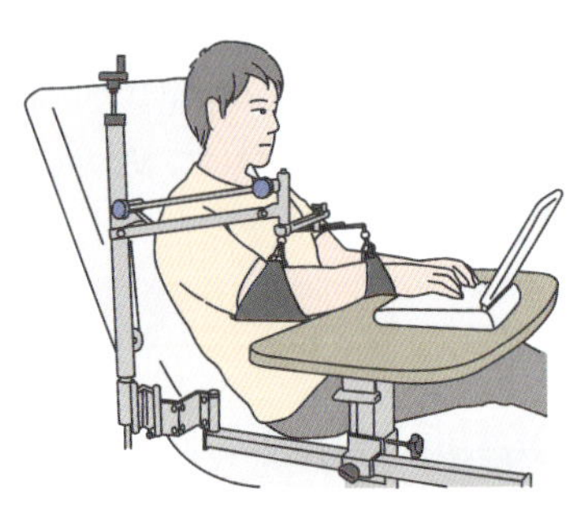

図1　PSB（portable spring balancer）（ベッド用）のパソコン操作適応例

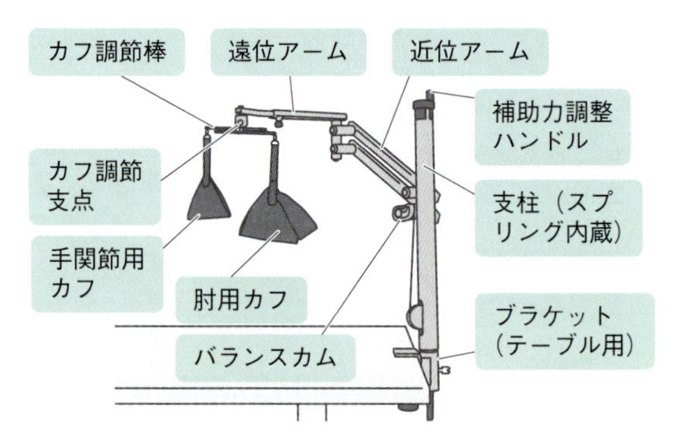

図2　PSB（portable spring balancer）の構成部の名称

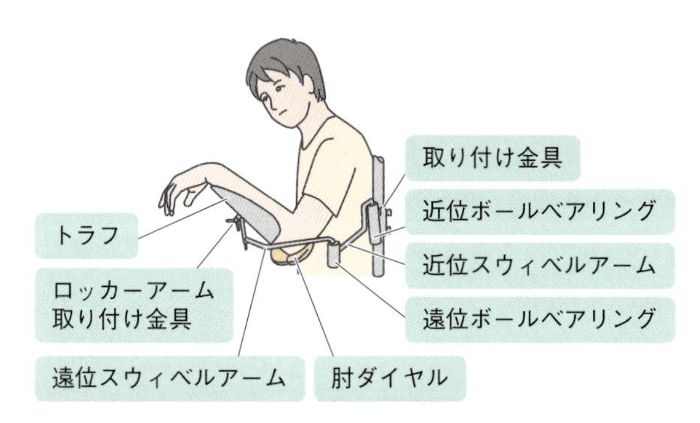

図3　BFO（balanced forearm orthosis）の構成部の名称

文献4をもとに作成.

- スプリングの張力を利用者自らが調整できるようにした電動式も開発されている.

2 BFO（balanced forearm orthosis）の機能と特徴[4]

- BFOは，ある程度の実用レベルにある手指機能をADLに活かすことを目的に開発された.肩甲帯の機能低下・消失を補完する腕保持装具である.
- 頸髄損傷のように手指機能が不十分あるいは消失している場合であっても，フォーク，スプーン，筆記用具などを保持するカフ付きの手関節・手指装具を併用することによって，ADLを獲得できる.
- 図3にBFOの構成部とその名称を示す.
- この装具による上肢の運動は近位および遠位ボールベアリング部のジョイントで行われるが，いずれも水平方向のみであり，加えてスプリングなどによる肩屈曲・伸展，外転・内転の補助がないため手先の上下運動範囲は他の腕保持装具に比べて小さい.
- BFOのチェックアウトの例[2]を表3に示す.

3 アームサポートMOMOの機能と特徴[5]

- アームサポートMOMO（以下MOMO）には「MOMO」と「MOMOプライム」の2タイプがある．頸髄損傷者には「**MOMOプライム**」が適応する.

表3　BFOチェックアウト表

患者氏名 装着日		MASのタイプ右 左
Ⅰ．車椅子での姿勢		
はい	いいえ	まっすぐ座ることができるか
はい	いいえ	殿部が車椅子の背もたれにしっかりついているか
はい	いいえ	脊柱のアライメントは良好か
はい	いいえ	側方への体幹の安定性は保たれているか
はい	いいえ	車椅子上での座りごこち，耐久性はよいか
はい	いいえ	スプリントをもっていれば，装着されているか
はい	いいえ	必要な関節可動域，協調性は保たれているか
Ⅱ．器具のチェックアウト		
はい	いいえ	すべてのネジがしっかり止まっているか
はい	いいえ	ブラケットが車椅子にしっかり固定されているか
はい	いいえ	すべての軸が滑らかに動くか
はい	いいえ	ブラケットに入れた近位のアームが下がっていないか
はい	いいえ	ブラケットの高さが十分あり，肩を上げる力を必要としないか
はい	いいえ	トラフが上向きになったとき肘ダイアルが作業台に当たらないか
はい	いいえ	手が上にきたとき，十分口に近づけることができるか
はい	いいえ	自動運動で最大限に動かすことができるか
はい	いいえ	手関節の屈曲を妨げないようトラフは短めになっているか，トラフによって血管を圧迫していないか
はい	いいえ	トラフの縁が前腕に食い込まないようになっているか
はい	いいえ	肘が安全で心地よく支えられているか
はい	いいえ	垂直方向に動かしたとき，ダイアルが遠位のアームに当たらないか
Ⅲ．操作のチェックアウト		
はい	いいえ	どちらか一方の端から近位のアームを動かすことができるか
はい	いいえ	どちらか一方の端から遠位のアームを動かすことができるか
はい	いいえ	どちらか一方の端から垂直方向に動かすことができるか
はい	いいえ	ストッパーを使って必要な動きの範囲を制限したか

文献2より引用.

- 「MOMOプライム」の構成部の名称は図4の通りである．
- 具体的な適応の目安として，三角筋の筋力がMMTで「2＋以上」とされている．
- 頸髄節の残存レベルによってわずかに違う肩の屈曲・外転筋力に応じて，スプリングによる運動介助の割合を調整することができる．
- ブラケットにはテーブル用と車椅子用があり，専用スタンドを使用することもできる．テーブル用ブラケットの取り付け位置は，身体の左右中央から30～40 cm外側で，身体の側面中央，またはやや後方を目安としている．
- 上肢の前後，上下へのリーチ動作のやりやすさは，アームカップの前後移動によって調整できる．肘の伸展，手部の前方および下方へのリーチ動作をやりやすくするには，アーム

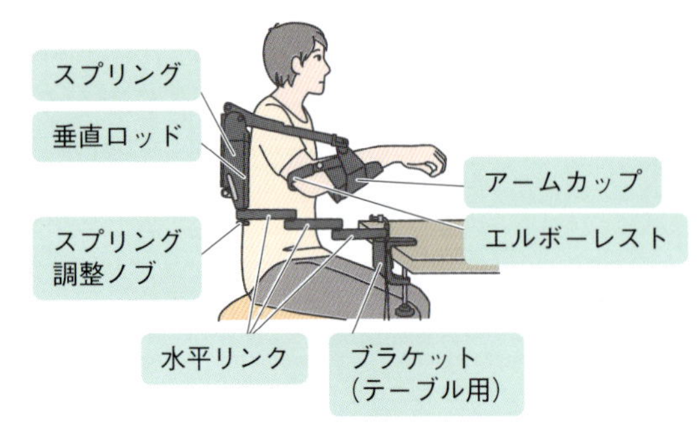

図4　アームサポートMOMOプライムの構成部の名称
文献5をもとに作成.

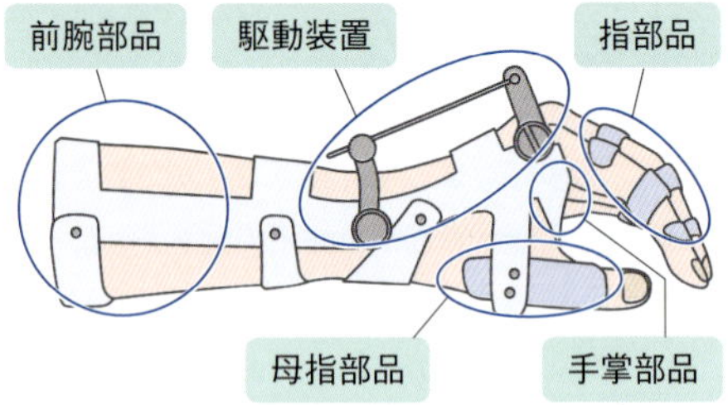

図5　手関節駆動式把持装具の基本構成

カップを前方へスライドして，アームカップを吊り下げている支点位置を前腕の肘寄りに移す操作をすることで実現できる.

2）把握・把持機能の補助と向上のための装具の機能と特徴

1 把持装具の機能と特徴[4)]

- C6残存レベルでは，残存する手関節背屈運動による腱固定作用によって四指が屈曲し，握り動作が可能である.
- しかしながら本来の指屈筋による屈曲運動と違って，把持力は不十分であることが多く，対向する母指も対立位をとることが困難である.
- これらの機能，特に第2，3指の屈曲と母指の対立位保持を装具で補助することにより，握り動作，母指と第2，3指による3点つまみ動作をより確実に行うことができる.
- C6BⅠレベル以下では，手関節の背屈筋力を力源とすることができる**手関節駆動式把持装具**（wrist driven flexor hinge splint）が適応される．手関節背屈筋力はMMTで3〜4以上を有することが適応の目安とされている.
- C5BおよびC6Aレベルでは手関節背屈筋力が不十分であることが多い．そのような場合には駆動力源を肩甲帯の運動，または体外力源（炭酸ガス圧による人工筋肉の収縮など）として手関節の背屈運動を行う形式を採用することもできる.
- 手関節駆動式把持装具はこれまでに何種類か開発されているが，その基本構造は図5のように5つの部品で構成される.
  - 前腕部品は装具を前腕に固定する部分を指し，その遠位に手関節運動を第2，3指に伝える駆動装置がある.
  - 掌面には中手骨アーチを保持するための手掌部品がある．母指は，母指部品によって屈曲する第2，3指指尖部と対向する対立位に保持される.
  - 第2，3指は指部品で3点つまみに適したアライメントに保持される[4)].
- 以下に手関節駆動式把持装具の代表的な型式として，**ランチョ型**，**エンゲン型**，**RIC型**をあげ，その特徴を述べる[4)].

①**ランチョ型把持装具：**

- 米国のRancho Los Amigos病院で1950年代後半に開発され，主に軽合金で製作された最

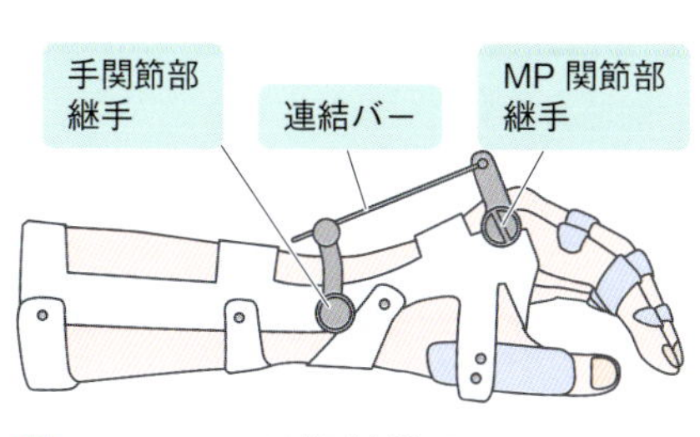

図6　ランチョ型把持装具

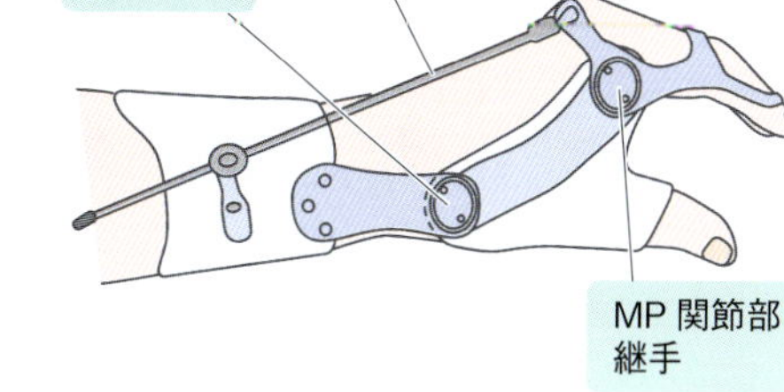

図7　エンゲン型把持装具

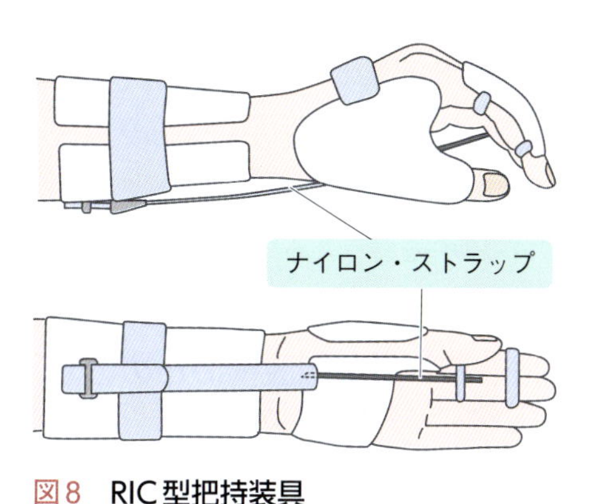

図8　RIC型把持装具

も標準的な形式の装具である．

- 前腕橈側の手関節部とMP関節部に継手を有し，前腕部品と指部品を連結するバーによって手関節の背屈力が伝えられ，第2，3指のMP関節以遠の屈曲運動が生ずる（図6）．

②エンゲン型把持装具：

- 米国のTexas Institute of Rehabilitation and Research（TIRR）のEngenの考案による把持装具である．
- 図7に示すように前腕部品と指部品を連結するテレスコピック・ロッドとよばれる金属製のバーが取り付けられている．
- このロッドには定間隔の溝が刻まれており，把持対象物の大きさによって母指に対する第2，3指の可動範囲調整を患者自身が行えるようにしている．
- 基本的な機構はランチョ型と同じであるが，一部にプラスチックを採用，および手関節背屈時の橈側偏位を吸収するなどの工夫がなされている．

③RIC型把持装具：

- 米国のRehabilitation Institute of Chicagoで開発されたプラスチック成型の把持装具である．
- 図8のように，ランチョ型やエンゲン型のような継手をもたず，前腕から手指の掌側に取り付けられたナイロン・ストラップが第2，3指を屈曲させる駆動機構に特徴がある．
- C6レベルのうちでも尺側手根伸筋筋力が弱く，手関節背屈運動に伴って手関節橈屈の出現が著明な場合は，指部品の牽引方向にズレが生じて十分な力の伝達を得られない恐れがある．
- しかし，構造が簡単で，かさばらず，軽量であることから他の把持装具に比べ，頸髄損傷者には適しているといわれている．

2 把持装具のチェックアウト（文献4をもとに作成）

- 手関節継手の位置が解剖学的手関節の位置に一致している．
- MP関節継手位置が解剖学的MP関節の位置に一致している．
- 母指と示指間の皮膚が圧迫されていない．
- 尺骨茎状突起が圧迫されていない．
- 母指IP関節屈曲時の運動を妨げない．
- 手関節駆動式では手関節の運動を妨げない．
- 前腕部品の近位側バンドが前腕の回内，回外運動を妨げない．
- 前腕部品の遠位側バンドはぴったりと適合している．
- 手掌アーチは横中手骨バンドで支持されている．
- 母指と第2，3指で対立位がとれ，3点つまみができる．
- 手関節を約10°背屈させるだけで十分なピンチが行える．
- 希望している動作を行うために，手関節掌屈に伴って第2，3指と母指間を十分に開くことができる．

3）機能的肢位保持と可動域改善のための装具の機能と特徴

- 頸髄損傷四肢麻痺者が上肢を使用するADLでは，動作の内容に応じて上肢の各関節を特定の肢位に保持して実施されることが多い．
  - ▶具体的には，プッシュアップで移動するときに，肘を伸展位に保持でき，手関節は背屈可動域が制限されていないことが望ましい．
  - ▶食事や書字動作では，ユニバーサルカフを装着した手部を一定の肢位に保持できることが要求される．
- ここでは，ADLの獲得あるいは改善を目的に上肢の肘，前腕，手関節と手部を一定の肢位に保持する装具について記述する．また，これらの関節を一定肢位に保持する一部の装具は，拘縮予防，あるいは可動域改善の目的でも使用されるので併せて記述する．

1 肘伸展装具

- C5，C6残存レベルでは，肘の伸展筋筋力が弱く（特にMMTで3未満の場合など），手掌支持でのプッシュアップ動作の練習時などで肘伸展位保持が困難な場合がある．
- このような場合に**軟性コルセット（キーストーン）型肘装具**を使用して図9のように上肢による支持の練習ができる．
  - ▶この装具は図10の構造図のように軟性布素材で肘を中心に上腕部から前腕部を覆い，3，4本のベルトで固定される．
  - ▶軟性布素材の中に4本の薄い鋼製のバネ，またはプラスチック材が縦に配置されており，上肢への荷重時の急激な肘屈曲を防ぐ働きをしている．
- **エアスプリント**とよばれる肘用の伸展保持具もエアの量の調整によって同様の使い方ができる．
- これらの肘伸展装具は肘屈曲拘縮の発生しやすい臥床期にも予防を目的に使用されることがある．

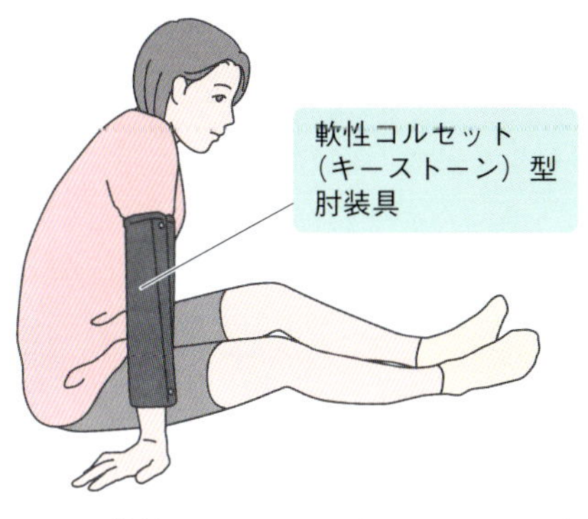

図9 軟性コルセット（キーストーン）型肘装具を使用した座位練習

資料提供：中村優子先生，国立障害者リハビリテーションセンター病院リハビリテーション部理学療法．

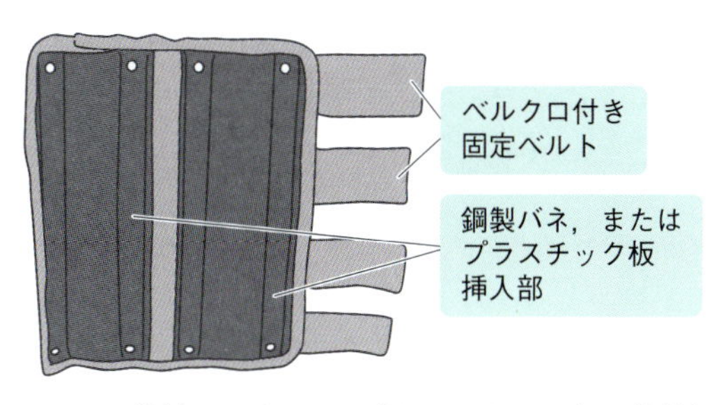

図10 軟性コルセット（キーストーン）型肘装具の構成部の名称

資料提供：中村優子先生，国立障害者リハビリテーションセンター病院リハビリテーション部理学療法．

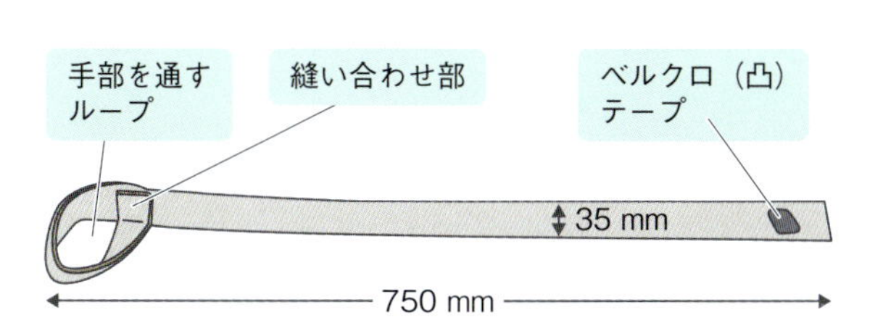

図11 弾性繊維素材ネオプレーンを用いた前腕回内保持装具の構造

資料提供：中川雅樹先生，国立障害者リハビリテーションセンター病院リハビリテーション部作業療法．

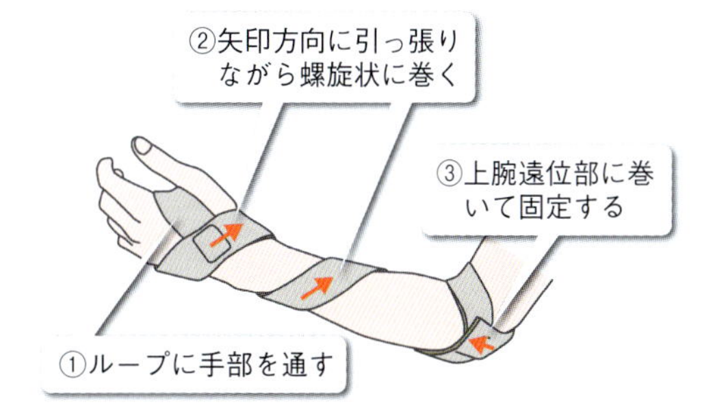

図12 弾性繊維素材ネオプレーンを用いた前腕回内保持装具の装着手順

資料提供：中川雅樹先生，国立障害者リハビリテーションセンター病院リハビリテーション部作業療法．

- いったん発生した屈曲拘縮の改善には，**タウメル継手付きの肘装具**が適応されることもある．タウメル継手は，ギアを使った角度調整を継手部のダイヤルを回すことで行うことができ，従来のターンバックル式に比べて嵩張らず，外観がよい．

2 前腕回内装具

- C5，C6残存レベルでは，上腕二頭筋の回外作用に加えて回内筋の麻痺によって，肘の屈曲動作に伴って前腕は回外位をとりやすい．
  - 食事や書字動作でスプーンや筆記具の定位置維持が困難な場合がある．
  - 車椅子駆動では手根部とハンドリムとの接触部位が，手根部小指側のみに限られる結果，接触面積が減少して力の伝達効率が低下したりする．
- これらの問題に対応する装具の試行報告はいまだ少ないが，机上動作や車椅子駆動時に使いやすい簡便な装具として**弾性素材を用いた前腕回内保持装具**の適応が考えられる．
- 図11に左前腕用装具の構造図，図12に装着した状態を示す．
  - 装具の構造は単純で，弾性繊維素材（製品名「ネオプレーン」）からなる．

- 成人用の寸法としては手掌部周径程度のループ部を含む全長は750 mm（ループ加工前の素材の全長900 mm），幅は35 mm程度とする．
- ベルトの一方の端は交差する向きに縫い合わせてループを作り，もう一端にはベルクロテープを接着する．
- 装着手順は，まず縫い合わせ部が手背にくるようにループに手部を通し，前腕の遠位部から近位部に向かって回内方向に引っ張りながら螺旋状にベルトを巻き，肘の少し上方の上腕部に巻いて固定する．
- 使用中の注意点としては，ベルトの緊張に伴って特に上腕部の絞め付けが強まることによる循環および神経障害の発生に配慮する．

3 手関節・手部装具

- 頸髄損傷四肢麻痺者で手関節装具を必要とする残存レベルは，一部に拮抗筋バランスの欠如のみられるC6B Ⅰレベル以上である．
- 例えば，スプーンやフォークを使う食事，ペンを使う書字，電動車椅子のジョイスティック・レバーの操作など，手関節より遠位を使うような動作では手関節を適切な肢位に維持することが要求される．
- しかしながら，C6AやC6B1レベルでは手関節の背屈筋に比べて掌屈筋の筋力が弱く，橈屈筋に比べて尺屈筋の筋力が弱いことから，適切な肢位で手関節を固定することが困難であることが多い．
- また，C5レベルでは手関節運動に直接関与する筋はほとんど残存しないため，外的な固定が必要になる．
- これらの課題に対しては，手関節装具とユニバーサルカフを合体した形状の**ポケットまたはホルダー付き手関節固定装具**の適応が考えられる．
- 図13Aにスプーンを取り付けた状態の手関節固定装具の構成，図13Bにスプーンを取り付けた手関節固定装具を装着した状態を示す．
  - 手関節固定装具は背側支柱型の長対立装具本体フレームの対立バーとCバーを除いた部分を活用できる[4]．
  - 対立装具における手掌バーの位置，すなわち，手背の前腕支柱の先に中手骨部を周回するように取り付けた手掌ベルトの手掌面に食事や書字道具などを挿入するポケットが取り付けられている．
  - 手関節の肢位は，機能的肢位である背屈約30°を基準に目的動作と上肢機能の状況に応じて調整する．

参照
カックアップスプリント，長・短対立装具，ナックルベンダーは第Ⅱ章8参照

- 表2の残存髄節の適応装具にあげられているC5B～C6Aレベルの**手関節背屈位保持装具（カックアップスプリント）**，C5～C8Aレベルの**長・短対立装具**，C7Aレベルの**MP関節屈曲補助装具（ナックルベンダー）**は，それぞれ関節可動域の制限予防，または改善を目的に適応されることはあるが，ADL改善を目的に単体で適応されることは少ない（参照）．

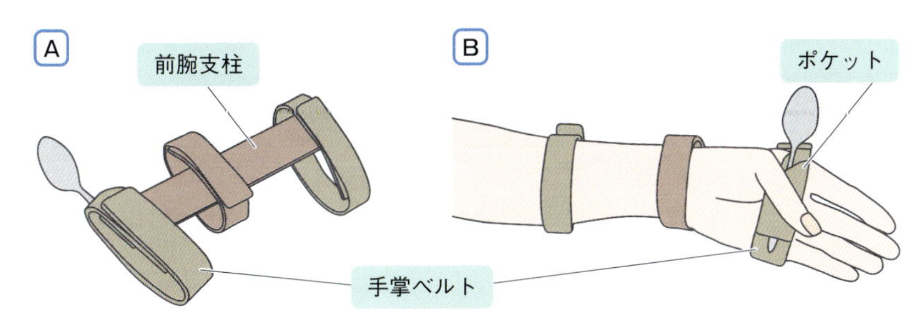

図13　ポケットまたはホルダー付き手関節固定装具の構成と装着状態

3 胸腰仙髄損傷対麻痺者の残存機能と歩行用装具

1）対麻痺残存機能と適応装具

- 対麻痺の髄節ごとの残存機能と適応装具の詳細を表4に示す.
- **上位胸髄（T1～T6）損傷**では肋間筋や腹筋，背筋の大部分が機能せず，下肢のみならず体幹も支持性が失われる．この髄節の損傷では，通常は歩行用装具の適応はない.
- **下位胸髄（T7～T12）損傷**では腹筋，背筋がある程度機能するが，股関節以下の筋の麻痺により下肢は支持性をもたない．この髄節の損傷では，股関節の屈曲伸展の交互運動は困難であり，膝関節を伸展位固定する機能をもつ交互歩行用装具の適応がある.
- **腰髄（L1～L5）損傷**では麻痺は下肢に限定され，残存髄節ごとに股関節，膝関節，足関節の機能が異なる.
  - L1・L2残存レベルでは股関節屈曲筋が多少有効な働きをもつが，交互歩行を行うには不十分である．また，膝関節伸展筋も働きは不十分で膝関節伸展位の保持は装具に依存せざるを得ない.
  - L3～L5残存レベルでは股関節の交互屈曲伸展運動が可能であり，膝関節伸展筋が活用できるので，装具による膝関節固定は不要だが足関節の運動制御に障害が残るため短下肢装具の適応がある.
- **仙髄（S1～S5）損傷**では足関節の運動機能に関しては問題も少なくなり，通常は歩行用装具は不要である.

2）対麻痺者の装具歩行について

- 人の歩行は**直立姿勢の維持**，**バランス保持**，**足踏み運動**（下肢の交互運動）の3つの基本的機能によって成立するといわれている.
- 対麻痺者における**直立姿勢の維持**とは，体幹および股・膝関節が抗重力肢位を維持し続けることであり，体幹装具や骨盤帯の適応，長下肢装具の膝のロック機構，立位歩行練習における**C字姿勢（C-posture）**（図14）の強調によって成立する.
- **バランス保持**については，股関節伸展筋の働きが不十分な場合には両側の松葉杖あるいはロフストランドクラッチの使用による**支持基底面の拡大**によって対応できる（参照）.
- **足踏み運動**は，脊髄損傷者の歩行では下肢を左右交互に振り出すことで可能となる.

参照
杖は第Ⅱ章13参照

表4　対麻痺の損傷高位別残存機能と適応装具

麻痺レベル（残存機能レベル）	主な関節の残存運動機能	適応装具
T1～T5	・体幹の屈曲/伸展は不能	・通常は歩行用装具の適応なし
T6～L1	・股/膝/足関節の運動不能 ・体幹の屈曲/伸展は可能	・腰仙椎装具または骨盤帯付き両長下肢装具，あるいは長下肢装具（両側） ・腰仙椎外側股継手付き両長下肢装具 　例：RGO，ARGO，ORLAU パラウォーカー，Parapodium など ・内側股継手付き両長下肢装具 　例：ウォークアバウト，プライムウォークなど
L2	・股関節は屈曲可能，伸展不能 ・膝/足関節の運動は不能	・長下肢装具（両側） 　例：スコット・クレイグ 長下肢装具など ・内側股継手付き両長下肢装具 　例：ウォークアバウト，プライムウォークなど ・腰仙椎外側股継手付き両長下肢装具 　例：RGO，ARGO など
L3	・膝関節は伸展可能 ・足関節の運動は不能	・短下肢装具（両側）（やや背屈位に） 　例：佐賀プラスチック AFO，二方向ばね制御足継手付き，rigid ankle plastic AFO など ・整形外科靴 　例：足関節の動きを制御できる半長靴，長靴など
L4・L5	・足関節は背屈可能，底屈不能 ・膝関節伸展/屈曲は可能	・短下肢装具（両側） 　例：底屈補助足継手付き，底屈位の佐賀プラスチック AFO など ・整形外科靴 　例：背屈が制御できる半長靴など
S1～S3	・足関節の運動が可能となるが不十分なこともある	・通常は歩行用装具は不要

文献2，6，7をもとに作成.

- 立位で下肢を前方へ振り出す働きをする腸腰筋はL1～L4の神経支配を受けるが，L1残存レベルでは，長下肢装具歩行において左右交互に振り出せるほどの働きはみられない．しかし，L2以下の機能残存で，交互歩行を実現できる程度の腸腰筋による下肢振り出しが可能となる．
- 以前は，下部胸髄～L1損傷の対麻痺者には交互歩行を実現する手段がなく，両側杖と両側の従来型長下肢装具による歩行様式は常に両側下肢を同時に振り出す歩行，すなわち大振りおよび小振り歩行に限られていた．
- このような股関節の交互運動の困難な損傷髄節の対麻痺者の交互歩行の実現を目的に開発された装具が，パラウォーカー，RGO，ウォークアバウトなどである（後述）．

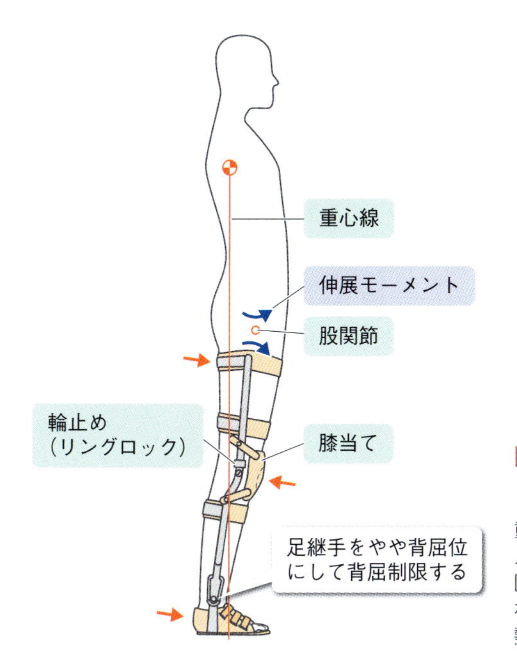

図14　長下肢装具（KAFO）装着立位時のC字姿勢（C-posture）

重心線が股関節の後方を通ることによって股関節には伸展モーメントが生じ，股関節伸筋の活動がなくても股関節は伸展位で固定さる．下肢のわずかな前傾位を伴って，両足底面で構成される支持基底面前後径のほぼ中間に重心が留まる姿勢で立位姿勢が安定する．文献4をもとに作成．

4 胸腰仙髄損傷対麻痺者の装具を使用した立位・歩行の効果と課題

- 歩行は人の**基本的な移動動作**である．具体的には立位姿勢を維持して二足でバランスを保持しながら行うリズミカルな下肢の交互運動である．
- 対麻痺によって両下肢の随意性を失った者が意識下で歩行機能を再獲得していく過程には，現状では対応困難な問題もある．一方でかなり以前より多くの試みが続けられてきた．その1つが二足歩行の実現に向けた下肢歩行用装具の開発・改良である．
- しかしながら多くの完全対麻痺者のための下肢歩行用装具は，現時点では実用的といえる段階には至っていない．その主な要因は，エネルギー効率の悪さ，歩行速度の遅さといわれている．
- 立位・歩行には，移動手段としてのみでなく，**体圧からの解放，腎臓・膀胱機能の最適化，消化・腸管機能の改善，骨密度の向上，柔軟性の改善，痙性の軽減，呼吸・循環機能の改善**などの多くの生理学的効果がある．
- 近年，立位・歩行が慢性期の脊髄損傷者の体重増加や糖代謝異常の予防になるといわれており，また，歩行によって，脊髄内の歩行中枢の神経活動を維持する働きをするとも考えられている[7]．

5 胸腰仙髄損傷対麻痺の下肢装具

1）短下肢装具（ankle foot orthosis：AFO）

1 適応

- 短下肢装具が適応となる完全対麻痺者は，表4のL3～L5残存レベルで膝伸展筋に十分な働きが認められる者である．

2 機能特徴

- 適応装具の種類は特定されていないが，荷重時の支持性が必要とされていることから，従来の両側金属支柱付き短下肢装具，プラスチック足継手付き短下肢装具，油圧式足継手付き短下肢装具のように装具全体の剛性の高いものが適している（参照）.

参照
装具の剛性は第Ⅱ章1参照

- プラスチック短下肢装具（いわゆる靴ベラ式短下肢装具）は遊脚期の背屈位の保持には役立つが，足関節部は背屈方向に容易に撓むことから，立脚期の背屈モーメントへの抵抗力は弱く，特に底屈筋の弱い場合は有効とはいえない.
- 足継手は，底背屈の制限角度を設定できるもの，例えば，ダブルクレンザック継手や油圧式足継手を使う必要がある（参照）.

参照
足継手は第Ⅱ章2，3参照

- 足継手による底背屈の角度制限によって，立位あるいは立脚期の膝の安定性を向上させることが必要な場合もある.
- 足関節背屈位で荷重すると膝関節には屈曲運動が，底屈位で荷重すると伸展運動が強制される.
- 足関節背屈角度を＋5°前後で制限することによって股伸展位立位の安定性に寄与することになる.

3 チェックアウト

- チェックアウトについては短下肢装具の標準的な判定項目に準ずる（参照）.

参照
下肢装具のチェックアウトは第Ⅱ章2参照

2）長下肢装具（knee ankle foot orthosis：KAFO）

1 長下肢装具（従来型）

①適応

- 膝伸展筋力が弱いT6～L2残存レベルの対麻痺者が両長下肢装具の適応範囲である.
- T6～T10残存レベルでは，下部体幹筋力が弱く，骨盤のコントロールあるいは立位時の股伸展可動域が不十分で立位姿勢が不安定な場合には腰仙椎装具あるいは骨盤帯付き両長下肢装具を適応する.
- T11～L2残存レベルでは骨盤帯なしの両長下肢装具が適応される.

②機能特徴

- 立位・歩行時の膝継手の伸展位固定には輪止め（リングロック）を使うことが多く，膝関節伸展位保持をより確実にするために膝関節前方（膝蓋骨前面）に膝当てを用いる.
- 足部には長めのふまずしん（靴底に入れる補強しん）を使用し，あぶみに強固に連結されていなければならない.
- 歩行様式としては，T6～T10残存レベルは骨盤帯付きで股継手は0°固定のため小振り歩行に限定される.
- T11～L2残存レベルでは腹筋が働くことで骨盤帯は不要となり，小振り，大振り歩行ともに可能である.
- また，T12・L1残存レベルは，直接下肢の振り出しに働く筋は残存しないが，腰方形筋，広背筋による骨盤挙上を利用して下肢を振り出すことができる場合があり，小・大振り歩行に加えて交互歩行の可能性もある.
- L2残存レベルは腸腰筋による下肢振り出しが可能で交互歩行は確実となる.
- 長下肢装具を使用しての大・小振り歩行，交互歩行の歩行補助具には，両側の松葉杖ある

参照
杖は第Ⅱ章13参照

いはロフストランド杖が必要である（参照）.

- 両長下肢装具で大・小振り歩行を行うには，平行棒や杖の支持なしで立位を保持できることが重要であり，そのためには**C字姿勢（C-posture）**（図14）といわれる肢位が可能であることが要求される.

③チェックアウト

- 標準的な長下肢装具の評価項目に準ずるが，足継手は背屈制限角度を容易に調整できることが望ましい.

2 スコット・クレイグ長下肢装具（Scott-Craig long leg brace）（図15）

①概要

- 米国デンバーのCraig Rehabilitation HospitalのScottらによって対麻痺者の歩行用装具として1960年代後半に考案された.
- 装具の構成要素をできる限り簡略化することによって軽量化を図り，装具脱着を容易にすることも考慮されている.

②適応

- 適応は股関節の伸展制限がない対麻痺者で，杖による交互歩行を試みる場合はL2機能残存以下が対象となる.

③機能特徴

- **膝関節伸展位保持**のための3点固定部分は，**大腿近位後面**の半月（大腿カフ）と靴の踵部と膝下パッドである.
- 膝継手がオフセット（継手軸の位置を標準よりも後方へずらして設定すること）されていることも膝伸展位保持の助けになる.
- スイスロック膝継手が用いられており，膝継手の固定と解除操作を容易にしている.
- 足継手はダブルクレンザックを用いることによって，C字姿勢で立位が安定する背屈角度に制限する．通常は背屈制限を10°前後にすることが適切である.

参照
下肢装具のチェックアウトは第Ⅱ章2参照

④チェックアウト

- 標準的な長下肢装具の評価項目に準ずる（参照）.

3）外側股継手型交互歩行用装具

- 代表的な装具は，**パラウォーカー（Parawalker）**と**RGO（reciprocating gait orthosis）**および**ARGO（advanced reciprocating gait orthosis）**であるが，いずれも対麻痺者の交互歩行の実現を目的に，従来の体幹装具付き長下肢装具の考え方を踏襲して股継手を左右の外側支柱上にそれぞれ設置する構造をもつ（図16～18）.
- パラウォーカーとRGOおよびARGOは，後に発表された左右の内側支柱を1個の股継手で連結する構造の**内側股継手型**交互歩行用装具（後述）に対して，**外側股継手型**とよばれるようになった.

1 パラウォーカー（図16）

①概要

- 英国のORLAU（Orthotic Research & Locomotor Assessment Unit）のRoseらにより開発された.
- はじめはHGO（hip guidance orthosis）とよばれていたが，後に対麻痺者の交互歩行装具

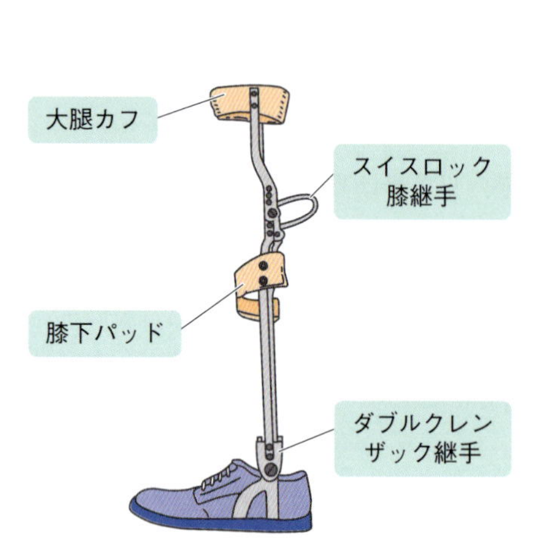

図15　スコット・クレイグ長下肢装具
(Scott-Craig long leg brace)
文献7をもとに作成.

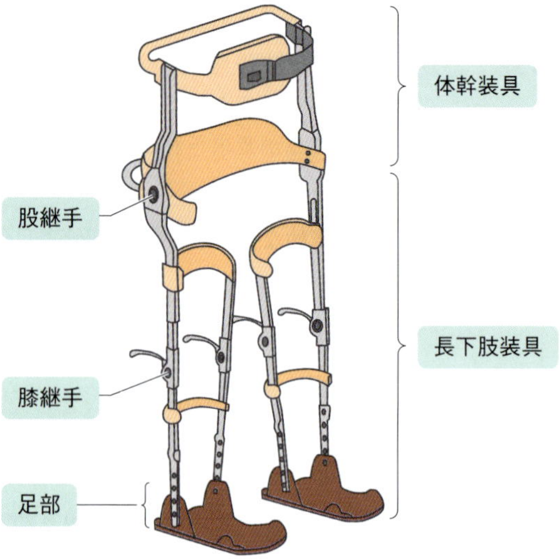

図16　パラウォーカー（Parawalker）
文献7をもとに作成.

として適応するようになりパラウォーカーとよばれるようになった.

②適応

- 下位胸髄節（T7～T12）～L1損傷による対麻痺者に適応する.

③機能特徴

- 構成は，**体幹装具**と**長下肢装具**からなり，太い支柱を使用することによって装具全体に高い剛性をもたせている（参照）.

参照
剛性は第Ⅱ章1参照

- 体幹装具の外側支柱は股継手を介して長下肢装具の外側支柱に連結されている.
- 特に体幹装具の剛性を高くし，体重の側方移動によって挙上した下肢が内転してこないようにしている.
- 歩行時には股継手と膝継手はロックされるが，膝継手は0°で固定されるのに対して股継手は屈曲18°，伸展6°の可動域を残している.
- 足部底面がロッカーボトム（舟底形）の形をしており，立脚期後半の踏み返しを容易にしている.
- 交互歩行の原理は，体幹を側方へ傾ける（体重を側方へ移動する）と他側の下肢が挙上されて床面との間にクリアランス（隙間）を生じ，遊脚下肢は重力によって前方へ振り出される．これが左右交互に行われて歩行する.
- 歩行にはロフストランド杖を両側に使用し，遊脚側の杖で床を強く押すことで体重移動を行う.
- 座るときは股継手と膝継手のロックを解除する.
- パラウォーカーでは片側への体重移動に伴って対側下肢を床から離すことが機能的特徴であるため，装具全体に特に高い剛性が求められる.

④チェックアウト

- 身体形状への適合は，一般の装具のチェックと同様に，強く接触あるいは圧迫している部位がないかをチェックする.

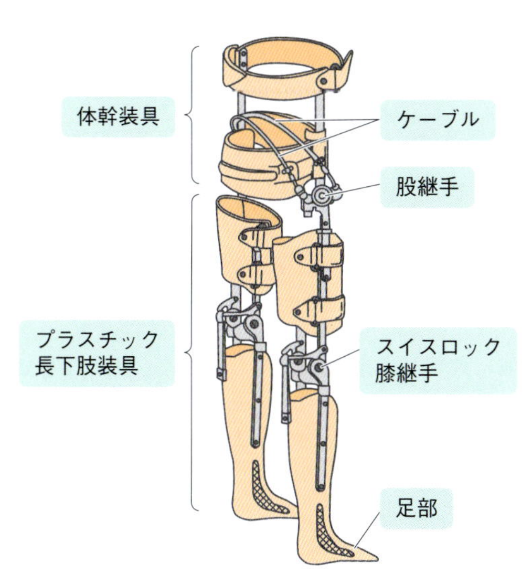

図17 RGO（reciprocating gait orthosis）
文献7をもとに作成.

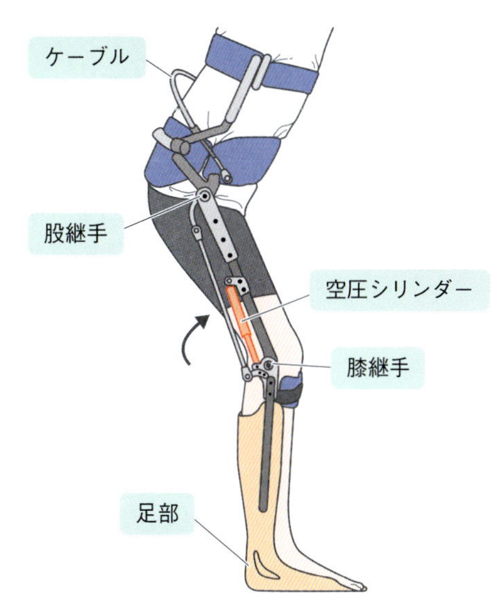

図18 ARGO（advanced reciprocating gait orthosis）の立ち上がり補助
文献4をもとに作成.

- 各継手の軸の位置は解剖学的関節の軸に一致させるが，特に股継手の軸は歩行中の滑らかな下肢交互運動を保証するために股関節の軸に一致させることが重要である.

2 RGO（図17），ARGO（図18）

①概要

- **RGO**は最初Toronto Children's Hospitalで1967年にMotlochによって導入され，LSU（Louisiana State University）のDouglasらによってさらに発展した交互歩行用装具として1983年に報告された.
- RGOの最初の目的は，対麻痺者（児）が股関節を固定しなくても両手をフリーにすることであった.

②適応

- 米国Fillauer社のRGO-Patient & Component Selection Guideによると以下のような対麻痺者が適応となる[8].
  - T4～L4機能残存の対麻痺（他の損傷高位においても問題なく適応可能である）
  - 両足部はウェッジ（例えば，尖足の場合に底屈角度分を補完するための楔形の補正）のように靴の修正で対応できる程度のわずかな変形であること
  - 両膝は10°以下の拘縮であること
  - 両股は拘縮がなく剛性や痙性が低く柔軟性があること

③機能特徴

- **RGO**の構成は，**体幹装具**と**プラスチック長下肢装具**からなる（図17）.
- 股継手は，外側にあり屈曲と伸展のみが可能である.
- 膝継手にはスイスロックが使用され，膝の伸展位固定と解除の操作を容易にしている.

- 左右の股継手は体幹後方を横切る2本のケーブルで連結されている.
- 連結された2本のケーブルは片側の股継手の屈曲に伴って他側の股継手が伸展するような役割を果たす.
- 歩行中の股継手の交互運動は体重の片側および前方への体重移動によって行われる. 具体的には, 片側への重心移動とともに前方へ体重を移動して股継手が伸展されると遊脚側股継手は屈曲し, 交互運動が生起される.
- 立脚側の杖も使って体幹をより後方へ起こすことによって立脚側の股継手は伸展され, 遊脚側の股継手屈曲がより促される.
- 歩行にはロフストランド杖を両側に使用し, 遊脚側の杖で床を強く押すことで側方, 前方への体重移動を行う.
- **ARGO**は, RGOから発展した装具である (図18). 発表時の構造は**2本の股関節駆動ケーブル**による機構である.
- 発表時のRGOから数回の機構の改善を行い, 最終的にARGOは左右の脚の交互運動を1本のケーブルで制御する機構となっている.
- 骨盤帯部分を簡素化し, 併せて大腿部の内側支柱を省くことで外見上シンプルになり, 自己装着を容易にしている.
- 膝継手に空圧シリンダーを用い, ケーブルで股継手に連結することによって, 股関節の動きに連動して椅子座位からの立ち上がりを補助する機構をもつ (図18).
- 足関節部はプラスチックの一体成型のため機械的な足継手はないが, 立ち上がり時の安定性を考慮して足関節部をわずかな背屈位に製作する.

④チェックアウト

- Fillauer社のRGOの初期適合評価は, ① 骨盤部, ② 下肢部, ③ 立位時, ④ 歩行時における項目をチェックする[8].
- ①②装具の骨盤部と下肢部については構成要素のアライメントと身体形状への適合, ③立位での評価は姿勢保持に必要な関節運動の保証, ④歩行においては動作時の装具の追随性と装具の操作の可否がチェックされる. 具体的項目を表5に示す.

4) 内側股継手型交互歩行用装具

- 歩行用装具として, 従来の長下肢装具や骨盤帯あるいは体幹装具付き長下肢装具における問題に対する改良型として, 両長下肢装具を内側で連結する機構が1990年代前半に考案された (KAFO with medial single hip joint=MSH-KAFO).
- 代表的装具は**ウォークアバウト** (**Walkabout**) とその改良型の**プライムウォーク** (**Prime-walk**) である.
- その後, 同じ内側股継手型の装具, **HALO** (**hip and ankle linked orthosis**) も発表された.

1 ウォークアバウト, プライムウォーク

①概要

- **ウォークアバウト**は, オーストラリアのMcKayによって1992年に開発された単股継手を使った長下肢装具である (図19A).
- **プライムウォーク**は, ウォークアバウトの単股継手の問題を解消する機構として1996年に才藤らによって発表された (図19B).

表5　RGOの初期適合評価項目

①骨盤部の適合評価	・骨盤部は前額面上で身体形状にしっかりと適合しているか ・縁の部分は十分な運動範囲を保証しているか ・股継手の軸の高さは股関節と一致しているか ・側方支柱は座位のときも解剖学的形状に対して適切な隙間が確保されているか ・側方支柱は矢状面上の中心線に沿っているか
②下肢部の適合評価	・側方支柱は座位のときも解剖学的形状に対して適切な隙間が確保されているか ・側方支柱は矢状面上の中心線に沿っているか ・膝継手の軸の高さは膝関節と一致しているか ・足継手の軸の高さは足関節と一致しているか ・大腿および下腿部は前額面上で身体形状にしっかりと適合しているか ・大腿部，下腿部と足板部は適切な隙間があり，圧迫されている部分がないか
③立位での初期評価	・患者は股関節を十分に伸展できるか ・患者は膝関節を十分に伸展できるか ・骨盤部の上縁と下縁は圧が加わらないような形状になっているか ・大腿および下腿部は圧が加わらない形状になっているか ・患者は“手放し”立位が可能か
④歩行における初期評価	・患者は平行棒内で体重の左右への移動が可能か ・患者は脚の振り出しが可能か ・歩行中の関節の十分な伸展を保証しているか ・股継手は進行方向に沿って滑らかな動きをしているか ・患者は継手の固定と解除操作ができるか ・患者は装具の着脱ができるか ・患者は装具の構成要素とその機能を理解し，介護者とともに練習しているか

文献8より引用．

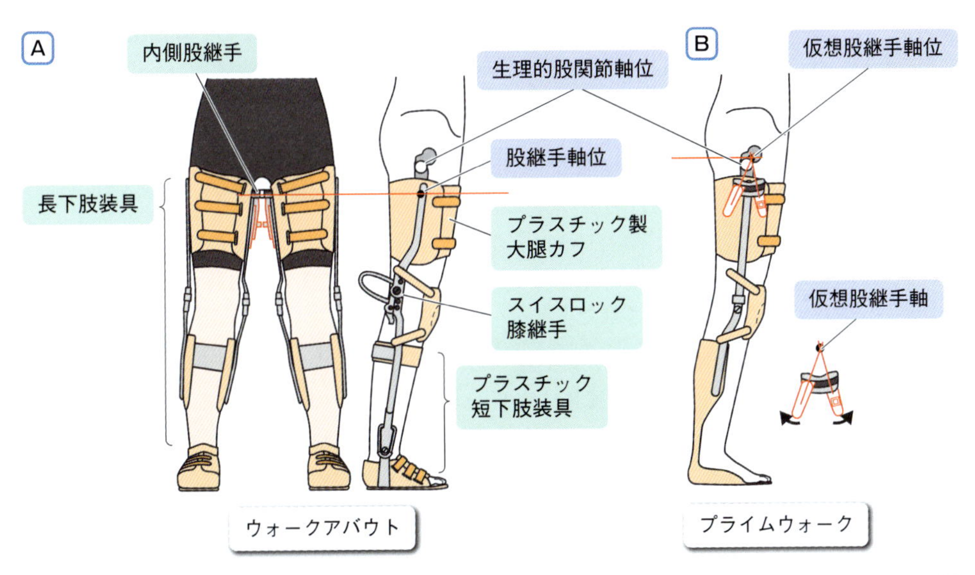

図19　ウォークアバウト（Walkabout）とプライムウォーク（Primewalk）の股継手の軸（回転中心）位置の比較

A）ウォークアバウトの軸の位置は生理的股関節軸の下方にある．B）プライムウォークの軸の位置（仮想の回転中心）は生理的股関節軸の位置に近くなる．文献4をもとに作成．

- ウォークアバウト，プライムウォークともに長下肢装具の内側に股継手を使用していることからMSH-KAFO（KAFO with medial single hip joint；内側単股継手付き長下肢装具）と総称される．

②**適応**

- T6～L2残存レベルの対麻痺者が適応する．
- 内側股継手の使用により両下肢を一定の外転位に保持し，側方安定性を向上させたことよって骨盤帯や体幹装具なしでの交互歩行の可能性を広げ，下部胸髄損傷までが適応になった．

③**機能特徴**

- **ウォークアバウト**は，両側の長下肢装具とその内側支柱上端を連結する1個の股継手（重量800 g）からなる．
- 長下肢装具部分はプラスチック製大腿カフ，スイスロック膝継手，プラスチック短下肢装具から構成されている．近位の大腿支持部の水平断面を四辺形にすることで下肢振り出し方向のばらつきを抑えている．
- プラスチック短下肢装具は足関節部をカーボン線維で補強し，通常2～3°背屈位に製作し，これに靴のヒール高と併せて立位において下肢が床面に対して前傾位となるようにする．
- 股継手は屈曲と伸展のみが可能（可動域50°）で固定はできず，内外転および内外旋が制限されることにより，両脚での立位時の側方安定性に優れている．
- 歩行は両ロフストランド杖を用いて体重を一方へ移動することによって，対側の下肢を慣性により前方へ振り出す方法で行う．
- この体重移動と下肢の振り出し時に両側下肢を外転位に保持することで，遊脚側下肢の挙上による床面とのクリアランス，立脚側股関節における側方安定性確保を確実にしている．
- **プライムウォーク**は，ウォークアバウトの欠点（以下2点）を改良する形で発表された．
  - ▶運動学上の股関節軸に比べウォークアバウトの継手軸は平均130 mm下方に位置するため[9]，下肢の振出しとともに骨盤の回旋が生ずるという点
  - ▶下肢を振り出す角度が制限され，歩幅が減少し，結果的に歩行速度が抑制されるという点
- これらの問題点を解決するため，仮想の股継手軸を実際の股関節軸にできるだけ近づけるという考えのもと，**スライド式の内側股継手**が開発された（図19B）．
- 股継手の仮想軸は会陰から6 cm程度上方に設定することで立位が安定し，遊脚下肢の振り出しが容易になることが確認され（図19B），ベアリング内蔵のスライド構造の股継手（Primewalk）が製作された[9]．
- ウォークアバウトおよびプライムウォークのような内側単股継手付き長下肢装具は，外側股継手骨盤帯付き長下肢装具に比べ，①ワンタッチで操作できるレバーにより着脱が容易である，②コンパクトなために車椅子との併用が実用的である，③外観がよい，④座位や移乗動作が容易である，などの機能的長所を有している[4]．

④**チェックアウト**

- ウォークアバウトおよびプライムウォークの適合判定の要点の1つは，立位の安定性である．立位の安定のために，両下肢が床面に対してわずかな前傾位をとれるように，靴のヒールの高さを含めて足関節の背屈角度が適切かを確認する．通常は2～3°背屈位が適当とされている．
- 他に，足底内側面での接地が安定していること，左右の対称性が保たれ，トウアウトは10～15°であることを確認する[9]．

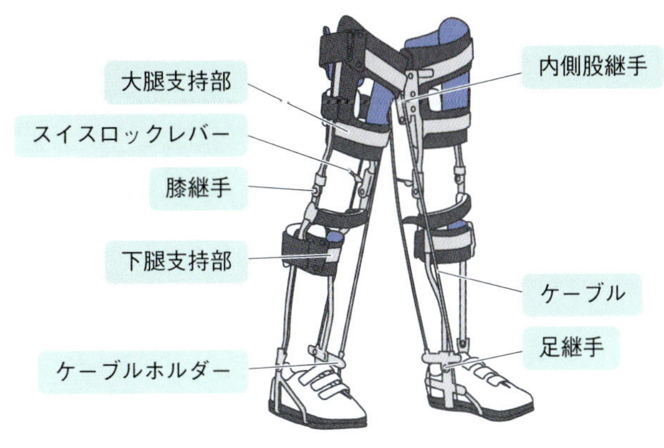

図20　HALOの構成と名称

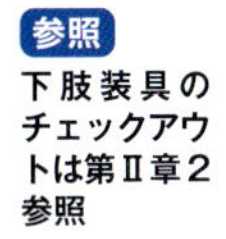
参照
下肢装具のチェックアウトは第Ⅱ章2参照

- 長下肢装具部分の適合は，一般の長下肢装具のチェック項目に準ずる（参照）．
- 歩行時のチェックでは，歩幅が適切であることの確認が重要である．

2 HALO（図20）

①適応

- HALOは労災リハビリテーション工学センターの元田らにより2003年に発表された対麻痺者（T6～L2）のための内側股継手を採用した歩行用装具である．外観はウォークアバウトやプライムウォークに近い．

②機能特徴

- 図20に基本的な構成を示す．
- 両側の長下肢装具が内側股継手で連結されている点で，ウォークアバウトやプライムウォークと類似している．しかし，これらの装具は足継手がほぼ固定された状態のため，立脚期に足底の一部しか接地せず，不安定さを生じている．
- また，ウォークアバウトやプライムウォークには下肢を振り出す能動的働きがないため，骨盤を過剰に回旋させる必要がある．その解消がこの装具開発の目的であった．
- 装具の特徴は，股継手と足継手をケーブルで連動させ，歩行中は常に足底を床と平行に保つことで立脚相の安定性を図り，立脚期の足継手の背屈モーメントを股継手にしくまれたプーリーを介して体側下肢の股継手の屈曲（振り出し）に活用することで，下肢振り出しに要する骨盤の回旋のためのエネルギー軽減を生み出している．
- その具体的な動作の原理を図21とともに説明する．
  - ▶図21Aは左立脚期のアンクルロッカーの相，図21Bは右遊脚期のターミナルスウィングの相を示す．
  - ▶歩行中の動作原理を表中の数字の順に説明[10)]すると，図21Aの左足継手が荷重により背屈していくと，①の踵に付けられているワイヤーが引っ張られ，②の股継手の左プーリーを回転させる．
  - ▶その結果，左プーリーは③のように右の長下肢装具に固定されているため右下肢が振り出される．

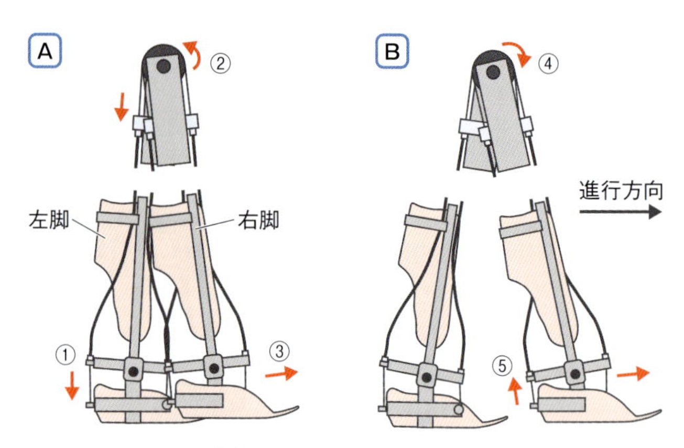

図21　HALOの動作原理

詳細は本文参照．文献9をもとに作成．

▸図21Bでは，左長下肢装具は股継手で伸展し，④のように接続されている右プーリーを回転させる結果，⑤のワイヤーが右踵を引っ張り，右足継手は底屈して右足部は床に平行になる．

▸このようにして，下肢の振り出しに連動して足継手の底背屈が行われる．

- HALOの開発により，これまで下肢の振り出しに要した過剰な骨盤回旋運動を健常者歩行に近い範囲に抑制できた．また，2013年にモーターアシスト機構の付加により歩行時の消費エネルギー軽減を図ったpHALO（powered hip and ankle linked orthosis）の開発が名古屋大学の水元亮太らによって進められた[11]．

文献・URL

1）野上雅子：頸髄損傷の上肢装具．日本義肢装具学会誌，28：29-33，2012

2）「義肢装具学 第4版」（川村次郎，他／編），医学書院，2009

3）浅井憲義，他：重度四肢麻痺者の机上動作を可能にした腕保持用装具ポータブルスプリングバランサーの開発経緯．日本義肢装具学会誌，21：153-159，2005

4）「装具学 第4版」（日本義肢装具学会／監，飛松好子，他／編），医歯薬出版，2013

5）アームサポートMOMOクイックガイド＆取扱説明書（https://ttools.co.jp/product/hand/momo/files/momo_Setup_Guide_1905.pdf），テクノツール株式会社，2019

6）「装具学 第3版」（日本義肢装具学会／監，加倉井周一／編），医歯薬出版，2003

7）「義肢装具のチェックポイント 第9版」（日本整形外科学会，日本リハビリテーション医学会／監），医学書院，2021

8）Reciprocating Gait Orthosis- Patient & Component Selection Guide（https://fillauer.com/wp-content/uploads/2020/03/m009b-rgo-selection-1.pdf），Fillauer社

9）小野木啓子，他：補装具Update：対麻痺者用の立位・歩行システム．臨床リハ，8：972-974，1999

10）元田英一，他：対麻痺用新歩行装具HALO（Hip and Ankle Linked Orthosis）の歩行効率．日本義肢装具学会誌，23：65-70，2007

11）水元亮太，他：新しいパワーアシストつき股関節・足関節連携下肢装具の設計・開発．LIFE2013，OS1-2-4：1-4，2013

6 疾患別の装具療法③ 整形外科的装具

学習のポイント

- 整形外科的装具の名称と症状ごとの適応について理解する
- 整形外科領域で用いる装具の機能特徴について理解する
- 処方した整形外科的装具のチェックアウトについて理解する

1 整形外科的装具の概略

- 整形外科疾患の装具は，**治療用装具**として用いられることが多い．
  - おもに腰痛や靱帯損傷・脱臼などの保存療法，骨折や靱帯再建術後の患部の安静や保護を目的とし，**固定用装具**や**支持装具**が用いられる．
  - 特殊なものには，患部を保護・固定するとともに荷重を免荷し歩行機能を維持する**免荷装具**や，骨折部を外固定し早期の歩行や運動を可能にしながら骨折治癒を促進する**機能的骨折治癒装具**がある．
- スポーツ傷害においては治療用装具としてのみならず，傷害予防や再発防止を目的に装具が処方されることがある．
- その他，関節リウマチや側弯症に用いる矯正用装具，変形性膝関節症や腓骨神経麻痺に対する歩行用装具などがあげられる（参照）．

参照
側弯症，関節リウマチは第Ⅱ章9，11参照

2 クラビクルバンド（clavicle band）（図1）

1）適応

- 転位（骨のずれ）の少ない**鎖骨骨折**の保存療法での安静肢位を保持する．
- 鎖骨骨折の術後とギプス固定期間終了後の安静肢位を保持する．

2）機能特徴

- 胸郭を広げて鎖骨骨折部分の安静を保持する．
- 背当て，肩パッド，背部ベルトで構成される．

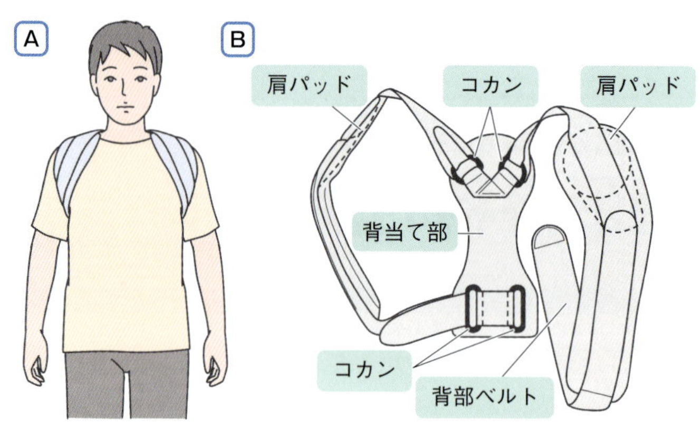

図1　クラビクルバンド

- 着脱可能である.

3）チェックアウト

- 鎖骨が安静に保持されているか.
- 胸郭を広げた伸展位になっているか.
- 着脱がきちんとできているか（できていなければ指導する）.

3 バストバンド（bust band）（図2）

1）適応

- すべての骨折の10～20％を占める**肋骨骨折**に適応する.
- 動揺胸郭（flail chest）*を認めない1～数本の肋骨骨折に適応.

＊動揺胸郭：骨折部の分節が吸気時に陥凹し，呼気時の膨隆する呼吸運動とは逆の動きをするもの．多数の肋骨が2カ所以上で骨折した場合にみられる.

2）機能特徴

- 胸郭を圧迫固定して，肋骨骨折部分の安静を保持する.

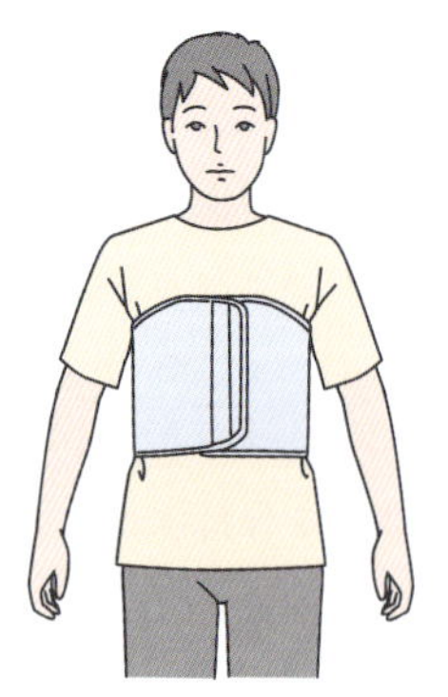
図2　バストバンド

- 着脱可能である．

3）チェックアウト

- 胸郭が固定されているか．
- 呼吸を障害していないか．
- 着脱がきちんとできているか（できていなければ指導する）．

4 免荷装具

1）PTB免荷装具

1 適応

- **脛骨骨幹部骨折**（特に下腿下1/3骨折）
- **足関節部の骨折**
- **足関節障害**（変形関節症，関節リウマチなど）

2 機能特徴

- 主に**膝蓋腱**（patella tendon bearing：PTB）部で体重を支持し，下腿にかかる加重を免荷する装具．
- 足底全体が浮いている**免荷十分型**（図3A），前足部が接地する**免荷不十分型**（図3B）がある．
- 免荷十分型の場合は**パッテン底**を使用する（図3A，4）．
- 免荷不十分型の場合，ダブルクレンザック継手（参照）などを採用することがある．
- 長期にわたる免荷期間中も歩行を確保する目的で処方する．大腿や殿部の筋の筋力低下を防ぐことができる．

参照 ダブルクレンザック継手は第II章2，3参照

3 チェックアウト

- **シェル部**の荷重部位と除圧部位を確認する（表1）．

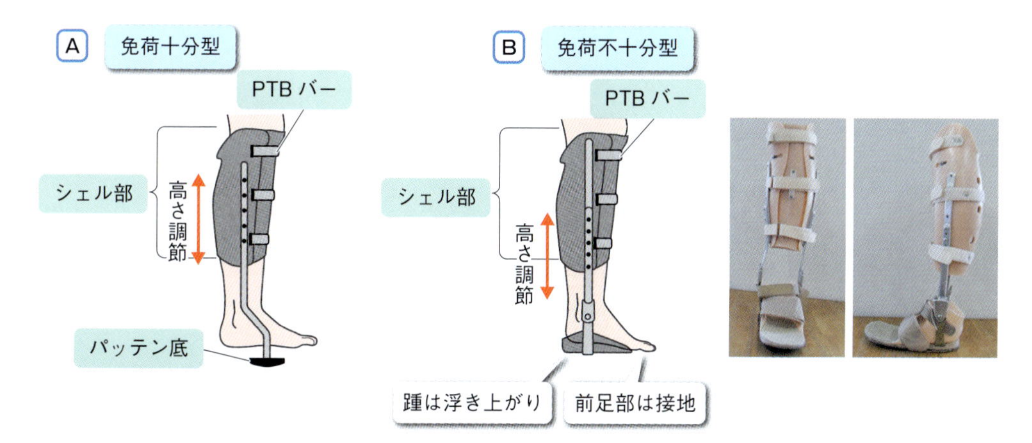

図3 PTB免荷装具
イラスト部分は文献1より引用．

図4　パッテン底

表1　シェル部の荷重部位と除圧部位

荷重部位	除圧部位
・膝蓋腱	・脛骨粗面
・脛骨内側顆	・脛骨稜
・腓骨外側部	・脛骨顆部の前面部
・脛骨内側面	・腓骨頭
・前脛骨筋部	・ハムストリングスの走行部
・膝窩部	

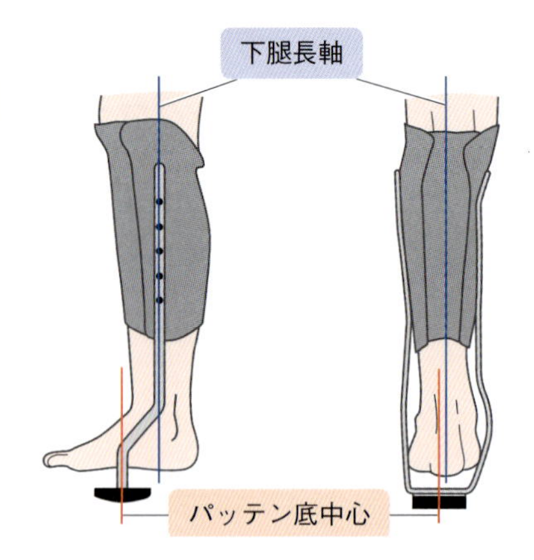

図5　免荷十分型PTB免荷装具のアライメント　文献1より引用.

- パッテン底の位置が適切か確認する（図5）.
  - ▶矢状面：下腿長軸よりも前方で，舟状骨の下部（体重心線が通る部位）.
  - ▶前額面：下腿長軸よりもやや外側（外側安定性の向上）.

2）坐骨支持免荷装具（図6）

1 適応

- **大腿骨骨折**
- **股関節骨切術後**
- **脛骨高原骨折**
- その他，股関節・大腿骨の免荷が必要な状態

2 機能特徴

- プラスチックソケット（四辺形ソケット）または**坐骨支持シェル（大腿シェル）**を用いて

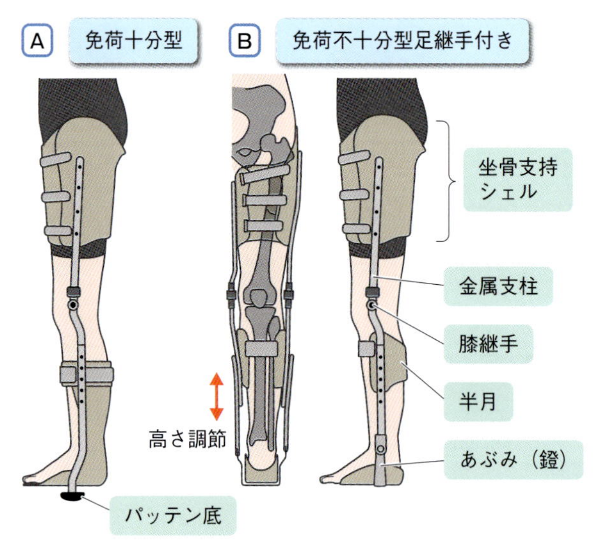

図6　坐骨支持免荷装具の構成
文献1より引用.

坐骨結節で体重を支持する.

- PTB免荷装具と同様に，足底全体が浮いている**免荷十分型**，前足部が接地する**免荷不十分型**がある.
- **坐骨支持シェル**，両側金属支柱，膝継手，半月，あぶみ（鐙），パッテン底（免荷十分型）で構成される.
- 膝継手にロック機能（リングロック）がある.
- 足部の構造はPTB免荷装具と同様である.
- 長期にわたる免荷期間中も歩行を確保する目的で処方する.

3 チェックアウト

- シェルの坐骨受けに坐骨結節が正しく位置しているか.
- 膝継手にはロック機構がついているか.
- あぶみ，**パッテン底**の位置は正しいか（図5，PTB免荷装具に準拠）.
- 半月が身体を強く締め付けていないか.
- 非骨折肢の補高は適切か（免荷十分型でパッテン底を採用すると，非骨折肢にその分の補高が必要）.

5 前十字靱帯損傷用の膝装具（図7）

- 前十字靱帯損傷は，スポーツなどで大腿に対して下腿が前方に引き出されたり，下腿の捻転や外反が強制された際，またはそれらの組合わせで発症することが多い.
- 前十字靱帯損傷の装具は，大腿に対して下腿が前方に引き出されるのを予防するとともに，膝関節の捻転や内外反を制限する機能が求められる.

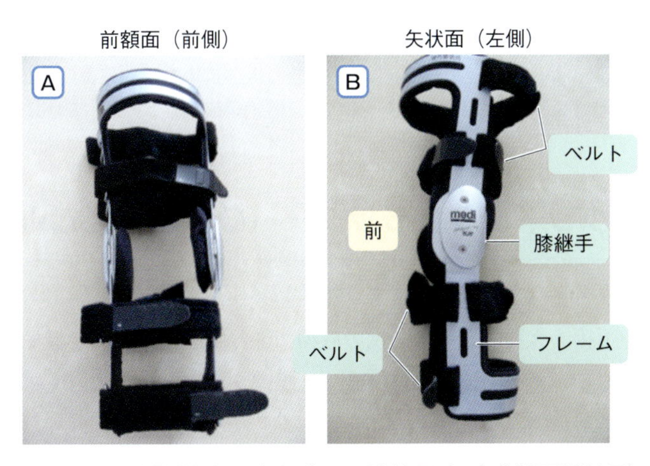

図7　**前十字靱帯（ACL）損傷用の膝装具（4点支持硬性装具）**
写真は前十字靱帯再腱術後に使用する装具（M.4, medi社）.

表2　前十字靭帯（ACL）緊張肢位

- 膝関節完全伸展位
- 膝関節外反位
- 膝関節内旋位（大腿に対する下腿の内旋）
- 脛骨の前方引き出し

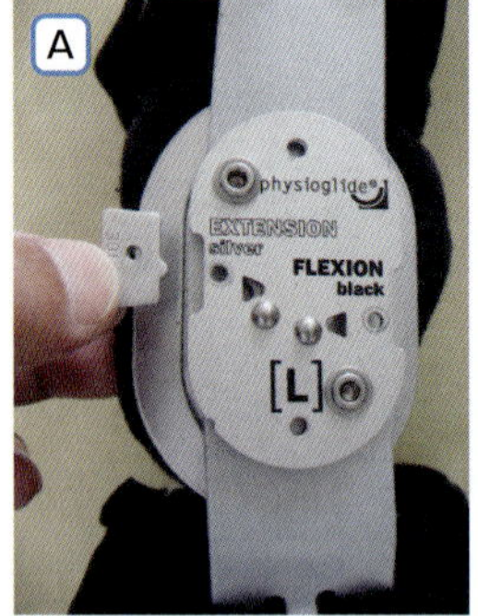

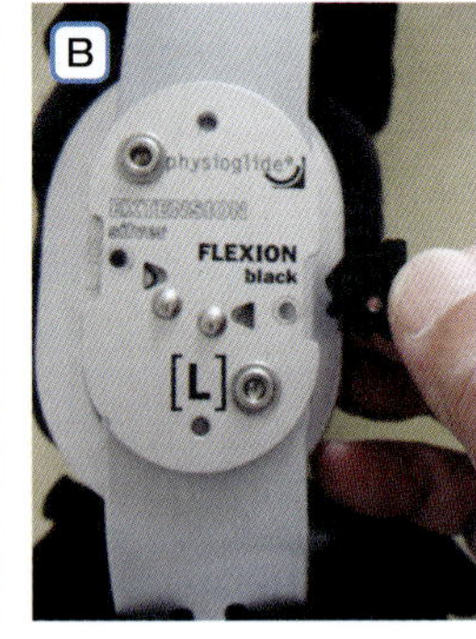

図8　屈曲・伸展の制限角度の設定

1）適応

- **前十字靭帯**（anterior cruciate ligament：ACL）**損傷**（保存療法）
- **前十字靭帯再腱術後**
- **前十字靭帯損傷の予防**

2）機能特徴

- 前十字靭帯緊張肢位（表2）をとらないように膝の可動性を制限し，前十字靭帯にかかる過剰な負荷を予防する．
- フレームとベルトによる固定．下腿部の前方引き出しを止めるため，前方に2本のベルトがあるのが特徴．
- 制限用パーツを差し替えることで，屈曲・伸展の制限角度を任意に設定可能（図8）．
- 装具の利点
  - 生体力学的な支持による前十字靭帯の保護
  - 神経—筋反射の促通
  - 心理的安心感
- 装具の欠点
  - 可動域制限によるパフォーマンスの低下
  - 固定による筋萎縮

6 オスグッド・シュラッター（Osgood-Schlatter）病用の膝装具

- オスグッド・シュラッター病は12～13歳前後の男子に好発する．
- 原因：**大腿四頭筋**の過度の収縮による**膝蓋腱**付着部の機械的刺激．
- 症状：脛骨粗面部の運動時痛と膨隆，圧痛が生じる．X線像で脛骨粗面に異常骨陰影を認める．
- 治療：スポーツ制限，ストレッチ（ハムストリングス，大腿四頭筋），装具療法が適応となる．

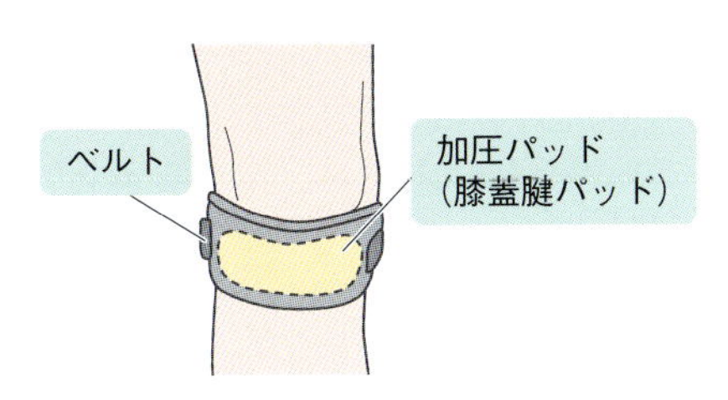

図9　オスグッド・シュラッターバンド（SORBO社）

- 装具療法（図9）
  - 膝蓋腱パッドと周回ベルトにより膝蓋腱を圧迫
  - 機械的ストレスの軽減

7 膝蓋骨脱臼・亜脱臼用の膝装具

- 膝蓋骨脱臼・亜脱臼は10歳代の男女に頻度が高い．
- 外側への脱臼，亜脱臼がほとんどである．
- 原因：**膝蓋骨不安定症**，**大腿四頭筋異常**，大腿骨顆部形成不全，脛骨粗面の外方変異，全身関節弛緩，膝蓋骨高位，外反膝など．
- 装具療法（図10）
  - 外側にパッドを当て，膝蓋骨の位置を保持
  - 膝外反抑制（側方動揺抑制）

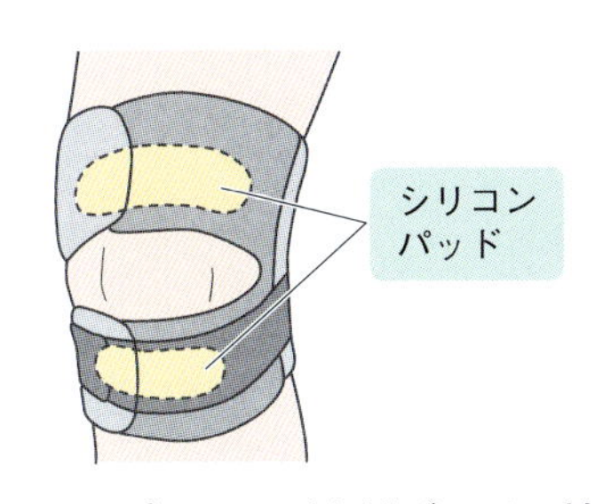

図10　パテラZ（中村ブレイス社）
シリコンパッドにより膝蓋骨の上下を圧迫．

8 アキレス腱断裂の装具（図11）

1）適応

- **アキレス腱断裂**（保存療法）
- **アキレス腱縫合術後**
- **アキレス腱再断裂の予防**

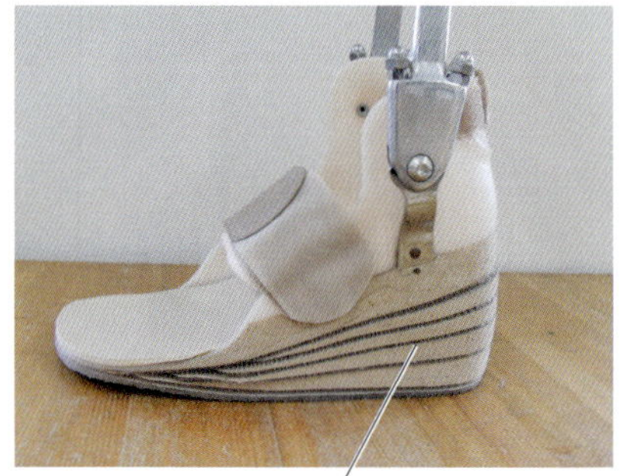

アキレス腱の治癒に伴い 1 枚ずつはがして
底屈角度を少なくすることができる

図 11　アキレス腱断裂の装具

2）機能特徴

- アキレス腱（下腿三頭筋腱）への緊張ストレスを低下させるため，**足関節を底屈位**とする．
- 健側の靴は装具の踵の高さに合わせ，全面的に補高したものを用いる．
- 歩行（通勤・通学）可能（松葉杖，ロフストランド杖などを併用）．
- 足関節底屈角度は**補高パッド**の枚数で調整する．
  - 足底は取り外し可能な複数枚の補高パッドで構成される．
  - アキレス腱の治癒に伴い補高パッドを少なくし底屈角度を減少させる．

文献

1）「義肢装具のチェックポイント 第8版」（日本整形外科学会，日本リハビリテーション医学会／監，伊藤利之，赤居正美／編），医学書院，2014

7 疾患別の装具療法④ 頸椎疾患・胸腰椎疾患の装具

学習のポイント

- 頸椎疾患・胸腰椎疾患用装具の名称と症状ごとの適応について理解する
- 頸椎疾患・胸腰椎疾患用装具の機能特徴とメカニズムについて理解する
- 頸椎疾患・胸腰椎疾患用装具のチェックアウトについて理解する

- 矢状面から頭部を観察すると，頭部の重心は頸椎よりも前方にあり，頭部を正中位に保つためには頸椎の背部の筋群の働きが重要になる．また，頸椎は脊柱のなかでも最も可動性が大きく，頭部の筋群には重い頭部の支持機能と複雑な頸部の可動性が要求される．したがって，**頸椎装具**の役割は，頭部の支持と疾患や傷害に適応した頸部の運動の制限である．
- 頸椎装具には固定性や拘束性の低い**頸椎カラー**から，強固に運動を制限し固定する**ハローベスト**（Halo best）まで多くの種類があり，要求される制限や日常生活に応じて選択する．頸椎装具の適応疾患には，頸部捻挫，頸髄症などの変性疾患，変形性頸椎症，頸椎術後，頸椎損傷などがあり，日常生活も含めた幅広い知識が必要となる．
- 胸腰椎疾患の装具には，最も広い範囲をカバーする**胸腰仙椎装具**，おもに腰椎疾患に対応する**腰仙椎装具**などがある．胸郭は脊柱と肋骨による骨性の支持が得られるが，腹部は後方に脊柱があるのみで前方は腹筋群による支持が要求される．これらの筋群が適切に機能しなくなると腹圧を保つことができず，胸腰部の支持機構に破綻をきたす．
- 胸腰仙椎装具は胸郭から骨盤部までを覆い脊柱を固定する装具であり，胸腰椎の固定・安静を必要とする場合に処方される．**軟性コルセット**は，主として腹圧と胸腔内圧を高めることによって脊柱に対する負担を軽減する目的をもつ．**モールド式**は脊柱の運動を強固に固定し，脊椎の骨折や術後の強い固定が必要な際に処方される．**腰仙椎装具**は下位胸椎から骨盤帯を覆い，下位腰椎部の運動を制限するとともに，腹圧を高める効果をもつ．

1 頸椎装具

1）頸椎カラー（図1）

1 適応

- **頸椎捻挫（むち打ち症）**，軽度のリウマチ性頸椎変形など

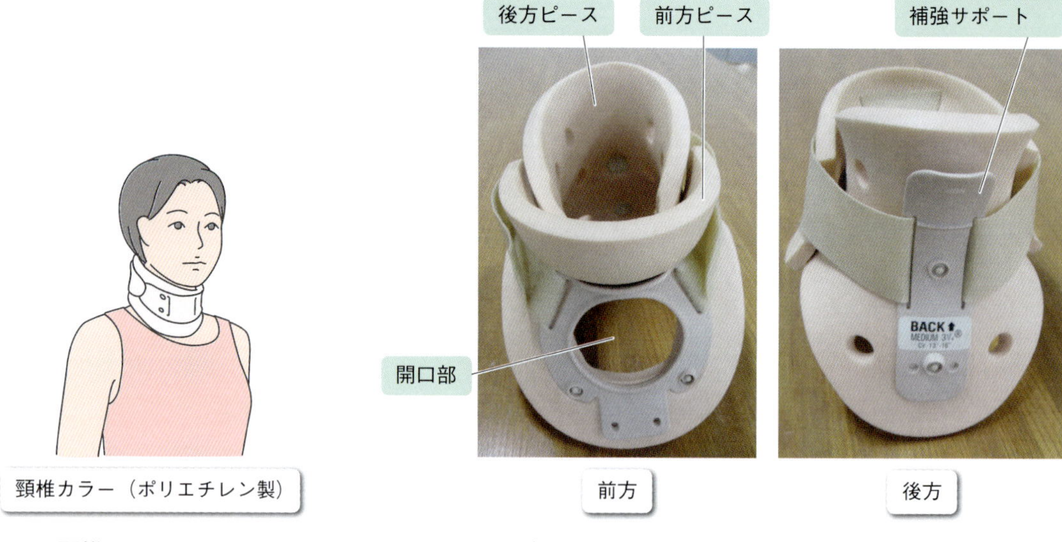

図1　**頸椎カラー**

図2　**フィラデルフィアカラー**
開口部より，頸動脈の触知，緊急気管切開術が可能.

2 機能特徴

- スポンジなどの柔らかい材質でつくられたもの，2枚のポリエチレンシートを重ねたものなどがある.
- 支持性，固定性は低く，頸椎の屈曲伸展をわずかに制限するが，側屈，回旋に対する制限はない.
- 主として患部の**安静を目的**とする．保温効果と**心理的効果**ももつ.

3 チェックアウト

- 過度な圧迫はないか.
- 胸骨部まで覆われているか.
- 下顎部を支えているか.
- 咽喉部への圧迫はないか（嚥下は苦しくないか）.
- 頸部の屈曲・伸展角度は適切か.
- 頸部の過度な側屈，回旋はないか.
- 後頭部がしっかり乗っているか.
- 視線は床面と平行か.
- 階段の昇降や，排泄などの日常生活活動（ADL）で足元の視野が十分か.

2）フィラデルフィアカラー（図2）

1 適応

- 頸椎椎間板ヘルニア，頸椎症性頸髄症など

2 機能特徴

- 発泡ポリエチレンフォーム製の前後2ピースにより構成される.
- 前方は下顎から上胸部，後方は後頭結節上部付近より肩までを覆う.
- 前部および後部のプラスチック製補強サポートにより頸部の動きを制限する.
- 屈曲・伸展，回旋，側屈の制限は**頸椎カラーよりも効果が高い**.

3 チェックアウト

- 前方は胸骨上部を覆っているか.
- 後方下縁は肩のラインまであるか.
- 前方上縁は顎を包み，下顎骨下縁に沿って下顎骨下部を包んでいるか.
- 後方は後頭隆起の高さまであるか.
- 頸部は過伸展・過屈曲していないか（アライメントは良好か）.
- 咀嚼・嚥下は可能か.
- 顎関節に痛みを訴えることはないか.

3）支柱付き頸椎装具（図3）

1 適応

- 頸椎椎間板ヘルニア，頸椎症性頸髄症，変形性頸椎症，頸部の外傷後など

2 機能特徴

- 下顎サポート，胸部プレート，後頭部サポート，肩甲間プレートおよび支柱で構成される.
- 支柱には2本支柱，3本支柱，4本支柱がある.
- 支柱はターンバックルなどを用いて高さ調整可能である.
- 4本支柱の場合，頸椎の屈曲・伸展，回旋，側屈を制限する.
- 肩で荷重を受け，頸椎の部分的免荷機能をもつ.

3 チェックアウト

- 左右対称に装着できているか.
- 頸部の角度は適切か.

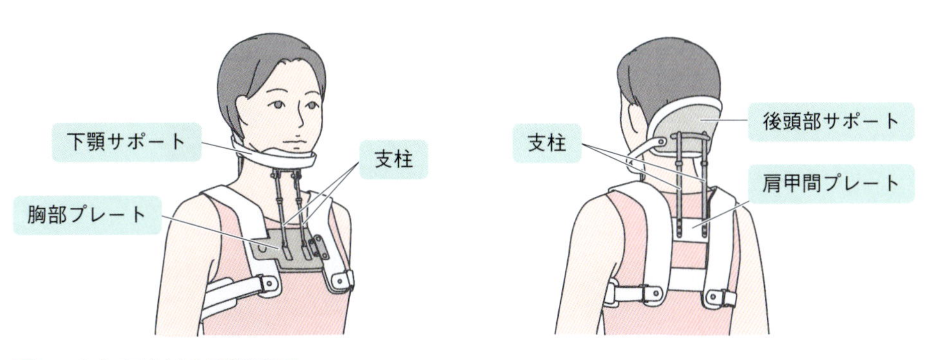

図3　4本支柱付き頸椎装具

- 胸郭のフィッティングは適切か.
- 肩甲骨上部に痛みはないか.
- 腋窩を圧迫していないか.
- 下顎サポートはオトガイ（頤）をホールドしているか.
- 後頭部サポートは頭部を固定しているか.

4）SOMI ブレース（図4）

- **胸骨・後頭骨・下顎骨固定用装具**（sterno-occipital-mandibular immobilizer brace：SOMI brace）

1 適応

- 頸椎椎間板ヘルニア，頸椎症性頸髄症，変形性頸椎症，頸部の外傷後など

2 機能特徴

- 胸部プレート，肩サポート，後頭部サポート，下顎サポート，ヘッドバンドにより構成される.
- 頸椎の屈曲・伸展，側屈，回旋を制限（固定性は不十分）する.
- 軽量で，背臥位のまま着脱可能である.
- **背部に金属支柱がないため，背臥位でも快適**である.

3 チェックアウト

- 顎が下顎サポートに乗っているか.
- 後頭部サポートは後頭隆起にフィットしているか.
- 頸部は過伸展・過屈曲していないか（アライメントは良好か）.
- 下顎サポートおよび後頭部サポートと頭部の間に緩みはないか.
- 胸部プレートは胸骨上の正中部にあるか.
- 肩サポートは胸部プレートを固定しているか.
- 肩サポートは左右均等か.

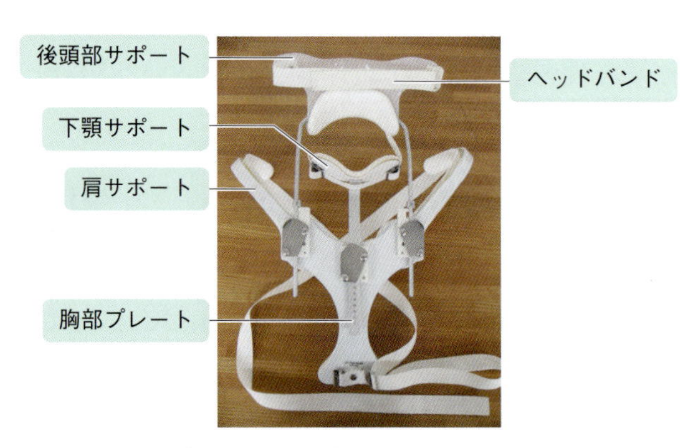

図4 SOMI ブレースの構成要素

5）モールド式頸椎装具（図5）

1 適応

- 頸椎症性頸髄症，頸椎術後，変形性頸椎症など

2 機能特徴

- 頸椎の術前に**ギプス採型**により患者の身体にぴったりフィットする形に製作（外傷後，術後の製作は困難）．
- **頸椎の全方向の運動を強固に制限．**

3 チェックアウト

- 皮膚に均等に接しているか．
- 頸部は過伸展・過屈曲していないか（アライメントは良好か）．
- 頸部前方は下顎骨下縁を包んでいるか．
- 頸部後方は後頭隆起を覆っているか．
- 咀嚼・嚥下は可能か．
- 腋窩を圧迫していないか．

6）ハローベスト（Halo vest）（図6）

1 適応

- 頸椎脱臼骨折，頸髄損傷，頸椎術後，頸椎症性頸髄症，変形性頸椎症など

2 機能特徴

- ハローリングを数本のピンで直接頭蓋骨に固定し，ベストと支柱を強固に連結する．
- 頸椎のすべての方向の運動を強固に固定し制限する．
- **頸椎部の固定性が最も大きい装具である．**
- 頸椎にかかる荷重を免荷できる．
- 素肌の上に装着することもできるようベスト裏面にはムートンなどの素材を用いる．

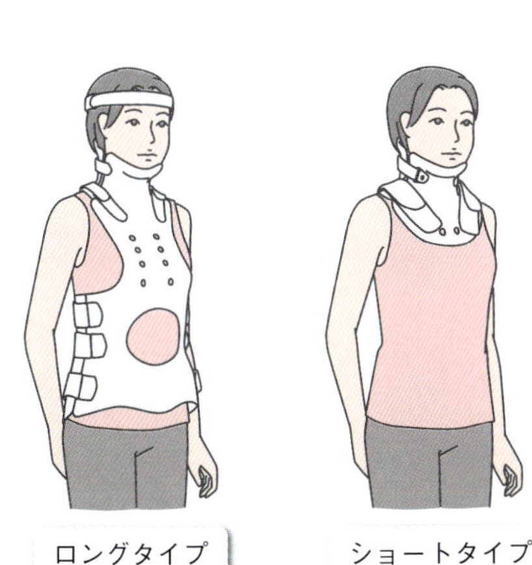

図5　モールド式頸椎装具

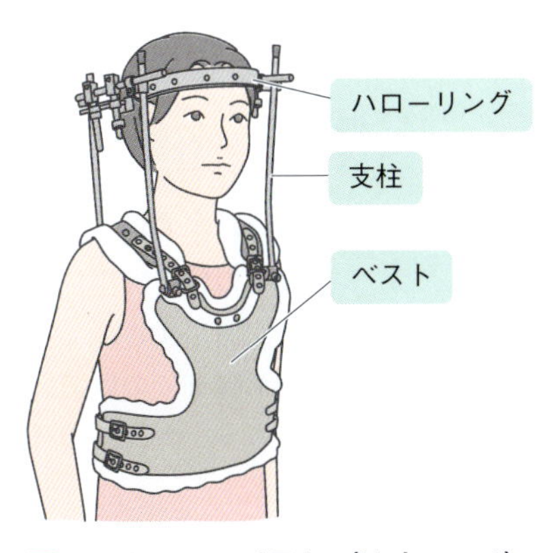

図6　ハロー・ベスト（Halo vest）

- ピン挿入部からの感染に注意する.

3 チェックアウト

- ピンは適切に挿入されているか.
- ピン挿入部に感染はないか.
- ハローリングは立位または座位で水平になっているか.
- 頸部は過伸展・過屈曲していないか（アライメントは良好か）.
- ベストのフィッティングは適切か（過度の圧迫・緩みはないか）.
- ネジの緩みはないか.

7）頸椎装具の種類とコントロール

- 頸椎装具の種類と頸椎の運動制御について表に示す.
- 頸椎装具はその種類によって頸椎の運動の制限や免荷，固定力が異なる．表に示すように，頸椎カラーが最も制限が少なく，ハローベストが最も強固に頸椎を固定する．同じ適応であっても，その程度により装具を選択する必要がある.

表　頸椎装具の種類と運動制御

	頸椎のコントロール				
	屈曲	伸展	側屈	回旋	免荷
頸椎カラー	○	△	△	×	×
フィラデルフィアカラー	○	△	△	×	×
SOMI ブレース	◎	○	△	△	△
4本支柱付き頸椎装具	◎	○	△	△	○
モールド式頸椎装具	◎	◎	◎	◎	○
ハローベスト	◎	◎	◎	◎	◎

◎：固定
○：制御力あり
△：少し制御力あり
×：全く効果なし

2 体幹装具の構成要素と適切な位置

3～5で胸腰仙椎装具などの体幹装具を説明する．ここでは，その前に体幹装具の基本構成を述べておく.

1）骨盤帯（図7）

- 体幹装具を支持する**基本構造**.
- 骨盤帯の位置は座位で邪魔にならない程度で，できるだけ遠位にあるのが望ましい．矢状面（側面）からみて腸骨稜と大転子の中間点，前額面（背面）からみて，上後腸骨棘から仙骨下縁までの間で，より遠位の位置になるようにする（図7A）．殿部の作用点をより遠位にする「バタフライ型」（図7B）やより強固な固定が得られる「二重骨盤帯」（図7C）もある.

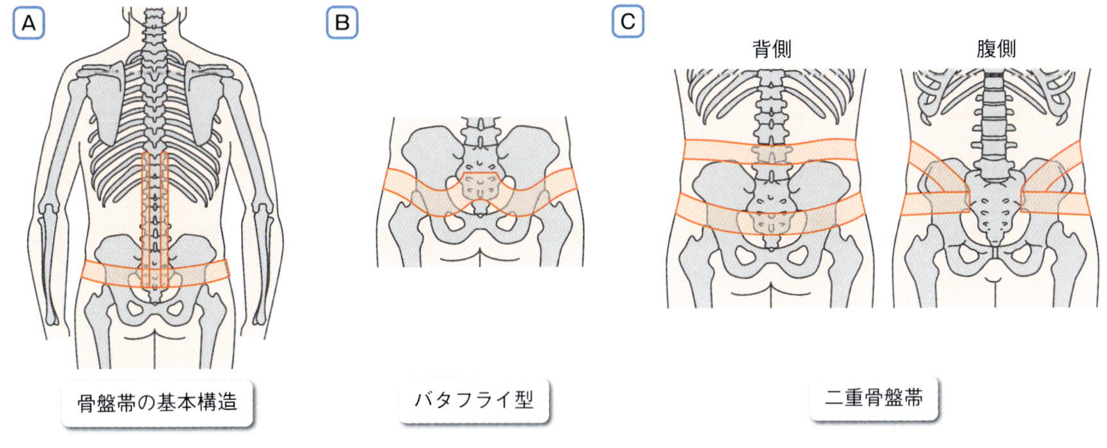

図7　各種骨盤帯

文献1より引用.

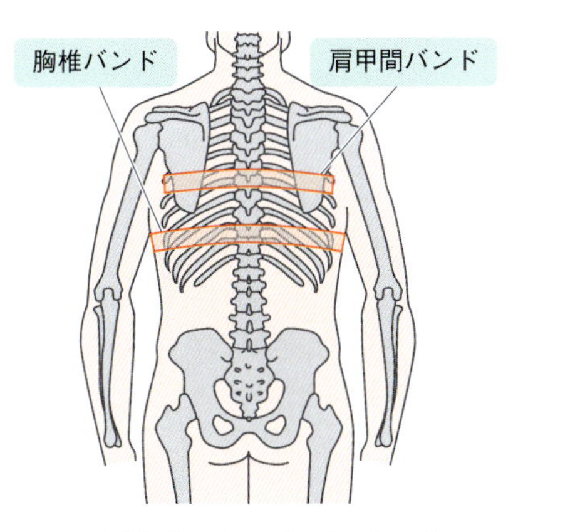

図8　胸椎バンドと肩甲間バンド

文献1より引用.

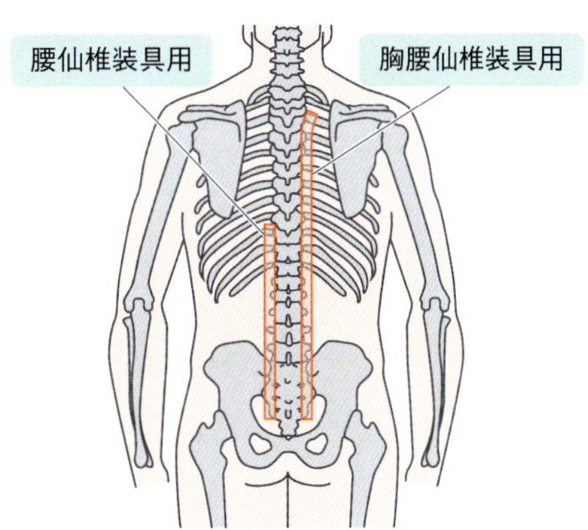

図9　後方支柱

文献1より引用.

2）胸椎バンド（図8）

- **腰仙椎装具**の上縁を構成する.
- 肩甲骨下角より2～3 cm下方を通り，側方はそれぞれ腋窩中央と大転子を結ぶ線上まで横に伸びる.

3）肩甲間バンド（図8）

- おもに**胸腰仙椎装具**に用いられ，肩甲骨を介して胸郭を制御する.
- 肩甲骨の下1/3の高さで，肩甲骨下角の約2～3 cm上方を肩甲間バンドの下縁が通る高さ.両端は腋窩レベルより約5 cm短い.

4）後方支柱（図9）

- 骨盤帯と胸椎バンドを結ぶ後方の縦の支柱.

- 棘突起をはさんで4～6 cmの間隔で2本．腰仙椎装具では胸椎バンドの高さ，胸腰仙椎装具では肩甲棘の高さまでとする．
- 体幹の前後屈を制限する要素となる．

5）側方支柱（図10）

- 骨盤帯と胸椎バンドを結ぶ側方の縦の支柱．
- 矢状面（側方）からみると，腋窩中央と大転子を結ぶ線上にあり，骨盤帯と胸椎バンドを結ぶ．
- 体幹の側屈を制限する要素となる．

6）腹部前あて（図11）

- パッド式のものやコルセット様のレース開きのものがあるが，どちらも3点固定の原理で前方の支持を担い，腹圧を高める作用をもつ．
- 座位姿勢を妨げない範囲で，上端は剣状突起の下約2～3 cm，下端は恥骨結合の上約2 cm程度とする．側方は側方支柱につながる．

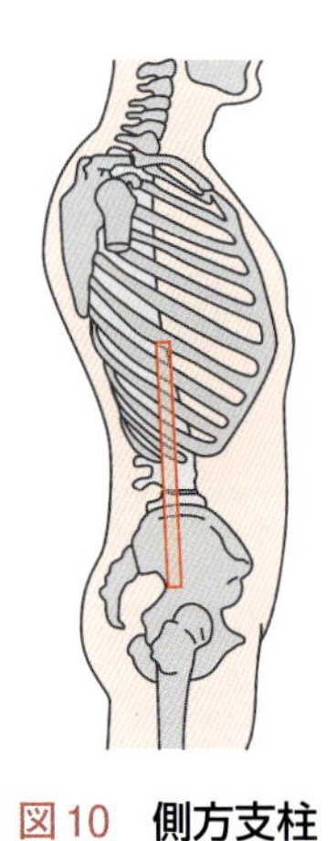

図10　側方支柱
文献1より引用．

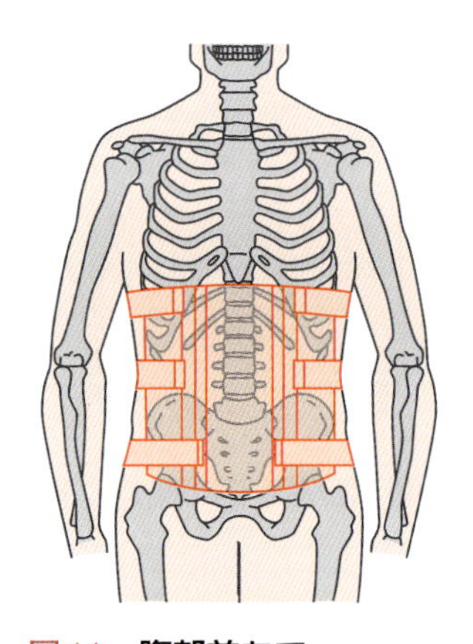

図11　腹部前あて
文献1より引用．

3 胸腰仙椎装具

1）テーラー（Taylor）型胸腰仙椎装具（図12）

- Taylorとは，「紳士服の仕立て屋」の意．仕立て時に使用する人台（人体の模型）より連想され，その名がついた．

1 適応

- 胸椎圧迫骨折，変形性脊椎症，円背，脊椎骨粗鬆症など

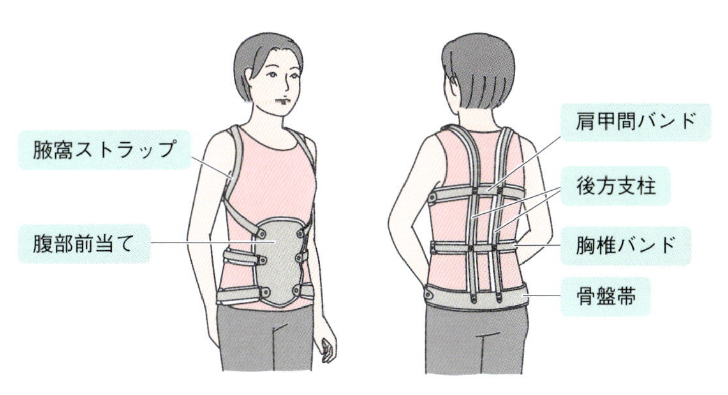

図12　テーラー（Taylor）型胸腰仙椎装具

2 機能特徴

- 基本的にギプス採型により身体の輪郭に適合させた金属フレームを使用する．
- **骨盤帯**から立ち上げた2本の**後方支柱**，**肩甲間バンド**，**胸椎バンド**，**腋窩ストラップ**，**腹部前当て**で構成される．
- **胸腰椎移行部の屈曲・伸展を制限**（胸椎を伸展位で固定）する．
- **側屈，回旋の制限は少ない**．
- 腹部内圧を増大させる．

3 チェックアウト

- 脊柱の伸展は適切か（処方通りか）．
- 各パーツは左右対称になっているか．
- 腋窩を圧迫していないか．
- 腹部前当ては適切か．

2）ナイトテーラー（Knight-Taylor）型胸腰仙椎装具（図13）

- ナイト型腰仙椎装具（後述）をベースにテーラー型胸腰仙椎装具の上部を組合わせた形．

1 適応

- 胸腰椎圧迫骨折，変形性脊椎症，円背など

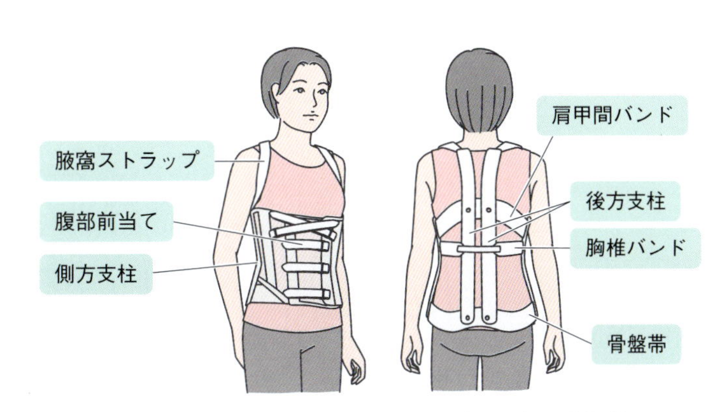

図13　ナイトテーラー（Knight-Taylor）型胸腰仙椎装具

2 機能特徴

- **テーラー型に比べ側屈，回旋の制限が向上**している．
- 胸椎を伸展させる機能と腰椎前弯を減少させる機能をもつ．
- ナイト型の側方支柱が構成に加わる．

3 チェックアウト

- 脊柱の伸展は適切か（処方通りか）．
- 各パーツは左右対称になっているか．
- 側方支柱は適切か．
- 腋窩を圧迫していないか．
- 腹部前当ては適切か．

3）スタインドラー（Steindler）型胸腰仙椎装具（図14）

1 適応

- 胸椎圧迫骨折，変形性脊椎症，円背，胸椎術後など

2 機能特徴

- 基本的にギプス採型により身体の輪郭に適合させた金属フレームを使用する．
- 胸腰椎全体を金属フレームで包み込む構造（ケージ構造）をもつ．
- 2本の**前方支柱**，2本の**後方支柱**，2本の**側方支柱**，**腋窩フレーム**，**鎖骨上ストラップ**，**二重骨盤帯**で構成される．
- 二重骨盤帯により骨盤を強固にホールドできる．

3 チェックアウト

- 脊柱のアライメントは適切か．
- 腋窩を圧迫していないか．
- 胸鎖関節を圧迫していないか．
- 上前腸骨棘を圧迫していないか．

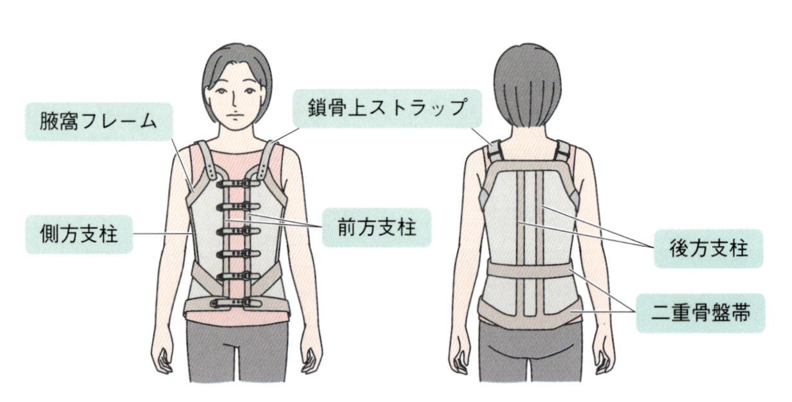

図14 スタインドラー（Steindler）型胸腰仙椎装具

4）軟性コルセット（胸腰仙椎装具）（図15）

- ダーメンコルセットともよばれる．

1 適応

- 胸・腰椎椎間板ヘルニア，脊椎分離症，脊椎すべり症，胸・腰部椎間関節症，胸・腰椎術後，変形性脊椎症，脊椎骨粗鬆症，背部痛，腰痛を有する疾患など

2 機能特徴

- **ナイロンメッシュ素材**（通気性向上）で作られている．
- 薄い鋼板あるいはプラスチックによる縦補強が施されている．
- 背面の編み上げでフィッティングを調整できる．
- 着脱は前方の面ファスナーで行う．
- 装具の長さ
  - 上縁　前面：胸骨上切痕の下3 cm程度の高さ
    後面：肩甲棘を覆う高さ
  - 下縁　前面：上前腸骨棘を覆い，恥骨結合上約2 cm
    後面：骨盤帯のレベル（腸骨稜と大転子の間）
- **運動制限効果は低い．胸・腹腔内圧増大効果，保温効果，心理的効果**をもつ．

3 チェックアウト

- 上縁・下縁の位置は適切か．
- 座位で鼡径部を圧迫しないか．
- 呼吸運動を妨げないか．
- 腹部への圧は適切か．
- 全体的な脊柱アライメントは適当か．
- フィッティングはよいか．

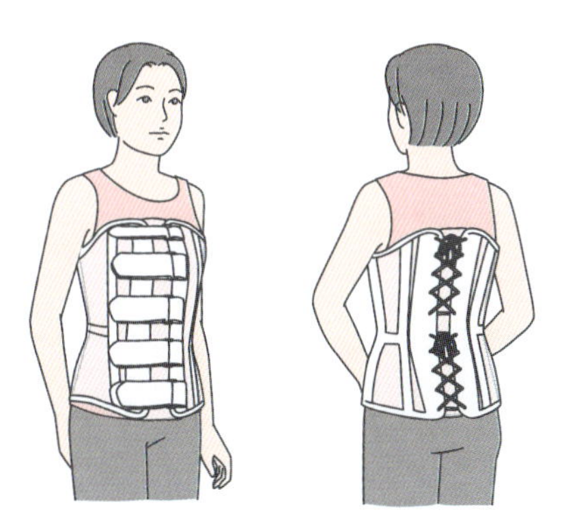

図15　軟性コルセット（胸腰仙椎装具）

5）モールド式胸腰仙椎装具（図16）

1 適応

- 胸腰椎圧迫骨折，円背，胸椎術後，胸腰椎外傷後など

2 機能特徴

- ギプス採型し，熱可塑性プラスチックを成形して患者の身体にぴったりフィットする形に製作（外傷後，術後の製作は困難）．
- 身体とは全面接触（接触圧は分散される）．
- **胸腰仙椎装具のなかで最も固定力が強い．**
- **屈曲・伸展，側屈，回旋の全方向の運動を制限．**
- 固定力の補強のために金属支柱を追加することがある．
- 熱伝導性が低いため，体温が放散されにくいという欠点をもつ．

3 チェックアウト

- 身体のラインに沿ってモールド（型通りに成形）されているか．
- 腋窩を圧迫していないか．
- 呼吸の妨げになっていないか．
- 腹部の圧迫は適当か．
- 脊柱のアライメントは適当か．

6）ジュエット（Jewett）型胸腰仙椎装具（図17）

1 適応

- 胸腰椎移行部での**脊椎圧迫骨折に適応**する．

2 機能特徴

- 前方上部の**胸骨**パッド，下部の**恥骨**パッド，背面の**背部（胸腰椎）**パッドによる**3点固定**．
- **胸腰椎の屈曲を制限し，伸展位に保持する．**
- 後屈は制限しない．

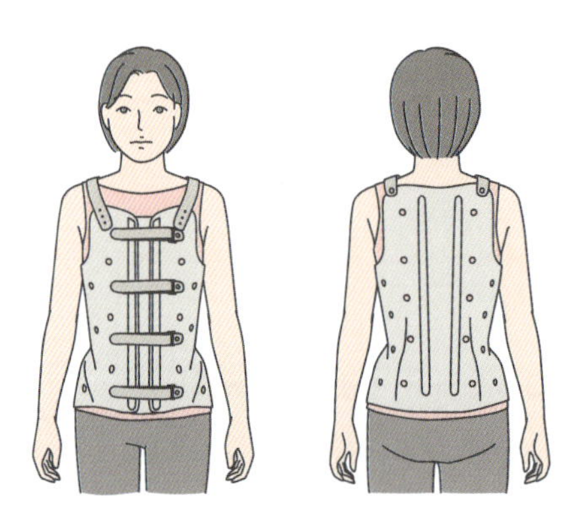

図16　モールド式胸腰仙椎装具
通気性を上げるために穴をあける．

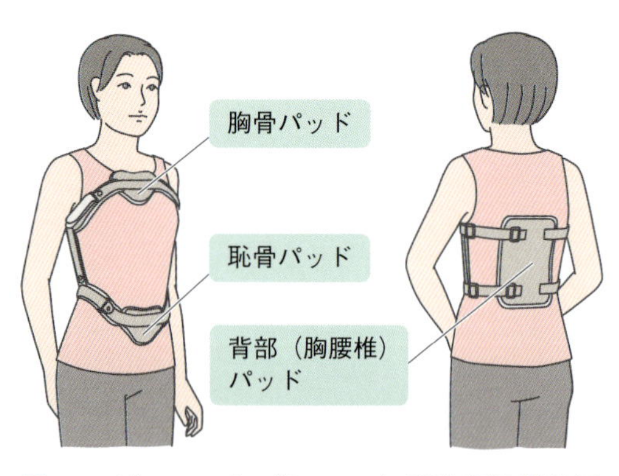

図17　ジュエット（Jewett）型胸腰仙椎装具

3 チェックアウト

- 胸椎パッドは平らに胸骨を押さえているか.
- 恥骨パッドは恥骨を押しているか.
- 胸骨パッドの上縁は頸切痕の1～2 cm下方にあるか.
- 恥骨パッドの下縁は恥骨結節上縁の1～2 cm上方にあるか.

4 腰仙椎装具

1）ナイト（Knight）型腰仙椎装具（図18）

1 適応

- 腰椎椎間板ヘルニア，腰椎骨折，脊椎分離症，脊椎すべり症，腰部椎間関節症，変形性脊椎症など

2 機能特徴

- 代表的な腰仙椎装具である.
- 骨盤帯，胸椎バンド，側方支柱，後方支柱，腹部前当てで構成される.
- **腰椎の屈曲・伸展，側屈を制限**する.
- **腰椎の回旋に対する制限はやや弱い**.
- 腹部前当てによる腹腔圧の上昇効果をもつ.
- 腰椎前弯の抑制効果をもつ.

3 チェックアウト

- 骨性隆起部に過度の圧迫はないか.
- 座位時に圧迫はないか.
- 腰椎が後湾しても後方支柱にあたらないか（クリアランスを確保）.

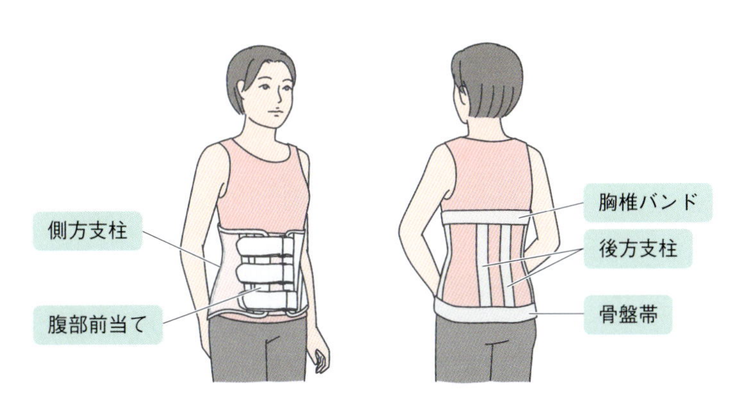

図18　ナイト（Knight）型腰仙椎装具

2）チェアバック（chair back）型腰仙椎装具（図19）

❶ 適応

- 腰椎分離症，腰部脊柱管狭窄症など

❷ 機能特徴

- テーラー型胸腰仙椎装具の腰仙椎部に類似している．
- ナイト型腰仙椎装具の側方支柱を除いた構成をもつ．
- **主として腰椎の屈曲・伸展を制限する．**
- 腹部前当てによる腹腔圧の上昇効果をもつ．
- 腰椎前弯の抑制効果をもつ．

❸ チェックアウト

- 骨性隆起部に過度の圧迫はないか．
- 座位時に圧迫はないか．

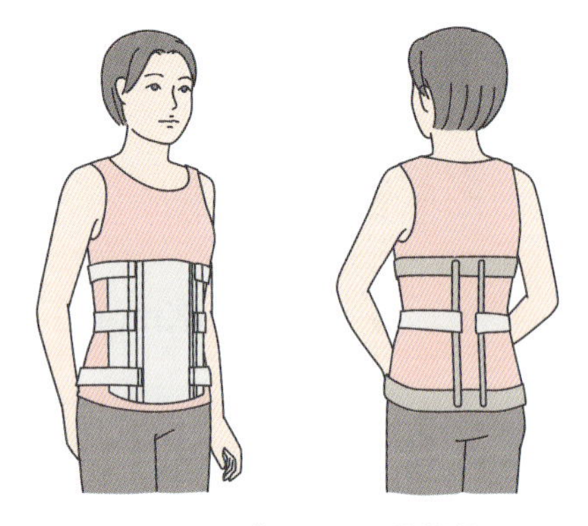

図19　チェアバック型腰仙椎装具
文献2をもとに作成．

3）ウィリアムス型腰仙椎装具（図20）

❶ 適応

- 脊椎分離症，脊椎すべり症，腰部脊柱管狭窄症，腰部椎間板ヘルニア，腰仙角増強傾向の者

❷ 機能特徴

- 骨盤帯，胸椎バンド，側方支柱，斜側方支柱，腹部前当てで構成される．
- 斜側方支柱の上部は可動性をもち，屈曲を許容する．
- **主として腰椎の伸展，側屈を制限する．**
- 腹部前当てによる腹腔内圧の上昇効果をもつ．
- 腰椎前弯の抑制効果をもつ．

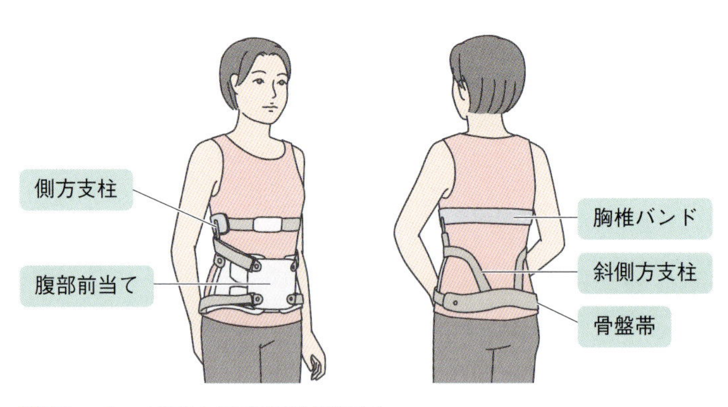

図20　ウィリアムス型腰仙椎装具

3 チェックアウト

- 腰椎前弯が抑制されているか.
- 腰椎は軽度屈曲位になっているか.

4）軟性コルセット（腰仙椎装具）（図21）

1 適応

- 腰椎椎間板ヘルニア，脊椎分離症，脊椎すべり症，腰部椎間関節症，腰椎術後，変形性脊椎症，脊椎骨粗鬆症，腰痛を有する疾患など

2 機能特徴

- 通気性のよい綿布もしくは合成繊維の**メッシュ素材**で作られている.
- 見た目は胸腰仙椎装具の軟性コルセットを短くした形になっている.
- 必要に応じて金属やプラスチック製の支柱を用いる.
- 装具の長さ
  - 上縁　前面：剣状突起の下3～4 cm程度
    後面：肩甲骨下角の下3 cm程度
  - 下縁は胸腰仙椎装具の軟性コルセットと同じ
- 腹腔内圧の上昇効果をもつ.
- 脊柱や脊柱起立筋の負荷軽減効果をもつ.
- **腰椎の運動制限効果は小さい．温熱・保温効果と心理的効果をもつ.**

3 チェックアウト

- 腹部に適切な圧が加わっているか.
- 局所の圧迫，皮膚とのずれはないか.
- 長期使用による廃用性萎縮予防のための指導を行う.

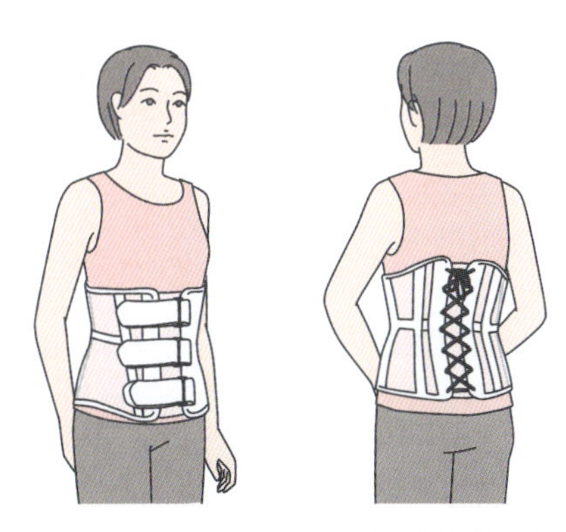

図21　軟性コルセット（腰仙椎装具）

5 仙腸装具

- 大転子ベルト，仙腸ベルト，骨盤ベルト（ペルビックバンド）（図22）とよばれるものや，McAusland型，Wilcox Lipscomb型，Goldthwaite Osgood型とよばれるような冠名のものがある．

1 適応

- 骨盤輪不安定症，骨盤外傷，骨盤痛，仙腸関節痛，分娩後の骨盤痛遷延例．

2 機能特徴

- 骨盤の仙腸部を覆う装具である．
- **仙腸関節の固定，腹圧上昇，保温などを目的とする．**

3 チェックアウト

- 素材の選択は適切か．
- ベルトの幅は適切か．
- 圧迫強度は適切か．

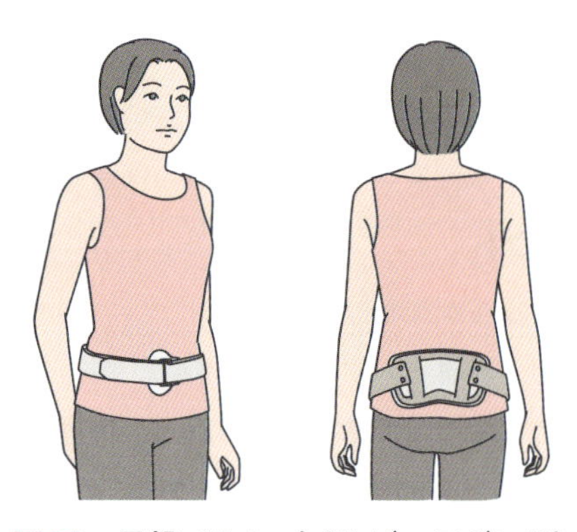

図22　骨盤ベルト（ペルビックバンド）

■ 文献

1）「義肢装具のチェックポイント 第8版」（日本整形外科学会，日本リハビリテーション医学会/監，伊藤利之，赤居正美/編），医学書院，2014

2）「装具学 第4版」（日本義肢装具学会/監，飛松好子，高嶋孝倫/編著），医歯薬出版，2013

8 疾患別の装具療法⑤ 末梢神経障害の装具

学習のポイント

- 末梢神経障害用の装具の名称と症状ごとの適応について理解する
- 末梢神経障害用の装具の機能特徴とメカニズムについて理解する
- 末梢神経障害用の装具のチェックアウトについて理解する

1 末梢神経障害について

- 末梢神経障害（peripheral neuropathy）とは，末梢神経もしくは神経根に病変がある疾患の総称のことである．末梢神経障害は，末梢神経に対する圧迫，外傷，感染や代謝性疾患などで起きる．そのなかでも何らかの原因により慢性的に末梢神経が関節部で圧迫されたことにより起きる神経障害を「絞扼（こうやく）性神経障害」とよぶ．代表的な絞扼性神経障害を表1に示す．
- 末梢神経障害に対する装具を理解するためには，まず代表的な**末梢神経障害**の原因とその特徴および変形について知る必要がある（表2）．
- **手の関節部および骨隆起部の名称**（図1）※1．
  - 遠位指節間関節（distal interphalangeal joint：DIP関節）．
  - 近位指節間関節（proximal interphalangeal joint：PIP関節）．
  - 中手指節間関節（metacarpophalangeal joint：MP関節）．
  - 手根中手関節（carpometacarpal joint：CM関節）．

表1　代表的な絞扼性神経障害

病名	障害神経	絞扼部位
胸郭出口症候群	腕神経叢	鎖骨部胸郭出口
肘部管症候群	尺骨神経	肘関節尺側肘部管
円回内筋症候群	正中神経	円回内筋筋腹部
手根管症候群	正中神経	手根管（手関節掌側正中）
尺骨管症候群	尺骨神経	ギヨン管（手関節掌側尺側）
梨状筋症候群	坐骨神経	梨状筋と上双子筋との間
足根管症候群	脛骨神経	脛骨内顆下の足根管

表2 装具療法の適応となる末梢神経障害の代表的な原因とその特徴および変形

神経	疾患	特徴	変形
尺骨神経	上腕骨外顆骨折 肘部管症候群 尺骨（ギヨン管）症候群	第1指尺側内転運動障害 第4・5指MP関節過伸展 第4・5指PIP・DIP関節伸展運動障害	鷲手
橈骨神経	上腕骨骨幹部骨折 橈骨神経管症候群 回外筋症候群	手関節背屈運動障害	下垂手
正中神経	上腕骨顆上骨折 コーレス骨折 手根管症候群 円回内筋症候群	母指の対立運動障害	猿手
腓骨神経	外部から膝外側への強い圧迫（背臥位での強い圧迫，ギプス固定など）・腫瘤・腫瘍・開放創・挫傷・骨折	足関節・足趾背屈運動障害	下垂足

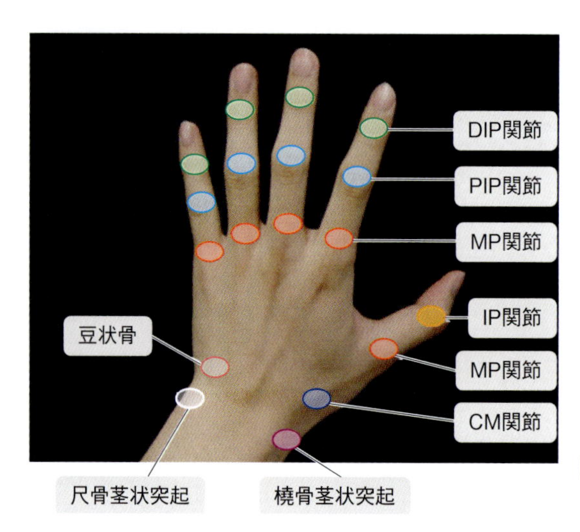

図1 手指関節および骨隆起部の名称

- **足部の骨と骨隆起部の名称**（図2）.
  - ▶足部内側の骨隆起は，第1中足骨頭・骨底，楔状骨，舟状骨，内果などがある.
  - ▶足部外側の骨隆起は，第5中足骨頭・骨底，外果などがある.

※1 適合性の確認について

手部では第1中手骨基部（CM関節）や茎状突起部，足部では第1・5中足骨頭・骨低や外果，内果などの骨が隆起した部位は，装具の過度な圧迫により皮膚が傷つきやすい．そのため，①骨と装具の形状が合致した状態となっているか，②装具が全面接触しているか（接触面積を増やすことで圧分散させることができるため）などを確認する.

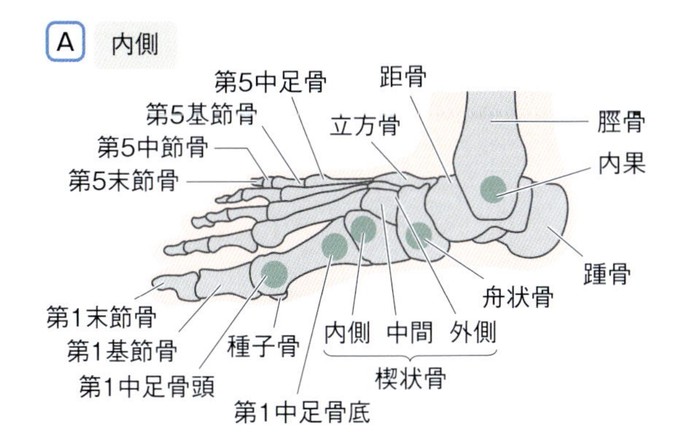

図2 足部の骨と骨隆起部の名称

2 尺骨神経麻痺に対する装具

- 尺骨神経は手の**内在筋**を支配し，**第4・5指MP関節屈曲運動**（**IP関節伸展時**）に関与する他，**母指の内転運動**にも関与している．
- 尺骨神経麻痺では，第4・5指MP関節の過伸展およびPIP・DIP関節の完全伸展が不可能となり屈曲した形になる（これを鷲手変形もしくはかぎ爪変形という）．
- そのため尺骨神経麻痺に対する装具には第4・5指MP関節屈曲位（良肢位）保持機能が求められる．

1）コイル式スプリント（図3）

❶ 適応

- 尺骨神経麻痺
- 第4・5指のMP関節の過伸展を防止し，安静固定を主目的とする場合に利用される．

❷ 機能特徴

- 第4・5指の**MP関節を屈曲位**に保持する静的装具※2である．

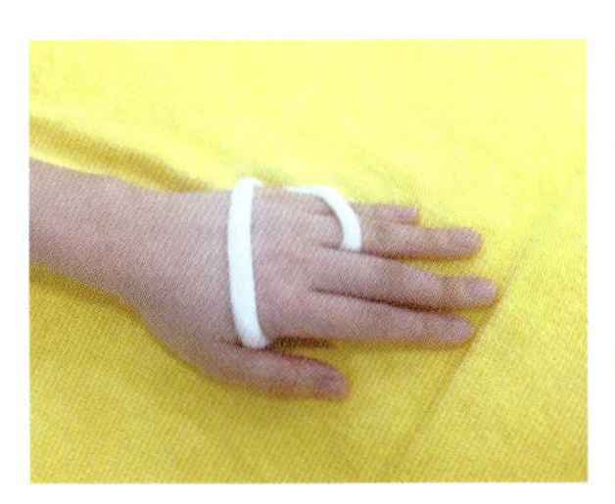
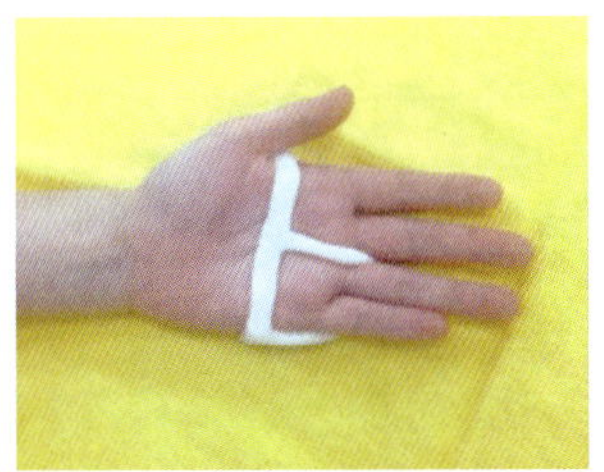

図3 コイル式スプリント

※2 静的装具とは
装具装着部位に属する関節の運動を許さない装具のこと．基本的に骨，関節，皮膚に原因のある場合に適応となる．主な装具機能は，①組織の安静・保護，②良肢位の保持，拘縮の矯正などである．

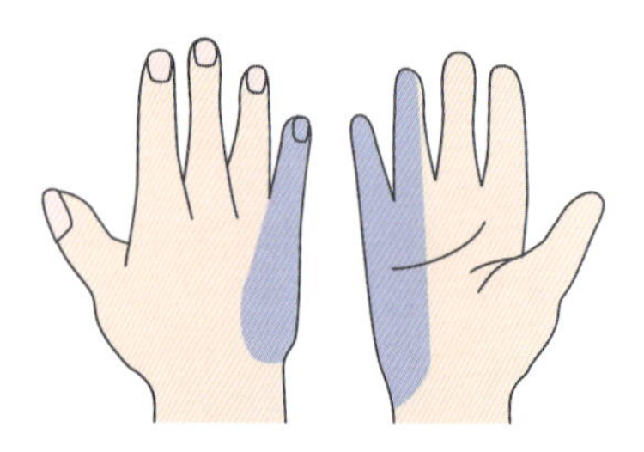

図4　尺骨神経知覚支配域

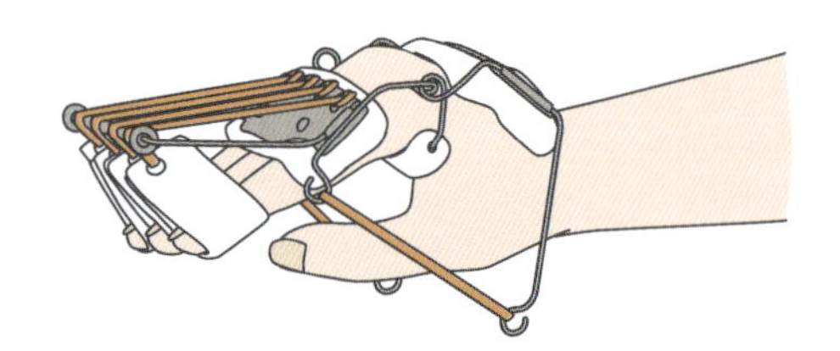

図5　ナックルベンダー

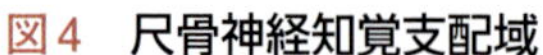

3 チェックアウト

- 第4・5指のMP関節を軽度屈曲位に固定しているため定期的にMP関節の関節可動域制限の有無を確認する.
- 可能な限り24時間装着させるため疼痛や違和感のない適合状態であることを確認する.
- 尺骨神経知覚支配域（図4）は，感覚障害の程度によって不適合による発赤や傷が出現しても自覚がないことがあるため**視覚的な確認**を指導する.
- 装具と接触する**骨隆起部**の適合を確認する※1（図1）.
- 指尖部（指先）の皮膚色調や皮膚温も確認する.

2）ナックルベンダー（図5）

1 適応

- 尺骨神経麻痺，MP関節伸展拘縮
- 第4・5指のMP関節の過伸展を防止するほか，MP関節の屈曲運動を補助することを主目的とする場合に利用される.

2 機能特徴

- ゴムやコイルスプリングを用いて**第4・5指MP関節の屈曲運動**を補助する動的装具※3である.

※3　動的装具とは
装具付属品により装具装着部位に属する関節の運動を部分的に許す装具のこと．基本的に神経，筋，関節構成帯に原因のある場合に適応となる．主な装具機能は，①筋力強化，②関節拘縮の改善，③関節運動の供給，④筋・腱のバランスや再教育などである.

3 チェックアウト

- MP関節の屈曲運動が適切な可動域の範囲内で確保されているかを確認する.
- 装具と接触する**骨隆起部**の適合を確認する※1（図1）.
- その他，コイル式スプリントのチェックアウトと同様なので参照されたい.

3 橈骨神経麻痺に対する装具

- 橈骨神経は，**母指伸展，手指のMP関節伸展，手関節背屈運動**に関与している．
- 橈骨神経麻痺に対する装具には，指のMP関節を中間位もしくは軽度屈曲位に，手関節を中間位もしくは軽度背屈位（機能的肢位）に保持する機能が求められる．

1）カックアップスプリント（図6）

1 適応

- 橈骨神経麻痺，腕神経叢麻痺下位型
- 母指を外転位，手関節を中間位もしくは軽度背屈位で安静固定することを主目的とする場合に利用される．

2 機能特徴

- **手関節を中間位**もしくは**軽度背屈位**に保持する静的装具である．

3 チェックアウト

- 手関節を軽度背屈位に固定しているため定期的に手関節の関節可動域制限の有無を確認する．
- 可能な限り24時間装着させるため疼痛や違和感のない適合状態であることを確認する．
- 装具縁が**母指球皮線**（図7）の橈側までかかっていないかを確認する（装具縁がこのラインの橈側までかかると母指の可動域に制限が生じる）．
- 橈骨神経知覚支配域（図8）は，感覚障害の程度によって不適合による発赤や傷が出現しても自覚がないことがあるため**視覚的な確認**を指導する．
- 母指MP関節，CM関節部，尺骨・橈骨茎状突起部の適合※1, 4を確認する（図1）．
- 指尖部の皮膚色調や皮膚温も確認する．
- 前腕部近位装具端の適切なフレア※4があるか確認する．
- 装具と接触する**骨隆起部**の適合を確認する※1（図1）．

※4　適切なフレアとは
特に浮腫や腫脹がある場合には，装具縁が皮膚へ食い込むことがある．これを防ぐため装具縁のトリムライン（装具縁をトリミングした際の形で装具の形状をなすライン）を若干外側へ拡げたフレア形状とする．

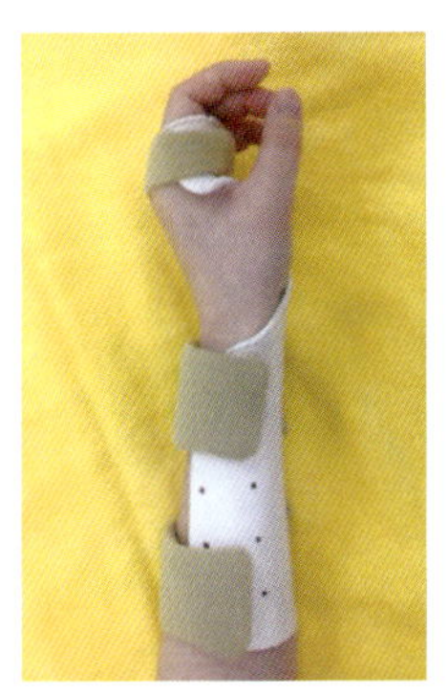
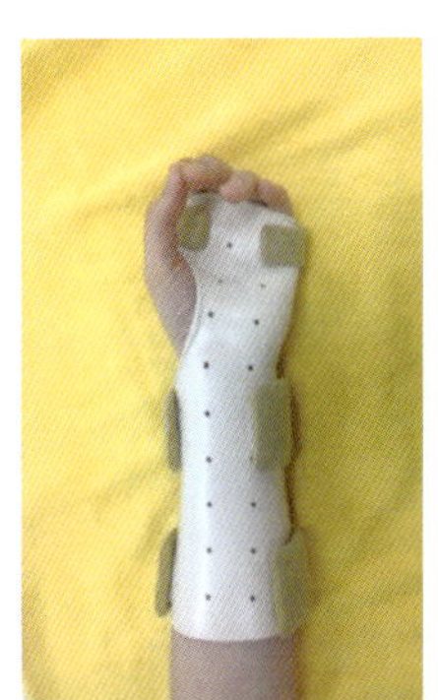
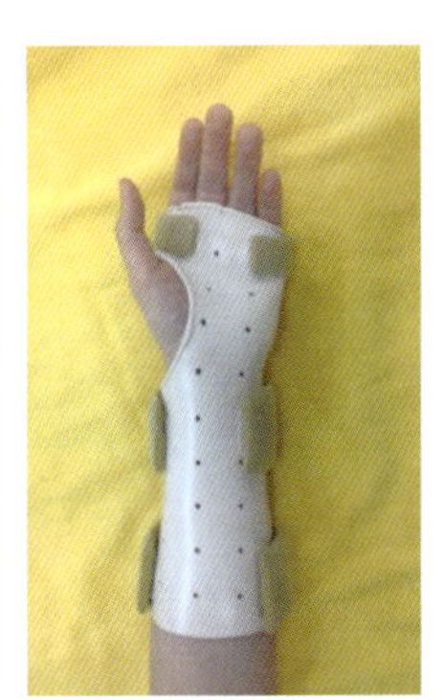

図6　カックアップスプリント

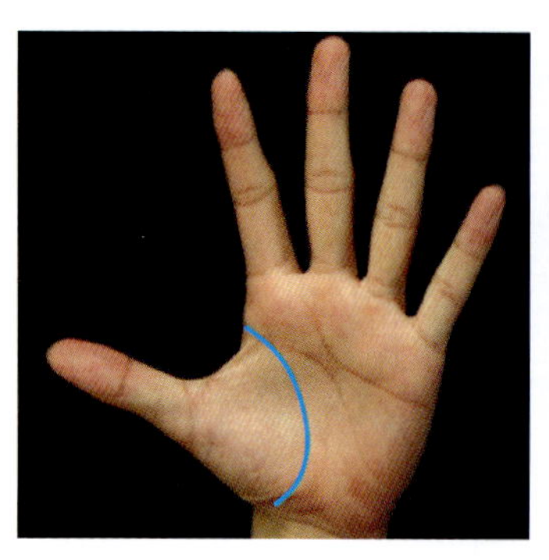
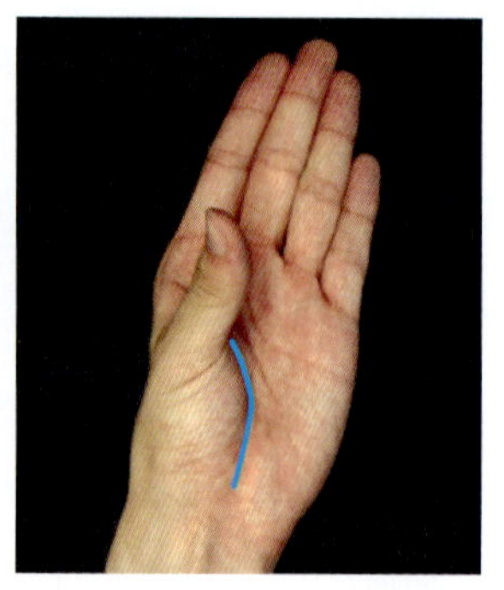

図7 母指球皮線

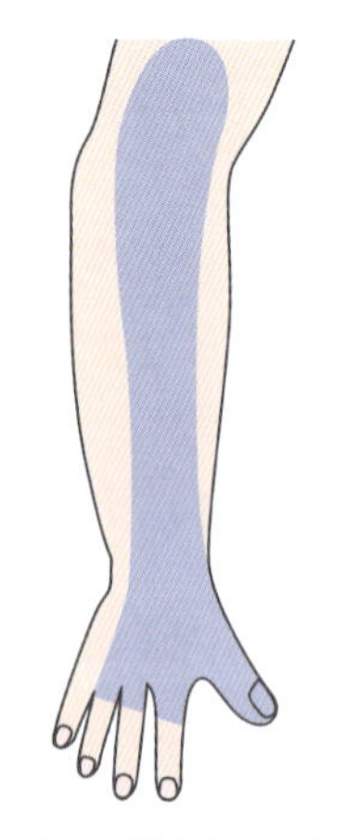

図8 橈骨神経知覚支配域

2) オッペンハイマー型装具（図9）

❶ 適応

- 橈骨神経麻痺，手関節・指伸筋断裂
- 母指を外転位，MP関節を伸展位，手関節を中間位もしくは軽度背屈位で保持するとともに把持運動を獲得させる場合に利用される．

❷ 機能特徴

- 前腕カフからピアノ線でMP関節を支持し，手関節とMP関節を伸展位に保持する動的装具である．

❸ チェックアウト

- 手関節背屈運動が適切な可動域の範囲内で確保されているかを確認する．
- 装具と接触する**骨隆起部**の適合を確認する※1（図1）．
- その他，カックアップスプリントのチェックアウトと同様なので参照されたい．

3) トーマス型懸垂装具（図10）

❶ 適応

- 橈骨神経麻痺

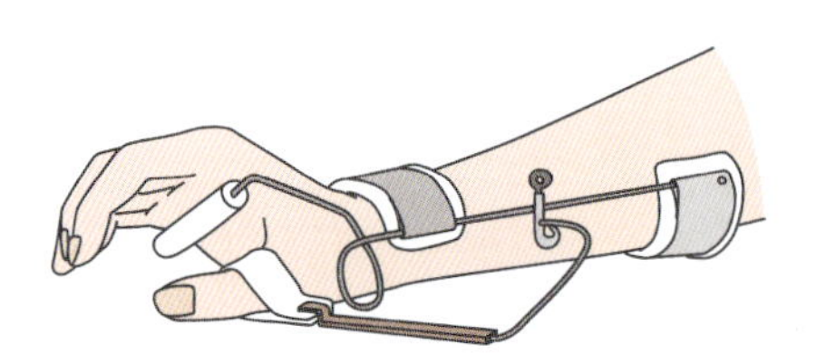

図9 オッペンハイマー型装具

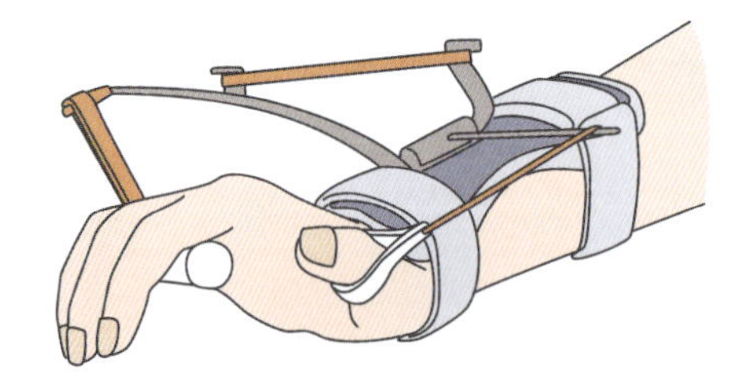

図10 トーマス型懸垂装具

- 母指を外転位，MP関節を伸展位，手関節を中間位もしくは軽度背屈位で保持するとともにMP関節の伸展補助を主目的とする場合に利用される．

2 機能特徴

- 前腕背側からピアノ線やゴムの弾力を利用してMP関節，母指伸展運動を補助する動的装具である．

3 チェックアウト

- カックアップスプリント，オッペンハイマー型装具のチェックアウトと同様なので参照されたい．

4 正中神経麻痺に対する装具

- 正中神経は**母指の対立運動**に関与している他，**手指の屈曲**，**手関節の屈曲**にも尺骨神経とともに関与している．
- 正中神経麻痺に対する装具には，母指の対立運動が障害されるため母指対立位（機能的肢位）保持機能が求められる．
- 損傷レベルが低位（手関節レベル）の場合，**母指の対立機能**が主に保持できなくなる．
- 損傷レベルが高位（前腕近位部よりも高位レベル）の場合，**手指の屈曲機能**が低下するとともに手関節を固定する機能も低下する．

1）短対立装具（図11）

1 適応

- 正中神経麻痺（低位麻痺）

2 機能特徴

- 手関節を固定する機能をもたず母指を他の4指と対立位に保持し，つまみ動作を可能にする静的装具である．

3 チェックアウト

- 機能的肢位である対立位が保持できているか確認する．
- 母指を対立位に固定（一部可動域を制限）しているため定期的に母指の関節可動域制限の有無を確認する．
- 可能な限り24時間装着させるため疼痛や違和感のない適合状態であることを確認する．

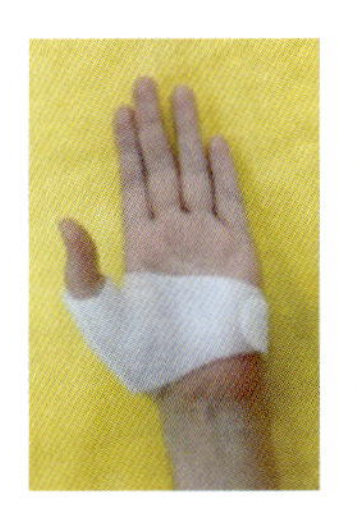
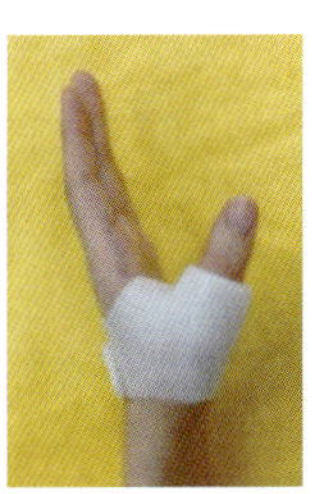
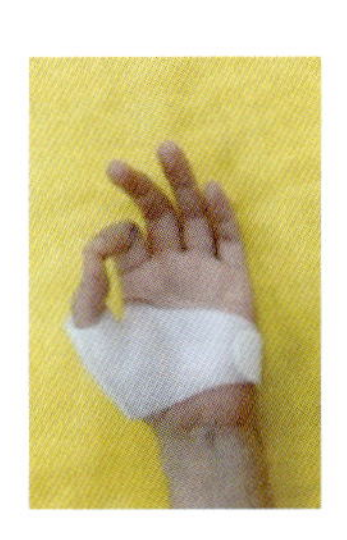
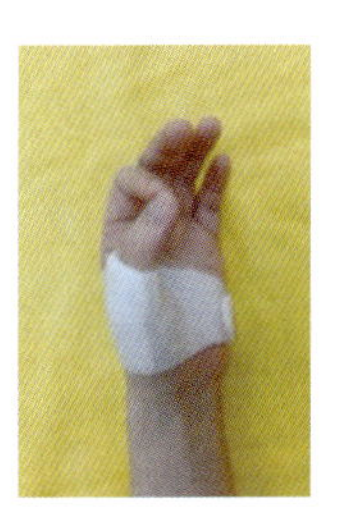

図11 短対立装具

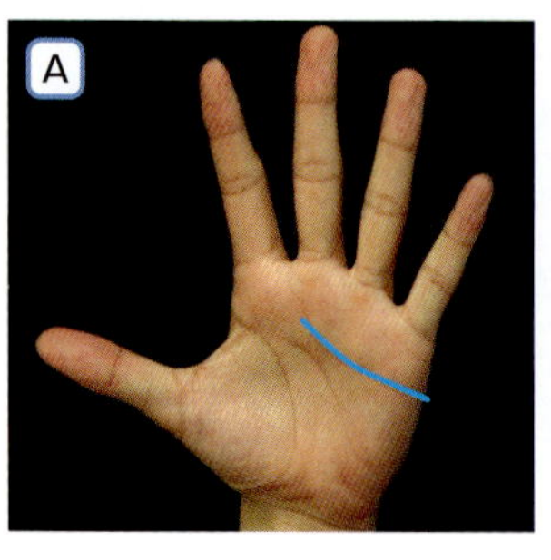

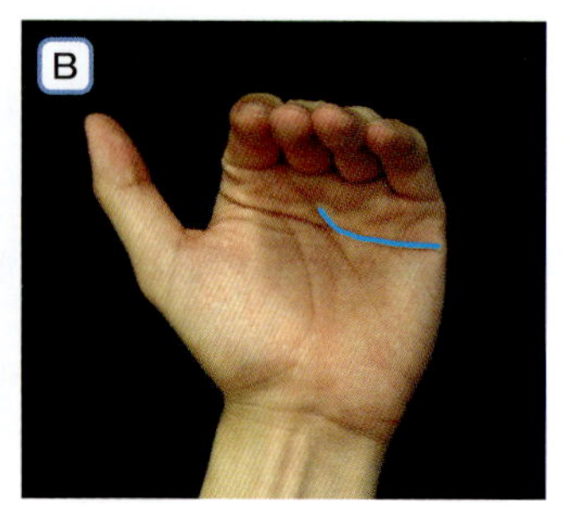

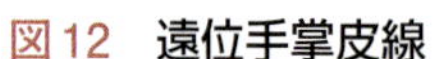
図12　遠位手掌皮線

図13　正中神経知覚支配域

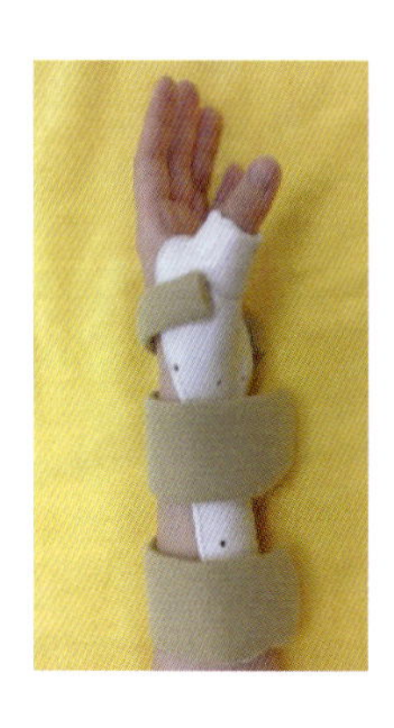
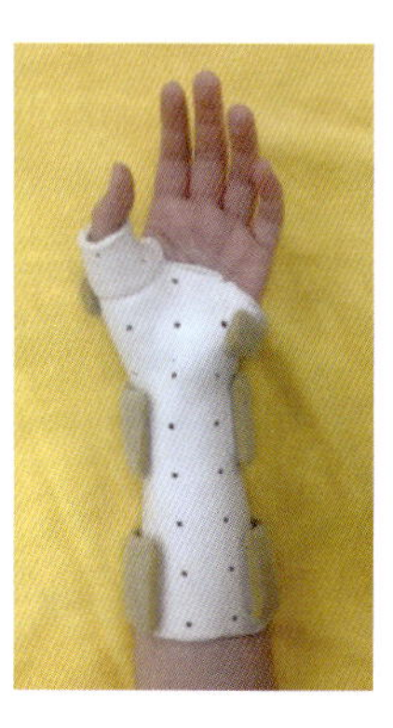
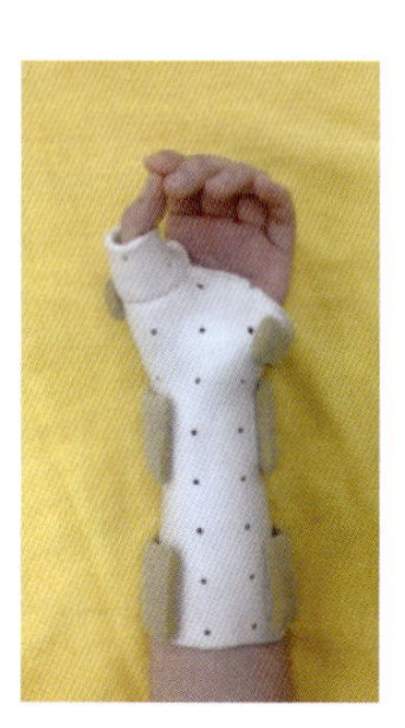

図14　長対立装具

- 装具縁が**遠位手掌皮線**（図12）を越えていないかを確認する（このラインを越えると指のMP関節の可動域に制限が生じる）.
- 正中神経知覚支配域（図13）は，感覚障害の程度によって不適合による発赤や傷が出現しても自覚がないことがあるため**視覚的な確認**を指導する.
- 母指MP関節，CM関節部の適合を確認※1する（図1）.
- 指尖部の皮膚色調や皮膚温も確認する.
- 装具と接触する**骨隆起部**の適合を確認する（図1）.

2）長対立装具（図14）

1 適応

- 正中神経麻痺（高位麻痺）

2 機能特徴

- 手関節を固定する機能をもち，母指を他の4指と対立位に保持する静的装具である.

3 チェックアウト

- 尺骨・橈骨茎状突起部の適合を確認※1する（図1）.
- 前腕部近位装具端の適切なフレアがあるか確認※4する.
- 装具と接触する**骨隆起部**の適合を確認する（図1）.
- その他，短対立装具のチェックアウトと同様なので参照されたい.

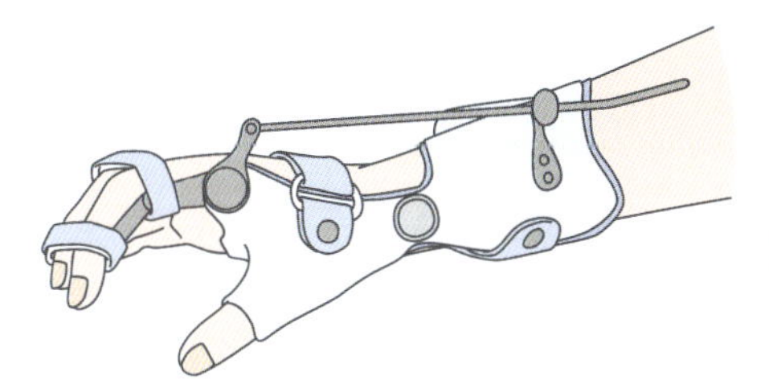

図15　手関節駆動式把持装具（エンゲン型）

別名：フレクサーヒンジ・スプリント.

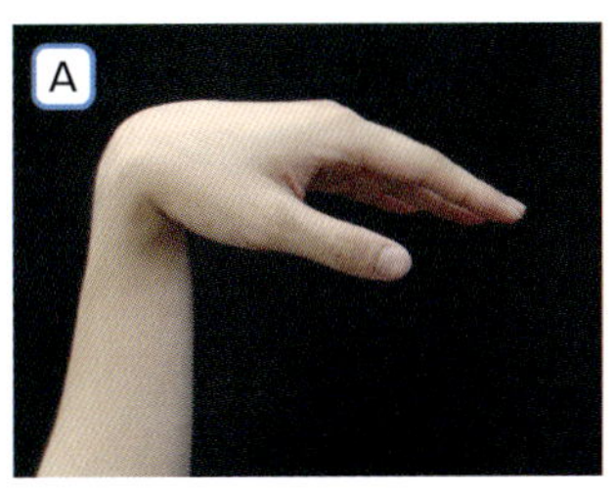

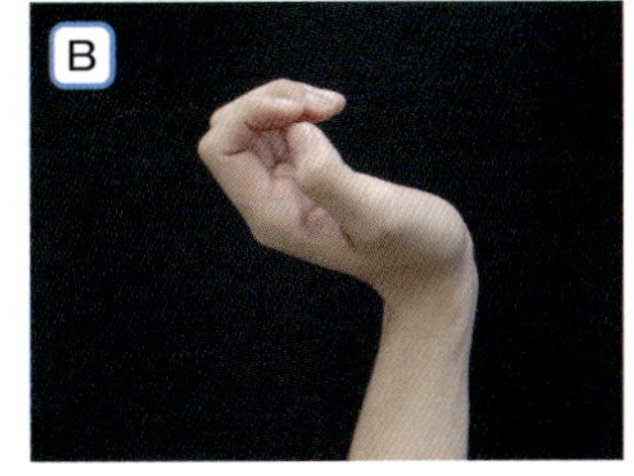

図16　テノデーシスアクション（tenodesis action）

テノデーシスアクションとは，手関節が掌屈したときに手指が伸展，手関節が背屈したときに手指が屈曲する手関節と手指の相反作用のこと.

3）手関節駆動式把持装具（図15）

❶ 適応

- 正中・尺骨神経麻痺
- C6機能残存の頸髄損傷

❷ 機能特徴

- MP関節と手関節部分に継手があり手関節背屈運動を力源として，母指と示指，中指のMP・PIP・DIP関節が屈曲し「つまみ動作」ができる動的装具である.
- テノデーシスアクション（tenodesis action）（図16）を利用している.

❸ チェックアウト

- テノデーシスアクションを利用してつまみ動作が可能であるか確認する.
- 装具と接触する**骨隆起部**の適合を確認する※1（図1）.
- その他，短対立装具，および長対立装具のチェックアウトと同様なので参照されたい.

5 腓骨神経麻痺に対する装具

- 総腓骨神経は，膝窩上方で坐骨神経から分岐し，膝の後面から腓骨頭の外側を回り浅腓骨神経と深腓骨神経に分かれる.
- これらは**足部の外反**，**足関節の背屈**，**足趾の背屈運動**に関与している.
- 腓骨神経麻痺は，これらの運動に障害が生じる**下垂足**（drop foot）を呈する.
- 腓骨神経麻痺に対する装具は，足部内外反中間位，足関節底背屈中間位もしくは軽度背屈

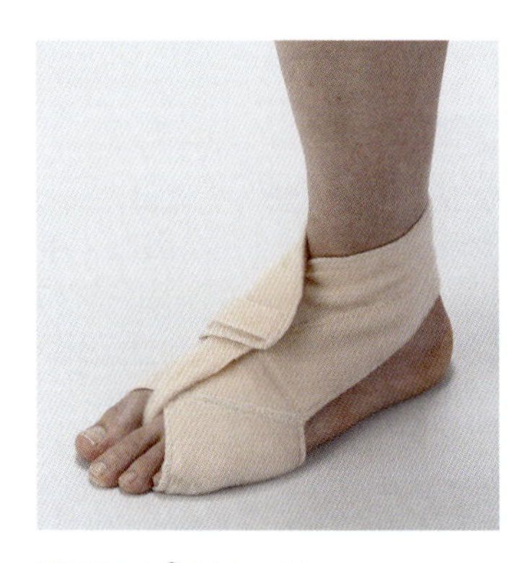

図17　プロフッター
写真提供：中村ブレイス社.

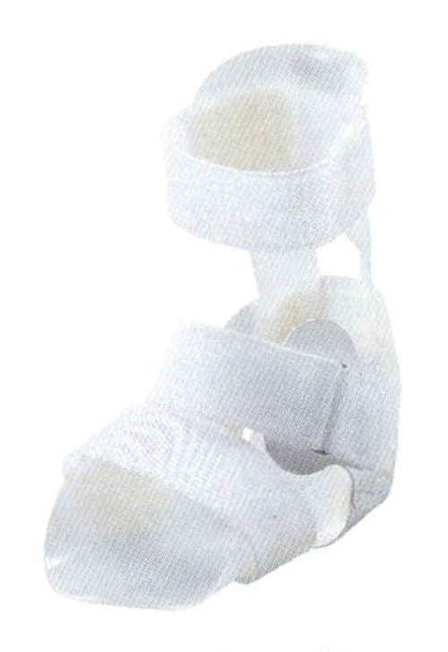

図18　オルトップ®AFO
写真提供：パシフィックサプライ社.

位に保持する機能が求められる.

1）プロフッター（中村ブレイス社）（図17）

1 適応

- 腓骨神経麻痺による下垂足

2 機能特徴

- 足部内外反中間位，足関節底背屈中間位もしくは軽度背屈位に保持する装具である.

3 チェックアウト（参照）

参照
下肢装具のチェックアウトは第Ⅱ章2参照

- 自己装着方法を指導する.
- 装着前に必ず本体，ベルトなどに破損などの異常がないか確認する.
- 装着の際は，前後，上下，左右，表裏を確認し装着する.
- ベルトは足部内外反中間位，足関節底背屈中間位を保持できる強さで**緩まないように装着**する.
- 装着後の歩行時などに緩みが生じた場合は再度，緩みのない状態に装着し直す.
- 装着時の鼻緒の過度の圧迫により**第1趾と第2趾間に痛みがないか**確認する.
- マジックベルトのオス（繊維の硬い方）がストッキングに触れると伝線する場合があるので注意する.
- 本体・ベルトなどが濡れた場合には乾燥させて使用する.

2）オルトップ®AFO（パシフィックサプライ社）（図18）

1 適応

- 腓骨神経麻痺による下垂足

2 機能特徴

- 足部内外反中間位，足関節底背屈中間位もしくは軽度背屈位に保持する装具である.

3 チェックアウト

- プラスチック製の既製品（S・M・L・LL）であるため使用者の**足長**に応じた選定を行う．
- 足長が合致していても足幅，足囲によってはフィッティング不良を生じることがあるため，正しく装着した状態で装具と接触する足部の**骨隆起部**をチェックする（図2）．
- 制動力が必要な場合には，オーダーメイドでの「プラスチックAFO」（参照）や「オルトップ®AFO LH」（後面支柱がオルトップより3 cm高い，足底部が中足趾節間関節遠位まで延長）および「オルトップ®AFO LHプラス」（後面支柱がオルトップ®LHより3 cm高い，足底部が足先部まで延長）なども検討する．

参照
オーダーメイドでの「プラスチックAFO」は第Ⅱ章4参照

9 疾患別の装具療法⑥ 脊柱側弯症の装具

学習のポイント

- 脊柱側弯症用装具の名称と症状ごとの適応について理解する
- 脊柱側弯症用装具の機能特徴とメカニズムについて理解する
- 脊柱側弯症用装具のチェックアウトについて理解する

1 脊柱側弯症について

- **脊柱側弯**（scoliosis）とは，脊柱が側方へ弯曲した状態のことであり（図1），後述する**非構築性側弯**と**構築性側弯**に分類される．
- 側弯症では，椎体の回旋を伴いながら三次元的に変形が生じることもあり，脊柱の過度の後弯や前弯，胸郭の変形を伴う（図2）．

2 脊柱側弯症の分類（表）

1）非構築性（機能的）側弯

- 原因が脊柱以外にあり，原因が取り除かれれば改善する脊柱側弯症のことである．原則として側弯に対する治療は必要ない．
- 原因は**姿勢性**，**疼痛性**，**ヒステリー性**，**脚長差**などがあり，姿勢性側弯はいわゆる「姿勢が悪い」ために生じるものであり，前述したような側弯に対しての治療ではなく，日常生活における姿勢指導などが必要となる．

2）構築性側弯

❶ 特発性側弯症

- 脊柱変形以外に明らかな異常はみられず，発症原因が不明である脊柱側弯症のことで，脊柱側弯症の70％～80％を占める．
- 思春期特発性側弯症は90％以上が女子に発症し，**学童期**と**思春期**の発症例が装具療法の適応となることが多い．

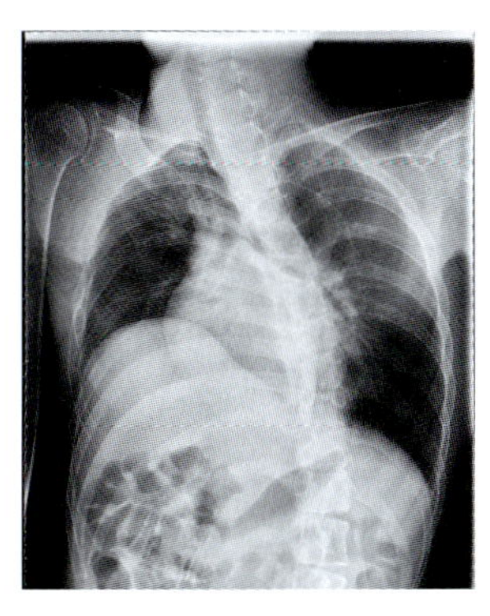

図1　側弯症の脊柱レントゲン写真

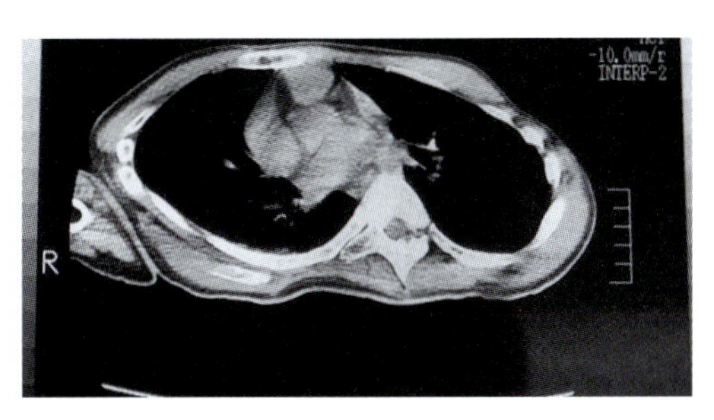

図2　椎体の回旋による胸郭の変形

表　脊柱側弯症の分類

非構築性側弯
①姿勢性側弯
②ヒステリー性側弯
③神経根刺激による側弯
④炎症性側弯
⑤脚長差による側弯
⑥股関節拘縮による側弯
構築性側弯
①特発性側弯
②神経・筋原性側弯
③先天性側弯
④神経線維腫症に伴う側弯
⑤結合組織疾患による側弯
⑥リウマチ性疾患による側弯
⑦外傷性側弯
⑧拘縮性側弯（脊柱外の原因による）
⑨骨・軟骨形成障害による側弯
⑩感染性側弯
⑪代謝異常による側弯
⑫腰仙椎部の異常による側弯
⑬腫瘍による側弯

文献1より引用.

- 乳幼児期では3歳以下で発症し，男児に多く，成長期間が長いために高度変形を呈す可能性が高い.

2 症候性側弯症

- 特発性側弯症以外の側弯症のことをさす．神経筋疾患や先天性の奇形，外傷・拘縮によるものなど多くの原因がある（表）.
- **神経性側弯**は，脳性麻痺や二分脊椎症，脊髄性筋萎縮症などの中枢神経または末梢神経性の神経疾患を伴う.
- **筋原性側弯**は，筋ジストロフィー症，多発性関節拘縮症などの筋肉の疾患に起因して脊柱変形が出現する.
- **先天性側弯**は，先天的な脊椎の奇形により側弯を呈する脊柱変形であり，進行性のものと非進行性のものがある.
- マルファン症候群などの先天性の結合組織の異常によるものや，レックリングハウゼン病などに代表される神経線維腫症が原因となるものがある．どちらも進行性であり，装具療法，手術療法など早期治療が必要となる.

3 特発性側弯症に対する装具療法

1）脊柱側弯症に対する装具療法の考え方

参照
体幹装具の基本構造は第Ⅱ章7参照

- 脊柱側弯症に対しての保存療法として，体幹装具がよく用いられる（参照）．その目的は弯曲した脊柱のアライメントを正常な位置に矯正することではなく，日常生活のなかで継続して体幹装具を着用して側弯の進行を予防することに重きが置かれる．
- 脊柱側弯症の進行が認められる場合は観血的治療（矯正固定手術）の適応となる．

2）脊柱側弯症の評価

- 特発性側弯症は成長と大きな関連があり，思春期の急激な成長に伴い脊柱側弯も進行することが知られている．よって，**脊柱の弯曲の程度**と別に**身体の成熟度**の把握も重要である．
- 脊柱の弯曲の程度は**Cobb（コブ）角**が一般的によく用いられている．これは，弯曲が生じはじめる上下の椎体のそれぞれ上縁と下縁のラインの垂線が交わる角度である（図3）．
- 身体の成熟度として，脊柱側弯症においては**骨成熟度**を指標としRisser（リッサー）分類（図4）が用いられる．脊柱側弯の装具療法の原則として，骨成長が完了する前（Risser3以下），症状の進行が治まるまでが適応の目安とされる．
- 特発性側弯症に対する装具療法の適応原則として，成長期にある思春期の症例で，Cobb角が25～30°以上，かつ50°未満の場合でRisser分類が3以下にあるものとされている．
- 装具療法以外の保存療法として，側弯体操などの運動療法があげられ，その適応はCobb角15°以下とされている．

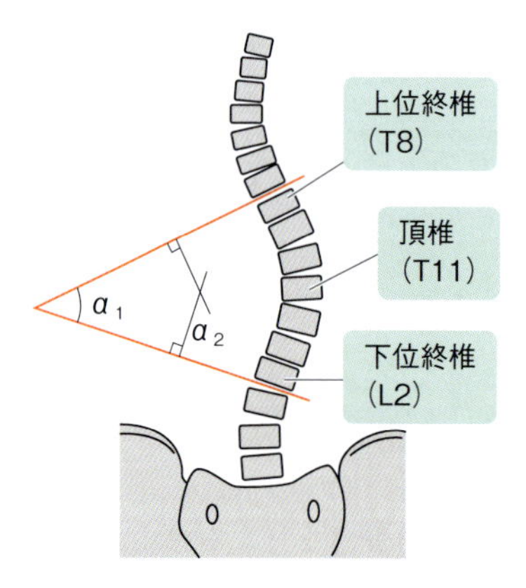

図3　Cobb（コブ）角の計測法

図はT11が頂椎，上位終椎がT8，下位終椎がL2である．上位終椎の上面と下位終椎の下面に接線を引き，その交角がCobb角（α_1）となる．Cobb角が小さい場合は，接線からそれぞれ垂線を引き，その交角（α_2）を算出することもある．

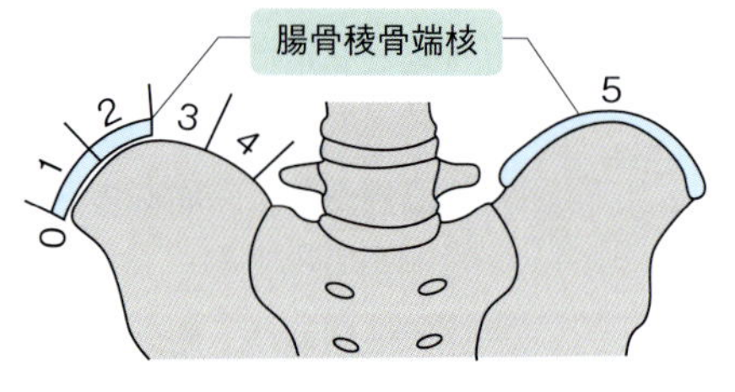

図4　Risser（リッサー）分類

レントゲン写真上で，腸骨稜骨端核が出現する程度により骨成熟度を5段階で判定するものである．骨端線は成長に伴い外側から内側へと骨化がみられ，15～16歳で完全に内側まで骨端核が出現（Risser4）した後に内側から閉鎖する．一般的にRisser4以上が骨成熟とされる．

3）装具による脊柱側弯の矯正（図5）

- 装具による矯正力は，**長軸方向への牽引**（図5A），**脊柱弯曲凸部の圧迫**（図5B），**体幹の凸側への側屈**（図5C），**骨盤に対する体幹平行移動**（図5D）の4種類に分類される．
- 装具による矯正より上位脊柱の**立ち直り反応***を利用する方法もある（図6）．

＊立ち直り反応：頭部または体幹を空間における正常な位置に保持する反応

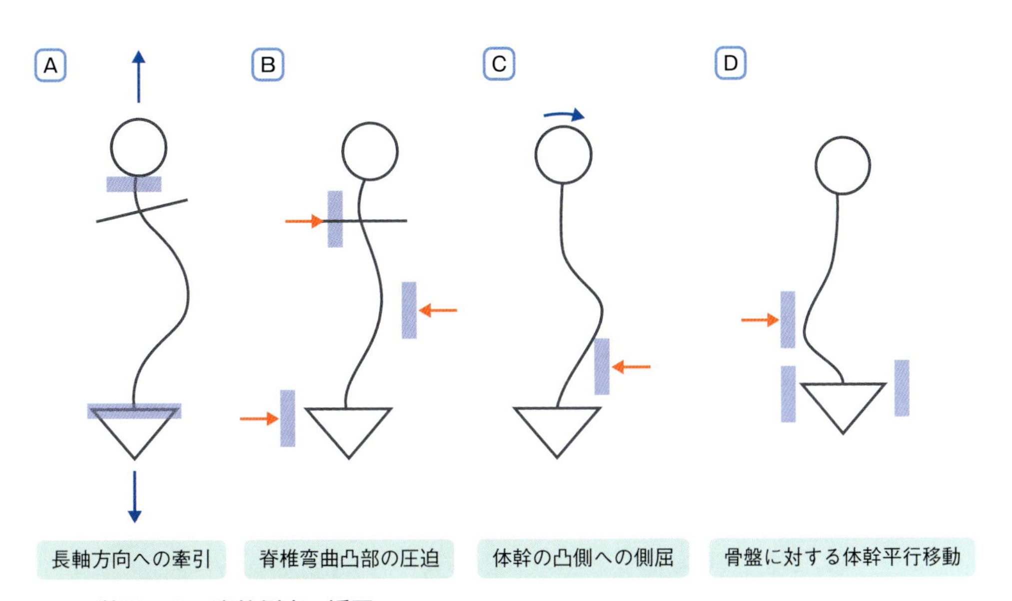

図5　装具による脊柱側弯の矯正

（紫の帯）は装具による支持および固定，（橙の矢印）は装具による矯正力，（青の矢印）は矯正の方向を示す．

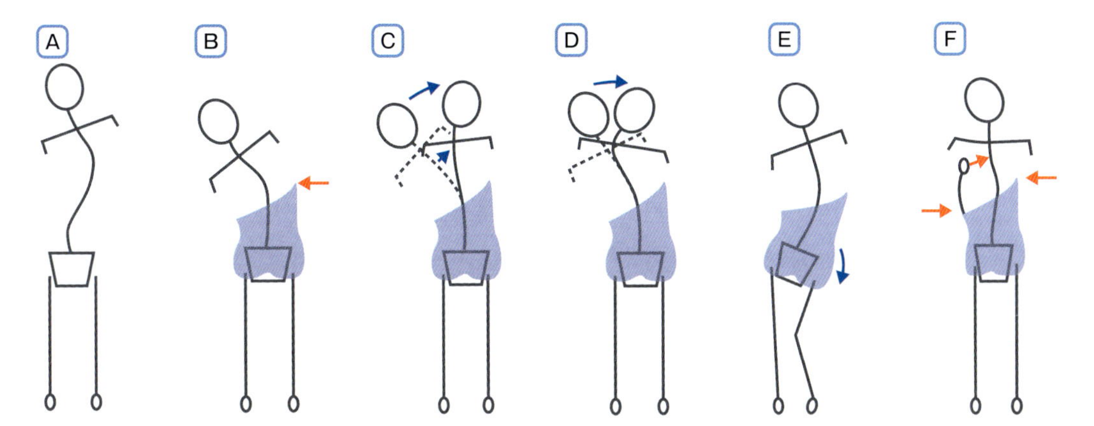

図6　立ち直り反応を利用した矯正

（橙の矢印）は装具による矯正力，（青の矢印）は頭部および脊柱の変化を示す．Aは装具を着けていない脊柱側弯症の患者．胸椎や胸腰椎の弯曲を凸側から圧迫する（B）と，頂椎より上位の脊柱に立ち直り反応が誘発され，弯曲は矯正される（C）．しかし，立ち直り反応が生じない場合は，より上位脊柱の弯曲を助長したり（D），骨盤を凸側に傾斜させて頭部を正中位に保持するような姿勢をとることがある（E）．このような場合，上位の弯曲に対してもパッドなどの工夫によって3点固定を行う必要がある（F）．

4 脊柱側弯症に対する装具の種類とその特徴

- 脊柱側弯症用装具は多くの種類が考案されているが，ミルウォーキー型装具（Milwaukee brace）に代表される頸部から骨盤部を固定する**ロングブレース（long brace）**と，ボストン型装具やOMC（Osaka Medical College）型装具といった腋窩部から骨盤部までの**アンダーアーム型装具（under arm brace）**に大別される．
- 脊柱側弯症は他の脊柱疾患と異なり，左右非対称な矯正力が必要なため，その構造も非対称的なものとなり，見た目で判別が容易である．

1）ミルウォーキー型装具（図7）

1 適応

- 胸椎から腰椎まですべての脊柱側弯を矯正可能である．

2 機能特徴

- 1950年代に米国で発表された代表的脊柱側弯症用装具である．頸胸腰仙椎装具（CTLSO）に分類される．
- 骨盤帯から伸びた1本の前方支柱と2本の後方支柱が上方部のネックリングを保持しており，支柱には側弯を圧迫矯正するための胸椎パッド，肩リングが備わっている．
- **ネックリング**と**骨盤帯（ガードル）**，**胸椎パッド**による三点固定で矯正力を発生させている．

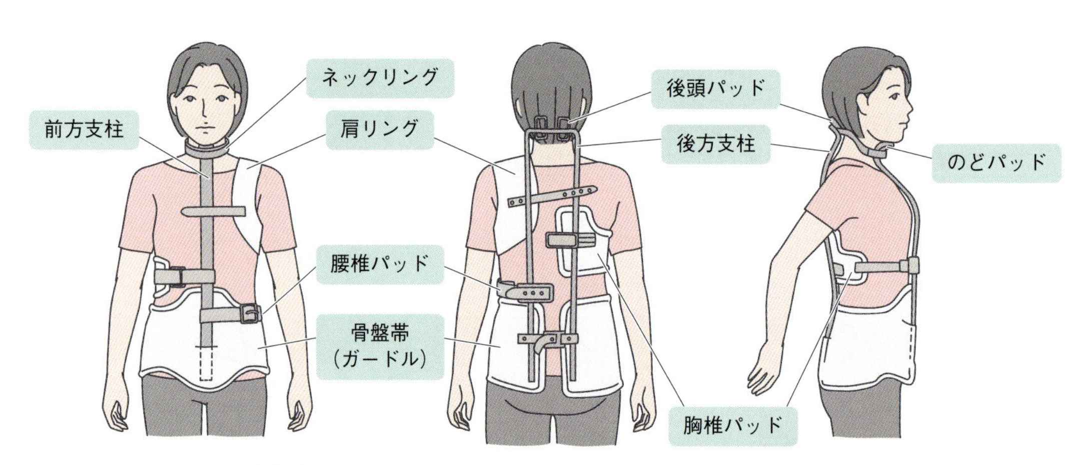

図7　**ミルウォーキー型装具のチェックアウト**（図の説明文は文献2をもとに作成）

骨盤帯
①骨盤帯ストラップは強く締めてあるか／②腸骨翼を深く，左右対称に包んでいるか／③後方開きの間隔は狭くないか／④後下方は，深く骨盤を包んでいるか（椅子から2～3cm）／⑤前方鼡径部は座っても当たらないか／⑥当たって痛いところは，他にないか

支柱（アップライトバー）
1）前方支柱：①下腹部を十分押しているか／②深呼吸時胸壁に当たらない範囲で，フィットしているか
2）後方支柱：①適当な間隔をもっているか／②骨盤帯に垂直に立っているか／③深呼吸時，体に当たらない範囲でフィットしているか（凸側は当たってよい）

ネックリング
①横径は，両側に指1本がやっと入るくらいの余裕があるか／②後頭パッドは，後頭骨を正確に受けているか／③前後径は適当か／④傾斜角は20°前後／⑤のどパッドと顎の間隔は，指1本入る程度

パッド
1）胸椎パッド：①高さは適当か／②側方の位置は適当か（L字の内縁が凸側後方支柱と一致するのが標準）／③パッドの大きさ，形は適当か
2）腰椎パッド：①形は適当か／②肋骨に当たっていないか／③後方に位置していないか

- 本装具の最大の欠点は，構造上日常生活活動（ADL）の制限が大きいことと，外見上の問題（ネックリングが衣服の外に出る）が大きく，着用者の受け入れが悪いことである．

3 チェックアウト

- 支柱の位置やパッド，リングの位置の調整が必要となる．詳細は図7を参照．
- 特に，骨盤帯では上前腸骨棘や腸骨稜を圧迫していないか，前方の下端は恥骨上縁付近にあるかをチェックする．

2）ボストン型装具（図8）

1 適応

- 頂椎がT8以下または腰椎（L3付近）の脊柱側弯が適応となる．

2 機能特徴

- プラスチック製の骨盤帯の片側を胸椎（T8レベル）まで延長することで，圧迫矯正する装具である．
- **腰椎パッド**による頂椎への圧迫に対して，対側にある**胸椎パッド**と**骨盤帯**の三点固定を利用して矯正するが，着用者の上位胸椎の代償性立ち直り反応（図6）を利用しているため，症例によっては不向きな場合がある．

3 チェックアウト（図8）

- 腰椎側弯の隆起（頂椎）に対して腰椎パッドの位置が適切か（**第Ⅱ章1**図6参照）．
- 胸椎パッド，腰椎パッド，骨盤帯の三点固定で矯正できているか．
- 骨盤帯の背面下部のトリミングラインが座位時に干渉していないか．

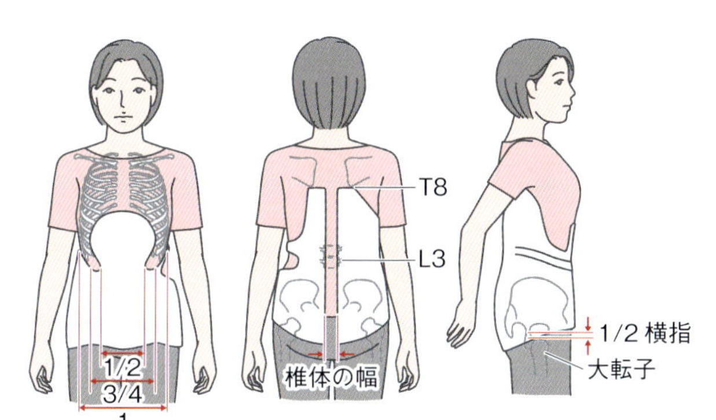

図8　**ボストン型装具のチェックアウト**

3）OMC型装具（図9）

1 適応

- ボストン型装具と同様に，頂椎がT8以下または腰椎の脊柱側弯の症例のうち，上位胸椎の立ち直り反応が期待できない場合が適応となる．

2 機能特徴

- ボストン型装具での立ち直り反応が不十分な症例や，胸椎レベルの脊柱側弯症例にも適応を広げるために開発された装具である．
- ボストン型装具の片側に骨盤帯に垂直の**支柱**（アップライトバー）を立てて，**高位胸椎パッ**

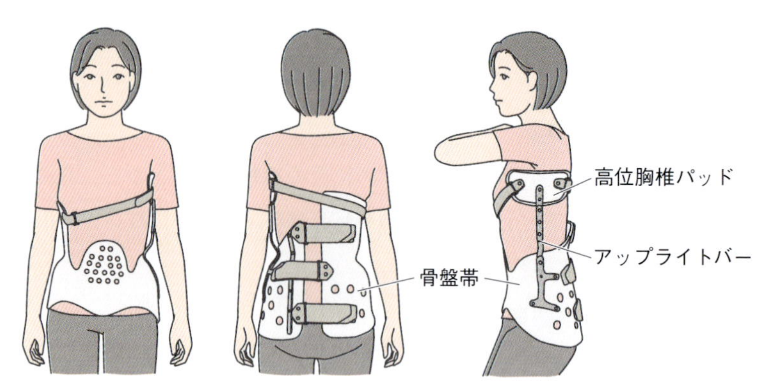

図9 OMC（Osaka Medical College）型装具

ドを加えた形状となっている.

3 チェックアウト

- ボストン型装具と共通しているが，高位胸椎パッドの高さは腋窩より3 cm程度の余裕をもたせ，パッドの突き上げによって腋窩部の神経障害を生じさせないように注意が必要である.

4）ウィルミントン（Wilmington）型装具

1 適応

- 手術療法の後や立ち直り反応が期待できない症例などに用いられる.
- ボストン型装具やOMC型装具と同様に腋窩部から骨盤部の範囲で矯正する構造であるため，上位胸椎の脊柱側弯では適応となりにくい.

2 機能特徴

- 体幹の表面全体を覆うタイプの装具であり，**体表全面接地（total contact）**により，体表の広い面に矯正力を分散できるようにしている.
- 全面接地のメリットとして，矯正力が分散されて接触部位の圧迫が軽減され褥瘡が予防できることと，ギプス固定の原理を応用しており熱可塑性のプラスチックシートを用いての製作が容易なためできあがりまでの時間が短いことがあげられる.
- 本装具の最大のデメリットは，体幹の接地面積が広いために胸郭，腹部を圧迫してしまい，呼吸がしにくい，食事が摂りにくい，着用部位が蒸れやすいなど実際に使用するうえでの制限が大きいことである*.

*これらのデメリットを改良した装具がホールディング型装具である．腹部と左右の肋骨弓部と側弯凹部の背面を開放したもので，呼吸運動の制限と腹部の圧迫を減少させ，通気性も改善している.

3 チェックアウト

- 基本的な項目はボストン型装具やミルウォーキー型装具と同様だが，体表の接触面積が大きいため，過度な呼吸運動の制限など着用時の不快感につながらないように留意する必要がある.

文献

1）「義肢装具学 第4版」（川村次郎，他／編），医学書院，2009
2）「理学療法テキスト 装具学（15レクチャーシリーズ）」（石川 朗／総編集，佐竹將宏／責任編集），中山書店，2011

10 疾患別の装具療法⑦ 小児疾患の装具

学習のポイント

- 小児疾患用装具の名称と疾患・症状ごとの適応について理解する
- 小児疾患用装具の機能特徴とメカニズムについて理解する
- 小児疾患用装具のチェックアウトについて理解する

1 小児疾患とその装具について

- 小児疾患の装具は主に**骨関節疾患**と**神経筋疾患**が対象となり，それぞれ疾患特有の装具が数多く存在する．
- 成長による装具の不適合が起こらないように**チェックアウトの頻度を増やす**ことや，装具療法の治療効果を高めるために**保護者への十分な説明や着脱指導**などを行うことが必要である．

2 発育性股関節形成不全（先天性股関節脱臼）と装具

1）発育性股関節形成不全（先天性股関節脱臼）について

- 新生児，乳児期に先天性または後天性に股関節の脱臼が生じる．先天性という名前だが，9割以上は後天的なものであり，発育性股関節形成不全（developmental dysplasia of the hip）とよばれている．
- わが国の発生率は0.1～0.3％，**9割が女児**である．
- 患児は痛みを訴えることは少ないが，**股関節開排位制限**，**脚長差**などが生じる．**臼蓋の形成が不全**となり，成長後も股関節の違和感や痛み，変形性股関節症への移行などにつながることがある．

2）装具の種類と適応

1 フォンローゼン装具（von Rosen splint）（図1）

①適応

- 新生児期・**生後3カ月ぐらいまで**使用する．

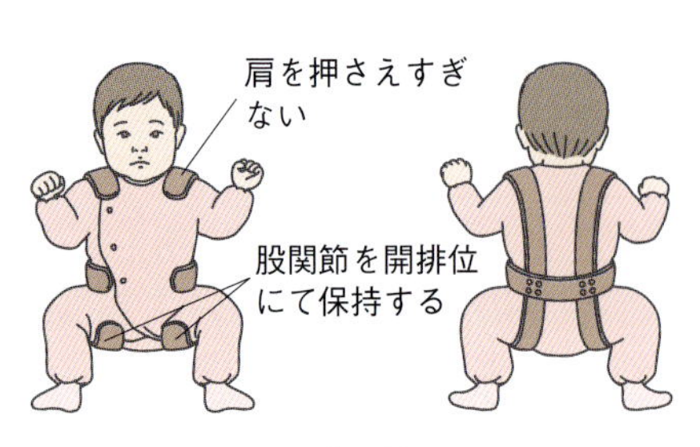

図1　フォンローゼン装具
(von Rosen splint)

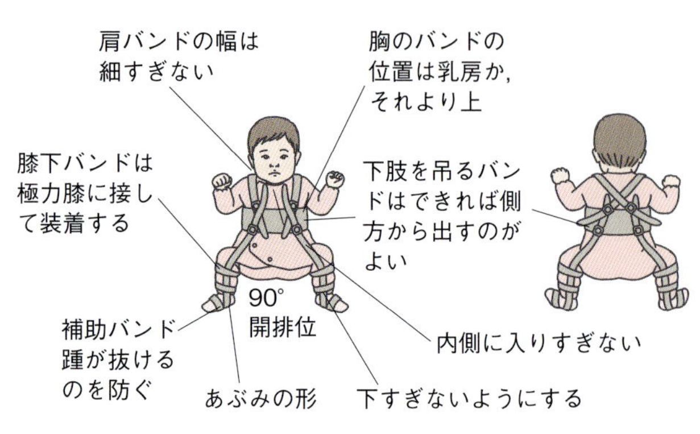

図2　リーメンビューゲル

- 下肢の運動が増える時期になるとリーメンビューゲル（後述）に移行する．

②機能特徴

- H字状のアルミ板でできており，表面は柔らかい素材で覆われている．
- 患児の大きさに合わせて肩，大腿部を曲げて調整が可能であり，殿部のプレートにより，股関節を開排位に保持している．
- わが国ではこの装具を使用することは少なく母親へのおむつ指導などで代替されることが多い．

③チェックアウト

- 皮膚と装具の接触部に発赤などが生じないように注意すること．

2 リーメンビューゲル（図2）

①適応

- 乳児期・**生後3カ月以降**，頸がすわり，下肢の運動が増える時期を目安に着用する．
- 装着期間は通常4～6週間であるが，脱臼が整復されない場合は，開排位装具（後述）が用いられる．

②構造と機能

- ベルト状の装具で，肩，体幹部から両下肢を牽引し，開排位を保持する．
- ベルトのため，患児の下肢の運動は開排位を保持したまま屈伸動作を妨げないようになっている．

③チェックアウト

- 詳細は図2を参照のこと．

3 開排位装具（ぶかぶか装具）（図3）

①適応

- 乳児期．リーメンビューゲルで大腿骨頭の求心位が得られにくい場合や全身麻酔下徒手整復や観血整復術後にギプス固定に引き続いて用いられる．

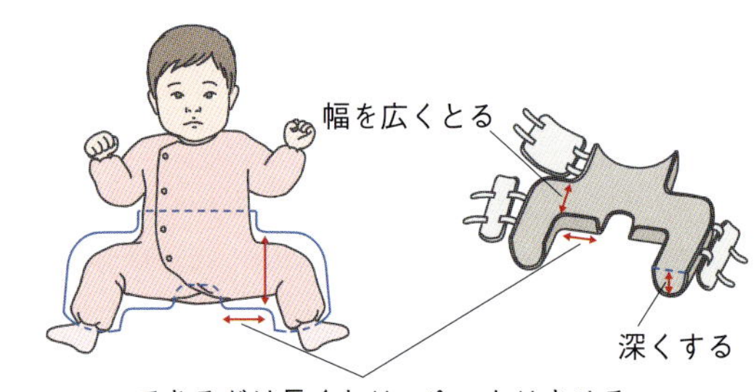

図3　開排位装具（ぶかぶか装具）

②機能特徴

- 装具を清潔に保つことができるようにプラスチック製のものが多い．
- 前面のベルトにより股関節を屈曲外転位に保持する．
- 一般的に大きめに製作し，装具のなかで股関節を開排位に保ちながら，自動運動をできるだけ妨げないようになっている．

③チェックアウト

- 装具内での患児の下肢運動を妨げないような空間を確保する．必要によっては，リーメンビューゲルの併用も検討する．

3 ペルテス病と装具

1）ペルテス病について

- 5～10歳の**男児に好発**する原因不明の**大腿骨頭の骨端症**であり，栄養動脈の血行障害により骨頭の虚血性壊死が生じる．
- ペルテス病の装具は，免荷を行うものと，コンテインメント療法（股関節を外転させ，臼蓋内に骨頭を収める）を行うものがあるが，現在広く用いられている装具はその両方を同時に目的としている．
- ペルテス病の予後は発症年齢が低いほど良好であるが，6カ月～1年半程度の装具療法を行うことが多い．

2）装具の種類と適応

1 骨頭免荷タイプ

スナイダー吊り具（図4）

①適応

- 構造が単純で簡便に装着が可能であるが，**股関節外転位の保持が難しい**こととベルトに荷重してしまうことで免荷が行われないことがあり，一般的には外転装具（後述）が用いられることが多い．

②機能特徴

- 免荷型：発症側の下肢を肩バンドで吊り上げ，体重支持を行わせない．
- 立位，歩行は松葉杖を使用する．

③チェックアウト

- 下肢を吊るベルトが短すぎると免荷がうまく行えないことがある．

ポーゴスチック装具（図5）

①適応

- 股関節を外転位に保持するが，コンテインメント療法を重視するなら股関節内旋位，関節内圧を下げる目的では外旋位をとらせる．

②機能特徴

- 部分免荷型：発症側の坐骨結節を地面から立てた支柱で支持し，足底を直接接地させない

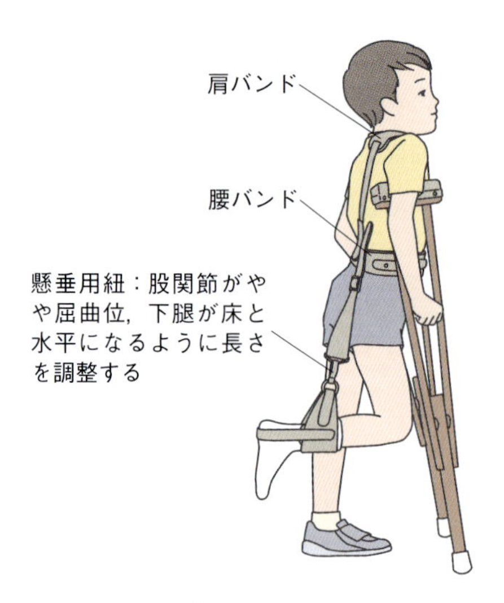

図4　スナイダー吊り具

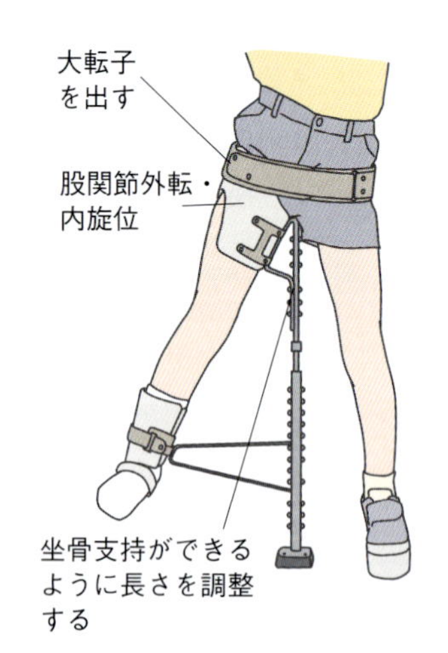

図5　ポーゴスチック装具（外転装具）

ようにしており，大腿骨頭への直接荷重を行わせない．

- 股関節の回旋位の保持の方法によって多くの装具がある．

③チェックアウト

- 坐骨結節にしっかり荷重がかかっているかを十分に確認する．
- 対象者は成長期の子どもであり，装具の適合や破損の確認を頻回に行う必要がある．

2 骨頭荷重タイプ

トロント装具

①適応

- 股関節の外転保持位で骨頭が臼蓋内に入っている状態（骨頭求心位）で荷重を許すもので，荷重しても骨頭の回復が見込める場合に適応となる．
- 両側発症例でも用いられる．

②機能特徴

- 着用することで，股関節外転45°，内旋10°のアライメントが保持される．
- 内側の継手の動きによって膝関節の屈曲が可能であり，起立動作や歩行動作の運動性が確保されている．
- しかし，両側松葉杖を使用した歩行が基本となるため，児童の活動性は大きく制限される．

③チェックアウト

- 図6を参照．

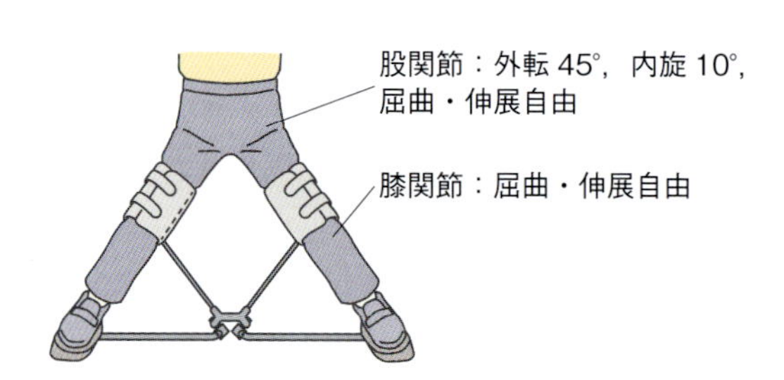

図6　トロント装具

4 筋ジストロフィーと装具

1）筋ジストロフィーについて

- 進行性筋ジストロフィー症は**伴性劣性遺伝疾患**である.
- デュシェンヌ型筋ジストロフィーが最も数が多く，その**ほとんどが男児に発症**する.
- 乳幼児期の独歩獲得の遅れ，歩行時の動揺の出現などで異常に気づくことが多い.
- 以降，9～11歳で独歩が困難，装具歩行は13歳ごろに不能となる.
- 厚生労働省の障害度分類と理学療法プログラムのポイントを表に示す.

表　筋ジストロフィーの機能障害度と理学療法プログラムのポイント

厚生労働省障害度分類（stage）	障害の進行	理学療法
①階段昇降可能 a：手の介助なし b：手の膝おさえ	・処女歩行　17～18カ月	・拘縮・変形予防 ・筋力維持
②階段昇降可能 a：片手手すり b：片手手すり＋手の膝おさえ c：両手手すり	・動揺性歩行　3～4歳	・活動性の維持 ・ホームプログラム （ストレッチング，動作練習など）
③椅子から起立可能	・階段昇降不能　8歳	・学校での活動性の維持
④歩行可能 a：独歩で5m以上 b：1人では歩けないが，物につかまれば歩ける（5m以上） ・歩行器 ・手すり ・手びき		
⑤起立歩行は不可能であるが，四つ這いは可能	・歩行不能　9～11歳	・装具歩行練習 ・四つ這い練習 ・上肢機能障害への対応 ・日常生活活動（ADL）関連機器の提供
⑥四つ這いも不可能であるが，ずり這いは可能	・装具歩行不能　13歳	・装具起立練習 ・座位保持 ・呼吸リハビリテーション
⑦ずり這いも不可能であるが，座位の保持は可能		
⑧座位の保持も不可能であり，常時臥床状態	・座位保持不能　15歳 ・呼吸不全にて死亡　18～20歳	・QOL向上のための工夫 （コミュニケーション手段，余暇活動）

文献1より引用.

2）装具の種類と適応

■1 膝固定式長下肢装具（図7）

①適応

- 装具療法を行う時期は表を参照（おおよそ9～11歳）．下肢の拘縮，変形が強いと適応が難しい場合がある．
- 歩行は5 m以上可能である．膝関節伸展筋の弱化の影響で立位・歩行時に股関節と膝関節の伸展が生じている場合に用いられる．

②機能特徴

- Spencer，Siegel，鈴木ら，松家らなどによる多くのバリエーションがある．
- すべてのバリエーションで膝継手はリングロックを使用している（参照）．装具の特性上，股関節と膝関節伸展位での歩行となり，立脚期では支持側への体幹側方傾斜により重心移動を行う．

参照
リングロック継手は第Ⅱ章2参照

③チェックアウト

- 股関節最大伸展位，膝関節伸展位，足関節背屈位で，重心線が股関節軸の後方を通過し，足部の中央付近に落ちているか確認する．
- 足関節の背屈制限が生じている場合は，踵部の補高で対応する．

■2 膝伸展補助付き長下肢装具（徳大式バネ付き長下肢装具）（図8）

①適応

- 独歩での歩行が5 m以下，転倒の危険性が増加し，立位姿勢の左右差などがみられるものの姿勢保持ができる場合に適応とされる．
- 膝屈曲位を取ることでバネによる膝伸展補助の力源とするため，歩行時には膝固定式と比較して，体幹の十分な側方傾斜が必要である．

②機能特徴

- 膝継手前方に2本のバネを取り付け，膝継手は屈曲25°で膝関節を制動している．
- 立位時に膝関節を屈曲位で保持することで腰椎前弯の減少と体幹の安定を得ることができる．

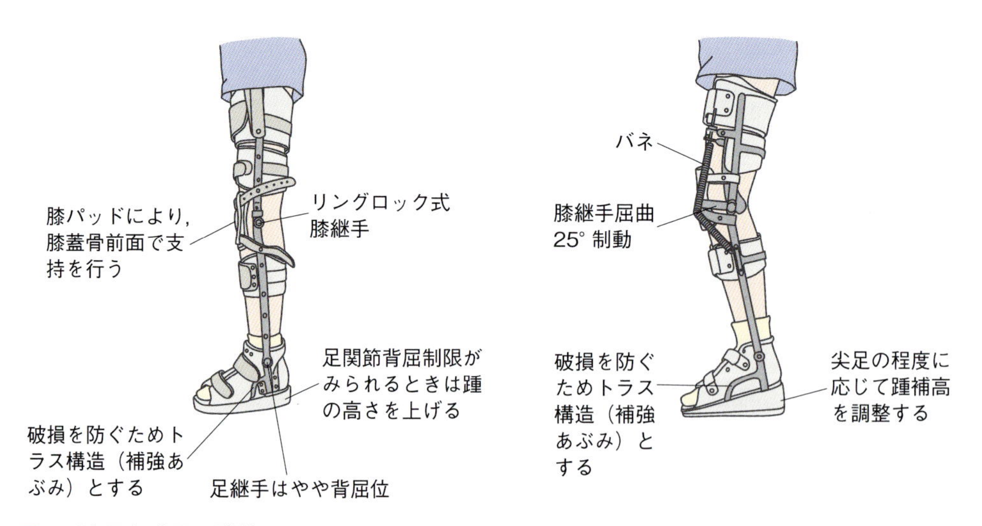

図7　膝固定式長下肢装具

図8　膝伸展補助付き長下肢装具

③チェックアウト

- 膝屈曲位で体重を保持する構造のため，大腿カフ後面の圧迫に注意する．
- 足関節の背屈制限が生じている場合は踵部の補高で対応する．

5 脳性麻痺と装具

1）脳性麻痺について

- 出生前後になんらかの原因によって生じた脳損傷が**運動麻痺**などさまざまな障害を引き起こすものである．
- 障害像が多様であり，運動麻痺の種類によって，四肢の突っ張りがみられる**痙直型**や不随意運動が生じる**アテトーゼ型**，運動失調症状がみられる**失調型**などに分類される．運動麻痺の分布によって，**四肢麻痺**，**両麻痺**，**片麻痺**などに分類される．

2）装具の種類と適応

1 スタビライザー（図9）

①適応

- 独歩が未獲得で抗重力活動が不十分な患児に用いられる．

②機能特徴

- 足底を接地させた状態で，膝関節，股関節を屈曲伸展中間位に保持し，抗重力位での活動を促しながら，下肢関節で支持する体重を少しずつ増やすことができる．
- 直立位保持が難しい場合は，前傾姿勢をとることのできる**プローンボード**が用いられる．
- プローンボードには装具使用中の活動のため，テーブルやキャスターによる前方への移動が可能なものもある．

③チェックアウト

- 足底に荷重がかかっている状態で，膝折れなどの下肢屈曲傾向を防ぐために殿部のベルトや膝前面のパッドなどの位置を調整し，立位の姿勢を確認する．

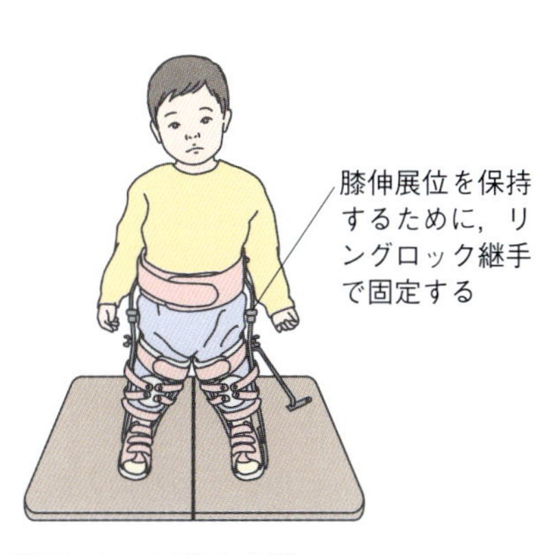

図9　スタビライザー

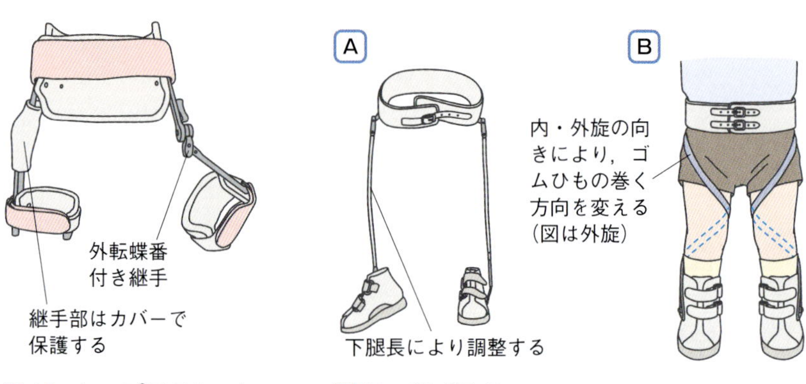

図10　ヒップアクションブレース

図11　ツイスター
A）鋼線ケーブル．B）布またはゴムひも．

2 股関節外転保持装具

①適応

- 股関節内転筋の筋緊張亢進に伴い両側の股関節内転位（はさみ肢位）が生じている患児が適応となる．

②機能特徴

- 装具の構造として，骨盤帯と股継手〔外転蝶番（ちょうつがい）付き継手〕，大腿カフで構成されており，座位では股関節外転位，立位では股関節中間位となるように設計されている．
- **ヒップアクションブレース**（図10）や**スワッシュ装具**などがある．

③チェックアウト

- 構造上，股関節内側部の圧迫が強くなるため注意する．
- 歩行時に着用する場合は，部品の摩耗や疲労による破損に注意が必要である．

参照
ツイスターは第Ⅱ章2も参照

3 ツイスター（図11）（参照）

- 骨盤帯と靴または短下肢装具の間に取り付けて，立位や歩行時の股関節の内外旋による異常歩行を矯正する目的で使用される．
- 材質として鋼線ケーブルやゴムなどが用いられる．
- 鋼線ケーブルやゴムひもの長さと張力を関節運動に応じて調整する．
- ゴムひも式の場合は巻き方によって関節運動の向きが異なるので注意する．

6 先天性内反足と装具

1）先天性内反足について

- 出生時からみられる足部の変形であり，主に距踵舟関節と距腿関節で底屈・内反・内転位となり，凹足変形を生じる．
- 治療は，保存的療法のみの場合や複数回の観血的治療を必要とする例などがある．
- 保存療法では矯正ギプスを使用し，矯正位が得られた後は，**デニス・ブラウン装具**や**靴型**

装具などを用いて再発を予防する（後述）.

2）装具の種類と適応

1 デニス・ブラウン装具（図12）

①適応

- 矯正ギプスによる保存療法後，他動的に足部の背屈が30°以上可能となった3カ月以降のときに使用する.
- 主に夜間や昼寝時に着用するが，寝返り動作が困難で患児の自発的な動きを妨げることが多く，継続使用のためには，保護者へ十分に説明し協力してもらうことが必要となる.
- 装具だけでは，矯正が不十分なので，運動療法を併用する.
- 一般的に3歳前後で着用を終了する.

②機能特徴

- 両側の靴型装具の足底に金属バーを取り付けたもので，足部を外反・外転位に保持する.

③チェックアウト

- 靴型装具の内部とバーの接続部によって内反足の矯正が行えているか確認する.

2 靴型装具

①適応

- 歩行開始時から適応を検討する.

②機能特徴

- くるぶしより上を覆うタイプの半長靴やチャッカ靴を使用する.
- 足部の矯正のために，内側月形しんの延長と外側ウェッジ，逆トーマスヒールを用いるなど，靴内外での補正の工夫が必要である.

③チェックアウト

- 一般的な靴型装具と同様の点に気をつける（参照）.
- 成長による不適合が起こりやすいので，サイズ確認を頻回に行う.

参照
靴型装具は第Ⅱ章12を参照

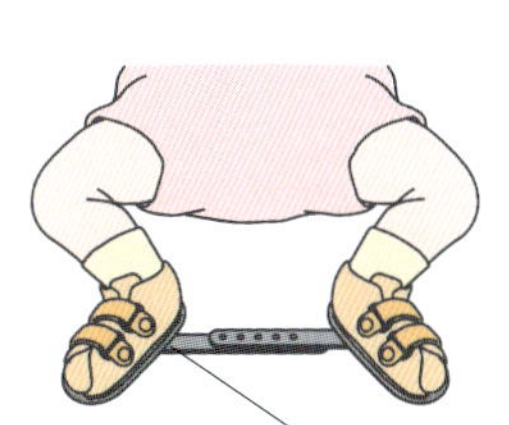

図12　デニス・ブラウン装具

■ 文献

1）「義肢装具学 第4版」（川村次郎，他／編），医学書院，2009

第Ⅱ章 装具学

11 疾患別の装具療法⑧ 関節リウマチの装具

学習のポイント

- 関節リウマチ用装具の名称と症状ごとの適応について理解する
- 関節リウマチ用装具の機能特徴とメカニズムについて理解する
- 関節リウマチ用装具のチェックアウトについて理解する

1 関節リウマチについて

- 関節リウマチは免疫異常によって引き起こされる全身性疾患であり，その症状は①**関節症状**と②**関節外症状**に大別される．

①**関節症状**：手指，手関節，足趾，肩関節，肘関節，膝関節，足関節などの関節痛，腫脹および変形など．

②**関節外症状**：リウマトイド結節，皮膚症状（皮下出血など），肺線維症，発熱，腎障害など．

2 関節リウマチの装具

1）リウマチ装具の目的

- 関節痛の軽減．関節の安静を保ち炎症を鎮静化する．
- 関節変形の予防と進行防止もしくは矯正．
- 関節の動揺や免荷に対する支持性の補助．
- 弱化した把持機能や関節機能の代償，補助．
- 人工関節置換術後の関節運動の補助と人工関節の弛みの防止．

2）リウマチ装具の考慮すべき点

- 強固の固定や過度の矯正・圧迫はしない．関節痛を助長させ，その結果，装着感が悪くなり受け入れられなくなるため．

- 軽量であること．関節変形の進行により，関節拘縮や筋のアンバランスが生じ筋力が低下することがあるため．
- 着脱が容易であること．手指の変形があり巧緻動作が困難な場合があるため．
- 修正が容易であること．症状が進行性で変動をくり返すため．
- 外観をよくする．症状の進行に伴い日常生活上長期間装着することがあるため．

3）チェックアウト時に考慮すべき点

①**3点固定の原理**：リウマチ以外の装具と同様，関節を固定，矯正するには最低3カ所で支持する必要がある．

②**全面接触の原理**：リウマチ以外の装具と同様，圧迫力は装具の接触面積に反比例する．よって1点に集中する圧力を分散するには，装具の接触面積を広げるとよい．

③**症状が進行性で変動をくり返すことを考慮する**：関節リウマチの症状は進行性で変動をくり返す．関節の疼痛，腫脹，変形や皮下出血を考慮しこまめにチェックすることが重要である．

3 リウマチ用の上肢装具

1）代表的な手指関節の変形とその装具

- 図1に手指関節（骨隆起部）を示す．

1 スワンネック変形（図2）

- 浅指屈筋の弱化や手内在筋の過緊張や短縮により引き起こされる．
- PIP関節過伸展の防止や屈曲運動の補助を行う**IP関節屈曲**補助装具（スワンネック変形用スプリント）が適している（図3）．

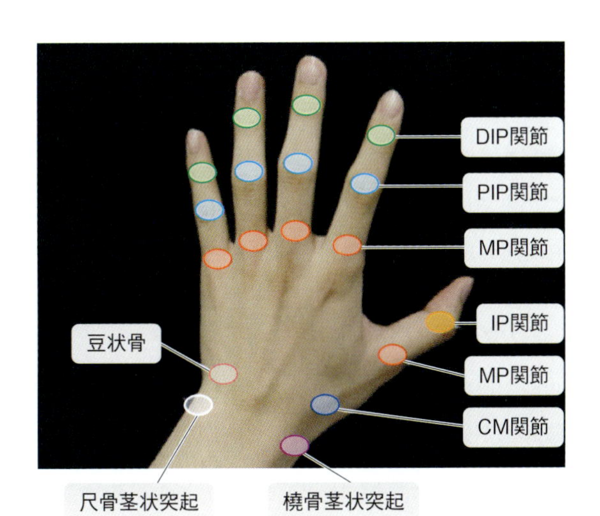

図1　手指関節（骨隆起部）

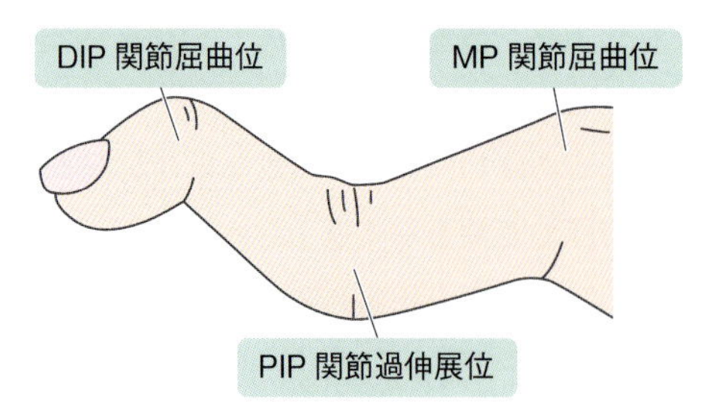

図2　スワンネック変形

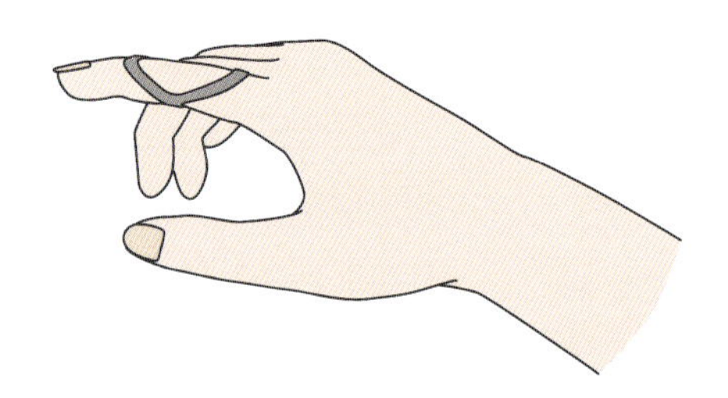

図3　IP関節屈曲補助装具（スワンネック変形用スプリント）

基節骨と中節骨を背側から固定し，PIP関節を掌側から固定する．外観も考慮し，指輪のようなデザイン．

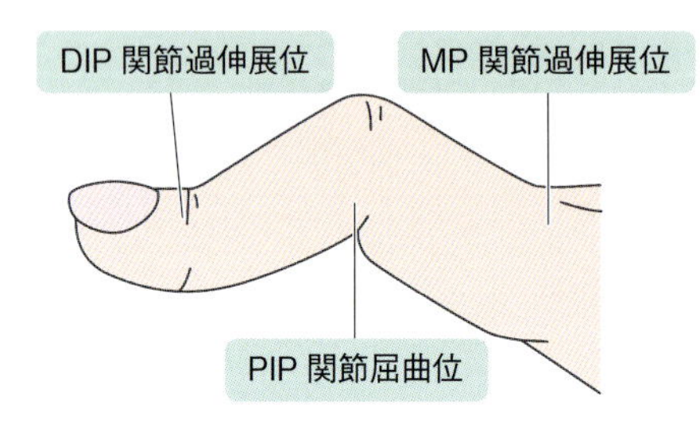

図4　ボタン穴変形

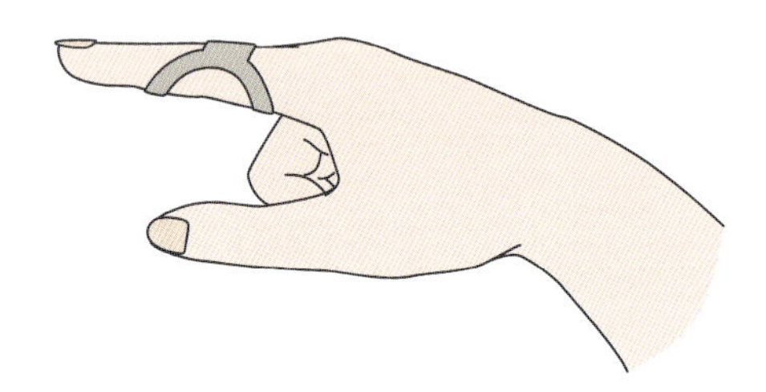

図5　IP関節伸展補助装具

基節骨と中節骨を掌側から圧迫しPIP関節を背側から圧迫した状態で固定.

2 ボタン穴変形（図4）

- 深指屈筋の弱化と伸筋腱，特に中央索の断裂により引き起こされる．
- PIP関節の屈曲拘縮予防や伸展運動の補助を行える**IP関節伸展**補助装具が適している（図5）．

3 母指Z変形（図6）

- 母指の側副靱帯の弛緩などが原因で引き起こされる．
- MP関節伸展位を保持し，母指対立運動を行いやすくする母指Z変形用スプリントが適している（図7）．

4 尺側偏位（図8）

- 滑膜の炎症により手指の靱帯が弛緩し伸筋腱が尺側へ偏位することにより起こる．
- MP関節の尺側偏位の矯正と掌側脱臼を防止し，つまみや握り動作を行いやすくする尺側偏位防止装具が適している（図9）．

5 チェックアウト

- 静止時だけではなく動作時の状態も確認する．
- **骨隆起部**が過度に圧迫されていないかを確認する（図1）．
- 筋や皮膚の動きを確認し，矯正・補助している近隣の関節運動の妨げになっていないかを確認する．

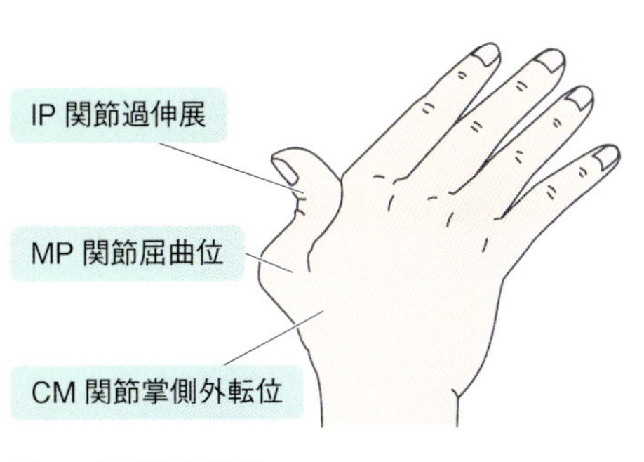

図6　母指Z変形

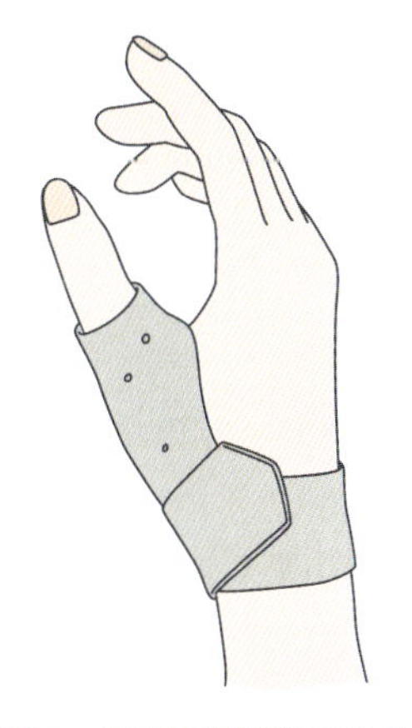

図7　母指Z変形用スプリント

MP関節伸展位を保持する.

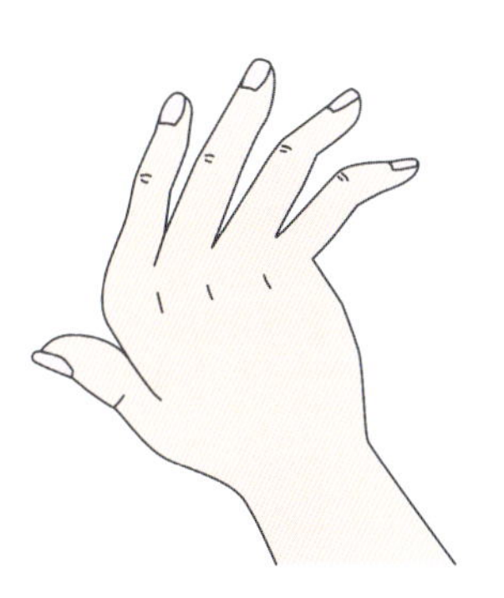

図8　尺側偏位

第2～5指MP関節屈曲位となり，尺側へ変形.

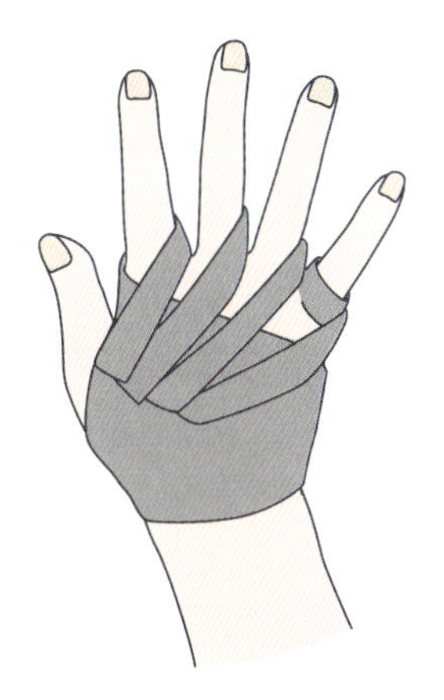

図9　尺側偏位防止装具

第2～5指基節骨のストラップを橈側方向に引き込むように巻いて固定する.

2）肘関節の変形と装具

❶ 症状と装具

- 骨吸収が著しい場合，肘関節は側方の動揺が著明となる場合がある.
- 関節の安定性を向上させ，疼痛を軽減することを目的としている肘関節固定装具が適している（図10）.

❷ チェックアウト

- 肘関節継手と肘関節軸（腕橈関節と腕尺関節）の位置が一致しているかを確認する.
- 装具がずれて尺骨茎状態突起や腋窩を圧迫していないかを確認する.

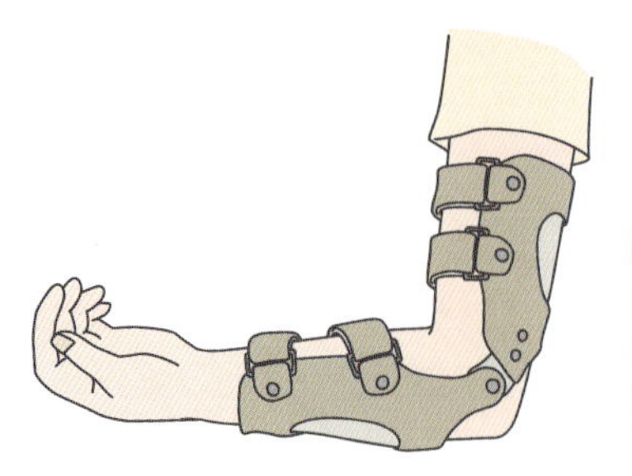

図10　肘関節固定装具

肘関節の側方への動きを制限する．継手は可動範囲を設定できるダイヤルロック継手や屈曲伸展フリーで軽量のオクラホマ継手などがある．

4 リウマチ用の下肢装具

1）代表的な足の変形（図11）

- **外反母趾**：リウマチ患者の25％にみられるといわれている．
- **槌趾**：リウマチ患者の60％にみられるといわれている．

2）対応する装具

1 外反母趾矯正スプリント（図12）

- 足趾MP関節を固定し，**母趾を外転方向**に矯正する．

2 靴型装具（図13）（参照）

参照
靴型装具は第Ⅱ章12参照

- 足関節や足部の変形予防や矯正，脚長差や足長を補正し日常生活活動（ADL）の足部のバランスを改善させる，過度の圧迫に対し免荷することで荷重ストレスや疼痛の軽減をはかる，動揺性のある関節に対する支持などを目的に処方される．
- 筋力低下や変形を考慮し，軽量で装着感のよいものを選ぶ．

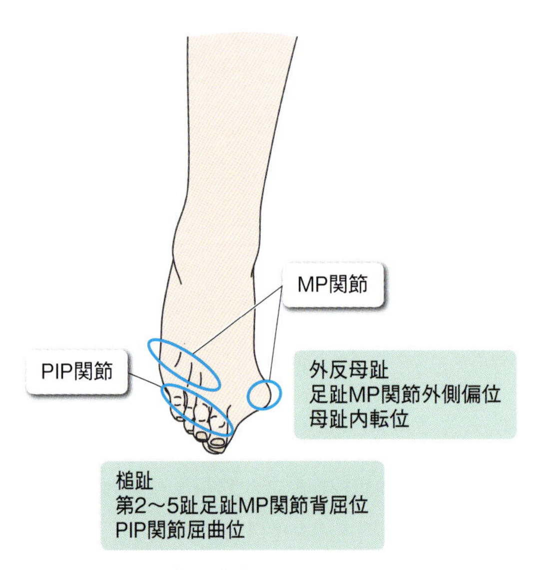

図11　外反母趾と槌趾

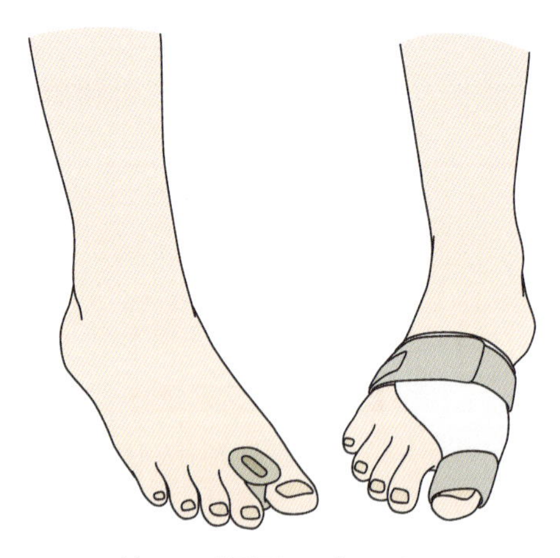

図12　外反母趾矯正スプリント

足趾MP関節固定．

図13　**靴型装具**

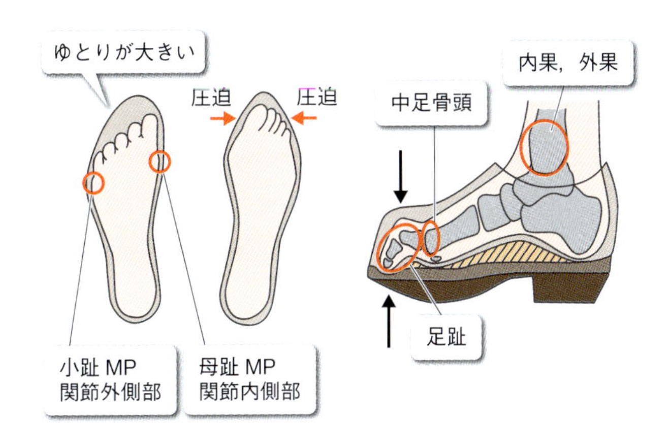

図14　**靴型装具のチェックアウト**

文献1より引用.

- 足趾などの前足部障害を考慮し，**トウボックス（先しん）を高くしたゆとり**があるもの，**踵の低い**もの，靴底が柔軟なものを選ぶ．症状に応じて，歩行の踏み返し時に前足部の負担を軽減させる舟型の靴底にする．
- 手や上肢の変形を考慮し，着脱が容易なものを選ぶ．
- 症状の進行性と変動を考慮し，修正しやすいものを選ぶ．
- 長く履けるように好みの外観のものを選ぶ．

3 チェックアウト

- 過度に圧迫されていないか確認する．
  - 骨隆起部，特に足趾・中足骨頭・母趾MP関節内側部・小趾MP関節外側部・内果・外果を確認する（図14）．
- 靴が大きすぎないか確認する．
  - 踵が靴に合っているか（歩行時に踵が靴から浮いていないか）．
  - 荷重時に履き口が左右に開きすぎていないか．
- 立位および歩行を行ってもらい，本人の疼痛の訴えや履き心地，歩きやすさを確認する．

5 リウマチ用の杖

参照
杖については第Ⅱ章13を参照

- 杖は手関節，手指で体重支持するものが多く（参照），リウマチ患者はこれらの関節変形を助長する可能性がある．
- そのためリウマチ患者に対して手関節，手指での支持を減らし前腕で支持する杖が処方される場合がある（図15）．

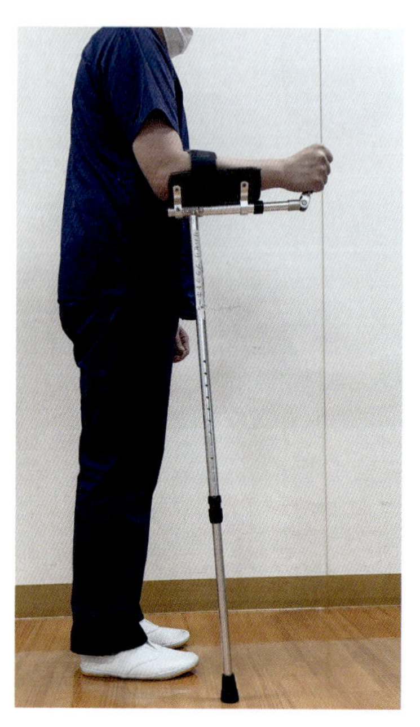

図15 前腕支持式（プラットフォーム）杖

■ 文献

1）「理学療法テキスト 装具学（15レクチャーシリーズ）」（石川 朗／総編集，佐竹將宏／責任編集），中山書店，2011

■ 参考図書

・「テキストRAのマネジメント 改訂版」（山本純己／監，松山赤十字病院リウマチセンター／編著），メディカルレビュー社，2001

・「義肢装具学テキスト 改訂第3版（シンプル理学療法学シリーズ）」（細田多穂／監，磯崎弘司，他／編），南江堂，2017

12 靴型装具

学習のポイント

- 靴型装具の基本構造とその補正を行う部分の名称，症状ごとの適応について理解する
- 靴型装具の機能特徴およびそのメカニズムについて理解する
- 靴型装具の補正とチェックアウトについて理解する

1 靴の基本構造とその補正（図1）

- **靴型装具**（orthopedic shoe）は整形靴ともよばれ，足部の変形予防・矯正，脚長差の補正，足長の補正，疼痛部の保護，免荷などのために，医師の処方により製作されたものをいう．基本的にはオーダーメイドであり，患者に合わせて製作される．
- 一方，既成の靴（一般靴）に対して種々の補正を行うことを靴の補正という．

名称
❶飾革（toe cap）
❷爪革（vamp）
❸腰革（quarter）
❹べろ（舌革）（tongue）
❺靴ひも（lace）
❻はとめ（eyelet）
❼表底（outsole）
❽かかと（heel）
❾先しん（toe box）
❿ウェルト（細革）（welt）
⓫中物（filler）
⓬中底（insole）
⓭中敷（sock）
⓮裏革（lining leather）
⓯月形しん（counter）
⓰踏まずしん（shank）

図1　靴の基本構造

アッパー（upper；製甲または甲革）は，靴の背面全体をいう（❶～❸）．
靴底は，靴の底面全体（❼，❽）をいう．文献1より引用．

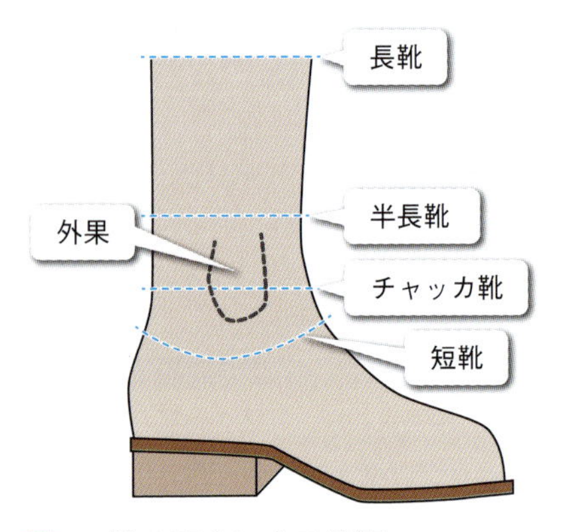

図2　靴の高さによる分類
文献2より引用.

1）腰革の高さによる分類（図2）

- **腰革**
  - 靴の後部を覆う革製の部材.
  - 距腿関節の固定性に関与する.
- **短靴**　　　：腰革の高さが果部から2～3 cm下
- **チャッカ靴**：腰革の高さがほぼ果部まで
- **半長靴**　　：腰革の高さが果部から2～4 cm上まで
- **長靴**　　　：腰革の高さが下腿の2/3くらいまで

2）靴の構造強度にかかわるパーツ

1 月形しん（カウンター）

- 月形しんは，踵をくるむ形で靴の踵の腰革と裏革の間にあるやや固い素材でできたパーツである.
- 靴の型崩れを防止し，靴を履くときの足入れをよくする.
- 内外側部分はカウンターとして働き，足部の側方の支持性を向上させる.
- 外反扁平足では月形しんの内側を前方に延長し，内反足では外側を前方に延長することで変形に対する支持性を高めることができる.

2 踏まずしん（シャンク）

- 踵の中心からMP（中足趾節間）関節の後方までの長さで，通常足部の中心線より外側にある固い素材でできたパーツ.
- 外側縦アーチを支持する機能をもつ.
- 足趾の強直などでMP関節の伸展で痛みを伴う場合では，踏まずしんをMP関節の前方まで延長する.

3 先しん

- つま先部分の表革と裏革の間にある芯材.
- 靴のつま先部の形状を保ち，足趾尖を保護する役割をもつ.

3）靴の中敷き（インナーソール）

- 靴の中底の上にあり，足底に接する部材.
- 中底に貼り付けるものや，取り外しができるものがある.
- 靴の中での補正に用いることがある（後述）.

2 靴の踵の補正

1）サッチ（SACH）ヒール（クッション・ヒール）（図3）

- **踵接地時**の**衝撃吸収**が主な目的.
- 踵接地から足底接地までの**ヒールロッカー**を緩和する.
- 踵接地時に痛みなどの問題のある患者に適応する.
  - **踵骨棘**のある患者
  - **足関節（距腿関節・距踵関節）**の動きが悪く衝撃吸収ができない患者

2）トーマスヒール，逆トーマスヒール（図4）

- 内側が張り出したものをトーマスヒール，外側が張り出したものを逆トーマスヒールという.
- 靴の踵の内側（外側）を前方に張り出させ足部の**外反（内反）を抑制**するのが目的.
- トーマスヒール
  - 足部の内側をサポート（内側縦アーチの支持）する.
  - **外反扁平足**に適応（**内側縦アーチ**の低い患者）する.
- **逆トーマスヒール**
  - 足部の外側をサポートする.
  - **内反足**に適応する.

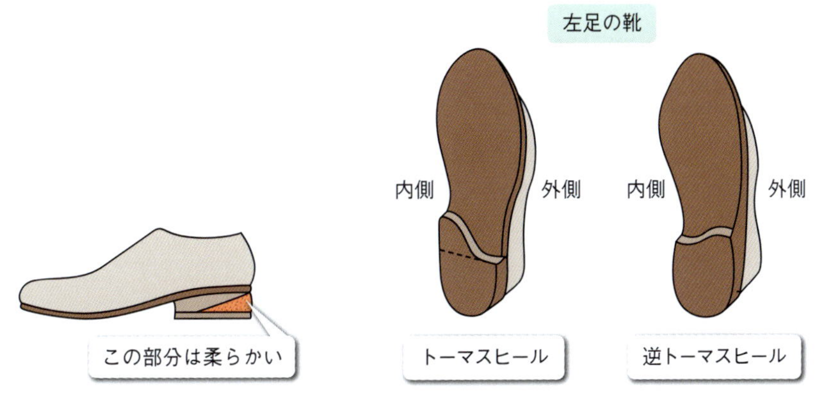

図3　サッチ（SACH）ヒール（クッション・ヒール）

図4　トーマスヒール，逆トーマスヒール

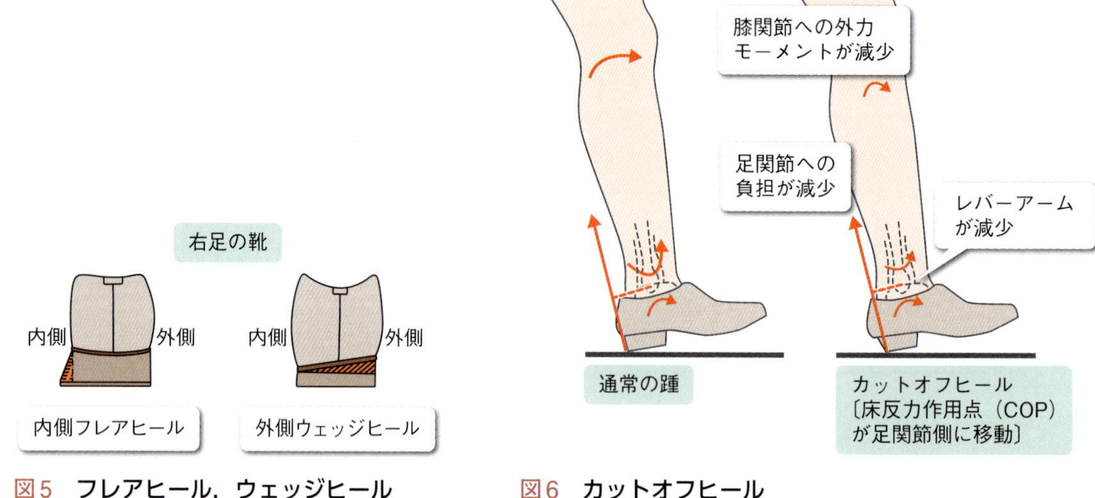

図5　フレアヒール，ウェッジヒール

図6　カットオフヒール
文献3より引用.

3）フレアヒール・ウェッジヒール（図5）

- 踵の内外側の一方を横に張り出させたものをフレアヒールという.
- 同じく踵の内外側の一方にくさび状のウェッジを入れたものをウェッジヒールという.
- 張り出した方向あるいはウェッジを入れた方向に足部が倒れるのを防ぐのが目的である.
- **フレアヒール**：フレアが出ている方向への足部の安定性を強化する.
  - **内反足**には外側フレアヒールを用いる.
  - **外反足**には内側フレアヒールを用いる.
- **ウェッジヒール**：ウェッジを入れて足部（主に踵部）を傾斜させることにより，その方向への安定性を強化する.
  - **外反扁平足**には内側ウェッジヒールを用いる.
  - **内反尖足**には外側ウェッジヒールを用いる.
  - **凹足**には外側ウェッジヒールを用いる（内側に荷重を多くし，アーチを低下）.

4）カットオフヒール（図6）

- ヒールの後方を削り，ヒールの後方端を前方にずらしたもの.
- 踵接地点が前方に移動し足関節運動中心に近づくことから，踵接地時の足関節底屈モーメントが小さくなる.
- 足関節拘縮がある場合，靴の高さが高い場合（長靴・半長靴）などに適応.

3 靴底の補正

1）ソールウェッジ（図7）

- 靴底の前足部に厚さ1 mm程度（意外に薄い）のウェッジを貼る.
- ウェッジの方向に対する足部の安定性が強化される.
- 内側ソールウェッジ：**外反足・外反膝（X脚）**に適応する.
- 外側ソールウェッジ：**内反足・内反膝（O脚）**に適応する.

2）補正用のバー（図8）

- 靴底の補正に○○○**バー**という名前のものがあるが，ハウザーバーを除きすべてMP関節部より後方で内外側にわたる補正である.
- 主な機能は**中足骨頭の免荷**となる.
- 補正部の後方（踵側）が足底に対して直角のものは足部の**横アーチの支持**機能をもつ.
  - ▶デンバーバー，メイヨー半月バー，トーマスバー

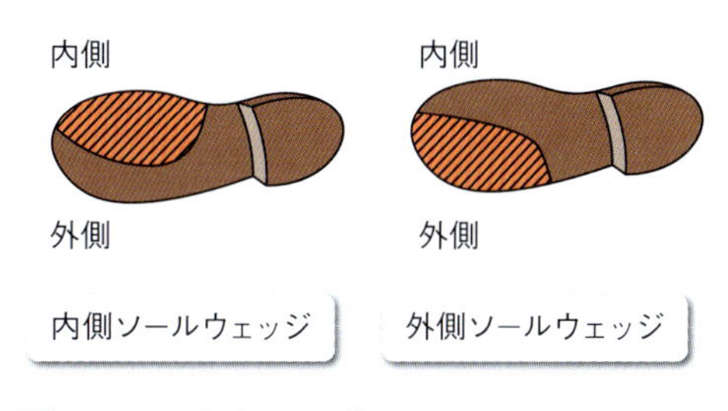

図7 ソールウェッジ

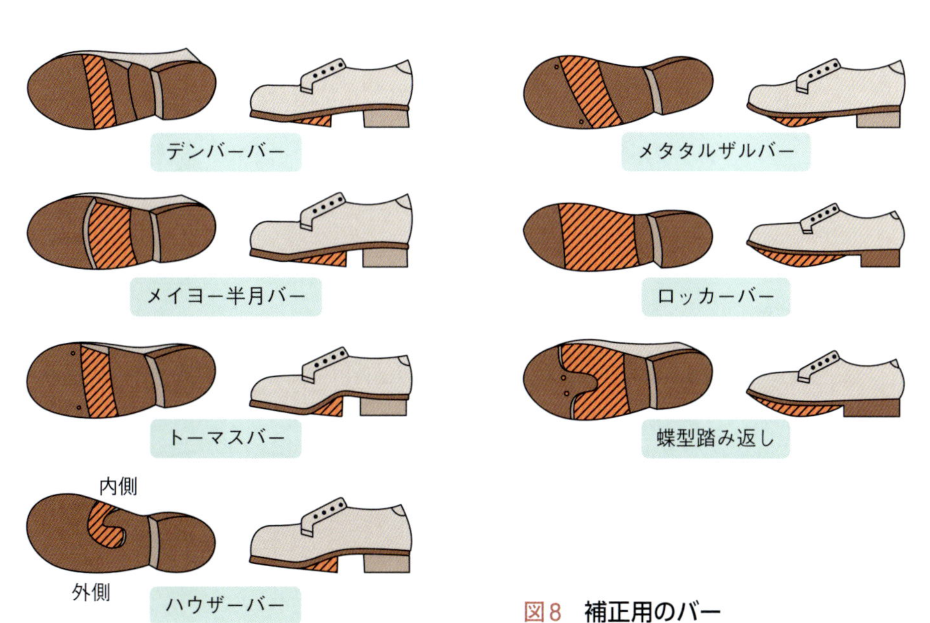

図8 補正用のバー

- 補正部が丸く船底状のものは**踏み返しがしやすい**構造をもつ．
  - メタタルザルバー，ロッカーバー，蝶型踏み返し
  - 蝶形踏み返しは，第2・3または第3・4中足骨への負荷を軽減させるため，その部分をくりぬいた構造をもつ．
  - ロッカーバーはロッカーの位置により，足趾ロッカー，ボール部ロッカー，中足ロッカーがあり，それぞれの部の障害を軽減し，歩行時の滑らかな動きを促す機能をもつ．
- 唯一，ハウザーバー（コンマバー）のみが内側アーチ部の補正であるため，**内側縦アーチの支持**，**前足部の回内防止**の機能をもつ．

4 靴の中での補正

- 靴の中敷きに以下のパッドの機能をもたせ，**足底挿板**（シュー・インソール）として用いることがある．

1）メタタルザルパッド（ダンサーパッド）（図9）

- MP関節の後方にくるように設定する．
- 槌指や尖足による**中足骨頭の疼痛**に適応する．

2）舟状骨パッド（アーチ・クッキー）（図10）

- いわゆるアーチサポートである．
- **内側縦アーチの支持**機能をもつ．
- 外反扁平足に適応する．

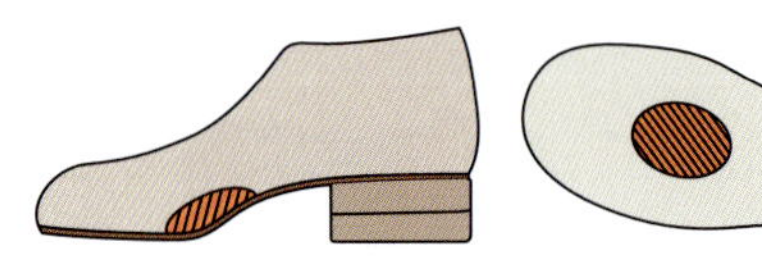

図9　メタタルザルパッド（ダンサーパッド）
インソールの上面，中足骨頭より遠位に貼付する．

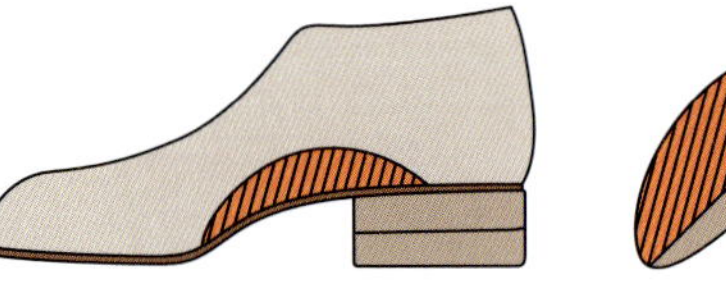

図10　舟状骨パッド（アーチ・クッキー）

■ 文献

1）「理学療法テキスト 装具学（15レクチャーシリーズ）」（石川 朗/総編集，佐竹將宏/責任編集），中山書店，2011
2）「装具学 第4版」（日本義肢装具学会/監，飛松好子，高嶋孝倫/編），医歯薬出版，2013
3）「義肢装具のチェックポイント 第8版」（日本整形外科学会，日本リハビリテーション医学会/監），医学書院，2014

13 車椅子・杖

学習のポイント

- 車椅子・杖の種類とその特徴および各部の名称について理解する
- 車椅子のチェックポイントおよび採寸方法について理解する
- 杖のチェックポイントおよび長さ調節について理解する

1 車椅子の種類

- 車椅子は利用者が自ら操作する「**自走用**」と介助者が操作する「**介助用**」に大別される.
- 操作の動力により「**手動式**」と「**電動式**」に大別される.
- その他，症例や用途に応じて**座位変換型**や**スポーツ型**などがある.
- 最新の車椅子は軽量かつ快適性を両立しており，オプションパーツも多くの種類から選択できる（図1）.

1）自走用車椅子

- 一般的に普及しているのは**後輪駆動型**（スタンダード型）であり，後方に駆動輪，前方にキャスターがついている（図2）.
- 利用者が自ら駆動輪に取り付けてある**ハンドリム**を操作して移動するタイプである.
- 下肢や体幹に障害がある者，高齢などによって長距離を歩くことが困難な場合に適応される.
- 駆動輪が大きく，少ない力で操作することができる.
- ブレーキの種類は**レバー式**と**トグル式**がある（図3）.
- レバー式は，レバーを凹みにはめ込む動作に上肢の機能や腕（握力を含む）の大きな力が必要である．一方，トグル式は前後どちらに動かしてもブレーキがかかる構造になっており，少ない力で操作することができる.
- 車椅子の向きを変えたりするためのキャスターは，屋外など不整地で使用する場合は大きいものが適している.

2）介助用車椅子

- 介助者がグリップを後ろから押して移動するタイプである.

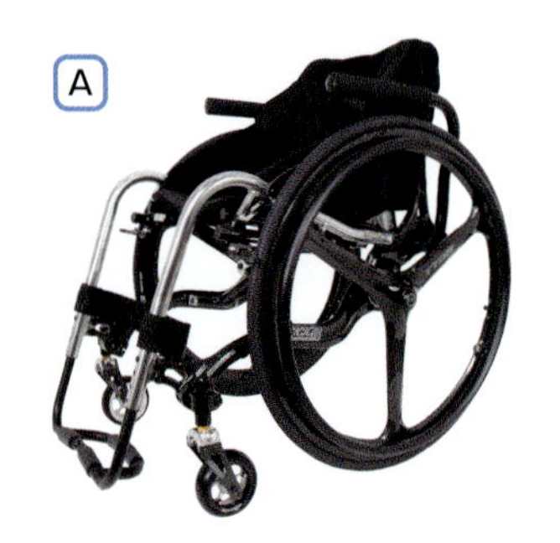

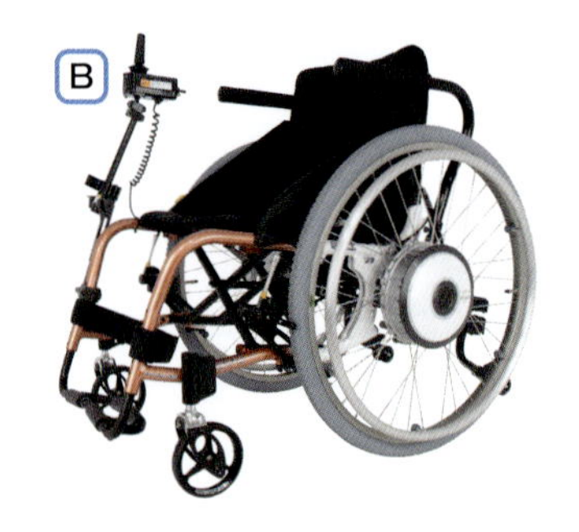

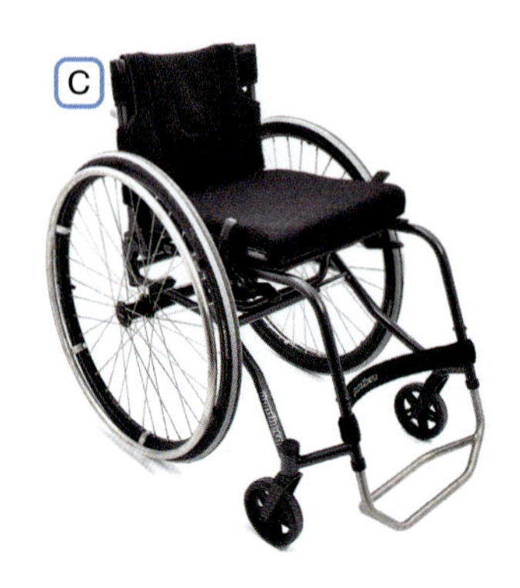

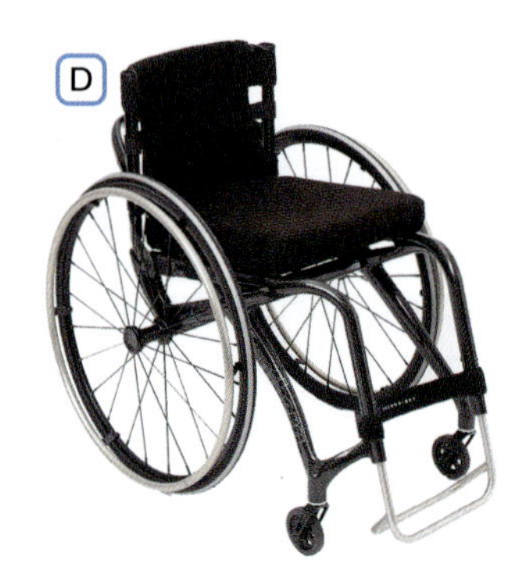

図1　最新の車椅子

A）ZZR. 軽さと乗り心地（振動吸収）を追求するため，マグネシウム合金とカーボンを組合せたフレームでできている．B）GW-E. 電動の車椅子で，軽量かつコンパクトにつくられている．A）B）写真提供：オーエックスエンジニアリング社．C）PANTEHRA S3. 超軽量自走式車椅子．操作性・座り心地・車載性が高いレベルで実現されている．D）PANTEHRA X. 世界最高峰の軽さと強度を両立させたカーボン製の車椅子．C）D）写真提供：パンテーラ・ジャパン社．

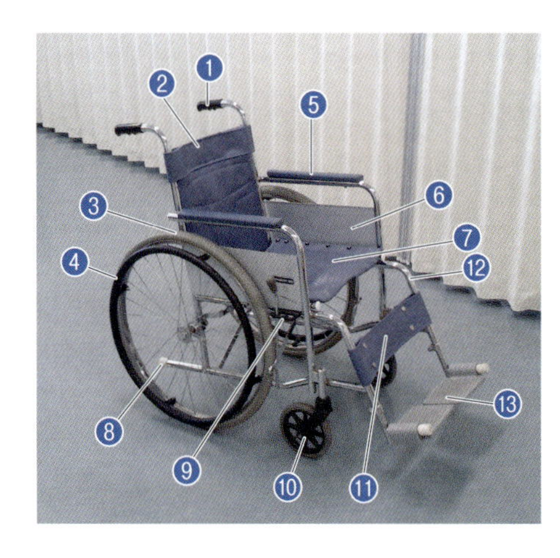

図2　車椅子の構造と名称

❶グリップ，❷バックサポート，❸駆動輪，❹ハンドリム，❺アームサポート，❻サイドガード，❼シート，❽ティッピングレバー，❾ブレーキ，❿キャスター，⓫レッグサポート，⓬フット・レッグサポートフレーム，⓭フットサポート．

- 自力での車椅子操作が困難な者，歩行が困難で移動に介助が必要な場合に適応される．
- 介助者用のグリップにはブレーキレバーが取り付けてある．
- 自走用のハンドリムがないため，車椅子の幅員は自走用よりも小さい．
- ブレーキレバーとハンドリムの両方をもつ自走介助兼用車椅子もある．

3）電動式車椅子

- 一般的な自走用の手動式車椅子の操作が困難な場合に利用が検討される．
- 手動式は利用者自らの力を動力とするが，電動式は電動モーターを動力とする．
- コントローラーの操作によって前後左右に進む．

レバー式

トグル式

図3　ブレーキの種類

4）座位変換型車椅子

- 車椅子に姿勢を変換する機構が備わっており，**リクライニング式**と**ティルト式**がある．
- リクライニング式は，座面はそのままで背もたれだけが後方に倒れるタイプである．
- ティルト式は，座面と背もたれが同じ角度を保ったまま後方に倒れるタイプである．
- リクライニング式とティルト式の両者の機構をもつものは，リクライニング・ティルト式といわれる．

5）スポーツ型（競技用）車椅子

- スポーツに特化した形状をしており，一般的な車椅子よりも駆動効率が非常によい．
- 車椅子バスケットボール用は，軽量かつ衝撃に耐えられるように高剛性に作られている．駆動輪は上部が内側に傾斜（ハの字）しており，小さな力ですばやいターンを可能にしている．これは，車椅子テニス用でも使われている．その他，レース用に軽量化された車椅子マラソン用（3輪）などがある．

＊駆動輪の傾斜角度のことを「キャンバー角」という．普通型車椅子では，路面に対して駆動輪は垂直である（キャンバー角：0度）．スポーツ型車椅子では，旋回時の安定性を必要とするため駆動輪の上部を内側に傾斜させ，「ハの字」にすることで支持基底面を広くしている．キャンバー角の「マイナス角度」を大きくするほど，支持基底面は広くなる．

2 車椅子のチェックポイントと採寸（図4）

- **シート幅**は，殿部の最大幅（両大転子間）に2 cmを加えた長さとする（図4A❶，B❶）．
- **シート奥行き**は，バックサポートに深く腰かけた状態で，膝窩とシート端の距離が2.5～5 cm空き，シート端が膝窩部を圧迫しないようにする（図4A❷，B❷）．
- **バックサポート**は，シートから腋窩までの長さから5～10 cm短くし，バックサポート端が肩甲骨下角の高さになるようにする（図4A❸，B❸）．
- **アームサポート**は，シートから肘まで（肘関節を90°屈曲した状態）に1～2 cmを加えた高さとする（図4A❹，B❹）．

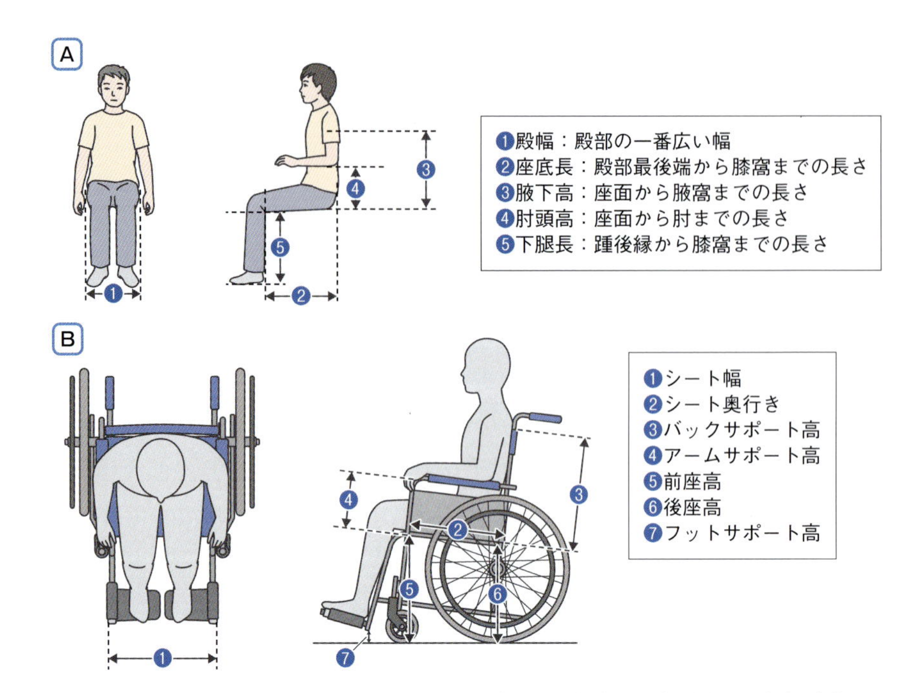

図4　車椅子処方に必要な身体計測の方法（A）と車椅子の標準的な寸法（B）

- **前座高**（シート前方の高さ）は下腿長に5〜8 cmを加えた高さとし，**後座高**（シート後方の高さ）はこれよりも2〜4 cm低くする（図4A⑤，B⑤⑥）．
- **フットサポート**は少なくとも床面から5 cm以上離し，障害物によって移動が妨げられないようにする（図4B⑦）．
- 車椅子の各部に破損がないか，タイヤの空気圧は十分か，ゴムが磨耗していないかを確認する．
- ブレーキに緩みがなく，しっかりと車椅子が固定できるかを確認する．

3 杖の種類

- 杖の主な目的は**体重の免荷**（下肢にかかる負担を軽減），**歩行バランスの補助**（支持基底面の拡大），**歩行効率の向上**（歩行速度，耐久性など），**心理的効果**（安心感など）である．
- 杖の種類には**杖類**（単脚杖，多脚杖）と**クラッチ類**（ロフストランドクラッチ，カナディアンクラッチ，プラットホームクラッチ，松葉杖）がある．
- 杖類は歩行時のふらつきなどを防止するために適応されるが，体重の免荷量は少ない．一方，クラッチ類は杖類よりも体重の免荷量が大きく，安定性も高い．
- 杖は利用者の手の機能，体重の免荷量，バランス能力，歩行能力に合わせて選択する．
- 患肢の免荷では**杖を健側にもつ**ことを原則とする．杖と同時に患側を振り出し，次いで健側を振り出す歩行様式を2点歩行（2動作歩行）（動画①）といい，杖に次いで患側，健側と順に振り出すことを3点歩行（3動作歩行）（動画②）という．**杖で階段を昇るには杖，健側，患側の順に接地するが**（動画③），**降りるときには杖，患側，健側の順に**

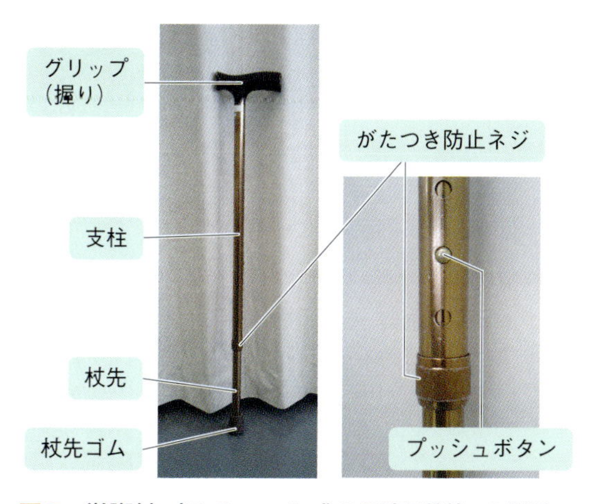

図5　単脚杖（ラチェット式のT字型杖）の構造

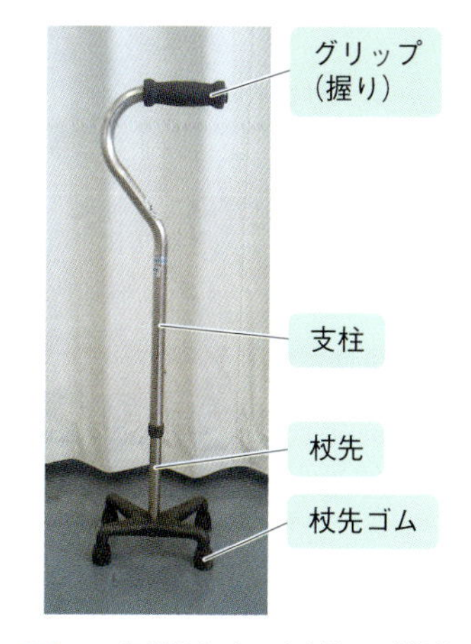

図6　多脚杖（四点杖）の構造

動画④

接地する（動画④）.

1）単脚杖

- 杖先が1点のものを単脚杖（一本杖）という.
- 基本的な構造はグリップ（握り），支柱，杖先，杖先ゴム（石突き）からなる（図5）.
- 支柱は固定式，調節式（長さを調節する穴にプッシュボタンをかけるラチェット式が主流），折りたたみ式がある.
- グリップの形状によって**T字型杖**，L字型（オフセット型）杖，C字型杖などに分類される．このうちT字型杖が最も普及している.
- T字型杖の握り方は，グリップから伸びる支柱の根元を人差し指と中指で挟むようにする.
- 杖を使用する者のなかでも歩行能力が高い場合に適応となる.

2）多脚杖

- 杖先が3点（三点杖）または4点（四点杖）のものを多脚杖という（図6）.
- 歩行器型杖（サイドケイン）は，四点杖よりもさらに安定性があり，立ち上がり時の支持物としても有効であるが，外観が大きく重いため握力を含む腕の力が必要となる.
- 単脚杖よりも杖に体重がかけやすいが，凹凸のある床面や小さな段差など，杖先が同一面上に接地しにくい環境では不安定になりやすい.

3）ロフストランドクラッチ，カナディアンクラッチ

- ロフストランドクラッチは，前腕部を支える**前腕カフ**を備えていることが特徴である（図7）.
- 前腕カフの位置は，前腕近位1/3の高さになるよう調節する.
- カナディアンクラッチは，上腕部を支える**上腕カフ**を備えていることが特徴である.
- カフ（前腕あるいは上腕）とグリップの2点で体重を支える.
- 肘を伸ばす力が弱く，グリップだけでは体重が支えられない場合に適応となる.
- 前腕部を支えるロフストランドクラッチよりも上腕部を支えるカナディアンクラッチのほうが安定性がよいが，ロフストランドクラッチのほうが一般的によく用いられる.

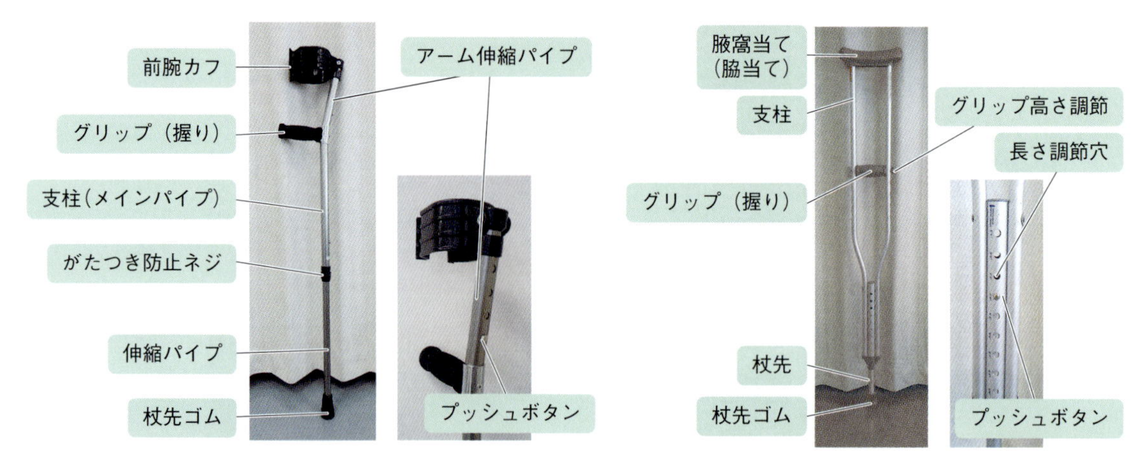

図7　ロフストランドクラッチの構造

図8　松葉杖（腋窩支持クラッチ）の構造

参照
プラットフォームクラッチは第Ⅱ章11図15参照

4）プラットフォームクラッチ（参照）

- 前腕を受ける架台とその先端にグリップが付いており，前腕支持部に前腕を乗せて体重を支えることが特徴である．
- 関節リウマチなど手指や手首に変形がある場合に適応となるため，**リウマチ杖**ともいわれる．
- 手指や手首にかかる負担は軽減できるが，肩や肘に負担がかかることに留意しなければならない．

5）松葉杖（腋窩支持クラッチ）

- 基本的な構造は腋窩当て（脇当て），支柱，グリップ（握り），杖先，杖先ゴム（石突き）からなる（図8）．
- 松葉杖はグリップを握り腋窩当てを脇で挟んで体重を支えるため，体重を完全あるいは部分的に免荷できる．
- 原則的には2本で使用するものであり，完全免荷では両腕で使用するが（動画⑤），部分免荷では1本の松葉杖を片腕で使用することもある．
- 松葉杖は体重の免荷量が大きい分，上肢への負担も大きい．そのため，上肢の機能や両腕の力がある一定以上に保たれている場合に適応される．高齢者においては使用できるか否かの判断に注意しなければならない．
- 腋窩当てに体重をかけると腋窩部が圧迫され，**末梢神経麻痺**（腋窩神経麻痺，橈骨神経麻痺）を起こす危険性があるので注意しなければならない．
- 松葉杖で階段を昇るにはまず松葉杖で体重を支えながら健側を昇段させ，次いで健側でバランスをとりながら松葉杖と患側を引き上げる（動画⑥）．降りるときには先に松葉杖を降段させたのち，松葉杖で体を支えながら健側を接地させる（動画⑦）．

動画⑤

動画⑥

動画⑦

4 杖のチェックポイント

- 杖の長さ調節は，利用者がふだん使用している履物を履いた状態で行う．
- 後述のようにある一定の基準で長さやグリップの高さを決定するが，最終的には適合判定の結果と利用者が使いやすいと感じる長さを総合的に判断する．
- グリップや支柱などに破損がないか，杖先ゴムが磨耗していないかを必ずチェックする（図9）．

1）杖類

- グリップの高さは，自然立位をとらせたときの床面から**大転子**（図10）あるいは**橈骨茎状突起**（図10B）を目安とする．
- **適合判定**は，杖先をつま先から前方15 cm，外方15 cmについた状態で，肘が20～30°曲がり，肩が自然な高さになっているかを確認する（図11）．

杖類の適合判定の注意点
杖の長さ調節では，円背や膝関節の屈曲拘縮がある場合は注意が必要である．グリップの高さを大転子あるいは橈骨茎状突起にすると長すぎるため，利用者の使いやすいように短くする．目安として，通常時と同じように肘が約20～30°曲がる高さにするとよい．

2）松葉杖（腋窩支持クラッチ）

- 全体の長さは，一般成人では身長から40 cmまたは41 cmを引いた長さとすることが臨床的によく用いられる簡便な方法である（図12）（全体の長さは，身長の77 %とする方法もある）．
- 腋窩と松葉杖の腋窩当ての間に**3横指程度（4～5 cm）**の隙間があることを必ず確認する（図13）．
- グリップの高さと適合判定は杖類と同じである．
- 全体の長さとグリップの高さを総合的に調節する．

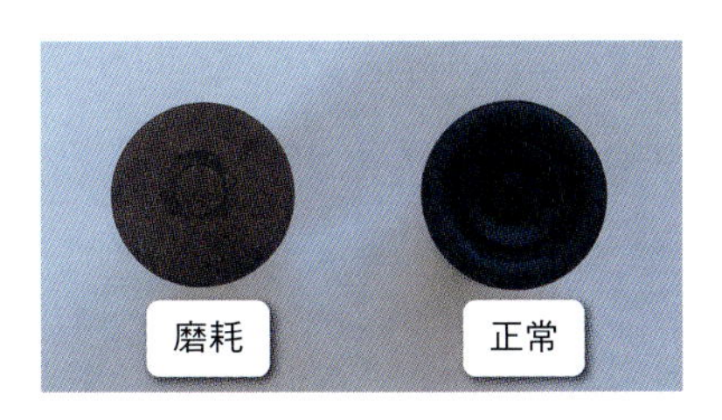

図9　杖先ゴム（底面）
正常では深くはっきりとした溝があるが，磨耗したものでは溝がすり減り平らになっている（滑りやすく危険）．

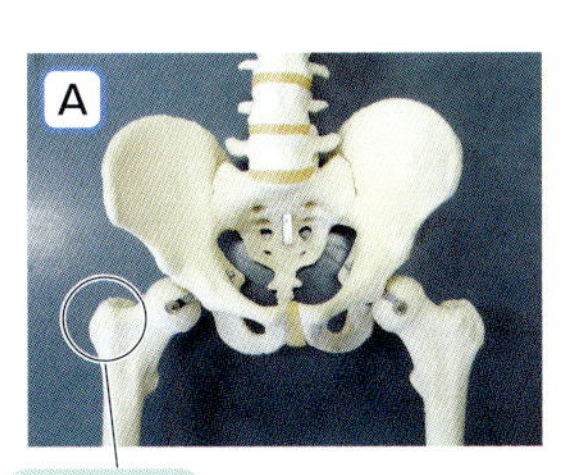

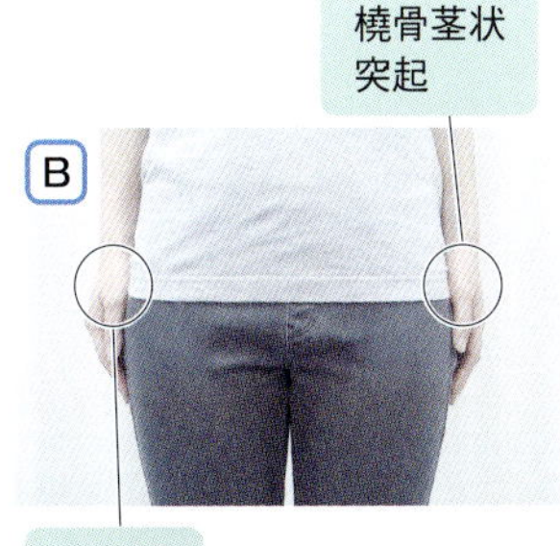

図10　大転子と橈骨茎状突起の位置

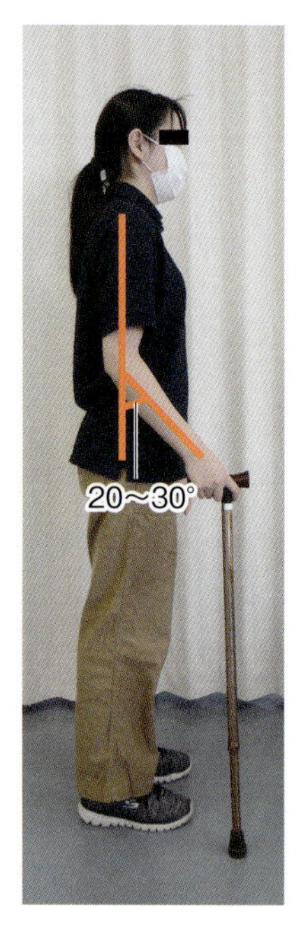

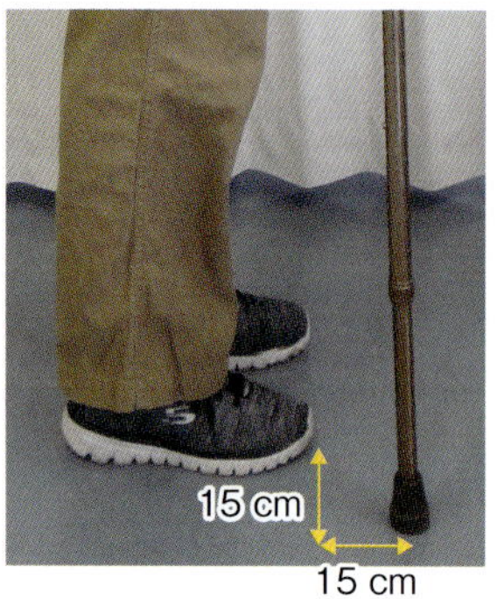

図11　T字型杖の長さ調節

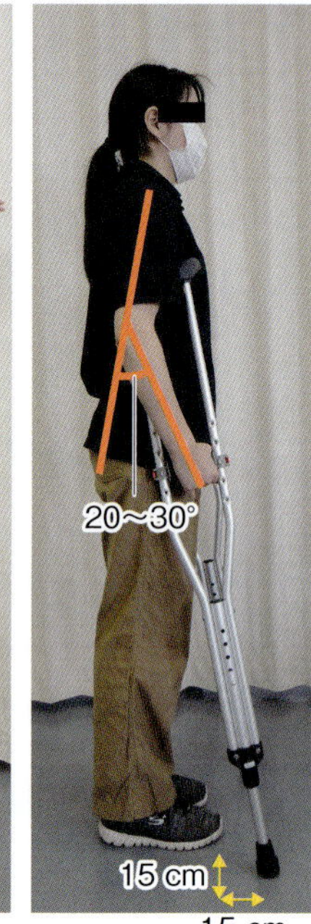

図12　松葉杖の長さ調節

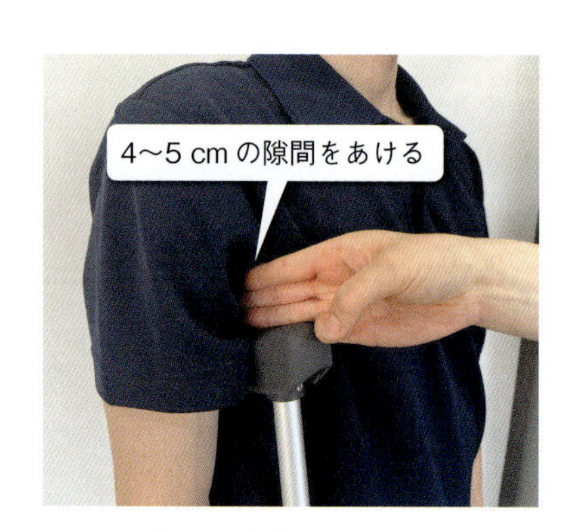

図13　腋窩と腋窩当ての確認

■ 参考図書

・「標準理学療法学 専門分野 日常生活活動学・生活環境学 第6版」（奈良 勲／シリーズ監修，鶴見隆正，隆島研吾／編），医学書院，2021

・「義肢装具のチェックポイント 第9版」（日本整形外科学会，日本リハビリテーション医学会／監），医学書院，2021

・「図解 自立支援のための患者ケア技術」（初山泰弘／監，潮見泰藏，齋藤昭彦／編），医学書院，2003

14 義肢装具の給付制度

学習のポイント

- 義肢装具費用の給付制度の種類と概要について理解する
- 治療用（医療用），更生用義肢装具における費用の申請方法について理解する

1 義肢装具の給付について

- 義肢装具の給付制度は複数存在し，それぞれ対象者や給付条件などが細かく分かれており，複雑でわかりにくい．
- 給付制度により費用の自己負担割合が違うため，理学療法士がこの義肢装具の給付制度をしっかり理解しておくことは給付を受ける患者のサポートをするうえで非常に重要である．

2 義肢装具の制度分類

- 義肢装具の制度分類は，治療用（医療用）と更生用の2種類に大別される．

1）治療用（医療用）

- 医師が治療上必要であると判断した場合に処方され，**治癒するまで一時的に**使用するもの．
- 装具の場合は**治療用（医療用）装具**，義肢の場合は**仮（治療用）義肢**という．

2）更生用

- 治療終了後または障害固定後に日常生活活動（ADL）向上のため，**継続的・半永久的に**使用するもの．
- 装具の場合は**更生用装具**，義肢の場合は**本義肢**という．

3 義肢装具の給付制度

1）義肢装具の給付制度の種類

- 義肢装具には表1の給付制度が存在する（令和4年11月1日現在）.

2）各種給付制度の概要

1 自動車損害賠償保険等の損害賠償制度

- 違法行為によって他者に与えた損害を補償することを損害賠償という.
- 損害賠償制度は民間の会社が提供する保険商品の1つで公的制度ではないが，交通事故などで障害を負った場合，どの公的給付制度よりも優先的にこの損害賠償制度が適用される.

2 戦傷病者特別援護法

- 「軍人軍属等であった者の公務上の傷病に関し，国家補償の精神に基づき，特に療養の給付等の援護を行うことを目的」としたものである．費用の自己負担はない.

3 労働災害補償制度

- 労働者の服務中または通勤中に起きた負傷や疾患，障害，死亡などの災害に対して補償するものである．ただし，この補償を受けるためには**労働災害**であるという認定を受ける必要がある.
- 一般労働者は労働者災害補償保険法で，国家公務員は国家公務員労働災害補償法で，地方公務員は地方公務員労働災害補償法で補償される.
- 保険給付は，治療中に給付される**療養給付**と，障害等級第1級～7級までに該当する障害が残った場合に給付される**障害補償給付**の2種類がある．いずれも認定を受ければ費用の自己負担はない.

表1　義肢装具給付制度の種類

義肢装具給付制度
自動車損害賠償保険等の損害賠償制度（※公的給付制度ではない）
戦傷病者特別援護法
労働災害補償制度
公的医療保険制度
障害者総合支援法
生活保護法

平成28年4月1日現在．文献1をもとに作成.

表2　公的医療保険制度の種類と被保険者

保険の種類		被保険者
被用者保険	全国健康保険協会管掌健康保険（通称：協会けんぽ）	・中小企業の会社員
	組合管掌保険（通称：組合健保）	・大企業の会社員
	共済組合	・国家公務員 ・地方公務員 ・私立学校職員
	船員保険	・船員
国民健康保険		・自営業者，農業者など （被用者保険や後期高齢者医療制度，生活保護に該当しない者）
後期高齢者医療制度		・75歳以上の者 ・65～74歳で一定の障害のある者

文献1をもとに作成.

4 公的医療保険制度

- 表2のように被用者保険，国民健康保険，後期高齢者医療制度の3つに大別される．

①被用者保険

- 全国健康保険協会管掌健康保険，組合管掌保険，共済組合，船員保険などが含まれる．

②国民健康保険

- 被用者保険や後期高齢者医療制度，生活保護などに該当しない，自営業者や農業者などが加入する保険である．

③後期高齢者医療制度

- 75歳以上，または65～74歳で一定の障害がある者が加入する保険である．一定の障害とは，以下に該当する状態のことをさす．
  - 国民年金法等における障害年金1～2級の受給者
  - 精神障害者保健福祉手帳1～2級の所持者
  - 身体障害者手帳1～3級の所持者および4級の所持者の一部
  - 療育手帳Aの所持者

④公的医療保険制度における自己負担割合（表3）

- 公的医療保険制度では年齢と収入に応じて自己負担の割合が異なる．
- 1～3割の自己負担となる．

5 障害者総合支援法

- 身体障害・知的障害・精神障害への福祉サービスを一元化する目的で平成18年に施行された障害者自立支援法が，平成25年に障害者総合支援法という名称に変更された．
- 名称変更と同時に対象者に難病が追加され，より幅広い障害者に対応できるようになった．
- 自己負担は原則1割だが，費用負担が大きくなり過ぎないように月額負担上限額が設けられており，自己負担額はそれを超えることはない．
- 月額負担上限額は表4のように，利用者の経済状況により0円あるいは37,200円と定められている．

表3　公的医療保険制度における自己負担割合

年齢区分	自己負担割合
義務教育就学前 （6歳になって最初の3月31日まで）	2割
6～69歳	3割
70～74歳	2割
	3割（現役並み所得）
後期高齢者医療制度	1割
	3割（現役並み所得）

70歳以上の現役並み所得とは，以下の状態をいう．
・被用者保険加入者：標準報酬月額が28万円以上の場合．
・国民健康保険や後期高齢者医療制度加入者：課税所得が145万円以上の場合．
　ただし，被扶養者との年収の合計が520万円未満の人などを除く．

表4　義肢装具の支給についての月額自己負担上限額

利用者の経済状況	月額負担上限額
生活保護受給者 低所得者（市町村民税非課税世帯）	0円
上記以外	37,200円

※ただし，世帯に市町村民税所得割額46万円以上の者がいる場合，公費負担の対象外となる.

表5　生活保護における扶助の種類

扶助の種類	扶助の内容
生活扶助	衣食その他日常生活に必要なものの給付
教育扶助	学用品，教材費等，義務教育に必要なものの給付
住宅扶助	家賃・地代・住宅補修代等の給付
医療扶助	医療に必要なものの給付
出産扶助	出産に必要なものの給付
介護扶助	介護に必要なものの給付
生業扶助	生業や技能修得に必要なものの給付
葬祭扶助	葬祭に必要なものの給付

6 生活保護法

- これは，憲法第25条の理念にもとづき，生活に困窮する方に対して「健康で文化的な最低限度の生活を保障する」ための制度である.
- 8つの扶助により構成されている（表5）.
- 義肢装具は医療扶助として給付される．生活保護受給者の費用の自己負担はない.

3）各種公的給付制度の優先性

- それぞれの給付制度の趣旨から給付に優先度が存在する．それにしたがって義肢装具が給付される.
- 優先度の高い順に，①**戦傷病者特別援護法または労働災害補償制度**，②**公的医療保険制度**，③**障害者総合支援法**，④**生活保護法**となる.
- 交通事故などで自動車損害賠償保険等の**損害賠償制度**が適応になる場合はこれが最も優先度が高くなる.

4）各種給付制度の選択

- 各種給付制度のなかで患者がどの制度に該当するのかについては図1のフローチャートを参照.

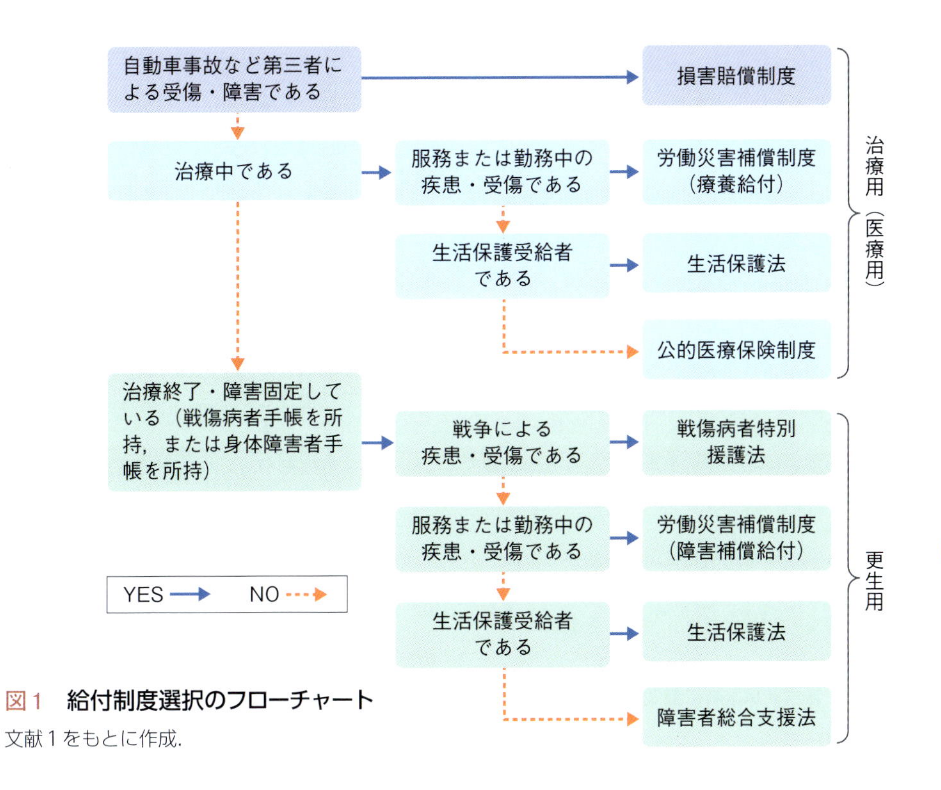

図1　給付制度選択のフローチャート
文献1をもとに作成.

4 義肢装具の申請方法

1）治療用（医療用）の申請

1 公的医療保険制度での申請

- 義肢装具申請の流れを図2に示す.
- 費用に関しては，本人・家族が全額立て替え，保険者に申請することで医療費の自己負担分（表3）以外が還付されるという流れとなっている．このような支払方法を**償還払い**という.
- 給付申請には**療養費支給申請書・医師の意見書・義肢装具支払領収書**の原本を提出する.

2 労働災害補償制度（療養給付）の申請

- 労働災害補償制度の療養給付での義肢装具の給付は，労災保険指定医療機関を受診したか否かで流れが異なる．いずれの場合も認定されれば自己負担はない.

①労災保険指定医療機関以外の医療機関を受診した場合

- 義肢装具申請の流れは図3を参照.
- この場合，義肢装具の費用をいったん全額立て替えて，後日その費用を請求するという流れとなる.
- 申請の流れは，前述の公的医療保険制度の申請とほぼ同じだが，最後に申請する相手は保険者ではなく所轄の**労働基準監督署**となる.
- このように，義肢装具にかかった費用を請求して全額を受け取ることを**療養費用の給付**という.

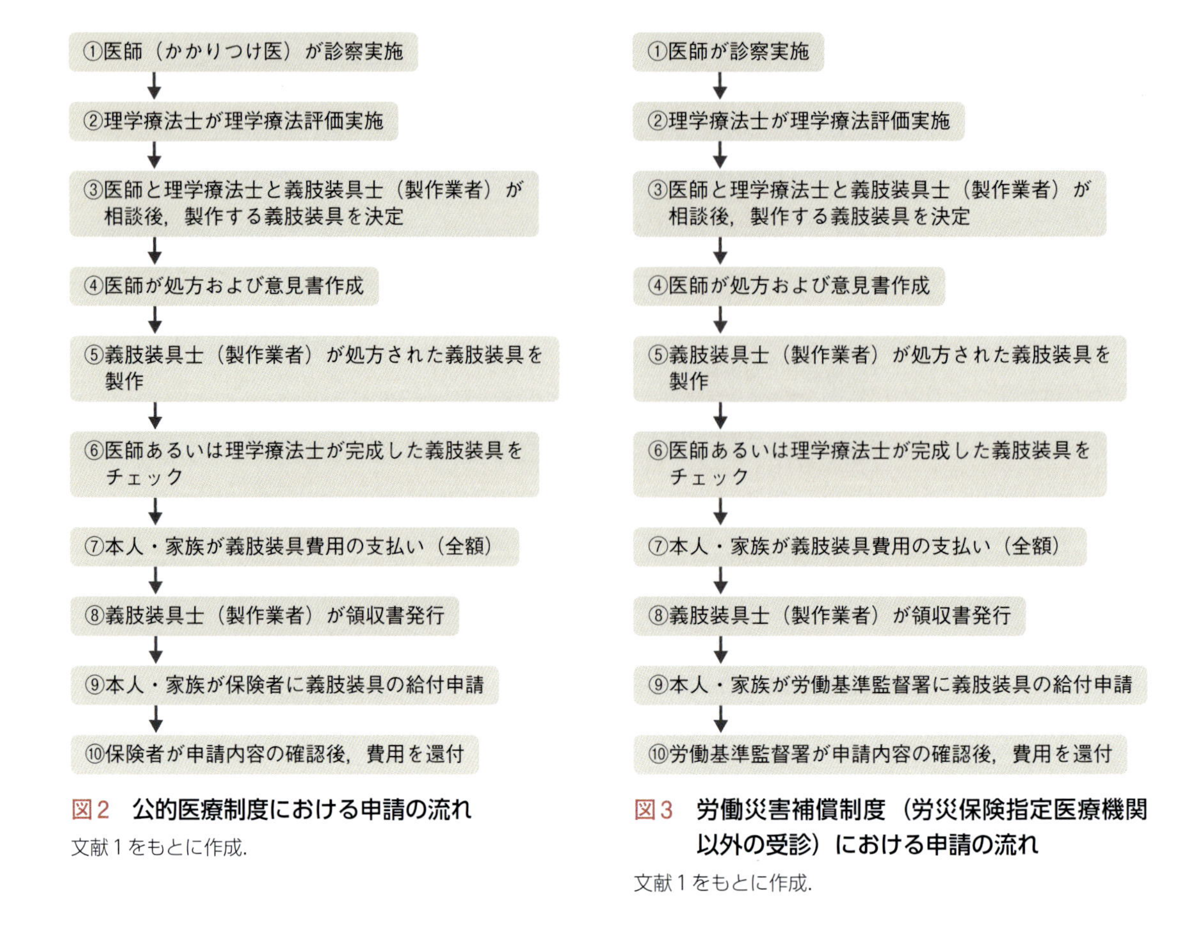

図2　公的医療制度における申請の流れ
文献1をもとに作成.

図3　労働災害補償制度（労災保険指定医療機関以外の受診）における申請の流れ
文献1をもとに作成.

- 申請に必要な書類は「療養補償給付たる療養の費用請求書 業務災害用〔様式第7号（1）〕」あるいは「療養給付たる療養の費用請求書 通勤災害用〔様式第16号の5（1）〕」である．これらの書類は厚生労働省のホームページからダウンロードできる．

②労災保険指定医療機関を受診した場合

- 義肢装具申請の流れは図4を参照.
- この場合，義肢装具の費用を立て替える必要はない.
- このように費用を立て替えずに義肢装具を受け取ることを**現物給付**または**療養給付**という.
- 申請に必要な書類は「療養補償給付たる療養の費用請求書 業務災害用（様式第5号）」あるいは「療養給付たる療養の給付請求書 通勤災害用（様式第16号の3）」である．これらの書類は厚生労働省のホームページからダウンロードできる.

3 生活保護法の申請

- 生活保護受給者のみが申請できる.
- 生活保護の受給は，生活保護申請書・収入申告書・資産申告書・同意書などを福祉事務所に提出し，福祉事務所がそれらの内容調査を実施した後に結果が通知される.
- 義肢装具申請の流れを図5に示す.
- 義肢装具に関しては**現物給付**になる.

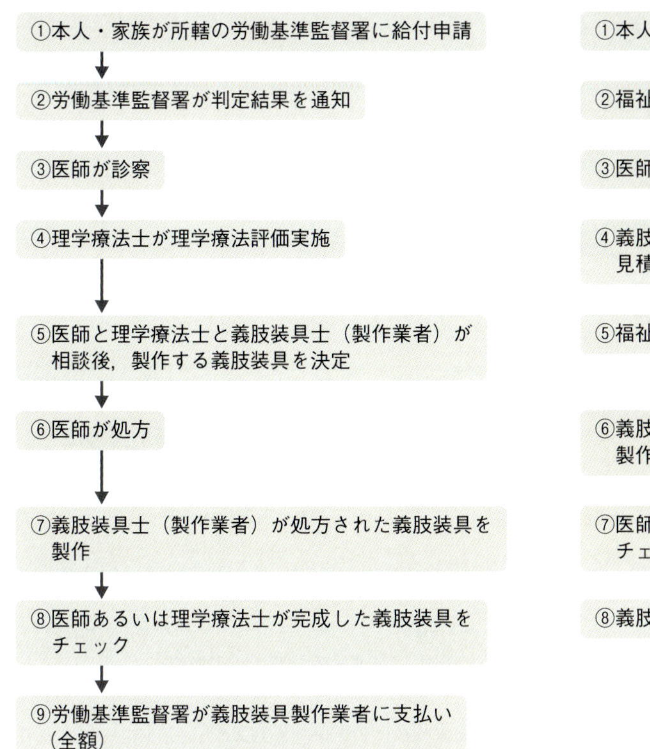

図4　労働災害補償制度（労災保険指定医療機関受診）における申請の流れ
文献1をもとに作成.

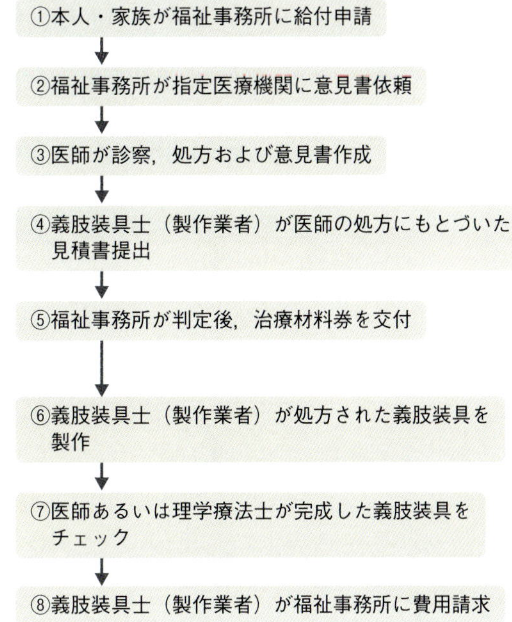

図5　生活保護法における申請の流れ
文献1をもとに作成.

2）更生用の申請

1 戦傷病者特別援護法の申請

- 戦傷病者特別援護法での申請を行う場合，**戦傷病者手帳**の交付を受けている必要がある.
- 本人または家族が戦傷病者手帳と申請書を，義肢装具製作業者が見積書を，福祉事務所に提出し判定結果が通知される.
- 義肢装具申請の流れを図6に示す．義肢装具に関しては現物給付になる.

2 障害者総合支援法の申請

- 障害者総合支援法で義肢装具の申請を行うためには，基本的には**身体障害者手帳**などの障害手帳交付を受けている必要がある.
- 費用の**自己負担は原則1割**となる．月額負担上限額は利用者の経済状況によって異なり，生活保護受給者と低所得者は0円，それ以外は37,200円と定められている（表4）.
- 身体障害者手帳の交付は，申請書と身体障害者福祉法第15条指定医が作成した身体障害者診断書・意見書を市区町村の障害福祉担当窓口に提出し，市区町村の障害福祉担当から依頼を受けた更生相談所が判定するという流れとなっている.
- 義肢装具申請の流れは製作業者が，代理受領にかかわる補装具業者の登録（以下，登録業者）をしているか否かで2種類の流れがある（図7，8）.

①本人・家族が福祉事務所に給付申請
↓
②本人・家族が義肢装具士（製作業者）に見積依頼
↓
③義肢装具製作業者が福祉事務所に見積提出
↓
④福祉事務所が判定結果を通知
↓
⑤義肢装具士（製作業者）が見積書通りの義肢装具を製作
↓
⑥医師あるいは理学療法士が完成した義肢装具をチェック
↓
⑦義肢装具士（製作業者）が福祉事務所に費用請求

図6　戦傷病者特別援護法における申請の流れ

文献1をもとに作成.

①本人・家族が市区町村窓口に申請
↓
②市区町村が更生相談所に判定依頼
↓
③更生相談所の医師が診察実施
↓
④理学療法士が理学療法評価実施
↓
⑤医師と理学療法士と義肢装具士（製作業者）が相談後，製作する義肢装具を決定
↓
⑥更生相談所が市区町村に判定結果を通知
↓
⑦市区町村が本人・家族に通知結果を連絡
↓
⑧義肢装具士（製作業者）が処方された義肢装具を製作
↓
⑨本人・家族が義肢装具費用の支払い（全額）
↓
⑩義肢装具士（製作業者）が領収書発行
↓
⑪本人・家族が市区町村に義肢装具費用の請求
↓
⑫市区町村が処方内容の確認後，費用を還付

図7　障害者総合支援法における申請の流れ（償還払い方式）

文献1をもとに作成.

①本人・家族が市区町村窓口に申請
↓
②市区町村が更生相談所に判定依頼
↓
③更生相談所の医師が診察実施
↓
④理学療法士が理学療法評価実施
↓
⑤更生相談所の医師と理学療法士と義肢装具士（製作業者）が相談後，製作する義肢装具を決定
↓
⑥更生相談所が市区町村に判定結果を通知
↓
⑦市区町村が本人・家族に通知結果を連絡
↓
⑧義肢装具士（製作業者）が処方された義肢装具を製作
↓
⑨更生相談所の医師あるいは理学療法士が完成した義肢装具をチェック
↓
⑩本人・家族が義肢装具費用の支払い（自己負担分）
↓
⑪義肢装具士（製作業者）が領収書発行
↓
⑫義肢装具士（製作業者）が市区町村に義肢装具費用の残金請求
↓
⑬市区町村が処方内容の確認後，残金支払い

図8　障害者総合支援法における申請の流れ（代理受領方式）

文献1をもとに作成.

- 通常は**償還払い方式**となるが，義肢装具製作業者が登録業者であれば，本人は自己負担分のみを支払い，製作業者は残額を市区町村に請求するという**代理受領方式**での支払いが可能となる．

3 労働災害補償制度（障害補償給付）の申請

- 労働災害補償制度の障害補償給付での申請は，**障害固定**の認定を受けている必要がある（図1）．
- 障害等級が1～7級の場合は障害年金（または障害補償年金）から，障害等級が8～14級の場合は障害補償一時金（または障害一時金）から費用が支給される．
- 障害等級により給付される金額が異なる．
- 義肢装具申請の流れは前述した労働災害補償制度の療養給付と同じである（図3，4）．
- 障害者総合支援法同様，通常は償還払い方式だが義肢装具製作業者が登録業者であれば**代理受領方式**が可能である．
- 認定されれば**自己負担はない**．

文献・URL

1）公益財団法人テクノエイド協会：補装具費支給事務ガイドブック（http://www.techno-aids.or.jp/research/guidebook_140610.pdf）

参考文献・URL

・「補装具費支給判定基準マニュアル～支援者のための」（井上剛伸／研究代表，樫本 修／研究分担），平成27年度厚生労働科学研究費補助金（障害者対策総合研究事業），補装具の適切な支給実現のための制度・仕組みの提案に関する研究（http://www.rehab.go.jp/ri/kaihatsu/hosougukenkyu/doc/hantei_manual_koukaiban.pdf）

第Ⅱ章 装具学

15 短下肢装具装着における歩行分析

学習のポイント

- 片麻痺患者の歩行と分析を学ぶ
- 片麻痺患者の歩行で使用される短下肢装具の種類とその効果を学ぶ
- 麻痺の状態に合わせた短下肢装具の処方とアライメントチェックについて学ぶ

1 片麻痺患者の歩行に用いる短下肢装具（表1，2）（参照）

参照
脳血管障害片麻痺の短下肢装具は第Ⅱ章4参照

1）金属支柱付き短下肢装具（第Ⅱ章4図3参照）

- 下腿の内外側に金属の支柱があり，足継手の作用により，**足関節の固定**，**背屈底屈制御**（**制動と制限**）を選択できる．
- この装具は運動麻痺が重度から中等度で抗重力機能が低く，**体重支持が不十分**な場合や，**下腿三頭筋の痙性が強い**場合に適応となることが多い．

2）プラスチック短下肢装具（足継手なし）（第Ⅱ章4図4参照）

- 一般的にシューホーンブレース（SHB）とよばれ，3点固定の原理により片麻痺患者の歩行において多く使用される装具である．

表1　金属支柱付き短下肢装具とプラスチック短下肢装具の特徴

	金属支柱付き短下肢装具	プラスチック短下肢装具
利点	・強度が強く壊れにくい ・足継手の種類が多く，足関節のコントロールがしやすい ・部品の交換が可能 ・通気性がよい	・重量が軽い ・装具の上から靴がはきやすい ・加熱により適合調整が可能 ・正確な形が得られやすい ・外見がよい
欠点	・外見が悪い ・足継手が破損した場合は調節した足関節角度が変化してしまう ・重量が重い	・破損した場合の修理が困難 ・採型に熟練した技術が必要 ・製作後の角度調整が困難 ・装着部の骨突出部などに傷を作ることがある

文献1より引用．

表2　金属支柱付き短下肢装具とプラスチック短下肢装具の性能とその比較

		金属支柱付き短下肢装具	プラスチック短下肢装具	
			足継手付き	足継手なし
制動・支持性		強い・大きい	足継手の機能に依存する	中等度もしくは軽度
内反矯正力		強い	金属支柱のものは強いがその他は弱い	弱い
圧分散		下腿部のストラップと靴に集中	下肢が装具に密着し，全体に分散する	
足継手	軸	足関節の可動により生理軸に近い構造		生理軸に一致しない
	コントロール	足関節の底屈・背屈の角度や制動が選択可能		素材の硬度・トリムラインにより制御
	製作後の調整	調整可能		調整困難

文献2より引用.

- SHBは足継手がなく，素材であるプラスチックの硬度で足関節が「たわむ」構造になっており，**足関節の背屈・底屈制動**の作用がある.
- SHBは通常は下腿三頭筋の痙性が強くなく，中等度の運動麻痺を呈している片麻痺患者に適応となることが多い.

3）プラスチック短下肢装具（足継手付き）

- 支柱が存在せず，足継手の作用により**足関節の制動**を選択する.
- 基本的には**背屈遊動・底屈固定**を取る方式が一般的だが，近年では**背屈遊動・底屈制動**方式の足継手を使用したDream Braceやゲイトソリューションも臨床で使用されている.

2 片麻痺患者の歩行でみられる特徴的な現象（図1）

1）内反尖足（図1A）

- 足部が内反し足関節が底屈した状態.
- 脳血管障害（脳卒中）など，中枢神経系の異常により生じる現象.
- 下腿三頭筋や後脛骨筋など**下腿屈筋群の筋緊張亢進**が主な原因である.

2）反張膝（図1B）

- 膝が過伸展して180°以上に反り返っている状態.
- 大腿四頭筋に代表される麻痺側下肢伸筋群の筋活動や筋緊張がハムストリングスなどの屈筋群と比較して高いことが原因で歩行周期中の**立脚中期に出現**する現象.
- **内反尖足**や**麻痺側股関節周囲筋緊張低下**による**骨盤帯の後退**などが原因としてあげられる.

3）分回し歩行（分回し現象）（図1C）

- 麻痺のある側の下肢を遊脚期に外側に振り回して歩く歩行.

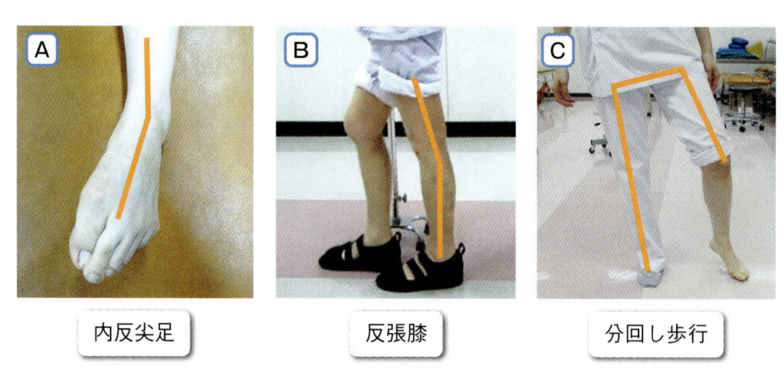

図1　片麻痺患者の歩行でみられる特徴的な現象

- 片麻痺患者の歩行で出現する「分回し」現象は下肢の共同運動に起因して起こる現象.
- 分離運動が未獲得でBrunnstrom法ステージ Ⅱ～Ⅲ程度の機能を有する片麻痺患者に多く出現する.

3 片麻痺患者の歩行分析（短下肢装具着用時のチェックポイント）

1）装具なし（裸足歩行）

- 運動麻痺が中等度の場合と軽度の場合に分けて歩行の特徴とチェックポイントを解説する.

❶ 初期接地から荷重応答期（イニシャルコンタクトからローディングレスポンス）

中等度

- 麻痺側の歩幅が小さく，足関節の背屈が不十分となるため踵接地が困難となる.
- 下腿三頭筋の痙性がみられる場合には内反尖足（図1A）や骨盤の後退が起こり，重心の前方移動が困難となる.

軽度

- 踵接地がみられることがあるが，床反力に十分に抵抗することができずにフットスラップ（足部が落ち，足の裏で床をたたく現象）が起こることがある.

❷ 立脚中期（ミッドスタンス）

中等度

- 骨盤の後退が出現する．また，大腿四頭筋の筋緊張が低下している場合は膝関節伸展が不良となり体重支持が困難となる．大腿四頭筋の筋緊張が亢進している場合は反張膝（図1B）が起こる.

軽度

- 矢状面上で骨盤が軽度後退し股関節が軽度屈曲位を取り，その状態で体幹を保持できる．もしくは骨盤が後退せず股関節が正中位を取り，その状態で体幹を保持できる.

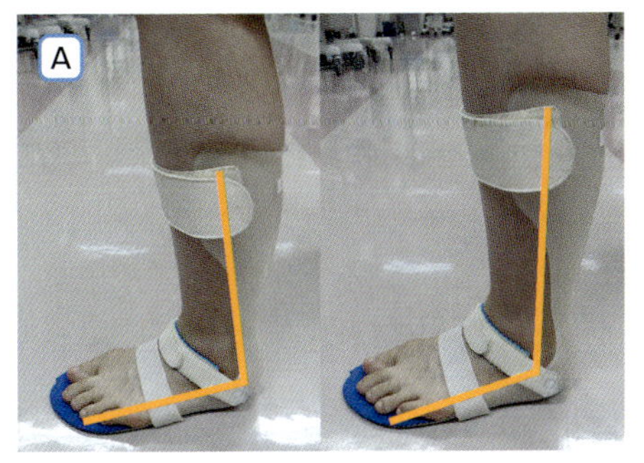

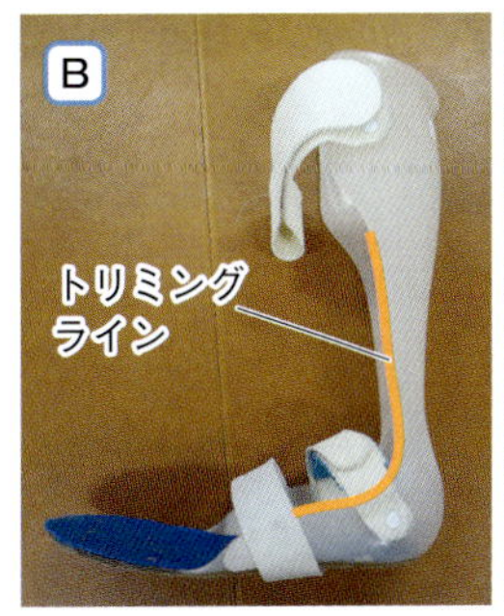

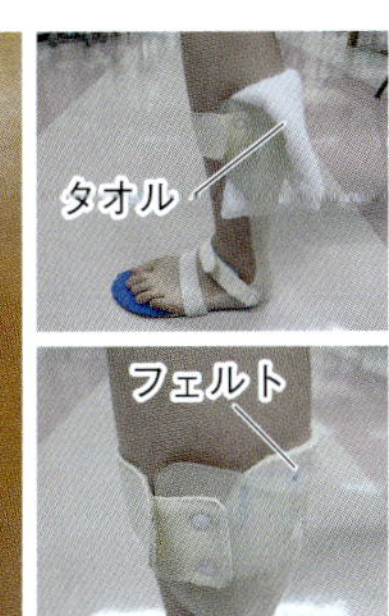

図2　プラスチック短下肢装具のチェックポイントと工夫

写真の装具はチェック用を使用している．A）初期底屈角度（左：角度小，右：角度大）．B）トリミングラインと底屈角度調節の工夫．

3 立脚終期（ターミナルスタンス）

中等度

- 骨盤は後退しており，代償動作として反対側骨盤の異常回旋が起こる．このため非麻痺側の歩幅は大きくなる．また，膝関節は屈曲位もしくは完全伸展位を取ることが多い．

軽度

- 股関節が伸展域まで可動し，膝関節は屈曲方向への運動をはじめる．

4 遊脚初期から遊脚終期（イニシャルスイングからターミナルスイング）

中等度

- 内反尖足や下肢共同運動の影響により股関節と膝関節が過剰に屈曲したり，膝関節を伸展したまま骨盤傾斜・回旋による代償動作で，麻痺側下肢を努力的に外側に回すように振り出す「分回し」現象（図1C）が起こる．

軽度

- 遊脚初期から膝関節の軽度屈曲，足関節背屈運動が開始され，比較的スムーズな振り出しが起こる．

2）プラスチック短下肢装具

- プラスチック短下肢装具装着後の歩行の特徴とアライメントのチェックポイントを解説する．なお，製作後の調整が困難なので，製作前にさまざまな使用状況を想定したアライメント確認を行うことが重要である．

1 初期接地から荷重応答期（イニシャルコンタクトからローディングレスポンス）

- 踵接地ができない，または不十分だと判断した場合：
    - 初期背屈角度（図2A）が不十分もしくは初期底屈角度が過大な場合か，下腿三頭筋の痙性が強いために装具の矯正力が不十分で足関節が底屈していることが考えられる．
    - このような場合は装具自体の長さとトリミングラインの幅を広くするなどして底屈方向への制動力を強くすることが必要（図2B）．
- 下腿が急激に前方へ押し出されて倒れる場合：
    - 初期背屈角度が大きすぎることが原因であることが考えられる．

▸このような場合はトリミングラインの幅を狭くして底屈方向への制動力を弱くする.

- 足関節が底屈して下腿が後方へ押し出される場合：
  ▸プラスチック素材を硬くしたり，トリミングラインの幅を広くするなどして底屈方向への制動力を強くすることが必要になる.
- 装具製作後の調整において足関節の背屈角度が不十分だと判断した場合は，下腿後面にタオルをはさんだり軟らかいフェルトを貼り付けるなどの工夫を行うことでも対応できる場合がある（図2B）.

2 立脚中期（ミッドスタンス）

- 初期背屈角度が不十分，もしくは底屈角度の過大で反張膝が出現したり，重心が後方へ偏倚することで反体側の非麻痺側下肢の振り出しが小さい場合は，足関節の背屈可動域が不足しているか背屈方向の制動力が大きいことが原因である.
- 初期背屈角度を大きく設定することに加えて軟らかいプラスチックを素材として選択し背屈方向の制動を弱くする.
- 装具製作後の調整ではトリミングラインの幅を狭くすることや踵の高い靴を履く，装具自体の踵補高などで背屈方向の制動を弱められる.

3 立脚終期（ターミナルスタンス）

- 立脚終期で重心が後方へ偏倚して十分な前方推進力が得られていない場合，足底面が長すぎることが原因として考えられる.
- 足底面が長すぎることでMP関節（中足趾節関節）の伸展が不足し，いわゆる「けり出し」が困難になる場合，下肢の支持性が良好で痙性が重度でない患者であれば足底面の長さを短くカットすることで対応できる.

4 遊脚初期から遊脚終期（イニシャルスイングからターミナルスイング）

- 遊脚初期で足関節が下垂し，つま先を引きずる場合は足関節の矯正力が不足していることが原因である.
- このような場合は初期背屈角度を大きくする，素材であるプラスチックを硬くする，トリミングラインを幅広くするなどの底屈制動を強くする対応を行う.

3）背屈遊動底屈制限／制動足継手付き短下肢装具

- 足継手付き短下肢装具は生体の足関節機能軸に近い可動性を有している一方，足関節が可動することによって出現する膝関節動揺が起こる場合がある．このなかで矢状面上の膝関節動揺に影響する装具設定は，主に**下腿前傾角度**（shank to vertical angle：**SVA**），背屈・底屈制限，背屈・底屈制動の３つである．理学療法士が身体と足継手機能を照合しながら適切な足継手を選択し，さらに「制限」もしくは「制動」などの調整を行うことで片麻痺患者の歩行は安定していく.

1 初期接地から荷重応答期（イニシャルコンタクトからローディングレスポンス）

- 踵接地の際に急激な膝折れ傾向がみられる場合
  ▸SVA：SVAがプラス方向に大きいことが原因で起こるのでSVAを小さくする.
  ▸底屈制限：底屈方向への可動範囲が小さいことが原因で起こるので底屈方向への可動範囲を大きくする.

▶底屈制動：底屈方向への制動力が強いことが原因で起こるため，制動力を弱く設定する．

2 立脚中期（ミッドスタンス）

- 立脚中期にかけて膝関節の膝折れ傾向が出現する場合
  - ▶SVA：SVAがプラス方向に大きいことが原因で起こるのでSVAを小さくする．
  - ▶底屈制限：底屈方向への可動範囲が小さいことが原因で起こるので，底屈方向への可動範囲を大きくする．
  - ▶底屈制動：底屈方向への制動力が強いことが原因で起こるため，制動力を弱く設定する．
- 反張膝の出現，重心が後方へ偏倚することで非麻痺側下肢の振り出しが小さい場合
  - ▶SVA：SVAが小さいことが原因で起こるのでSVAをプラス方向へ大きくする．
  - ▶底屈制限：底屈方向への可動範囲が大きいことが原因で起こるので，底屈方向への可動範囲を小さくする．
  - ▶底屈制動：底屈方向への制動力が弱いことが原因で起こるため，制動力を強く設定する．

3 立脚終期（ターミナルスタンス）

- 膝関節が過剰に屈曲してしまう場合
  - ▶SVA：SVAがプラス方向に大きいことが原因で起こるのでSVAを小さくする．
  - ▶底屈制限：底屈方向への可動範囲が小さいことが原因で起こるので，底屈方向への可動範囲を大きくする．
  - ▶底屈制動：底屈方向への制動力が強いことが原因で起こるため，制動力を弱く設定する．
- 重心が後方へ偏倚して十分な前方推進力が得られていない場合
  - ▶SVA：SVAが小さいことが原因で起こるのでSVAをプラス方向へ大きくする．
  - ▶底屈制限：底屈方向への可動範囲が大きいことが原因で起こるので，底屈方向への可動範囲を小さくする．
  - ▶底屈制動：底屈方向への制動力が弱いことが原因で起こるため，制動力を強く設定する．

4 遊脚初期から遊脚終期（イニシャルスイングからターミナルスイング）

- 遊脚初期で足関節が下垂し，つま先を引きずる場合
  - ▶SVA：SVAが小さいことが原因で起こるのでSVAをプラス方向へ大きくする．
  - ▶底屈制限：底屈方向への可動範囲が大きいことが原因で起こるので，底屈方向への可動範囲を小さくする．
  - ▶底屈制動：底屈方向への制動力が弱いことが原因で起こるため，制動力を強く設定する．

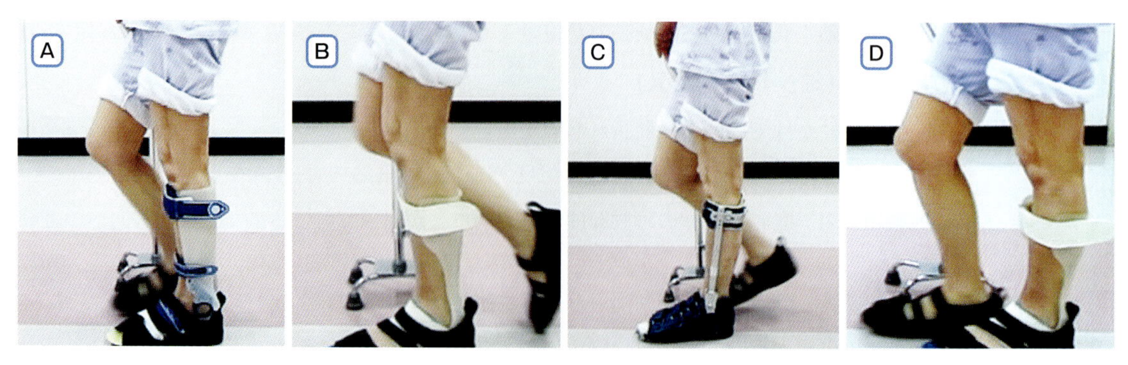

図3　各種短下肢装具装着時の適切なアライメントと異常アライメント

A）適切なアライメント（ゲイトソリューション），B）適切なアライメント（プラスチック製），C）底屈角度の過大による反張膝（金属支柱式），D）初期背屈角度の過小による反張膝（プラスチック製）．

4）症例紹介

- 中等度の片麻痺患者が，各種短下肢装具を装着したときの適切なアライメントと異常アライメント例を図3に示す（動画①〜④）．

動画①

動画②

動画③

動画④

文献

1）渡辺英夫，田沢英二：Ⅲ下肢装具学．「装具学 第2版」（日本義肢装具研究会／監，加倉井周一／編），pp39-101，医歯薬出版，2001

2）和田 太，他：AFOの種類と適応，臨床リハ，12：850-853，2003

索引

数字

欧文

A, B

C, D

E, H, I

J, K, L

M～P

R～T

V, W, Y

和文

あ

す

せ

そ

に

ね，の

は

ひ

ふ

へ

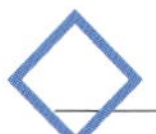

監修者プロフィール

高田治実（たかだ　はるみ）

一般社団法人日本リハビリ科学研究所・代表

1975年，高知リハビリテーション学院卒業．2001年，昭和大学医学部にて博士（医学）取得．JR東京総合病院リハビリテーション科技師長と臨床福祉専門学校教務部長を経て，帝京科学大学医療科学部東京理学療法学科教授．2013年より現職．1999年，日本義肢装具学会より飯田賞受賞「早期義肢装着法の普及に対する貢献」．2014年，日本理学療法士協会賞受賞．2015年，厚生労働大臣表彰（理学療法業務功労者）．単著として『マイオチューニングアプローチ入門－痛みと麻痺に対する治療的手技－』（協同医書出版社），共著として『義肢装具学テキスト』（南江堂）などがある．

編集者プロフィール

豊田　輝（とよた　あきら）

帝京科学大学医療科学部東京理学療法学科・准教授

1996年，高知リハビリテーション学院理学療法学科および佛教大学社会学部社会福祉学科卒業．2009年，国際医療福祉大学医療福祉学研究科を修了，博士（保健医療学）取得．JR東京総合病院と臨床福祉専門学校を経て，2010年より帝京科学大学医療科学部東京理学療法学科講師．2015年より現職．主な研究テーマとして「理学療法に義肢装具や行動分析学を活用することに関する研究」などを行っている．主な著書に，編集・共著として『症例動画でわかる理学療法臨床推論統合と解釈実践テキスト』（羊土社），共著として『リハビリテーション管理学』（医学書院）などがある．

石垣栄司（いしがき　えいじ）

日本リハビリテーション専門学校教務部・教務部長

1991年，東京衛生学園専門学校リハビリテーション学科卒業．1997年，東洋大学2部社会学部社会学科卒業．1991年，JR東京総合病院入社．2002年，国分寺内科中央病院入職．2006年，敬心学園臨床福祉専門学校入職．2022年より現職．日本義肢装具学会会員．

PT・OTビジュアルテキスト

義肢・装具学　第2版

異常とその対応がわかる動画付き

2016年9月　1日　第1版第1刷発行
2022年2月15日　第1版第6刷発行
2023年2月15日　第2版第1刷発行
2025年2月　1日　第2版第3刷発行

監　修　高田治実
編　集　豊田　輝，石垣栄司
発行人　一戸敦子
発行所　株式会社　羊　土　社
〒101-0052
東京都千代田区神田小川町2-5-1
TEL　03（5282）1211
FAX　03（5282）1212
E-mail　eigyo@yodosha.co.jp
URL　www.yodosha.co.jp/
表紙・大扉デザイン　辻中浩一＋村松亨修（ウフ）
印刷所　広研印刷株式会社

ISBN978-4-7581-0263-6